COMMENTAIRE DE L'ANCIEN TESTAMENT

III a

LÉVITIQUE 1—16

COMMENTAIRE DE L'ANCIEN TESTAMENT

publié sous la direction de

A. de PURY (secrétaire de rédaction), S. AMSLER, D. BOURGUET, A. CAQUOT,
J.-G. HEINTZ, Éd. JACOB, C.-A. KELLER, A. LACOCQUE, D. LYS,
R. MARTIN-ACHARD, R. PÉTER-CONTESSE, J. PONS, Ph. de ROBERT,
J.A. SOGGIN, S. TERRIEN, R. VUILLEUMIER, L. WISSER.

Le « Commentaire de l'Ancien Testament » est une collection de commentaires scientifiques, comme son pendant, le « Commentaire du Nouveau Testament ». Il compte parmi ses collaborateurs des exégètes protestants de langues latines, enseignant, pour la plupart, dans les Facultés de théologie protestante de France, de Suisse, de Belgique et d'Italie. Tous s'efforcent de jumeler l'étude historico-critique et la lecture théologique des textes. Chaque commentaire paraît sous la responsabilité de son auteur.

Cette collection comprend 16 volumes, répartis selon l'ordre de leur présentation dans la Bible hébraïque.

Les lecteurs intéressés par les problèmes que pose l'étude de l'Écriture Sainte trouveront des compléments d'information dans les ouvrages des collections « Le Monde de la Bible » et « Essais bibliques ».

Volumes parus :

COMMENTAIRE DE L'ANCIEN TESTAMENT **IIIa**

RENÉ PÉTER-CONTESSE

LÉVITIQUE 1-16

LABOR ET FIDES
GENÈVE

Cet ouvrage est publié avec
l'appui de l'État de Neuchâtel
et de l'Église réformée évangélique
du canton de Neuchâtel

ISBN 2-8309-0693-4

Si vous souhaitez être tenu au courant de nos publications,
il suffit de nous le signaler à notre adresse

© 1993 by Éditions Labor et Fides
1, rue Beauregard, CH - 1204 Genève

A la mémoire de mes parents,
James et Emma Péter-Contesse

A ma femme, Christiane,
et à mes enfants,
Claude, Florence et Philippe

AVANT-PROPOS

Dans la trentième de ses *Lettres persanes*, Montesquieu fait raconter par l'un de ses Persans de service, Rica, comment lui, Rica, se sent objet de curiosité lorsqu'il se trouve en société.

> « Si quelqu'un, par hasard, apprenait à la compagnie que j'étais Persan, j'entendais aussitôt autour de moi un bourdonnement : "Ah ! ah ! monsieur est Persan ? C'est une chose bien extraordinaire ! Comment peut-on être Persan ?" »

Serait-ce un bourdonnement analogue que j'ai parfois cru entendre autour de moi : « Ah ! ah ! monsieur s'intéresse au Lévitique ? C'est une chose bien extraordinaire ! Comment peut-on se passionner pour le Lévitique ? »

Il semble en effet bien ancré dans les mentalités que le Lévitique est l'épouvantail de la Bible, le malencontreux revers, plutôt raté, d'une superbe médaille... Témoin ces lignes d'une récente publicité d'éditeur, vantant un « petit guide biblique » :

> « Vous avez chez vous une Bible, héritage familial, acquisition récente... mais vous ne savez guère comment vous plonger dans ce gros volume. Peut-être avez-vous commencé avec intérêt à lire les premières pages... mais arrivé au livre du Lévitique, vous avez calé. »

Diverses circonstances, tout spécialement ma collaboration à la Traduction œcuménique de la Bible, m'ont pourtant amené à m'intéresser, puis à me passionner même, pour ce livre mal connu des chrétiens, alors que chez les Juifs, l'étude de la Thora débute justement par ce livre-là.

J'espère, dans les pages qui suivent, pouvoir aider les lecteurs du Lévitique à découvrir quelques-uns des trésors qui y sont enfouis et leur communiquer ne serait-ce que quelques miettes de l'enrichissement spirituel que j'y ai moi-même trouvé.

Colombier/Neuchâtel, automne 1991

LISTE DES ABRÉVIATIONS

*	L'astérisque utilisé dans la traduction du texte biblique renvoie à un problème de critique textuelle non signalé par BHS.
ANET	Ancient Near Eastern Texts relating to the Old Testament, ed. by James B. Pritchard.
AOT	Altorientalische Texte und Bilder zum Alten Testament, hrsg. von Hugo Gressmann.
ap. J.-C.	après Jésus-Christ.
AT	Ancien Testament.
AuS	Arbeit und Sitte in Palästina, von Gustaf Dalman.
av. J.-C.	avant Jésus-Christ.
BC	Bible du Centenaire.
BDB	Brown, Francis, Driver, Samuel R., & Briggs, Charles A., A Hebrew and English Lexicon of the Old Testament.
BFC	Bible en français courant.
BHH	Biblisch-historisches Handwörterbuch, hrsg. von Bo Reicke & Leonhard Rost.
BHK	Biblia Hebraica, ed. Rudolf Kittel.
BHS	Biblia Hebraica Stuttgartensia.
BJ	Bible de Jérusalem.
BM	Bible de Maredsous.
BP	Bible de la Pléiade.
BRF	Bible du Rabbinat français.
C	Fragments de manuscrits hébreux trouvés dans la geniza du Caire (= 𝕮 de BHS).
chap.	chapitre.
crit. text.	critique textuelle.
CRPP	Compte rendu préliminaire et provisoire sur le travail d'analyse textuelle de l'Ancien Testament hébreu.
CTAT	Critique textuelle de l'Ancien Testament, par Dominique Barthélemy.
DBS	Dictionnaire de la Bible. Supplément, sous la direction de Louis Pirot *et al.*
DEB	Dictionnaire encyclopédique de la Bible, sous la direction du Centre Informatique et Bible, Abbaye de Maredsous.
DISO	Dictionnaire des Inscriptions sémitiques de l'Ouest, par Charles-F. Jean & Jacob Hoftijzer.
fém.	féminin.

FS.	Festschrift.
GK	Gesenius-Kautzsch [Gesenius' Hebrew Grammar, ed. by E. Kautzsch].
HAL	Hebräisches und Aramäisches Lexikon zum Alten Testament, von Ludwig Koehler & Walter Baumgartner.
IATG	Internationales Abkürzungsverzeichnis für Theologie und Grenzgebiete, von Siegfried Schwertner.
IDB	The Interpreter's Dictionary of the Bible, ed. by George Arthur Buttrick.
IDB. Sup.	The Interpreter's Dictionary of the Bible, Supplementary Volume, ed. by Keith Crim.
KBL	Koehler, Ludwig, & Baumgartner, Walter, Lexicon in Veteris Testamenti Libros.
L	Codex Leningradensis.
litt.	littéralement.
LXX	Septante, ancienne version grecque de l'AT.
masc.	masculin.
ms/mss	manuscrit/manuscrits.
NEB	The New English Bible.
NT	Nouveau Testament.
Ost	Ostervald, traduction française de la Bible.
p. ex.	par exemple.
pers.	personne.
pl.	pluriel.
RGG	Die Religion in Geschichte und Gegenwart, 3. Aufl., hrsg. von Kurt Galling.
RPO	Les Religions du Proche-Orient asiatique : textes... trad. par René Labat *et al.*
Sam	Samaritain, texte hébreu du Pentateuque, en écriture samaritaine.
Seg 1910	Segond, traduction française de la Bible, révision de 1910.
Seg 1978	Segond, traduction française de la Bible, révision de 1978.
sing.	singulier.
Syn	Synodale, traduction française de la Bible.
Syr	Syriaque, ancienne version de la Bible.
Tg	Targum, ancienne version araméenne de l'AT.
THAT	Theologisches Handwörterbuch zum Alten Testament, hrsg. von Ernst Jenni & Claus Westermann.
ThWAT	Theologisches Wörterbuch zum Alten Testament, hrsg. von Gerhard Johannes Botterweck & Helmer Ringgren.
ThWNT	Theologisches Wörterbuch zum Neuen Testament, hrsg. von Gerhard Kittel & Gerhard Friedrich.
TM	Texte massorétique.
TOB	Traduction œcuménique de la Bible.
v.	verset.
Vg	Vulgate, ancienne version latine de la Bible.

Les noms des livres bibliques, y compris des deutérocanoniques, sont abrégés selon le système de la TOB. Les textes tirés d'autres livres bibliques que le Lévitique sont cités d'après la TOB.

BIBLIOGRAPHIE

A la fin de chaque notice bibliographique figure [entre crochets] la forme abrégée sous laquelle l'ouvrage est cité :

— les ouvrages collectifs et un certain nombres d'ouvrages de référence sont cités soit par un sigle, soit par un mot repère *(en italique)* ;

— les commentaires du Lévitique sont cités par le nom de l'auteur seul ;

— les monographies sont citées par le nom de l'auteur (ou du premier auteur), et un mot repère *(en italique)* du titre, ou un sigle *(en italique)* ;

— les articles sont cités par le nom de l'auteur et un mot repère (« entre guillemets ») du titre.

La majorité des abréviations sont tirées de IATG.

Le chiffre entre parenthèses suivant la date de publication indique le numéro d'édition, s'il y a lieu.

ABBA R. — « Priests and Levites in Deuteronomy », *in VT*, 27, 1977, p. 257-267.
[ABBA, « Priests in Dt »]

— « Priests and Levites in Ezekiel », *in VT*, 28, 1978, p. 1-9.
[ABBA, « Priests in Ez »]

Altorientalische Texte und Bilder zum Alten Testament, hrsg. von H. Gressmann, Berlin und Leipzig, 1926-1927 (2). [AOT]

AMSLER S., LACOCQUE A., VUILLEUMIER R. — *Aggée, Zacharie, Malachie*, Neuchâtel, Paris, 1981 (CAT, 11c). [AMSLER, *Aggée-Zacharie*]

Ancient Near Eastern Texts relating to the Old Testament, ed. by J.B. Pritchard, Princeton N.J., 1955 (2). [ANET]

ANDERSEN J.G. — « Leprosy in Translations of the Bible », *in BiTr*, 31, 1980, p. 207-212.
[ANDERSEN, « Leprosy »]

AUZOU G. — « Connaissance du Lévitique », *in Cahiers sioniens*, 7, 1953, p. 291-319.
[AUZOU, « Connaissance »]

BAILLET M., MILIK J.T., DE VAUX R. — *Les « petites grottes » de Qumrân*, Oxford, 1962 (Discoveries in the Judaean Desert of Jordan, 3). [BAILLET, *Petites grottes*]

BARROIS A.G. — *Manuel d'archéologie biblique*, Paris, 1939-1953. [BARROIS, *Archéologie*]

BARTHÉLEMY D. — *Critique textuelle de l'Ancien Testament*, Fribourg, Göttingen, 1982- (Orbis Biblicus et Orientalis, 50). [BARTHÉLEMY, *CTAT*]

BARTHÉLEMY D. & MILIK J.T. — *Qumran, Cave I*, Oxford, 1955 (Discoveries in the Judaean Desert, 1). [BARTHÉLEMY, *Qumran*]

BARUCQ A. — *Le livre des Proverbes*, Paris, 1964 (Sources bibliques). [BARUCQ, *Proverbes*]

BAUDISSIN W.W. — *Studien zur semitischen Religionsgeschichte*, 2, Leipzig, 1878.
[BAUDISSIN, *Religionsgeschichte*]
BEER G. & GALLING K. — *Exodus*, Tübingen, 1939 (HAT, 3).   [BEER, *Exodus*]
BERTHOLET A. — *Leviticus*, Tübingen, Leipzig, 1901 (KHC, 3).   [BERTHOLET]
Biblisch-Historisches Handwörterbuch, hrsg. von B. Reicke & L. Rost, Göttingen, 1962-
1979.   [BHH]
BROWN F., DRIVER S.R. & BRIGGS C.A. — *A Hebrew and English Lexicon of the Old
Testament*, Oxford, 1959.   [BDB]
BUIS P. & LECLERCQ J. — *Le Deutéronome*, Paris, 1963 (Sources bibliques).
[BUIS, *Deutéronome*]
CAHEN S. — *La Bible, traduction nouvelle [...] avec des notes [...]* ; t. 3 : *Le Lévitique*,
Paris, 1855.   [CAHEN]
CAQUOT A. — « Le Sacré dans l'Ancien Testament », *in PosLuth*, 28, 1980, p. 3-15.
[CAQUOT, « Sacré »]
CASSUTO U. — *A Commentary on the Book of Exodus*, Jerusalem, 1967.
[CASSUTO, *Exodus*]
CAZELLES H. — *Le Lévitique*, Paris, 1951 (BJ).   [CAZELLES]
CHAINE J. — *Le livre de la Genèse*, Paris, 1951 (Lectio divina, 3).   [CHAINE, *Genèse*]
CHANTEPIE DE LA SAUSSAYE P.-D. — *Manuel d'histoire des religions*, Paris, 1904.
[CHANTEPIE DE LA SAUSSAYE, *Manuel*]
CHAPMAN A.T. & STREANE A.W. — *The Book of Leviticus*, Cambridge, 1914 (The
Cambridge Bible for Schools and Colleges).   [CHAPMAN]
CHARBEL A. — זבח שלמים : *il sacrificio pacifico nei suoi riti e nel suo significato religioso
e figurativo*, Jerusalem, 1967.   [CHARBEL, *Pacifico*]
CLAMER A. — « Le Lévitique », *in La Sainte Bible* (Pirot-Clamer), 2, Paris, 1946, p. 5-
207.   [CLAMER]
COCHRANE R.G. — « Biblical Leprosy », *in BiTr*, 12, 1961, p. 202-203.
[COCHRANE, « Leprosy »]
CODY A. — *A History of Old Testament Priesthood*, Rome, 1969 (Analecta biblica, 35).
[CODY, *Priesthood*]
*Compte rendu préliminaire et provisoire sur le travail d'analyse textuelle de l'Ancien
Testament hébreu (= Preliminary and Interim Report on the Hebrew Old Testa-
ment Text Project)*, vol. I, Pentateuque, London, 1973.   [CRPP]
CORSWANT W. — *Dictionnaire d'archéologie biblique*, Neuchâtel, 1956.
[CORSWANT, *Dictionnaire*]
CORTESE E. — *Levitico*, Casale Monteferrato, 1982 (La Sacra Bibbia).   [CORTESE]
         — « Le ricerche sulla concezione "sacerdotale" circa puro-impuro nell'ul-
timo decennio », *in RivBib*, 27, 1979, p. 339-357.   [CORTESE, « Ricerche »]
COSTECALDE C.B. — *Aux origines du sacré biblique*, Paris, 1986.   [COSTECALDE, *Sacré*]
DALMAN G. — *Arbeit und Sitte in Palästina*, Gütersloh, 1928-1942 (Schriften des
Deutschen Palästina-Instituts, 3, 5-10).   [DALMAN, *AuS*]
DAVIES D. — « An Interpretation of Sacrifice in Leviticus », *in ZAW*, 89, 1977, p. 387-
399.   [DAVIES, « Sacrifice »]
DEISSLER A. — « Das Priestertum im Alten Testament », *in Der priesterliche Dienst*,
1, Freiburg i.B., Basel, 1970 (Quaestiones disputatae, 46), p. 9-80.
[DEISSLER, « Priestertum »]

DHORME E. — *L'emploi métaphorique des noms de parties du corps en hébreu et en akkadien*, Paris, 1923.   [DHORME, *Emploi métaphorique*]

Dictionnaire de la Bible. Supplément, sous la direction de L. Pirot [...] et A. Feuillet, Paris, 1928-   [DBS]

Dictionnaire encyclopédique de la Bible, publié sous la direction du Centre Informatique et Bible, Abbaye de Maredsous, Turnhout, 1987.   [DEB]

DILLMANN A. — *Die Bücher Exodus und Leviticus*, Leipzig, 1897 (3) (KEH, 12).
                                                                        [DILLMANN]

DOUGLAS M. — *De la souillure*, Paris, 1981 [trad. de *Purity and Danger*].
                                                              [DOUGLAS, *Souillure*]

DRIVER G.R. — « Birds in the Old Testament », *in PEQ*, 86, 1955, p. 5-20 ; 87, 1956, p. 129-140.   [DRIVER, « Birds »]

DRIVER S.R. — « On Some Alleged Linguistic Affinities of the Elohist », *in Journal of Philology*, 11, 1882, p. 201-236.   [DRIVER, « Affinities »]

EISSFELDT O. — *Einleitung in das Alte Testament*, Tübingen, 1964 (3) (Neue theologische Grundrisse).   [EISSFELDT, *Einleitung*]

    — *Erstlinge und Zehnten im Alten Testament*, Leipzig, 1917 (BWAT, 22).
                                                            [EISSFELDT, *Erstlinge*]

ELIADE M. — *Traité d'histoire des religions*, Paris, 1970 (Bibliothèque scientifique).
                                                                  [ELIADE, *Traité*]

ELLIGER K. — *Leviticus*, Tübingen, 1966 (HAT, 4).   [ELLIGER]

L'Épître de Barnabé, éd. par P. Prigent & R.A. Kraft, Paris, 1971 (Sources chrétiennes, 172).   [*Épître de Barnabé*]

Fauna and Flora of the Bible, London, New York, Stuttgart, 1980 (2) (Helps for Translators).   [*Fauna and Flora*]

FRAZER J.-G. — *Le Rameau d'or : édition abrégée*, Paris, 1923.   [FRAZER, *Rameau d'or*]

FREEDMAN D.N. & MATHEWS K.A. — *The Paleo-Hebrew Leviticus Scroll : 11QpaleoLev*, Winona Lake, 1985.   [FREEDMAN, *11QpaleoLev*]

GERLEMAN G. — « Die Wurzel *kpr* im Hebräischen », *in Studien zur alttestamentlichen Theologie*, Heidelberg, 1980 (FDV 1978, N.F. 1) p. 11-23.   [GERLEMAN, *Studien*]

GESE H. — « Die Sühne », *in Zur biblischen Theologie*, München, 1977, p. 85-106.
                                                                [GESE, « Sühne »]

GESENIUS W. & KAUTZSCH E. — *Hebrew Grammar*, Oxford, 1976.   [GK]

GESENIUS W. — *Thesaurus philologicus criticus linguae Hebraeae et Chaldaeae Veteris Testamenti*, Lipsiae, 1835-1853.   [GESENIUS, *Thesaurus*]

GIESEBRECHT F. — « Zur Hexateuchkritik : der Sprachgebrauch des hexateuchischen Elohisten », *in ZAW*, 1, 1881, p. 177-276.   [GIESEBRECHT, « Sprachgebrauch »]

GIRARD R. — *Le Bouc émissaire*, Paris, 1983.   [GIRARD, *Bouc émissaire*]

GÖRG M. — « Eine neue Deutung für *kapporaet* », *in ZAW*, 89, 1977, p. 115-118.
                                                                [GÖRG, « *kapporät* »]

GRADWOHL R. — « Das "fremde Feuer" von Nadab und Abihu », *in ZAW*, 75, 1963, p. 288-296.   [GRADWOHL, « Feuer »]

GRAMBERG K.P.C.A. — « "Leprosy" and the Bible », *in BiTr*, 11, 1960, p. 10-23.
                                                              [GRAMBERG, « Leprosy »]

GUNNEWEG A.H.J. — *Leviten und Priester*, Göttingen, 1965 (FRLANT, 89).
                                                                [GUNNEWEG, *Leviten*]

HAULOTTE E. — *Symbolique du vêtement selon la Bible*, Paris, 1966 (Théologie, 65).
[HAULOTTE, *Symbolique*]

HELLER J. — « Die Symbolik des Fettes im AT », *in VT*, 20, 1970, p. 106-108.
[HELLER, « Symbolik »]

HÉRODOTE. — *Histoires, 2*, texte établi et traduit par Ph.E. Legrand, Paris, 1963
(Collection des Universités de France).   [HÉRODOTE, *Histoires*]

HERTZBERG H.W. — *Die Samuelbücher*, Göttingen, 1968 (4) (ATD, 10).
[HERTZBERG, *Samuelbücher*]

HOFTIJZER J. — « Das sogenannte Feueropfer », *in Hebräische Wortforschung* (FS.
W. Baumgartner), Leiden, 1967 (VT.S, 16), p. 114-134.   [HOFTIJZER, « Feueropfer »]

HUMBERT P. — « Les adjectifs *zār* et *nŏkrī* et la femme étrangère des Proverbes
bibliques », *in Mélanges syriens offerts à M. René Dussaud*, Paris, 1939, t. 1, p. 259-
266 ; [repris *in Opuscules d'un hébraïsant*, Neuchâtel, 1958, p. 111-118].
[HUMBERT, « Adjectifs »]

IBN EZRA A. — *The Commentary of Abraham ibn Ezra on the Pentateuch*, vol. 3 :
Leviticus, Hoboken, N.J., 1986.   [IBN EZRA]

The Interpreter's Dictionary of the Bible, G.A. Buttrick Ed., New York, Nashville, 1962.
[IDB]

The Interpreter's Dictionary of the Bible, Supplementary Volume, K. Crim Ed., Nashville, 1976.   [IDB. Sup.]

JACOB E. — *Théologie de l'Ancien Testament*, Neuchâtel, Paris, 1955 (Manuels et précis
de théologie).   [JACOB, *Théologie*]

JANOWSKI B. — *Sühne als Heilsgeschehen*, Neukirchen, 1982 (WMANT, 55).
[JANOWSKI, *Sühne*]

JASTROW M. — *A Dictionary of the Targumim, the Talmud Babli and Yerushalmi, and
the Midrashic Literature*, New York, 1950.   [JASTROW, *Dictionary*]

JAUSSEN A. — *Coutumes des Arabes au pays de Moab*, Paris, 1908 (Études bibliques).
[JAUSSEN, *Coutumes*]

JEAN C.F. & HOFTIJZER J. — *Dictionnaire des inscriptions sémitiques de l'Ouest*, Leiden,
1965.   [DISO]

JEPSEN A. — « Mose und die Leviten », *in VT*, 31, 1981, p. 318-323.   [JEPSEN, « Mose »]

JIRKU A. — « Leviticus 11. 29-33 im Lichte der Ugarit-Forschung », *in ZAW*, 84, 1972,
p. 348.   [JIRKU, « Leviticus 11 »]

JOSÈPHE F. — *Histoire ancienne des Juifs & La guerre des Juifs contre les Romains*,
trad. par Arnauld d'Andilly, Paris, 1973.   [JOSÈPHE, *Histoire*]

JOÜON P. — *Grammaire de l'hébreu biblique*, Rome, 1947 (2).   [JOÜON]

KEEL O. — *Die Welt der altorientalischen Bildsymbolik und das Alte Testament*, Zürich,
Neukirchen, 1972.   [KEEL, *Bildsymbolik*]

KOEHLER L. & BAUMGARTNER W. — *Hebräisches und Aramäisches Lexikon zum Alten
Testament*, 3. Aufl., Leiden, 1967-   [HAL]
      — *Lexicon in Veteris Testamenti libros*, Leiden, 1953.
[KBL]

KORNFELD W. — *Das Buch Leviticus*, Düsseldorf, 1972 (Die Welt der Bibel). [KORNFELD]
      — *Levitikus*, Würzburg, 1983 (Die neue Echter Bibel, 6).
[KORNFELD, *Levitikus*]

LABAT R. — *Manuel d'épigraphie akkadienne*, Paris, 1963 (4).   [LABAT, *Manuel*]

LAUGHLIN J.C.H. — « The "Strange Fire" of Nadab and Abihu », *in JBL*, 95, 1976, p. 559-
565.   [LAUGHLIN, « Fire »]
LE DÉAUT R. — *Targum du Pentateuque*, t. 2 : *Exode et Lévitique*, Paris, 1979 (Sources
chrétiennes, 256).   [LE DÉAUT, *Targum*]
LEVINE B.A. — *In the Presence of the Lord*, Leiden, 1974 (SJLA, 5). [LEVINE, *Presence*]
Le Lévitique : traduction du texte grec de la Septante, introduction et notes par P. Harlé
et D. Pralon, Paris, 1988 (La Bible d'Alexandrie, 3).   [*Lévitique (LXX)*]
LIPIŃSKI E. — « Urim and Tummim », *in VT*, 20, 1970, p. 495-496. [LIPIŃSKI, « Urim »]
LODS A. — *Histoire de la littérature hébraïque et juive*, Paris, 1950 (Bibliothèque
historique).   [LODS, *Histoire*]
LOHSE E. — *Die Ordination im Spätjudentum und im Neuen Testament*, Göttingen,
1951.   [LOHSE, *Ordination*]
LYS D. — « L'Onction dans la Bible », *in ETR*, 29, 1954/3, p. 3-54.   [LYS, « Onction »]
MACHT D.I. — « A Scientific Appreciation of Leviticus 12 : 1-5 », *in JBL*, 52, 1933, p. 253-
260.   [MACHT, « Appreciation »]
MARGOT J.C. — *Traduire sans trahir*, Lausanne, 1979 (Symbolon). [MARGOT, *Traduire*]
MARTIN-ACHARD R. — *Essai biblique sur les fêtes d'Israël*, Genève, 1974.
                                                                      [MARTIN-ACHARD, *Fêtes*]
MARX A. — *Formes et fonctions du sacrifice à YHWH d'après l'Ancien Testament*,
Strasbourg, 1985 [microfiches].   [MARX, *Formes*]
    — « Sacrifice de réparation et rite de levée de sanction », *in ZAW*, 100, 1988,
p. 183-198.   [MARX, « Levée de sanction »]
    — « Sacrifice pour les péchés ou rite de passage ? : quelques réflexions sur
la fonction du *ḥaṭṭā't* », *in RB*, 96, 1989, p. 27-48.   [MARX, « Passage »]
MEINHOLD J. — « Joma (Der Versöhnungstag) : Text, Uebersetzung und Erklärung »,
Giessen, 1913, *in Die Mischna : Text, Uebersetzung und ausführliche Erklärung*,
hrsg. von G. Beer & O. Holtzmann.   [MEINHOLD, « Joma »]
MICHAELI F. — *Le livre de l'Exode*, Neuchâtel, Paris, 1974 (CAT, 2). [MICHAELI, *Exode*]
MILGROM J. — *Cult and Conscience : the asham and the Priestly Doctrine of Repentance*,
Leiden, 1976 (SJLA, 18).   [MILGROM, *Cult*]
    — « The *ḥaṭṭā't* : a Rite of Passage ? », *in RB*, 98, 1991, p. 120-124.
                                                                      [MILGROM, « Passage »]
    — « Israel's Sanctuary : the Priestly "Picture of Dorian Gray" », *in RB*, 83,
1976, p. 390-399.   [MILGROM, « Sanctuary »]
    — « The Priestly Doctrine of Repentance », *in RB*, 82, 1975, p. 186-205.
                                                                      [MILGROM, « Repentance »]
    — « Sin-offering or Purification-offering ? », *in VT*, 21, 1971, p. 237-239.
                                                                      [MILGROM, « Purification-offering »]
    — *Studies in Cultic Theology and Terminology*, Leiden, 1983 (SJLA, 36).
                                                                      [MILGROM, *Studies*]
    — « Two Kinds of ḤAṬṬĀ'T », *in VT*, 26, 1976, p. 333-337.
                                                                      [MILGROM, « Ḥaṭṭā't »]
MILIK J.T. — « Trois tombeaux juifs récemment découverts au Sud-Est de Jérusalem »,
in Studii Biblici Franciscani Liber annuus, 7, 1956-1957, p. 232-267.
                                                                      [MILIK, « Tombeaux »]
MOELLER-CHRISTENSEN V. & JOERGENSEN K.E.J. — *Biblisches Tierlexikon*, Konstanz,
1969 (Bibel, Kirche, Gemeinde, 4).   [MOELLER-CHRISTENSEN, *Tierlexikon*]

MUNK E. — *La voix de la Thora*, t. 3 : *Le Lévitique*, Paris, 1974.   [MUNK]

NIDA E.A. — « The Translation of "Leprosy" », *in BiTr*, 11, 1960, p. 80-81.

[NIDA, « Leprosy »]

NOTH M. — *Das dritte Buch Mose : Leviticus*, Göttingen, 1966 (2), (ATD, 6).   [NOTH]

OESTERLEY W.O.E. & ROBINSON T.H. — *An Introduction to the Books of the Old Testament*, New York, 1958 (Living Age Books, 23).   [OESTERLEY, *Introduction*]

OLIVA M. — « Interpretación teológica del culto en la perícopa del Sinaí de la Historia Sacerdotal », *in Bib*, 49, 1968, p. 345-354.   [OLIVA, « Interpretación »]

PAUL A. — « La lèpre dans la Bible et dans le judaïsme », *in NRTh*, 92, p. 601-604.

[PAUL, « Lèpre »]

Le Pentateuque en question : les origines et la composition des cinq premiers livres de la Bible à la lumière des recherches récentes, éd. par A. de Pury, Genève, 1989 (Le Monde de la Bible).   [*Pentateuque*]

PÉTER-CONTESSE R. — « L'imposition des mains dans l'Ancien Testament », *in VT*, 27, 1977, p. 48-55.   [PÉTER-CONTESSE, « Imposition »]
— *Manuel du traducteur pour le livre du Lévitique*, Stuttgart, 1985 (Auxiliaires du traducteur).   [PÉTER-CONTESSE, *Manuel*]
— פר et שור : note de lexicographie hébraïque », *in VT*, 25, 1975, p. 486-496.   [PÉTER-CONTESSE, « Lexicographie »]

PFEIFFER R.H. — *Introduction to the Old Testament*, New York, 1948 (2).

[PFEIFFER, *Introduction*]

PHILON D'ALEXANDRIE. — *De specialibus legibus 1-2*, trad. par S. Daniel, Paris, 1975 (Œuvres, 24).   [PHILON, *Legibus*]

PIKE E.R. — *Dictionnaire des religions*, Paris, 1954.   [PIKE, *Dictionnaire*]

PORTER J.R. — *Leviticus*, Cambridge, London, 1976 (The Cambridge Bible Commentary).   [PORTER]

RACHI. — *Le Pentateuque*, accompagné du commentaire de Rachi, t. 2 : *L'Exode*, Paris, 1972 (2).   [RACHI, *Exode*]
t. 3 : *Le Lévitique*, Paris, 1966.   [RACHI]

RAD G. von — *Die Priesterschrift im Hexateuch, literarisch untersucht und theologisch gewertet*, Stuttgart, 1934 (BWANT, 65).   [VON RAD, Priesterschrift]
— *Théologie de l'Ancien Testament*, Genève, 1963-1967 (Nouvelle série théologique, 12, 19).   [VON RAD, *Théologie*]

RAINEY A.F. — « The Order of Sacrifices in Old Testament Ritual Texts », *in Bib*, 51, 1970, p. 485-498.   [RAINEY, « Sacrifices »]

Les Religions du Proche-Orient asiatique : textes babyloniens, ougaritiques, hittites, présentés et traduits par R. Labat *et al.*, Paris, 1970.   [RPO]

RENDTORFF R. — *Die Gesetze in der Priesterschrift*, Göttingen, 1954 (FRLANT, 62 = N.F. 44).   [RENDTORFF, *Gesetze*]
— *Leviticus*, Neukirchen-Vluyn, 1985-   (BKAT, 3).   [RENDTORFF]
— *Studien zur Geschichte des Opfers im Alten Israel*, Neukirchen-Vluyn, 1967 (WMANT, 24).   [RENDTORFF, *Studien*]

REYMOND Ph. — *L'eau, sa vie, et sa signification dans l'Ancien Testament*, Leiden, 1958 (VT.S, 6).   [REYMOND, *Eau*]

RIESNER R. — « Der Priestersegen aus dem Hinnom-Tal », *in Theol. Beitr.*, 18, 1987, p. 104-108.   [RIESNER, « Priestersegen »]

RINGGREN H. — *La religion d'Israël*, Paris, 1966 (Bibliothèque historique).
[RINGGREN, *Religion*]

ROBERTSON E. — « The 'Urīm and Tummīm ; what where they ? », *in VT*, 14, 1964, p. 67-74.   [ROBERTSON, « Urim »]

ROBINSON G. — « The Prohibition of Strange Fire in Ancient Israel », *in VT*, 28, 1978, p. 301-317.   [ROBINSON, « Prohibition »]

ROSE M. — « Le peuple de Dieu », *in RThPh*, 119, 1987, p. 133-147.
[ROSE, « Peuple de Dieu »]

ROST L. — « Der Leberlappen », *in ZAW*, 79, 1967, p. 35-41.   [ROST, « Leberlappen »]

ROWLEY H.H. — « The Meaning of Sacrifice in the Old Testament », *in BJRL*, 33, 1950, p. 74-110.   [ROWLEY, « Sacrifice »]

RÜGER H.P. — « Dann entfernt er seinen Kropf samt dessen Federn : zur Auslegungs-geschichte von Lev 1, 16 », *in Wort und Geschichte* (FS. K. Elliger), Kevelaer, Neukirchen-Vluyn, 1973 (AOAT, 18), p. 163-172.   [RÜGER, « Kropf »]

SABOURIN L. — *Priesthood : a Comparative Study*, Leiden, 1973 (SHR, 25).
[SABOURIN, *Priesthood*]

SCHENKER A. — *Versöhnung und Sühne : Wege gewaltfreier Konfliktlösung im Alten Testament*, Freiburg, 1981 (Biblische Beiträge, 15).   [SCHENKER, *Versöhnung*]

SCHMID R. — *Das Bundesopfer in Israel*, München, 1964 (StANT, 9).
[SCHMID, *Bundesopfer*]

SCHMITT G. — « Der Ursprung des Levitentums », *in ZAW*, 94, 1982, p. 575-599.
[SCHMITT, « Ursprung »]

SCHOTTROFF W. — *« Gedenken » im Alten Orient und im Alten Testament*, Neukirchen-Vluyn, 1964 (WMANT, 15).   [SCHOTTROFF, *Gedenken*]

SCHRADER E. — *Die Keilinschriften und das Alte Testament*, 3. Aufl. neu bearbeitet von H. Zimmern und H. Winkler, Berlin, 1903.   [SCHRADER, *Keilinschriften*]

SEGAL P. — « The Divine Verdict of Leviticus X 3 », *in VT*, 39, 1989, p. 91-95.
[SEGAL, « Verdict »]

SNAITH N.H. — « The Sin-offering and the Guilt-offering », *in VT*, 15, 1965, p. 73-80.
[SNAITH, « Sin-offering »]

STAMM J.J. — *Erlösen und Vergeben im Alten Testament*, Bern, 1940. [STAMM, *Erlösen*]

STEINMANN J. — *Code sacerdotal I : Genèse - Exode*, Tournai, 1962 (Connaître la Bible).
[STEINMANN, *Code*]

STOEBE H.J. — *Das erste Buch Samuelis*, Gütersloh, 1973 (KAT, 8/1). [STOEBE, *1 Samuel*]

SWELLENGREBEL J.L. — « "Leprosy" and the Bible », *in BiTr*, 11, 1960, p. 69-80.
[SWELLENGREBEL, « Leprosy »]

TARRAGON J.M. de — « La *kapporet* est-elle une fiction ou un élément du culte tardif ? », *in RB*, 88, 1981, p. 5-12.   [TARRAGON, « *kapporet* »]

TAWIL H. — « 'Azazel The Prince of the Steepe : A Comparative Study », *in ZAW*, 92, 1980, p. 43-59.   [TAWIL, « Azazel »]

Theologisches Handwörterbuch zum Alten Testament, hrsg. von E. Jenni & C. Westermann, München, Zürich, 1971-1976.   [THAT]

Theologisches Wörterbuch zum Alten Testament, hrsg. von G.J. Botterweck & H. Ringgren, Stuttgart, Berlin, 1970-   [ThWAT]

VAUX R. de — *Histoire ancienne d'Israël*, Paris, 1971-1973 (Études bibliques).
[DE VAUX, *Histoire*]

VAUX R. de — *Les institutions de l'Ancien Testament*, Paris, 1958-1960.
                                                                        [DE VAUX, *Institutions*]
— *Les sacrifices de l'Ancien Testament*, Paris, 1964 (Cahiers de la Revue biblique, 1).   [DE VAUX, *Sacrifices*]
— « Les sacrifices de porcs en Palestine et dans l'Ancien Orient », *in Von Ugarit nach Qumran* (FS. O. Eissfeldt), Berlin, 1958 (BZAW, 77), p. 250-265.
                                                                        [DE VAUX, « Porcs »]
VICTOR P. — « A Note on חק in the Old Testament », *in VT*, 16, 1966, p. 358-361.
                                                                        [VICTOR, « Note »]
Vocabulaire biblique, publié sous la direction de J.J. von Allmen, Neuchâtel, Paris, 1954.
                                                                        [*Vocabulaire biblique*]
WALKENHORST K.H. — *Der Sinai im liturgischen Verständnis der deuteronomistischen und priesterlichen Tradition*, Bonn, 1969 (BBB, 33).   [WALKENHORST, *Sinai*]
WALLINGTON D.H. — « "Leprosy" and the Bible », *in BiTr*, 12, 1961, p. 75-79.
                                                                        [WALLINGTON, « Leprosy »]
WENHAM G.J. — *The Book of Leviticus*, Grand Rapids, 1983 (NICOT).   [WENHAM]
WILKINSON J. — « Leprosy and Leviticus », *in SJTh*, 30, 1977, p. 153-169 ; 31, 1978, p. 153-166.   [WILKINSON, « Leprosy »]
WÜRTHWEIN E. — *Der 'amm ha'arez im Alten Testament*, Stuttgart, 1936 (BWANT, 69).
                                                                        [WÜRTHWEIN, *'amm ha'arez*]
ZINK J.K. — « Uncleanness and Sin : a Study of Job XIV 4 and Psalm LI 7 », *in VT* 17, 1967, p. 354-361.   [ZINK, « Uncleanness »]
ZOHAR N. — « Repentance and Purification : the Significance and Semantics of חטאת in the Pentateuch », *in JBL*, 107, 1988, p. 609-618.   [ZOHAR, « Repentance »]
ZORELL F. — *Lexicon Hebraicum et Aramaicum Veteris Testamenti*, Roma, 1968.
                                                                        [ZORELL, *Lexicon*]

Complément bibliographique

MILGROM J. — *Leviticus 1—16 : a new Translation with Introduction and Commentary*, New York, 1991 (The Anchor Bible, 3).
PÉTER-CONTESSE R. — « Quels animaux Israël offrait-il en sacrifice ? : étude de lexicographie hébraïque » *in Studien zu Opfer und Kult im Alten Testament*, hrsg. von A. Schenker, Tübingen, 1992 (Forschungen zum Alten Testament, 3).

INTRODUCTION

Le livre du Lévitique n'est pas d'un abord facile. Pour beaucoup de lecteurs modernes, et surtout parmi les chrétiens, le contenu en paraît anachronique, dépourvu de message spirituel, et par conséquent rébarbatif. C'est mal le juger.

Il en va du Lévitique comme de certaines personnes que l'on n'apprend à connaître que petit à petit, et dans le cœur desquelles on ne découvre que progressivement des trésors de fidélité, d'amitié, de sérieux et de joie, sous des dehors parfois peu avenants. Les amis les plus fidèles ne sont pas toujours ceux avec lesquels on a sympathisé dès la première rencontre.

Le Lévitique ne dévoile pas toutes ses richesses à la première lecture, même s'il contient un certain nombre de versets dont la « veine spirituelle » affleure : les promesses de pardon (4. 20, 26, 31, 35), les invitations à la sainteté (19. 2 ; 20. 26), l'interdiction de l'idolâtrie (19. 4), sans oublier « la perle de grand prix », le deuxième commandement du Sommaire de la loi (Mt 22. 39) que le Christ a cité de Lv 19. 18.

Mais pour bien d'autres versets ou péricopes, ce n'est qu'avec beaucoup de patience, de persévérance, de réflexion et de prière que l'on parvient au cœur de la réalité spirituelle cachée sous le vêtement désuet des rituels de sacrifices, des interdits alimentaires ou des réglementations matrimoniales des prêtres de l'ancienne alliance.

1. LE TITRE DU LIVRE

Dans la tradition juive, le Lévitique est désigné, comme c'est le cas pour plusieurs autres livres bibliques, par son premier mot hébreu וַיִּקְרָא = « Et (YHWH) appela »[1]. Ce procédé totalement neutre ne nous renseigne évidemment pas sur le contenu ou l'intention de l'ouvrage. Les rabbins en parlent généralement sous le nom de « doctrine des prêtres » ou « doctrine des présents », ce qui caractérise tout ou partie de l'œuvre ; la version syriaque l'intitule, dans une perspective identique, le « livre des prêtres ».

Le nom français « Lévitique » nous vient de LXX Λευ(ε)ιτικον, par l'intermédiaire de Vg *(liber) leviticus*.

Ce titre n'est malheureusement pas des plus heureux, car il pourrait laisser croire que le livre traite des « lévites » (en tant que classe du clergé subordonnée à la classe

---

[1] Les mots hébreux sont cités sans vocalisation, sauf si cette dernière est spécifiquement en jeu. De manière analogue, les mots grecs sont écrits sans accent, sauf exception ; l'esprit rude est indiqué, l'esprit doux est à rétablir par défaut.

des « prêtres ») ; or les lévites ne sont mentionnés, incidemment, que dans un seul passage très bref (25. 32-34)[2].

Le titre grec et ses dérivés en latin et en langues modernes doit être compris dans la perspective qui était celle des rédacteurs de l'ouvrage : ils écrivaient comme s'ils étaient des contemporains des événements relatés. Or les prêtres, qui sont sans cesse mentionnés ou évoqués dans ce livre, sont des descendants d'Aaron, lui-même membre de la tribu de Lévi (voir Ex 6. 16-25), ce qui justifiait l'appellation « Lévitique ».

L'appellation fréquente en allemand « Das dritte Buch Mose » (parfois aussi en anglais « The third book of Moses ») n'implique pas automatiquement que Moïse en soit l'auteur au sens strict.

2. LE CONTENU DU LIVRE

Le Lévitique est un ouvrage essentiellement législatif (législation cultuelle), dont on fait remonter l'autorité à Dieu lui-même : en effet le livre se compose, à 85 pour cent du nombre de versets, d'ordres de YHWH transmis presque exclusivement à Moïse[3], pour lui-même, pour les prêtres ou pour le peuple d'Israël. Les 15 pour cent restants proviennent des chapitres narratifs 8—10, et des trente-sept formules d'introduction « YHWH parla à... ».

Les ordres de YHWH portent sur les rituels des sacrifices (chap. 1—7), sur les règles de pureté (11—16), sur les attitudes propres à un peuple consacré au Dieu saint (17—26 : Loi de sainteté) et sur les tarifications des vœux et des rachats (27).

Nous avons ainsi esquissé le plan général de l'ouvrage ; le contenu plus détaillé est le suivant :

I. Rituel des sacrifices

1. L'holocauste (de gros bétail, de petit bétail, d'oiseau)   1. 1-17
2. L'offrande végétale (composition, cuisson, présentation ; les prémices)   2. 1-16
3. Le sacrifice de communion (de gros bétail, de petit bétail)   3. 1-17
4. Le sacrifice pour le péché (du grand prêtre, de toute l'assemblée, d'un chef, d'un simple particulier)   4. 1—5. 13
5. Le sacrifice de réparation   5. 14-26
6. Prescriptions rituelles complémentaires à l'usage des prêtres (concernant l'holocauste, l'offrande végétale, le sacrifice pour le péché, le sacrifice de réparation, le sacrifice de communion)   6. 1—7. 21

---

[2] Il n'est pas possible de traiter en détail dans les limites de ce commentaire le problème des rapports entre prêtres et lévites ; notons simplement que ces rapports ont considérablement évolué au cours de l'histoire d'Israël. Les spécialistes ne sont pas encore au clair sur les étapes précises de cette évolution. Ce qui semble le plus vraisemblable, c'est que, lorsqu'un clergé distinct du laïcat s'est constitué, on est passé peu à peu d'une situation de quasi identité « prêtre »-« lévite » (voir p. ex. Jg 17—18) à une nette séparation à l'occasion de la réforme de Josias (2 R 22—23) : les « prêtres » (appelés souvent « prêtres-lévites » dans la tradition deutéronomiste) des anciens sanctuaires locaux d'Israël ne parvinrent pas à faire reconnaître leurs droits lors de la centralisation du culte au temple de Jérusalem ; ils durent donc se contenter des tâches subalternes que leur octroyèrent les prêtres jérusalémites, et furent désignés par le simple nom de « lévites ». Voir quelques développements dans l'Introduction générale à Lévitique 8—10.

[3] Ordres transmis à « Moïse et Aaron » : 11. 1 ; 13. 1 ; 14. 33 ; 15. 1 ; ordre transmis à Aaron seul : 10. 8.

3. LA COMPOSITION DU LIVRE

Jusque dans les années 70 régnait un consensus assez général, dans les milieux de la recherche historico-critique, sur l'origine du Pentateuque. Le schéma wellhausenien (J-E-D-P) était grosso modo admis par une large majorité, avec néanmoins un bon nombre de nuances sensibles. La recherche récente a fait voler en éclat cette quasi-unanimité de vue.

Les remises en question les plus fondamentales portent sur :

a) la qualité des « traditions » J-E-D-P : s'agit-il de « sources » ayant existé indépendamment les unes des autres, ou de collections de « documents », ou encore de « couches rédactionnelles » surajoutées les unes aux autres ?

b) l'existence même de la « tradition » E (élohiste) : elle est aujourd'hui fortement contestée par un nombre grandissant de spécialistes ;

c) la datation de la « tradition » J (jahviste) ou JE (jéhoviste) : est-elle d'époque royale, selon le consensus ancien, encore défendu par d'aucuns, ou d'époque post-exilique, selon certains chercheurs récents ?

L'attribution de l'ensemble du Lévitique à la « tradition » P pourrait laisser croire que ce livre est à l'abri des bouleversements de la recherche. Cela n'est que partiellement vrai. Rendtorff[4] a formulé une question, déjà pressentie par d'autres, à savoir : les textes généralement attribués à P sont-ils tous issus du milieu sacerdotal, ou bien faut-il séparer les textes narratifs (p. ex. de la Genèse ou de la première moitié de l'Exode) des textes traitant de législation cultuelle (p. ex. de la seconde moitié de l'Exode et du Lévitique), pour leur attribuer des origines distinctes ? Rendtorff se rallie à la seconde hypothèse.

On date généralement la « tradition » P d'après ses éléments narratifs, que l'on juge postexiliques. Mais dès le moment où l'on distingue entre narration et législation cultuelle, il n'est plus nécessaire d'envisager une seule et unique période pour la rédaction des deux corpus constitutifs de P. Or Rendtorff constate que nous n'avons pas dans l'AT d'autre corpus de textes traitant de législation cultuelle, corpus qui nous permettrait de faire des comparaisons, et par conséquent de proposer des datations au moins relatives. De ce fait il conclut que rien ne nous empêche de faire remonter l'origine du corpus législatif de P à une date plus ancienne que celle du corpus narratif, pourquoi pas même à une date préexilique[5].

La distinction établie par Rendtorff nous semble pertinente, même si nous n'envisageons pas d'emblée une datation ancienne du corpus législatif de P. Ce qui nous paraît évident, c'est l'appartenance globale du Lévitique à la « tradition » sacerdotale, dont il porte la marque indiscutable : l'ouvrage vient d'une époque où il n'y a pas de roi et où le prophétisme ne joue aucun rôle prépondérant. Le sacerdoce, garant du culte authentique et de la validité des sacrifices, est le seul garant de la médiation entre Dieu et son peuple. Bien que l'ancien rôle oraculaire du prêtre n'apparaisse plus que sous la forme de trace (mention unique de l'*Ourim* et du *Toummim* en 8. 8), sa fonction médiatrice est clairement indiquée par son rôle sacrificiel (il accomplit le rite d'absolution, c'est-à-dire de réconciliation, 4. 26, 35, etc.) et par son rôle d'enseignement (10. 11).

Toutefois, dès une première lecture attentive, on constate que l'œuvre n'est pas d'une seule venue ; on ne peut pas ignorer la présence de diverses couches littéraires,

---

[4] RENDTORFF, *in Pentateuque*, p. 86-88.
[5] Voir également WENHAM, p. 11-13 : « A Mediating Position ». Après avoir résumé successivement, et succinctement, « The Traditional View » (p. 8-9 : Lévitique écrit par Moïse) et « The Standard Critical View » (p. 9-11 : Lévitique postexilique), Wenham présente l'hypothèse d'un Lévitique préexilique, point de vue défendu par plusieurs auteurs anglo-saxons contemporains qui avancent des arguments ne manquant pas de poids (A. Hurwitz, Y. Kaufmann, E.A. Speiser, M. Weinfeld).

reconnaissables à des hyatus[6], à des contradictions ou oppositions[7], à des répétitions ou reprises[8], ou à des expressions particulières[9]. Ces couches littéraires vont de la simple glose de quelques mots[10] à des ensembles de plusieurs chapitres[11].

Nous ne nous étendrons pas dans le cadre de ce commentaire sur les questions d'analyse littéraire[12]. Leur connaissance détaillée n'est pas d'une importance capitale pour la compréhension du texte dans son état actuel ; dans la plupart des cas, la détermination de l'âge relatif des textes et des sources suffira amplement à nous permettre de saisir l'évolution des idées, en voyant comment le sacerdoce de l'époque exilique ou postexilique a compris ou interprété de vieux rituels ou d'anciennes coutumes remontant peut-être aux origines d'Israël, et y a insufflé une vie et un esprit nouveaux.

Notons simplement que plusieurs commentateurs modernes[13] discernent générale-ment les documents suivants (avec couches primaires, secondaires, etc.) :

a) un document de base sacerdotal, qui apparaît surtout dans les chap. 8—10 et 16 (Pg[1] et Pg[2] d'Elliger : priesterliche Grundschrift) ;

b) la loi de sainteté sacerdotale, présente dans les chap. 17—26 (Ph[1], Ph[2], Ph[3], Ph[4] : priesterliches Heiligkeitsgesetz) ;

c) les lois sacrificielles sacerdotales, présentes dans les chap. 1—7 (Po[1], Po[2] : pries-terliche Opfergesetze) ;

d) les lois de pureté sacerdotales, présentes dans les chap. 11—15 (Elliger renonce ici à utiliser un sigle particulier, p. ex. Pr = priesterliche Reinheitsgesetze, car il s'avoue incapable de déterminer s'il s'agit de lois d'origines diverses regroupées sous ce thème, ou d'une tradition unique sur le pur et l'impur).

A ces documents viennent s'adjoindre de nombreuses interventions de rédacteurs, en première ou en seconde main, sans compter les gloses ou les notations marginales qui auraient pénétré dans le texte.

Il est extrêmement difficile de déterminer les dates, tant de la rédaction des diverses couches principales que de la rédaction finale du Lévitique. Ce problème, d'ailleurs, n'est pas tant celui du Lévitique, que la datation de la législation cultuelle de P dans le Pentateuque.

Dans ses lignes générales, la Loi de sainteté pourrait être préexilique, antérieure à Ezéchiel qui semble s'y référer. Par contre les lois sacrificielles laissent entrevoir une situation qui a évolué par rapport à Ez 40—48. Les lois sur le pur et l'impur pourraient avoir pris forme pendant l'exil, qui fut d'une certaine manière la grande souillure d'Israël en contact avec les païens. La célébration du « Jour du grand pardon » enfin est probablement postexilique, puisque même Néhémie (chap. 8) ne la mentionne pas.

Les commentateurs du XXe siècle se sont rarement aventurés à proposer des dates précises. Jusque dans les années 60, quelques-uns s'y sont essayés, mais avec des marges confortables, ou au moyen d'approximations.

---

[6] 12. 8 ; 20. 27.

[7] 25. 5 et 6 ; 25. 35.

[8] Chap. 1—5 et 6—7 ; 23. 33-36 et 39-43.

[9] Voir p. ex. les diverses constructions du verbe כפר: על, בעד, את, etc.

[10] P. ex. גר ותושב en 25. 35.

[11] La loi de sainteté, chap. 17—26.

[12] Un travail impressionnant, mais loin d'être toujours convaincant dans son ensemble, a été fait dans ce domaine par ELLIGER dans son commentaire.

[13] P. ex. ELLIGER, NOTH.

On trouve p. ex. :

Lods, *Histoire*, le plus audacieux dans ses précisions :
> Loi de sainteté : entre 578 et 546
> Ouvrage sacerdotal narratif (= Pg d'Elliger) : ver 500
> Lois sacrificielles : postérieures
> Rédaction finale : peut-être au IVᵉ siècle.

Eissfeldt, *Einleitung*, situe
> Loi de sainteté : milieu du VIᵉ siècle
> Rédaction finale : Vᵉ, et peut-être déjà VIᵉ siècle.

Pfeiffer, *Introduction*, situe
> Loi de sainteté : milieu du VIᵉ siècle
> P : Vᵉ siècle.

Oesterley, *Introduction*, situe
> Loi de sainteté : VIIᵉ siècle
> P : entre 398 et 300.

Au cours des deux dernières décennies, le problème de la datation n'est plus guère traité qu'en termes généraux. Cortese est pratiquement le seul commentateur à oser proposer des dates :
> Loi de sainteté et Pg : avant 538
> R¹ (= premier rédacteur) : vers 520-500
> R² (= second rédacteur) : vers 395.

Pour notre part, nous ne nous étendrons pas davantage sur cette question ; la datation précise de chaque élément et de l'ensemble, pas plus que l'analyse littéraire détaillée, ne sont indispensables à la compréhension du texte. L'unité finale de l'ouvrage, tel qu'il a été voulu par les rédacteurs de l'école sacerdotale, nous semble primer largement les divergences que nous relèverons en cours de route. Même si tel élément, telle coutume, ou même telle formulation remonte à une haute antiquité, même si telle expression rythmée ou versifiée nous fait pressentir une vieille formule de la tradition orale, nous verrons comment, en général, ces pièces diverses ont été assemblées en un tout relativement cohérent. Et en ce qui concerne la datation, c'est surtout l'ancienneté relative des éléments les uns par rapport aux autres, à l'intérieur du livre et au dehors, qui pourra nous guider utilement dans les questions de dépendance littéraire.

4. TEXTE ET VERSIONS

Le texte du Lévitique est dans un bon état de conservation. Un certain nombre de fragments de parchemin anciens, en écriture archaïque, découverts dans plusieurs grottes de Qumrân[14], montrent que le texte du manuscrit de Leningrad est assez proche

---

[14] 1QpaleoLev (voir BARTHÉLEMY, *Qumran*, p. 51-53) comprend plusieurs petits fragments, se regroupant en cinq passages très incomplets des chap. 11, 19, 20, 21-22 et 23 (281 lettres, soit 51 mots complets et 50 mots incomplets) ;
  2QpaleoLev (voir BAILLET, *Petites grottes*, p. 56-57) comprend un fragment de Lv 11. 22-29 (58 lettres, soit 9 mots complets et 7 mots incomplets ;
  6QpaleoLev (voir BAILLET, *Petites grottes*, p. 106) comprend un fragment de Lv 8. 12-13 (30 lettres, soit 4 mots complets et 6 mots incomplets ;
  11QpaleoLev (voir FREEDMAN, *11QpaleoLev*) comprend six colonnes incomplètes et 13 fragments, correspondant à des passages des chap. 4, 10, 11 et 13 à 27 (3 438 lettres, soit 802 mots complets et 220 mots incomplets).

de celui qui était en usage dans la communauté essénienne des bords de la mer Morte. Il ne nous est pas possible de procéder dans le cadre de cet ouvrage à une analyse détaillée et systématique des différences que ces documents présentent par rapport au texte massorétique. Nous signalerons les différences significatives aux endroits voulus du commentaire.

Les versions anciennes, araméenne, grecque, latine et syriaque, reflètent dans l'ensemble le TM ; les divergences principales résident dans la traduction de certains termes techniques (voir p. ex. 21. 18). Dans quelques cas la version des LXX semble refléter une tradition textuelle meilleure que celle des massorètes (voir 15. 3). Dans la Vulgate, Jérôme paraît s'être quelque peu ennuyé en traduisant le Lévitique, à voir le nombre de fois où il a abrégé ou simplifié dans la traduction une certaine prolixité de l'original (voir 11. 7 ; 13. 8).

En raison de cette qualité du texte hébreu, confirmée par les versions, nous ne nous sommes autorisé à le corriger qu'en de très rares endroits, où il nous paraissait manifestement fautif. Nous avons toujours justifié nos corrections.

5. LANGUE ET STYLE

Le Code sacerdotal dans son ensemble, pas plus que le Lévitique en particulier, ne font partie des sommets de l'esthétique littéraire du passé ou du présent.

Et pourtant un lecteur attentif, lisant le texte si possible dans la langue originale, sans hâte et sans parti pris, ne saurait ignorer un certain charme littéraire, à moins d'être doté d'une tournure d'esprit diamétralement opposée à celle de l'auteur[15]. Sous l'apparente monotonie (que les traductions ne font en général qu'accentuer) se cache le double souci de la précision d'une part, et de la variation d'autre part. Même si cette dernière est minime, elle dénote une recherche consciente de rupture de la monotonie[16].

Aussi refusons-nous de souscrire aux jugements souvent sévères qui sont portés sur la langue, le vocabulaire et le style de P : « Sa langue est à la fois pauvre et technique, décadente et savante »[17]. « ... the authors write like a notary public drawing up a legal document or a scholar engaged in erudite research. The bleak, monotonous style... ; ... it is a stereotyped style, repetitious, intolerably explicit, pedantic, erudite, colorless and schematic »[18]. De telles affirmations nous paraissent nettement exagérées : l'emploi de termes techniques précis n'est pas forcément un signe de « pauvreté » de vocabulaire ; nous ne voyons pas non plus sur la base de quoi l'on se permet de qualifier sa langue de « décadente » ; et la monotonie (quand elle existe), le schématisme, les répétitions, ne sont pas toujours dépourvus d'une certaine grandeur ou d'une certaine beauté. La

---

[15] Malgré l'attribution de la « tradition » P à une « école sacerdotale », et pour des raisons de commodité (éviter d'ennuyeuses périphrases constamment répétées), nous parlerons en général simplement de « l'auteur » (au singulier).

[16] Dans bien des cas, la variation n'affecte en rien, ou que de manière superficielle, le sens de la phrase ; une comparaison minutieuse des cinq rituels parallèles de Lv 4. 3-35 en donne de bons exemples : présence ou absence du את de l'accusatif ; emploi du complément du nom ou du suffixe pronominal ; emploi d'expressions synonymes (v. 3 et parallèles : בשגגה.../חטא// ישגה/ חטא; v. 4 et 14: לפני אהל מועד//אל פתח אהל מועד) ; emploi des mêmes mots avec des fonctions différentes (v. 29 et 33 : ושחט אתה לחטאת//ושחט את החטאת).

[17] STEINMANN, *Code*, p. 13.

[18] PFEIFFER, *Introduction*, p. 208.

langue, le vocabulaire et le style sont conditionnés par la matière même que traite l'auteur[19], par l'époque à laquelle il écrit[20] et par une certaine tournure d'esprit qui est la sienne[21].

En ce qui concerne le Lévitique plus spécialement, l'auteur ne recherche pas les effets faciles de la rhétorique et s'exprime sans affectation ; ce qu'il a à dire, il le dit avec naturel et précision, dans une langue claire et correcte, qui se comprend aisément. Les obscurités occasionnelles peuvent provenir soit de corruptions textuelles (probablement 6. 14 ; 25. 33), soit de traditions diverses insuffisamment amalgamées (25. 5 et 6), soit de retouches d'un rédacteur maladroit (peut-être le ולא יבדיל de 5. 8), soit enfin de notre propre ignorance dans les domaines du vocabulaire ou des coutumes (הלולים de 19. 24).

Le vocabulaire est moins pauvre qu'on ne l'a prétendu. Il est riche dans certains domaines spécialisés (p. ex. le vocabulaire zoologique du chap. 11) ; ailleurs l'auteur se limite volontairement à certains termes qui lui conviennent, à l'exclusion des synonymes qui nuiraient à la précision recherchée[22] ; ailleurs encore, et c'est le cas le plus fréquent, il utilise tel terme général dans un sens spécialisé et technique[23].

Malgré la rédaction assez récente de l'ouvrage dans sa forme finale, on ne peut pas parler de décadence ; on ne décèle pas de laisser-aller dans la construction syntaxique, et on ne rencontre pratiquement pas d'aramaïsmes[24]. Cela tient en premier lieu au fait général que le milieu sacerdotal est conservateur, même au niveau linguistique ; en second lieu au fait particulier qu'à la suite de l'exil, il se montre très nationaliste, tendant à éviter toute contamination de la pureté du peuple élu par des éléments extérieurs.

Si le style est bien souvent lourd, c'est par souci de précision ; l'auteur préfère dire les choses plutôt deux fois qu'une : il n'hésitera pas à rapporter l'ordre donné par YHWH à Moïse, le même ordre transmis par Moïse aux destinataires (le clergé ou le peuple), et l'exécution de l'ordre reçu[25]. Ailleurs il se complaît à donner à trois reprises la liste détaillée et toujours identique des parties grasses du sacrifice de communion qui doivent être offertes en mets consumé pour YHWH (3. 3-4 ; 3. 9-10 ; 3. 14-15) ; mais par contre, dans les rituels du sacrifice pour le péché, la même liste n'est donnée qu'une fois en 4. 8-9, et elle est résumée aux v. 19, 26, 31 et 35[26].

Pourtant on ne trouve pas dans le Lévitique des formules répétées aussi mécani-

---

[19] Les textes législatifs exigent une précision et une clarté qui excluent les fausses interprétations. Cet impératif évident l'emporte sur les questions de style.

[20] La langue de P a assurément évolué par rapport à celle d'auteurs antérieurs. Elle ne nous paraît pas décadente pour autant.

[21] On n'attend pas d'un juriste qu'il soit poète ou nouvelliste !

[22] P. ex. : אליה , 5 fois dans P, jamais ailleurs ; זנב absent de P.
חזה , 13 fois dans P, jamais ailleurs ; שד absent de P.
חשב , 8 fois dans P, jamais ailleurs ; חגור, חגורה absents de P.
שחט , 78 fois, dont la moitié environ dans P ; טבח absent de P.

[23] כפר n'a qu'un sens spécifique et cérémoniel dans P (ainsi que chez Ézéchiel et le Chroniqueur) à côté du sens général qu'on lui connaît dans le reste de l'AT. Il en va de même de הניף, hiphil de נוף. On pourrait multiplier les exemples de ce phénomène.

[24] DRIVER, « Affinities », critique avec pertinence la position de GIESEBRECHT, « Sprachgebrauch », qui découvre chez l'« Élohiste » (= P) de nombreux aramaïsmes.

[25] P. ex. Lv 8. 31-36 : v. 31-33 « Moïse dit à Aaron et à ses fils » ; v. 34 « YHWH l'a ordonné » ; v. 35 « c'est l'ordre que j'ai reçu » ; v. 36 « ils firent ce que YHWH avait ordonné par l'intermédiaire de Moïse ». Si l'ensemble du paragraphe ne vient pas de l'auteur lui-même, mais que tel élément provient d'un rédacteur ultérieur, on ne peut que constater que ce dernier en tout cas n'est pas gêné par ces répétitions.

[26] La même liste réapparaît, avec des variantes plus ou moins importantes, en 7. 3-4 ; 8. 16, 25 ; 9. 10, 19 ; Ex 29. 13, 22.

quement et fréquemment que celles de Gn 11. 10-26 (huit fois) ou de Nb 7. 12-83 (douze fois).

6. LE CADRE HISTORIQUE

Après l'exil babylonien, le pouvoir du sacerdoce va croissant. Il n'y a plus de roi pour personnifier la royauté de YHWH sur Israël ; le prophétisme, qui avant l'exil représentait une forme complémentaire du pouvoir de YHWH, est en voie de disparition ; seule demeure l'autorité du sacerdoce, qui ne tarde pas à augmenter considérablement, puisque le prêtre, à défaut de roi et de prophète, incarne la seule médiation restante entre Dieu et son peuple.

L'auteur est parfaitement conscient de cette situation, et de la responsabilité qui en découle pour le sacerdoce. Aussi s'efforce-t-il de codifier avec précision les possibilités et les moyens d'entrer en contact avec YHWH et de demeurer en communion avec lui, tout en mettant Israël en garde contre tout ce qui est susceptible de mettre en péril ou d'interrompre cette communion.

Le moyen principal de la médiation sacerdotale se situe dans le culte sacrificiel, le lieu unique en étant le sanctuaire. Dans la perspective de l'Israël en route d'Égypte vers le pays promis, ce sanctuaire est conçu comme transportable : c'est un « Temple de Salomon » sans pierres, fait d'étoffe, de bois et de métal, et démontable, afin qu'Israël puisse l'emporter dans toutes ses pérégrinations (Ex 26). On l'appelle du nom évocateur de « tente de la rencontre »[27], qui symbolise la volonté profonde de YHWH de rencontrer son peuple, puisqu'il lui offre la possibilité de le faire.

Le culte sacrificiel célébré dans ou devant le sanctuaire est le moyen essentiel de cette rencontre. L'auteur sacerdotal souscrirait pleinement à l'affirmation d'Ex 23. 15 ou 34. 20 : « On ne viendra pas me voir en ayant les mains vides ». C'est par le sacrifice que la communion est établie ou rétablie : le parfum en monte vers le ciel, vers le domaine de YHWH, qui en est apaisé (ריח ניחוח) ; l'animal sacrifié, ou du moins ce qui en est offert sur l'autel, est appelé « nourriture » (לחם) ou « mets consumé » (אשה) de YHWH. Dans le cas du « sacrifice de communion » (שלמים), la victime est partagée entre YHWH, le sacerdoce et l'offrant, lequel consomme sa part en compagnie de ses proches[28].

Si l'école sacerdotale insiste beaucoup sur le culte sacrificiel, ce n'est pas seulement parce que le sacerdoce y trouve son intérêt. Ce n'est même pas essentiellement pour cela, puisque P réglemente en détail les droits du sacerdoce sur les victimes offertes par les Israélites. Les prêtres n'y ont pas la part aussi congrue que selon le Deutéronome[29], mais ils n'ont pas le droit d'abuser de leur position ou de leur autorité pour choisir les meilleurs morceaux, comme le faisaient les fils d'Héli, selon 1 S 2. 12-17.

---

[27] Autres traductions : « tente d'assignation » ou « tabernacle d'assignation » ; « tente du rendez-vous » ; « tente de réunion ».

[28] Sur le phénomène sacrificiel, voir l'Introduction générale à Lv 1—7.

[29] Dt 18. 3 ; comparer Lv 7. 28-34.

7. LE MESSAGE

Le livre du Lévitique, placé au cœur du Pentateuque, a souvent été éclipsé dans la tradition chrétienne par ses voisins : d'un côté la Genèse avec ses récits des origines, puis sa grande saga familiale ; de l'autre côté, le Deutéronome, avec sa monumentale fresque des origines d'Israël. D'un côté encore l'Exode, puissante proclamation de la libération opérée par Dieu, et de l'autre les Nombres, décrivant Israël en marche vers le pays promis. A première vue, les multiples lois et réglementations minutieuses du Lévitique font bien piètre figure au milieu d'un ensemble si prestigieux.

Et pourtant ce n'est pas sans raison que, dans la tradition juive, on commence l'étude de l'Écriture sainte par le livre du Lévitique. Il n'est pas seulement au centre géométrique du Pentateuque, en tant que troisième des cinq premiers livres de la Bible ; il est aussi au cœur spirituel de la théologie de cet ensemble si fondamental de l'AT.

Le livre de l'Exode, après avoir longuement et soigneusement décrit la fabrication de tous les éléments du sanctuaire transportable d'Israël dans les chap. 35—39, se termine par le récit de la nuée qui vient couvrir cette « tente de la rencontre », et de la gloire de YHWH qui la remplit (40. 34-35). C'est dire que Dieu, en prenant possession des lieux, légitime l'existence de ce sanctuaire et s'offre ainsi à la « rencontre » avec son peuple. Le Lévitique, dans la foulée de ce récit suggestif, va expliquer à sa manière aux Israélites le bon usage de cette « tente », pour qu'elle soit réellement un lieu de « rencontre » entre Dieu et les hommes[30].

« L'on ne se présentera pas les mains vides devant moi » (chap. 1—7).

Lorsqu'un homme vient au sanctuaire pour y rencontrer son Dieu, il doit manifester concrètement une première attitude, celle de la reconnaissance. Conscient d'avoir d'abord tout reçu de la part de Dieu, tout ce qu'il est et tout ce qu'il possède, il est invité à lui apporter à son tour une offrande. Les chap. 1—7 traitent donc des sacrifices que l'on peut ou doit offrir à Dieu, à titre personnel ou collectivement, à l'occasion de fêtes ou de manière spontanée, pour marquer sa joie ou sa repentance.

« Je m'établirai un prêtre fidèle » (chap. 8—10).

La présentation des divers sacrifices à Dieu exige l'intervention des prêtres, c'est-à-dire des hommes mis à part et chargés d'être les intermédiaires entre Dieu et les hommes. Dieu est tellement saint qu'il n'est pas possible à n'importe qui de s'approcher de lui ; la « tente de la rencontre », au travers de laquelle il manifeste sa présence, est tellement sainte elle aussi, qu'il n'est pas permis à un simple particulier d'y pénétrer. Aaron, frère de Moïse, et ses descendants ont donc été choisis, consacrés et sanctifiés pour exercer un ministère sacerdotal de médiateurs : médiateurs de la grâce divine, dans l'enseignement et la proclamation du pardon, et médiateurs de la réponse humaine dans la présentation des sacrifices.

---

[30] Même si plusieurs traditions de l'AT répugnent à localiser Dieu dans un endroit (Ps 139. 7-10), fût-ce dans le sanctuaire légitime (1 R 8. 27), il n'y a pas de contradiction avec la tradition sacerdotale de la « tente de la rencontre » ; d'abord, c'est l'arche qui *symbolise*, dans la tente, la présence de YHWH au milieu de son peuple (Ex 25. 22) ; en second lieu, l'idée de la rencontre avec Dieu, ou comme l'expriment d'autres traditions, l'idée de « voir la face de YHWH », signifie en fait « se présenter au sanctuaire ». Il ne s'agit donc pas d'une rencontre physique entre Dieu et l'homme, impensable pour l'auteur sacerdotal, mais de l'action physique de l'homme qui vient se présenter devant le « sacrement » de la présence divine, pour établir une communication et une communion réelle avec YHWH.

Le prêtre joue très spécialement son rôle de médiation au cours du culte, dans les rites du sang. Sans lui, le sacrifice n'est pas possible, et l'on ne peut parler que d'abattage profane[31]. Seul le prêtre, consacré, et même dans certains cas seul le grand prêtre, qui a reçu l'onction, est habilité à accomplir les rites du sang, car le sang, en tant qu'il est le siège du principe vital (la נפש), est strictement réservé à Dieu et soustrait, non seulement à tout usage profane, mais aussi à tout contact profane (6. 20).

« Garde-toi pur » (chap. 11—15).

Se présenter devant Dieu, c'est-à-dire concrètement participer à la vie cultuelle de la communauté, implique que l'Israélite évite autant que possible ce qui pourrait entraver la relation avec le Dieu saint, à savoir les impuretés ou les souillures, qui compromettent une rencontre positive. La mort et certaines maladies, manifestant une perte de vitalité, sont cause d'impureté et excluent la communion avec le Dieu de la vie ; la sexualité et l'accouchement, qui participent à un monde de mystère, sont également sources d'impureté, sans pour autant que soit porté sur eux un jugement négatif.

Celui qui est devenu impur doit procéder, avec l'aide des prêtres, à des rites de purification qui lui permettront de réintégrer la communauté.

« Vos péchés vous sont pardonnés » (chap. 16).

Au cœur du Lévitique brille comme un flambeau lumineux le « Jour du grand pardon », cérémonie annuelle, majestueuse et solennelle, par laquelle le peuple exprime sa repentance collective et au cours de laquelle le grand prêtre accomplit les gestes rituels de la purification du sanctuaire et des Israélites.

« Vous serez saints, car je suis saint, moi, le Seigneur » (chap. 17—27).

Israël est appelé à vivre une sainteté qui reflète la sainteté de son Dieu. Dieu est saint, c'est-à-dire « tout autre » : on ne peut le confondre avec aucun autre dieu ni avec aucun homme ; Israël est saint dans la mesure où, fidèle à son Dieu, il ne se conforme pas aux coutumes et usages des autres nations. Il s'efforce ainsi de respecter le sang, principe de vie (17), l'union conjugale (18 et 20), les commandements de Dieu (19), le sacerdoce (21—22), les fêtes cultuelles (23), le nom de son Dieu (24), la terre d'Israël et les plus faibles du peuple (25) ; et selon qu'il aura été fidèle ou non à cette vocation, il recevra les bénédictions de Dieu ou aura à en subir les malédictions (26). Le livre se termine par un chapitre (27), traitant des vœux et des dîmes.

Toute institution religieuse du type sacrificiel est guettée par un double danger : on risque de tomber dans un ritualisme dépersonnalisé, mécanique, desséché et desséchant, et (c'en est souvent le corollaire) on est tenté de se servir de l'offrande pour faire pression sur la divinité. P prévient ces dangers en soulignant que le rite n'a de valeur que s'il est le reflet d'une réalité plus profonde : ainsi par exemple, le sacrifice de réparation n'a lieu qu'après le geste de réparation[32]. Et d'une manière plus générale, c'est pour prévenir le danger de sclérose ritualiste que P a accueilli dans son œuvre

---

[31] Et encore, pour P, ne s'agit-il que du gibier de chasse, 17. 13. Si le Deutéronome (12. 15, 20-22) envisage la possibilité de l'abattage profane d'animaux domestiques, en vue de la consommation alimentaire, c'est qu'il aborde la question sous un angle différent. P considère Israël comme groupé, dans un camp itinérant, autour de la tente de la rencontre (Lv 17. 3), tandis que Dt le voit sédentarisé, installé sur l'ensemble du territoire du pays promis (12. 1).

[32] Comparer 5. 20-26 ; même perspective dans Mt 5. 23-24.

la Loi de sainteté (Lv 17—26), qui rassemble essentiellement des lois morales, basées la plupart sur l'affirmation אני יהוה = « Je suis YHWH » (surtout chap. 19). C'est dire que, si le rite est nécessaire, il n'est pas suffisant. L'obéissance à la loi morale en est le complément normal dans la recherche de la communion avec YHWH.

Un autre aspect du message théologique du Lévitique mérite d'être relevé, d'autant plus qu'il est facilement ignoré par les chrétiens, lesquels se bornent souvent à lire les textes législatifs de l'AT d'une manière bien superficielle et pleine de préjugés. Les invectives de Jésus contre le légalisme des scribes et des pharisiens (p. ex. Mt 23. 23[33]), et le langage paulinien relatif à la loi et à la grâce (Rm 5. 20), expliquent en partie, sans toutefois l'excuser, cette attitude plus que réservée.

Le vieux réflexe marcionite, tendant à opposer l'AT au NT, est toujours prêt à ressurgir dans l'Église. Pourtant une lecture paisible et attentive du Lévitique montre que ce livre n'est pas aussi « légaliste » qu'on veut bien le dire ou le croire. Les règles qu'on y trouve sont fréquemment assorties de clauses montrant que la loi devait être appliquée non pas mécaniquement, mais avec souplesse, bon sens et humanité, en tenant compte des circonstances. En voici quelques exemples, que l'on pourrait multiplier :

a) Le rituel des sacrifices (en 4. 27-35) prescrit que le simple particulier qui a commis un péché doit offrir en sacrifice au Seigneur une chèvre ou une brebis ; mais quelques versets plus loin (5. 7-13), il est prévu deux possibilités d'allègement en faveur des pauvres : le quadrupède peut être remplacé par deux tourterelles ou deux pigeons, ou par une certaine quantité de farine[34].

b) Le chap. 11 traite de nombreux cas d'impureté provoquée par le contact avec des cadavres d'animaux. Une bestiole, souris ou lézard, tombe dans un récipient et s'y noie ; le contenu du récipient, liquide ou solide, doit être tenu pour impur ; quant au récipient lui-même, il faut distinguer deux cas : si le récipient est en terre cuite, il doit être détruit ; s'il est en bois ou en métal, il peut être réutilisé après un récurage approfondi. Cette différence de traitement du récipient vient tout simplement du fait qu'un récipient de bois ou de métal était (à l'époque de la mise en vigueur de la loi) quelque chose de rare et précieux, tandis que la terre cuite se remplaçait sans difficulté. Le bon sens voulait donc qu'on ne soit pas contraint de détruire des objets de valeur.

c) Une même bestiole tombe dans une citerne ou un puits et s'y noie : la masse d'eau, nous dit-on, reste pure. Ou bien un paysan trouve une souris crevée sur son tas de grain : le grain reste pur. Ici encore le bon sens naturel l'emporte sur l'application rigide d'un principe. On pouvait se permettre de perdre l'eau contenue dans une jarre, ou les quelques livres de grain que la ménagère avait préparé pour le repas familial, mais il était impensable de se priver du contenu total de la citerne ou de la réserve annuelle de grain.

d) 14. 34-36 prévoit que, si un propriétaire découvre une tache de « lèpre » (c'est-à-dire en fait une tache de moisissure ou de salpêtre) sur un mur de sa maison, il doit

---

[33] Nous n'entrons pas ici dans le débat relatif au statut des Pharisiens : Étaient-ils de fait aussi « légalistes » que l'Évangile nous le dit ? D'autre part, les « invectives » (TOB) de Mt 23 contre eux sont-elles celles de Jésus lui-même, ou celles de la communauté primitive ? La réponse à ces questions est importante au niveau de la compréhension du NT, mais pas en ce qui concerne les préjugés de beaucoup de lecteurs chrétiens.
[34] Voir une situation analogue dans le cas de la femme qui a accouché (12. 6-8) et dans celui d'un lépreux guéri (14. 1-31).

en informer le prêtre, afin que celui-ci vienne procéder à un examen et décider s'il y a effectivement « lèpre » ou non. Dans une telle éventualité, la législation prévoit explicitement (v. 36) que, avant l'arrivée du prêtre sur les lieux, le propriétaire vide la maison, de telle sorte que le contenu ne soit pas taxé d'impureté, le cas échéant, en même temps que l'immeuble.

e) La réglementation de 5. 2 prévoit la possibilité de purification et de réintégration dans la communauté pour celui qui est *involontairement* entré en contact avec le cadavre d'un animal. La logique veut donc que celui qui le fait volontairement ne puisse pas obtenir la purification. Toutefois 11. 25 et 11. 36 parlent de contacts volontaires qui sont susceptibles de purification : c'est le cas lorsqu'une bête domestique crève dans l'étable, ou qu'une souris se noie dans la citerne : l'on ne peut pas se retrancher derrière une application stricte de la loi pour refuser d'éliminer le cadavre, au risque de provoquer une infection généralisée beaucoup plus dangereuse pour la communauté. Il est indispensable que quelqu'un, consciemment et volontairement, se rende impur pour évacuer le cadavre, et qu'il ait la possibilité, ensuite, de se purifier et de retrouver sa place dans la communauté.

En Mc 2. 27, Jésus déclare : « Le sabbat a été fait pour l'homme et non l'homme pour le sabbat ». L'on peut légitimement exprimer l'esprit du Lévitique en paraphrasant comme suit la déclaration de Jésus : « La loi a été faite pour l'homme, et non l'homme pour la loi » ; ou le résumer dans les termes mêmes du Lévitique (18. 5) : « Gardez mes lois et mes coutumes : c'est en les mettant en pratique que l'homme a la vie. »

8. Notre commentaire

Le présent commentaire, qui ne couvre que les seize premiers chapitres du livre[35], n'a pas pour ambition de traiter de manière exhaustive tous les problèmes posés par le Lévitique.

Il vise plus modestement à offrir au lecteur francophone, qui ne dispose à l'heure actuelle d'aucun commentaire dans sa langue, un instrument de travail et de réflexion qui l'aide à lire et à mieux comprendre un livre souvent délaissé et méconnu.

L'accent est volontairement mis sur l'analyse du texte verset par verset, car cela nous semble être une démarche liminaire qui seule permet ensuite d'édifier une vision de synthèse sur une base solide.

Chaque unité organique du texte sera présentée de la manière suivante :

a) un paragraphe d'introduction générale à la péricope étudiée ;

b) une section donnant la traduction française de la péricope biblique ; cette traduction essaie d'être à la fois assez proche de la structure du texte hébreu pour en

---

[35] Pour des raisons de temps disponible, il ne nous a pas été possible de traiter les onze derniers chapitres du livre. Signalons cependant qu'en 1985, l'Alliance biblique universelle a publié notre *Manuel du traducteur pour le livre du Lévitique.* Cet ouvrage, qui couvre les vingt-sept chapitres du Lévitique, aborde les questions sous un angle particulier. Il ne présente pas une exégèse systématique, mais s'efforce de répondre en priorité aux problèmes auxquels les traducteurs de la Bible sont confrontés dans leur travail spécifique (problèmes philologiques, linguistiques, de structure du texte, p. ex.). Néanmoins il repose sur un travail exégétique approfondi, et peut rendre des services à ceux qui désirent aborder l'étude des chap. 17—27.

faire ressortir les caractéristiques, et assez « libre » pour être compréhensible même par des gens qui n'ont aucune connaissance de l'hébreu ;

   c) un paragraphe de critique textuelle ; celui-ci reprend systématiquement (avec la même numérotation, chiffres et lettres) les notes de critique textuelle de la BHS, pour en donner une évaluation. Dans quelques rares cas, signalés par un astérisque (*), nous abordons un problème textuel qui n'est pas mentionné dans l'appareil critique de la BHS ;

   d) une analyse et commentaire du texte, verset par verset[36].

---

[36] Pour ne pas surcharger de notes notre commentaire, nous avons volontairement renoncé à signaler systématiquement les endroits où notre interprétation coïncide avec l'opinion de ceux qui nous ont précédé dans l'étude du Lévitique, de son vocabulaire ou de sa pensée. Mais nous tenons à dire globalement notre grande dette à l'égard de ces biblistes, auteurs des commentaires, des ouvrages et des articles spécialisés cités dans la bibliographie. Nous devons mentionner de manière particulière les trois ouvrages suivants que nous avons constamment consultés, souvent avec grand profit : le *Dictionnaire de la Bible. Supplément* (DBS), le *Theologisches Handwörterbuch zum Alten Testament* (THAT), et le *Theologisches Wörterbuch zum Alten Testament* (ThWAT).
   La thèse d'A. MARX, *Formes et fonctions du sacrifice à YHWH d'après l'Ancien Testament*, Strasbourg, 1985 (publiée seulement en microfiches) nous a été accessible trop tard pour que nous puissions en utiliser largement les résultats dans notre commentaire.

INTRODUCTION GÉNÉRALE A LÉVITIQUE 1—7

La première partie du Lévitique, chap. 1—7, traite des sacrifices. Une lecture, même superficielle, de ces chapitres laisse entrevoir qu'ils ne sont pas d'une seule venue. Le tableau de la page suivante tente de montrer comment, probablement, les divers éléments constitutifs ont peu à peu été réunis en un tout relativement cohérent.

Ce tableau synoptique ne signifie pas que chaque élément a connu une existence indépendante, ni ne vise à établir une chronologie précise en ce qui concerne le regroupement des divers éléments. Il est évident p. ex. que les formules d'introduction (1. 1-2 ; 4. 1-2) ou de conclusion (7. 37-38) n'ont été isolées ici que pour une raison de clarté de la présentation ; elles n'ont pas de sens indépendamment des textes qu'elles introduisent ou concluent.

Les sacrifices en général

L'histoire des religions classe habituellement les sacrifices en trois groupes principaux :
- *a)* le groupe du « don » ;
- *b)* le groupe de la « communion » ;
- *c)* le groupe de l'« expiation ».

La majorité des sacrifices israélites se rattachent clairement à l'un ou l'autre de ces groupes, même si une hésitation est parfois possible[1].

Sous le titre du « don », l'on trouve principalement l'*holocauste* (chap. 1) et l'*offrande végétale* (chap. 2). L'offrande des *premiers fruits* (2. 14-16), celle des *premiers-nés* du bétail (27. 26) et les *libations* (23. 13, 18, 37) rentrent aussi dans cette catégorie.

Le *sacrifice de communion* (chap. 3 ; voir aussi 7. 11-34) exprime bien l'idée de la « communion » entre la divinité et les hommes, en ce sens qu'une partie de l'animal sacrifié est offerte à Dieu en étant brûlée sur l'autel, tandis qu'une autre partie est destinée aux prêtres, le reste étant consommé par l'offrant et ses proches.

Le groupe de l'« expiation » comprend le *sacrifice pour le péché* (4. 1—5. 13) et le *sacrifice de réparation* (5. 14-26). Certains voudraient faire figurer sous ce titre également le rituel du « bouc pour Azazel » (chap. 16) ; c'est à notre avis une erreur, car ce rituel ne comporte justement pas de sacrifice ; il s'agit d'un élément non sacrificiel du rituel plus vaste du « Jour du grand pardon » (voir le commentaire du chap. 16).

---

[1] Le sacrifice pascal (Ex 12) est devenu un type particulier qui ne rentre guère dans cette classification. Mais comme il n'en est jamais question dans le Lévitique, nous ne pouvons que le mentionner en passant, sans du tout le traiter ; voir les commentaires de l'Exode. Le sacrifice humain se rattache assez nettement au groupe du « don », mais son caractère inusité et décadent en Israël le met à part des autres, et son absence dans le Lévitique exclut que nous en parlions plus longuement.

1. 1-2
1. 3-9
1. 10-13

1. 14-17

2. 1-16

3. 1-5
3. 6-17

4. 1-2
4. 3-12
4. 13-21
4. 22-26
4. 27-35

5. 1-6
5. 7-13

5. 14-19
5. 20-26

6. 1-6
6. 7-11

6. 12-16

6. 17-23
7. 1-7

7. 8-10

7. 11-21

7. 22-36
7. 37-38

Il est bien difficile de se faire une idée précise de l'origine, de l'évolution et de la signification des sacrifices en Israël. Cela tient essentiellement au fait que les textes de l'AT sont relativement récents et surtout qu'ils traitent des questions de pratique plus que de l'histoire, ou de la signification fondamentale, supposée connue des destinataires de l'ouvrage[2]. Nous nous bornons ici à rappeler en grandes lignes ce qui caractérise le système sacrificiel d'Israël.

[2] Voir des présentations plus détaillées du sujet par CORTESE, p. 137-150 ; DAVIES, « Sacrifice » ; RENDTORFF, *Studien* ; ROWLEY, « Sacrifice » ; L. SABOURIN, « Sacrifice », *in* DBS, X, col. 1483-1545 ; DE VAUX, *Sacrifices*.

Évolution et signification des sacrifices en Israël

A l'époque ancienne, on ne connaissait, semble-t-il « qu'une forme indifférenciée de sacrifice, le *zèbah*, qui comportait une immolation de la victime, dont le sang était répandu et dont la chair était mangée. [...] C'est la forme qui s'est conservée dans le rituel de la Pâque »[3]. Après l'installation dans le pays promis, sous l'influence de la religion cananéenne, le sacrifice originel aurait évolué en « sacrifice de communion », en « holocauste » et en « sacrifice expiatoire », tous trois caractérisés par un usage rituel particulier du sang de la victime. Les sacrifices expiatoires (« sacrifices pour le péché » et « sacrifice de réparation »), probablement assez rares à l'époque préexilique, sont devenus de plus en plus fréquents après l'exil, car cette catastrophe nationale avait provoqué une révolution dans la pensée morale du peuple d'Israël, en lui faisant prendre conscience d'une manière très existentielle de son « péché », c'est-à-dire de sa séparation d'avec Dieu. La prise de la ville sainte et la destruction du sanctuaire national par les Babyloniens, interprétées comme un châtiment divin, lui ont enfin fait comprendre ce que de nombreux prophètes s'étaient efforcés, souvent en vain, de lui faire entendre avant le VIe siècle. Le sentiment de culpabilité collective a permis le développement des sentiments de culpabilité individuelle (à l'égard de Dieu et à l'égard du prochain) et a eu pour conséquence non seulement la floraison du sacrifice expiatoire postexilique, mais encore la « teinte » expiatoire que d'autres sacrifices ont prise alors, en particulier l'holocauste (voir le commentaire de 1. 4). On constate d'ailleurs que les textes préexiliques mentionnent fréquemment le sacrifice de communion, mais beaucoup moins l'holocauste et l'expiatoire ; après l'exil, le phénomène est inversé, cela étant manifestement dû à la prise de conscience éthique d'Israël.

Le danger de tout système sacrificiel, en n'importe quel temps, consiste dans la tentation pour l'homme de faire un marchandage avec la divinité. Si Israël n'a pas toujours su résister à cette tentation, comme certaines invectives des prophètes nous le laissent pressentir, néanmoins il semble qu'Israël y ait moins succombé que certains de ses voisins. Par son refus des mythes cosmogoniques et naturistes, et des conceptions qui en découlent quant à l'être de la divinité (personnalisation des forces cosmiques ou naturelles impersonnelles), par la transformation de certains mythes empruntés en interventions historiques et salvatrices d'un Dieu personnel, Israël s'est efforcé de se prémunir contre les risques de déviations du système sacrificiel.

Pour lui, Dieu est toujours resté Dieu, un être assez proche pour que l'on puisse être en relation avec lui, et en même temps assez lointain (= « saint ») pour qu'on ne se laisse pas aller à la familiarité avec lui. Le sacrifice de communion, p. ex., signifie une réelle communion entre Dieu, le sacerdoce et les offrants, mais pourtant toute notion de commensalité avec la divinité en est exclue : ce qui est offert sur l'autel et ce dont on asperge les parois de l'autel, ce sont la graisse et le sang, que l'homme n'a pas le droit de consommer (3. 17) ; par ailleurs aucun morceau de viande proprement dite n'est brûlé sur l'autel, à l'adresse de Dieu : les parts respectives de Dieu et de l'homme sont clairement définies et exclusives.

Théologiquement, Israël a refusé une conception matérialiste du sacrifice comme « *opus operatum* » ou « donnant donnant ». Le sacrifice est, doit être et ne peut être que la forme extérieure de la communion intérieure avec le Dieu personnel de l'alliance.

---

[3] DE VAUX, *Histoire* I, p. 439.

Si le sacrifice ne découle pas de cette attitude intérieure, il devient une sorte de moquerie. Les prophètes ont souvent dû lutter contre de telles déformations de la pensée sacrificielle ; pourtant ils n'ont jamais prononcé un anathème sur le sacrifice en tant que tel ou sur le principe du système sacrificiel. Le sacrifice matériel est en effet quelque chose d'important ; il est aussi, dans une certaine mesure, le support de l'attitude spirituelle. C'est pourquoi les écrits sacerdotaux récents (P et le Chroniqueur) insistent sur le respect intégral et minutieux du rituel, car ce respect traduit à sa manière la spiritualité de l'offrande et de l'offrant.

En somme on peut considérer que l'évolution du sacrifice israélite a conduit à un approfondissement spirituel de la religion, en permettant ou en restaurant une communion entre le Dieu saint et le peuple pécheur et sanctifié. Cette communion, si souvent remise en cause et menacée par l'homme, est pourtant une nécessité vitale pour ce dernier. Aussi a-t-on pu dire avec raison : « nous envisageons le sacrifice comme l'acte par lequel Dieu révèle et communique sa force de vie, où l'homme reçoit infiniment plus qu'il n'apporte et où par conséquent l'élément sacramentel l'emporte sur l'élément proprement sacrificiel »[4].

Les chap. 1—7 du Lévitique ne sont pas des traités systématiques sur le problème des sacrifices en Israël, même pas pour une certaine époque de son histoire.

Les chap. 1—5 présentent les cinq types principaux de sacrifices (holocauste, offrande végétale, sacrifice de communion, sacrifice pour le péché, sacrifice de réparation) du point de vue du déroulement du rituel, des tâches respectives des prêtres et des offrants laïcs, et des qualités des victimes. Ils ne constituent pas, à l'usage des profanes, une initiation à la problématique du sacrifice, mais ils sont une sorte de livre de référence, d'aide-mémoire pour gens initiés :

— quel type d'animal faut-il offrir dans telle circonstance ?

— dans quel ordre se succèdent les divers gestes du rituel ?

— qui fait quoi ?

Les chap. 6. 1—7. 21 reprennent la liste des sacrifices, dans un ordre légèrement différent (le sacrifice de communion est traité en dernier), et précisent un certain nombre de points concernant essentiellement les prêtres : leur habillement, la manipulation du sang des victimes, la consommation des parts de sacrifices qui leur reviennent.

Les v. 22-36 du chap. 7 rappellent quelques principes fondamentaux en ce qui concerne les laïcs offrant un sacrifice : obligations et interdits.

---

[4] JACOB, *Théologie*, p. 218.

Chapitre 1

L'HOLOCAUSTE

Le mot hébreu עלה (ו) y dérive de la racine עלה = monter ; la עולה est donc, étymologiquement, « ce qui monte [sur l'autel] » (pour y être brûlé en sacrifice) ou « ce qui monte [en fumée vers Dieu] ». Cette valeur étymologique s'est peu à peu effacée dans l'emploi du terme technique désignant une catégorie bien définie de sacrifice. Lorsque le Pentateuque fut traduit en grec, les traducteurs ont donné de עולה une traduction de type descriptif en l'appelant ὁλοκαυτωμα = « brûlé en entier » ; le mot grec (avec une influence orthographique de l'adjectif καυστος = brûlé) a passé dans le latin ecclésiastique sous la forme *holocaustum*, lui-même transcrit en français « holocauste ».

La caractéristique de ce sacrifice est que l'animal est offert en entier à Dieu[1], alors que dans les autres sacrifices israélites, une partie de la viande revient normalement à l'offrant et/ou au prêtre officiant. L'holocauste est ainsi un don total fait à Dieu, dont rien ne revient matériellement au donateur.

A l'époque ancienne, l'holocauste apparaît le plus souvent comme un sacrifice offert à titre privé, dans le but d'attirer l'attention de la divinité. Levine[2] énumère les cas de Balaam (Nb 23), d'Élie (1 R 18), de Gédéon (Jg 6), de Manoah (Jg 13) et du roi de Moab (2 R 3. 26-27), qui chacun, dans les circonstances particulières qui sont les siennes, offre un ou des holocaustes à son Dieu, et en obtient une réponse ou une intervention ; c'est pourquoi Levine parle de la fonction d'« attraction » (ou d'« invocation ») de l'holocauste. Marx[3] mentionne en plus les cas de Samuel (1 S 7. 7-12) et de Salomon (1 R 3. 4-15//2 Ch 1. 3-13), et parle du « statut théophanique » de l'holocauste, c'est-à-dire du rôle de l'holocauste offert en vue de provoquer l'apparition, la présence, l'intervention de la divinité.

Cette fonction de l'holocauste, que l'on peut déduire des narrations portant sur les périodes prémonarchiques et monarchiques, était-elle encore ressentie (ou même connue) par les offrants de l'époque de P ? Il est difficile de le dire, car les textes de l'école sacerdotale relatifs à ce sacrifice, de type législatif essentiellement, abordent la question sous l'angle de la forme plutôt que du sens. Cela est possible en ce qui concerne l'holocauste quotidien, qui fait partie de la liturgie ordinaire du sanctuaire, et qui est toujours offert sur l'autel, le matin, avant tout autre sacrifice (6. 2-6). Pour ce qui est

---

[1] A l'exception, selon P, de la peau, voir 7. 8.
[2] Voir LEVINE, *Presence*, p. 22-27.
[3] Voir MARX, *Formes*, p. 175-201.

des holocaustes offerts à titre privé (ce dont il est question dans le chap. 1), l'incertitude est grande ; l'idée fondamentale semble être plutôt celle d'adoration, d'hommage rendu à Dieu, dans un geste purement gratuit de reconnaissance. La valeur expiatoire qui lui est attribuée en 1. 4 provient certainement d'un développement assez tardif de la réflexion sur les sacrifices.

Dans la perspective chrétienne, l'holocauste devient préfiguration du sacrifice unique et parfait du Christ. Dans ce sacrifice, il y a comme dans l'holocauste vétéro-testamentaire le don total, sans restriction, fait à Dieu ; mais ce qui est particulier, c'est que l'offrant est en même temps la victime : il s'offre lui-même à Dieu dans une offrande suprême et définitive.

(1) De la tente de la rencontre, il (YHWH) appela* Moïse et YHWH[a] lui parla en ces termes : (2) Parle aux Israélites ; dis-leur : Lorsque l'un d'entre vous amènera une pièce de bétail[a] comme présent pour YHWH, vous amènerez votre présent[b] pris parmi le gros bétail ou le petit bétail.

(3) Si son présent consiste en un holocauste, provenant du gros bétail, l'offrant amènera un mâle sans défaut ; il l'amènera à l'entrée de la tente de la rencontre, afin d'être agréé devant YHWH[a] ; (4) il placera sa main sur la tête de l'holocauste[a], lequel sera agréé en sa faveur afin que le pardon lui soit accordé ; (5) il égorgera[a] la pièce de gros bétail devant YHWH. Les prêtres descendants d'Aaron[b] en apporteront [c]le sang[c] et en aspergeront le pourtour de l'autel qui se trouve à l'entrée de la tente de la rencontre. (6) L'offrant ôtera[a] la peau de l'holocauste et le découpera[a] en morceaux. (7) [a]Les descendants du prêtre[b] Aaron[a] mettront du feu sur l'autel et disposeront des bûches sur le feu. (8) Les prêtres descendants d'Aaron disposeront les morceaux — [a]la tête et la graisse y compris — sur les bûches qui [b]sont sur le feu qui[b] est sur l'autel. (9) L'offrant lavera[a] les entrailles et les pattes de l'animal avec de l'eau, puis [b]le prêtre fera fumer[b] le tout sur l'autel. C'est[c] un holocauste, un mets consumé au parfum apaisant pour YHWH.

(10) Si[a] son présent[b] provient du petit bétail, moutons ou chèvres, pour un holocauste[c], l'offrant amènera un mâle sans défaut[d]. (11) Il l'égorgera[a] sur le côté nord de l'autel, devant YHWH ; les prêtres descendant d'Aaron aspergeront de son sang le pourtour de l'autel. (12) L'offrant découpera[a] l'animal en morceaux — sa tête et sa graisse y compris — et [b]le prêtre les disposera[b] sur les bûches qui sont sur le feu qui est sur l'autel. (13) L'offrant lavera[a] les entrailles et les pattes avec de l'eau, puis le prêtre présentera le tout et le fera fumer sur l'autel. C'est un holocauste, un mets consumé au parfum apaisant pour YHWH.

(14) Si son présent pour YHWH consiste en un holocauste, provenant d'oiseaux, l'offrant apportera son présent pris parmi les tourterelles[a] ou les pigeons. (15) Le prêtre présentera l'oiseau à l'autel ; il en détachera la tête et la fera fumer sur l'autel, puis il en exprimera[a] le sang contre[b] la paroi de l'autel. (16) Il détachera son jabot avec son contenu[a] et le [c] jettera[b] à côté de l'autel, à l'est, à l'endroit où l'on dépose les cendres grasses. (17) Il fendra l'oiseau entre ses ailes — [a]il ne les séparera pas —, puis il le fera fumer sur l'autel, sur les bûches qui sont sur le feu. C'est un holocauste, un mets consumé au parfum apaisant pour YHWH.

Critique textuelle : • *v. 1** Dans certains manuscrits hébreux, l'aleph de ויקרא est une minuscule. Une tradition juive y voit l'indice d'un texte primitif ויקר = « [YHWH] se présenta [à Moïse] » (comparer Nb 23. 4, 16). Mais les versions anciennes confirment le TM. • *v. 1a Lectio facilior* ; le sens reste le même. • *v. 2a* Simple explicitation, qui ne présuppose pas un original différent du TM ; de plus un déplacement de l'atnaḥ n'est pas nécessaire. • *v. 2b* L'emploi du pluriel dans Sam, LXX et Syr ne justifie pas une modification du TM. • *v. 3a* Une lecture לְפָנַי n'est pas impossible (le sens reste le même) ; toutefois l'absence de יהוה ressemble plutôt à une inadvertance de copiste. • *v. 4a* Assimilation inutile à la formulation de 3. 2, 8 ; comparer 4. 29 et 33. • *v. 5a* LXX, en mettant au pluriel le verbe au singulier du TM, attribue aux prêtres les actes que le TM attribue à l'offrant ; voir le commentaire. • *v. 5b* Probable inadvertance de copiste. • *v. 5c-c* Inadvertance du copiste ? ou désir de simplification, le second אֶת־הַדָּם du verset fonctionnant comme objet direct des deux verbes ? • *v. 6a* Voir 5a. • *v. 7a-a* Le *khn' bnj 'hrwn* de Syr traduit, aux v. 5, 8, 11 ; 3. 2 ; etc., le בני אהרן הכהנים du TM ; il n'y a donc pas lieu de supposer un ordre différent des mots dans l'original hébreu du v. 7. L'absence de cette tournure dans Vg est due au fait que les *filii Aaron sacerdotes* sont sujet depuis le v. 5. • *v. 7b* Assimilation à la formulation des v. 5, 8, 11, etc. • *v. 8a* L'adjonction de la conjonction de coordination est une nécessité grammaticale, sinon ראש et פדר deviennent simple apposition à נתחים. • *v. 8b-b* Homéotéleuton. Ici et au v. 12, Vg traduit פדר de manière difficilement explicable par *cuncta/omnia quae adherent jecori*, mais pas en 8. 20 *(adipem)*. • *v. 9a, b-b* Voir 5a. • *v. 9c* Modeste correction du TM, acceptable ; voir le commentaire. • *v. 10a, c* Le déplacement de עלה dans Sam rapproche abusivement ce verset de la formulation du v. 3. • *v. 10b* Assimilation inutile à la formulation du v. 14. • *v. 10c* Voir 10a. • *v. 10d* Assimilations inutiles aux formulations des v. 3 et 4, même si, dans le cas de LXX, l'adjonction correspond à une probable réalité du rituel, voir le commentaire. • *v. 11a* Voir 5a. • *v. 12a* Voir 5a. • *v. 12b-b* Le יערך de Sam est difficilement explicable, probablement simple erreur de copiste ; sur le pluriel de LXX et Vg, voir le commentaire. • *v. 13a* Voir 5a. • *v. 14a* L'adjonction de *lmrj'* dans Syr est une sorte de dittographie du ליהוה précédent. • *v. 15a* Sam : erreur de copiste ou variante orthographique ; LXX et Vg : traduction *ad sensum* du niphal du TM (BHS, 1ʳᵉ édition : lire ומצה pro ומצא). • *v. 15b* Sur la variante fréquente אל/על, voir HAL, p. 48b ; BDB, p. 41a, note 2 ; Zorell, p. 51b, IV. • *v. 16a* Au lieu du suffixe de la 3ᵉ pers. fém. sing. de l'hébreu, on trouve effectivement dans Sam, Syr et Tg un suffixe de la 3ᵉ pers. masc. sing. ; toutefois ces trois témoignages ne vont pas dans le même sens. Pour Sam, le suffixe masc. se rapporte à l'oiseau (עוף, masc.) et non au jabot (מראה, fém.), tandis que pour Syr et Tg, le suffixe masc. se rapporte au jabot *(qurqᵉbono'*, masc. ; זקף, masc.) ; Syr et Tg appuient donc le TM, alors que Sam reste un témoin isolé. Quant à la lecture proposée ואת au lieu de ב, elle ne pourrait reposer que sur Vg *(vesiculam... et plumas)*, encore que cette traduction ne reflète pas forcément un texte hébreu différent du TM. Voir également 16c et le commentaire. • *v. 16b* Assimilation inopportune à la même forme verbale du v. 15. • *v. 16c* Le suffixe masc. sing. de Sam ne peut se rapporter qu'à l'oiseau, ce qui ne convient pas au contexte de ce verset ; le suffixe féminin du TM se rapporte à מראה (ce qui est appuyé par le suffixe masc. de Syr et Tg, voir 16a), et le singulier confirme à sa manière que נצה n'est pas coordonné (ואת), mais subordonné (ב) à מראה. • *v. 17a Lectio facilior* ; l'absence de coordination trahit le caractère secondaire de לא יבדיל : voir le commentaire. Vg *(confringet... et non secabit nec ferro dividet eam)* voit l'opposition entre le geste qui doit être fait à main nue plutôt qu'avec un instrument (couteau), et non entre les deux verbes (fendre — ne pas séparer).

v. 1. Le premier discours de YHWH comprend formellement les chap. 1—3 (nouvelle formule d'introduction en 4. 1). Mais le caractère développé de la formule (1. 1-2) en fait l'introduction aux chap. 1—7, sinon à tout le livre.

La construction inhabituelle de la phrase, avec le sujet (YHWH) placé dans la seconde proposition, laisse deviner un texte remanié. Le texte primitif pourrait avoir été comme en 4. 1 וידבר יהוה אל־משה לאמר = « YHWH parla à Moïse en ces termes ». La première adjonction ויקרא אל־משה = « il appela Moïse » (avec substitution du pronom אליו = « lui » en 1b) rappelle les quatre interventions précédentes de Dieu dans les mêmes termes, à savoir :

— Gn 3. 9 « YHWH Dieu appela Adam » ;
— Ex 3. 4 « Dieu l'appela [Moïse] du milieu du buisson » ;
— Ex 19. 3 « YHWH l'appela [Moïse] de la montagne [de Sinaï] » ;
— Ex 24. 16 « Il [YHWH] appela Moïse du sein de la nuée ».

Après le dialogue dans la proximité immédiate (en Gn 3, avant la coupure entre Dieu et l'homme), Dieu continue à interpeller l'homme, en se rapprochant progressivement de lui : en Ex 3, Dieu parle dans le mystère d'un événement extraordinaire où seule sa voix se fait entendre ; en Ex 19, Dieu parle à Moïse face à face, mais à bonne distance du peuple ; en Ex 24, Dieu parle toujours à Moïse seul, mais alors que les représentants du peuple (Aaron, Nadab, Abihou et les soixante-dix anciens d'Israël) sont dans les parages ; en Lv 1, Dieu parle à Moïse, mais cette fois-ci au milieu du camp d'Israël, dans la tente de la rencontre.

La seconde adjonction est justement celle de מאהל מועד = « de la tente de la rencontre ». Sur la « tente de la rencontre », voir l'Introduction, § 7. La description détaillée de ce sanctuaire et des objets de culte qui s'y trouvent est donnée en Ex 25. 8—27. 21 ; 30. 1-10, 17-38.

Alors que dans l'Exode, Dieu parlait à Moïse surtout sur le mont Sinaï, maintenant que le sanctuaire est édifié et légitimé par la présence de la nuée et de la gloire du Seigneur (Ex 40. 34-38), c'est là que Dieu va régulièrement parler avec Moïse (trois exceptions : Lv 25. 1 ; 26. 46 ; 27. 34).

v. 2. Au אדם כי = « Lorsque l'un [d'entre vous] » de 1. 2 répondent les נפש כי = « Si/Quand un homme » de 2. 1 ; 4. 2 ; 5. 1, 15. Chacune de ces formules introduit une nouvelle section de l'ensemble des chap. 1—5. Dans la plupart des cas, la section est subdivisée en paragraphes introduits par la conjonction אם = « Si » (voir 1. 3 ; 3. 1 ; etc.). Un tel usage des conjonctions convenait bien à l'école sacerdotale, toujours soucieuse de clarté formelle dans la présentation.

Le terme קרבן = « présent » apparaît tardivement dans la littérature hébraïque ; on ne le rencontre que 2 fois chez Ézéchiel, et 78 fois dans P (Lv, 40 fois, Nb, 38 fois)[4]. Dérivé de la racine קרב = « approcher/présenter », il signifie étymologiquement « ce qu'on apporte » ou « ce qu'on présente » (à Dieu), et désigne comme terme général n'importe quelle sorte de sacrifice. Il s'est substitué dans la langue de P à מנחה qui avait la même signification dans les textes anciens, avant de se spécialiser (surtout chez P et Ez) dans le sens restreint d'« offrande végétale » (voir 2. 1).

---

[4] Le DISO mentionne une attestation du mot, en judéo-araméen, dans une inscription sur le couvercle d'un ossuaire, inscription datant de la fin du Iᵉʳ siècle av. J.-C. Voir MILIK, « Tombeaux » ; concernant la datation, voir la p. 236. De toute façon, dans cette inscription, le mot קרבן a probablement un sens différent (« malédiction »).

בהמה est un terme générique désignant les bêtes, parfois sauvages, généralement domestiques, par opposition essentiellement aux hommes d'une part, aux oiseaux et aux poissons d'autre part. Son sens dans le présent contexte est précisé par les deux termes collectifs plus spécifiques[5] placés en apposition, בקר désignant le « gros bétail » (= les bovins) et צאן désignant le « petit bétail » (= les moutons et les chèvres).

La règle générale pour les sacrifices en Israël est donc d'offrir une bête domestique et pure (par conséquent l'âne ou le chameau p. ex. sont exclus). La bête est choisie parmi les principales races d'élevage d'un peuple primitivement nomade. Les sacrifices d'oiseaux, comme nous le verrons, ne sont probablement qu'une solution de remplacement, acceptable de la part des gens pauvres.

v. 3-17. Après la formule d'introduction des v. 1-2, le texte du chapitre se subdivise en trois paragraphes, correspondant aux trois sortes d'animaux que l'Israélite est en droit d'offrir en holocauste : le gros bétail (v. 3-9), le petit bétail (v. 10-13) et les oiseaux, tourterelle ou pigeon (v. 14-17). Les deux premiers paragraphes, vraisemblablement plus anciens que le troisième, sont construits de manière parallèle. Dans le troisième paragraphe, à cause de son origine plus récente, et surtout compte tenu du type d'animal concerné, qui ne peut pas être traité comme un quadrupède de grosse taille, le rituel est présenté de manière différente, bien que l'on y retrouve les éléments essentiels qui sont : le rite du sang, la mise à l'écart de ce qui ne peut pas être offert à Dieu, et la présentation du reste par le prêtre, sur l'autel, pour y être brûlé.

v. 3. Au אם־עלה קרבנו= « Si son présent consiste en un holocauste », qui introduit cette section, correspond textuellement le אם־זבח שלמים קרבנו = « Si son présent consiste en un sacrifice de communion », de 3. 1, qui introduit pareillement le chap. 3. Cela montre le lien étroit et certainement ancien qui existe entre ces deux chapitres, par-dessus le chap. 2 (dont nous verrons plus loin la raison d'être à cette place). מן־הבקר = « provenant du gros bétail » introduit les v. 3-9, comme מן־הצאן = « provenant du petit bétail » introduit les v. 10-13 et מן־העוף = « provenant d'oiseaux » introduit les v. 14-17. L'animal doit être un mâle =זכר, dans la ligne de la pensée antique qui attribue une supériorité d'essence au mâle par rapport à la femelle[6]. Il doit être sans défaut = תמים (litt. « entier », voir 3. 9), ce qui exclut toute imperfection, naturelle (malformation congénitale), voulue (castration) ou accidentelle (fracture, maladie), voir 22. 21-25. Ces deux exigences s'expliquent par le fait que l'holocauste est le plus parfait, le plus élevé des sacrifices, celui où l'offrant renonce à tout pour lui-même, afin de tout offrir à Dieu. Pour un sacrifice de si haut niveau, on ne peut pas envisager d'offrir une bête de second choix ; seul ce qu'il y a de meilleur, de plus parfait, de plus irréprochable est assez bon pour Dieu (voir Ml 1. 8).

L'animal doit être amené à l'entrée de la tente de la rencontre, c'est-à-dire à proximité de l'autel des sacrifices, qui se trouve à l'extérieur de la tente, devant l'entrée (Ex 40. 6-7, 29-30).

---

[5] A ces deux noms collectifs correspondent respectivement les noms distributifs שור = « une pièce de gros bétail » (parfois aussi employé collectivement, et une seule fois au pluriel) et שה = « une pièce de petit bétail », mouton ou chèvre (jamais au pluriel).

[6] En 1 S 6. 14, il est question explicitement de vaches (פרות) offertes en holocauste ; en 2 S 24. 22, le gros bétail (בקר) qu'Arauna utilise pour dépiquer ses céréales désigne vraisemblablement une paire de vaches également. Ceci signifie que P a favorisé la masculinité de l'animal offert en holocauste, alors qu'elle n'était pas encore de règle en Israël à l'aube du premier millénaire av. J.-C.

Le suffixe de לרצנו = « afin d'être agréé » peut, grammaticalement, se rapporter à l'animal offert comme l'ont compris BJ et BP après LXX, ou à l'offrant lui-même, comme le traduisent BC, Noth, Elliger, Wenham et Rendtorff entre autres, à la suite de Vg, Tg et Syr. Pourtant les autres emplois de l'expression dans P (surtout לרצנכם = « de manière à être agréés » en 19. 5 ; 22. 19, 29 ; 23. 11) déterminent sans conteste le sens de « pour que l'offrant soit agréé ».

v. 4. La signification primitive du rite d'imposition de la main ou des mains n'est pas connue. En premier lieu on ignore même s'il y avait à l'origine une distinction entre « imposer la main » et « imposer les [deux] mains ». La tradition sacerdotale pour sa part y a reconnu deux rites différents : alors que « imposer les [deux] mains » exprime dans P la transmission de quelque chose d'un être à un autre, le transfert p. ex. du péché (voir le commentaire de 16. 21), ou d'un pouvoir (voir Nb 27. 23), « imposer la main » exprime simplement l'idée d'une identification du sujet à l'objet[7]. En posant sa main sur la tête de l'animal qu'il offre, le donateur veut exprimer que c'est bien lui qui fait cette offrande, et surtout que c'est en quelque sorte lui-même qui s'offre à Dieu au travers de son offrande. Sur une fausse interprétation de ce geste, voir le commentaire de 4. 4.

L'emploi du verbe רצה = « agréer » confirme l'interprétation de סמך יד = « placer la main [sur] » : l'animal est agréé, par le prêtre, à la fois à cause de son intégrité physique, et comme substitut de l'homme qui s'est identifié à lui en lui imposant la main. L'animal est accepté comme étant l'offrande de soi du donateur.

לכפר עליו = « afin que le pardon lui soit accordé » n'est certainement pas primitif dans le rituel de l'holocauste[8]. Sur le sens du rite du כפר = « faire le rite d'absolution », voir le commentaire de 4. 20. Le rite est en effet essentiellement en relation avec les sacrifices expiatoires. Mais comme en Israël tous les sacrifices ont peu à peu acquis une valeur expiatoire, il n'est pas étonnant qu'une mention de ce rite ait pu s'introduire ici (voir le même phénomène en 16. 24).

---

[7] Voir PÉTER-CONTESSE, « Imposition » :
Les cas déterminants sont Lv 1. 4 ; 3. 2, 8, 13 ; 4. 4, 24, 29, 33, pour ce qui est de l'*imposition de la main* (sujet au singulier et « main » au singulier), et Lv 16. 21 ; Nb 27. 23, pour l'*imposition des deux mains* (sujet au singulier et « mains » au duel). Dans les autres cas, le sujet étant au pluriel (Ex 29. 10, 15, 19 ; Lv 4. 15 ; 8. 14, 18, 22 ; 24. 14 ; Nb 8. 10, 12), le mot « mains » est automatiquement au duel, sans que cela implique ou exclue que les participants imposent les deux mains. Pourtant le texte de Lv 4. 15, entre les cas mentionnés aux v. 4, 24, 29, 33, montre bien que les anciens de la communauté, malgré le duel de « mains », n'imposent chacun qu'une seule main sur la tête du taureau. Seul le cas de Nb 27. 18 fait exception à la règle, puisque Moïse reçoit l'ordre de transmettre ses fonctions à Josué en lui imposant « la main ». Toutefois on peut remarquer que LXX a le pluriel, et qu'au v. 23, quand Moïse exécute l'ordre, il impose « les mains » à Josué (2 mss, Sam et Syr : « la main ») ; de même en Dt 34. 9 (P), Moïse impose « les mains » (variante : singulier) à Josué. Dans le seul texte extérieur à la tradition sacerdotale, 2 Ch 29. 23, des gens (probablement le roi et l'assemblée) imposent « les mains » (en français il serait légitime de dire « la main ») sur les boucs du sacrifice ; on retrouve donc là une perspective identique à celle de P.
Sur le rite utilisé postérieurement dans les liturgies d'ordination, voir LOHSE, *Ordination*. Dans l'AT, les récits d'imposition des mains en vue de la guérison n'utilisent pas le verbe סמך. Naaman (2 R 5. 11) parle de הניף = « agiter (la main) », qui d'après d'autres emplois chez Ésaïe et Zacharie semble avoir une certaine connotation magique.
[8] Voir une allusion analogue, de la même époque, en Ez 45. 15.

v. 5. L'égorgement rituel[9] est effectué par l'offrant lui-même, selon le TM. LXX (voir la crit. text.) et 2 Ch 29. 22-24 réservent ce geste aux prêtres ; quant à Ez 44. 11 et 2 Ch 35. 6, ils en chargent les lévites. C'est probablement l'indice d'une pratique hésitante à certaines époques. En tout cas l'égorgement par l'offrant est certainement la pratique primitive, le sacerdoce ayant petit à petit grignoté les privilèges des laïcs dans le domaine des sacrifices, au fur et à mesure qu'il perdait de son importance et de son autorité au point de vue de l'enseignement et des décisions oraculaires.

Le בן de בן הבקר (litt. « fils du gros bétail ») désigne l'appartenance à l'espèce בקר[10] plutôt qu'une idée d'âge, de jeunesse. Il en va de même avec les expressions בני היונה = « fils du pigeon » au v. 14, et בת היענה = « fille de l'autruche » en 11. 16.

לפני יהוה = « devant YHWH » signifie concrètement « dans le sanctuaire », au sens large, à savoir la tente de la rencontre et ses alentours, délimités selon les indications d'Ex 27. 9-19 ; voir aussi Lv 17. 3-5.

Dans la fiction littéraire de P, l'expression « les prêtres fils d'Aaron » désigne Nadab, Abihou (10. 1), Éléazar et Itamar (10. 6), bien qu'ils n'aient pas encore été consacrés, ce qui ne se fera qu'au chap. 8. Mais au sens large, l'expression désigne toute la classe sacerdotale des descendants d'Aaron, ou du moins le sacerdoce jugé légitime à l'époque de la rédaction de l'ouvrage, à savoir les Sadocides. Ce sont eux, les prêtres, et eux seuls, qui sont habilités à accomplir les rites du sang, à manipuler ce fluide qui symbolise (P dira même qu'il *est*) la vie.

Le verbe זרק = « asperger » apparaît souvent (mais pas exclusivement) dans un contexte de sacrifices. Il est lié essentiellement à l'holocauste (voir Ex 24. 6 ; 29. 16 ; Lv 1. 5 ; 7. 2 ; 8. 19 ; 9. 12 ; 2 R 16. 15 ; Ez 43. 18 ; 2 Ch 29. 22) et au sacrifice de communion (voir Ex 24. 6 ; Lv 3. 2 ; 7. 14 ; 9. 18 ; 17. 6 ; 2 R 16. 13). Au contraire du verbe הזה, lié au sacrifice pour le péché (voir le commentaire de 4. 6) et qui comporte une composante de purification/consécration, le verbe זרק évoque surtout la manière dont on doit traiter, avec le plus grand respect, le sang des victimes, lorsque celui-ci n'est pas utilisé dans un rituel de purification ; pour éviter à qui que ce soit la tentation de consommer du sang (voir l'interdiction formelle de 3. 17), celui-ci est recueilli dans un ou plusieurs récipients au moment où l'offrant tranche la gorge de l'animal. Les prêtres[11] emportent ce sang et le projettent contre les parois de l'autel, ce qui est une façon de le rendre au Dieu vivant, le maître unique de la vie[12]. Par ce même geste s'établit symboliquement le contact entre l'offrant et son Dieu.

L'autel = מזבח est décrit en Ex 27. 1-8 ; 38. 1-7. Cependant on peut difficilement imaginer que, tel qu'il est décrit, on ait pu l'utiliser ; même recouverte de bronze, la

---

[9] Le verbe שחט, terme technique sacrificiel, signifie « immoler/abattre/tuer », et s'emploie le plus souvent pour un animal. L'idée d'égorgement souvent exprimée dans les traductions n'est pas une nuance intrinsèque du verbe hébreu, mais découle de la pratique habituelle du rituel sacrificiel : l'animal, vraisemblablement entravé, était couché ; on lui tirait la tête en arrière pour bien dégager le cou, et l'offrant lui tranchait la gorge au moyen d'un couteau ; on recueillait alors le sang dans un récipient (voir KEEL, *Bildsymbolik*, Abb. 439a).

[10] Voir JOÜON 129 j.

[11] Certains commentateurs pensent que le pluriel « les prêtres » a remplacé un singulier primitif « le prêtre » : voir ELLIGER, p. 33 « der Priester », et, explicitement, NOTH, p. 13 « V. 5b war ursprünglich zweifellos singularisch formuliert mit "dem Priester" als Subjekt ». Cette opinion est contestable, pour une simple raison pratique : les vaisseaux sanguins d'un taureau de 400 kg p. ex. contiennent plus de trente litres de sang ; il est donc parfaitement logique que plusieurs prêtres soient requis pour transporter une telle quantité de sang.

[12] Les principaux éléments de la théologie sacerdotale du sang sont exposés au chap. 17.

structure interne en bois d'acacia n'aurait pas supporté la température d'un brasier destiné à consumer des sacrifices[13]. Mais l'idée du « sanctuaire transportable » impliquait l'existence d'un autel également transportable, donc d'un poids pas trop élevé. Le même mot מזבח étant employé pour désigner également l'autel du parfum (מזבח קטרת הסמים, voir 4. 7), on trouve quelquefois la précision « autel de l'holocauste » (מזבח העלה, voir également 4. 7). Quelle que soit sa forme et quelles que soient les matériaux dont il est constitué, l'autel est l'un des objets les plus importants de tout sanctuaire. Lieu des sacrifices offerts à Dieu, et donc point de contact privilégié entre l'homme et Dieu, il était tout indiqué pour être aspergé du sang des victimes.

La précision concernant l'autel « qui se trouve à l'entrée de la tente de la rencontre » pourrait avoir été ajoutée par un rédacteur soucieux d'éviter tout malentendu, mais elle est certainement conforme à la pensée de l'auteur ; puisque dans certains cas du sacrifice pour le péché (4. 7, 18), le grand prêtre doit mettre du sang de la victime sur l'autel du parfum, à l'intérieur de la tente, l'auteur a jugé utile de préciser que dans le cas de l'holocauste, les prêtres versent le sang contre l'autel de l'holocauste, extérieur à la tente.

v. 6. Pendant ce temps, l'offrant[14] ne reste pas inactif : après avoir écorché la victime (car la peau constitue, selon 7. 8, le salaire du prêtre qui officie), il la découpe, probablement en ses parties naturelles. Il n'est pas nécessaire de chercher une signification symbolique à ce découpage ; il s'agit certainement d'une raison d'ordre pratique : il n'est évidemment pas commode de transporter et de déposer un animal entier sur l'autel.

v. 7. Après avoir accompli les rites du sang, les prêtres[15] préparent l'autel : « ils mettront du feu (c'est-à-dire des braises) sur l'autel et disposeront[16] des bûches sur le feu », de façon à préparer un brasier assez important pour brûler complètement l'holocauste. Le texte de 6. 5-6 dit que le feu sur l'autel ne doit jamais s'éteindre, ce qui trahit une époque plus tardive et une phase plus évoluée du rituel.

v. 8. Les prêtres (pour P, eux seuls ont le droit d'approcher de si près l'autel[17]) disposent les morceaux du sacrifice sur le bois embrasé. On ne saisit pas pourquoi l'auteur

---

[13] CASSUTO, *Exodus*, p. 362, pense que l'autel du désert ne comportait que les quatre côtés, mais pas de partie supérieure horizontale ; lors des séjours durant la traversée du désert, ce « cadre » était rempli de pierres, sur lesquelles se situait le brasier. Cette explication, rationalisante, n'est guère convaincante.

[14] Ici encore LXX et Sam donnent les verbes au pluriel (sans sujet explicite), ce qui implique que les gestes sont accomplis par les prêtres, comme c'est le cas en 2 Ch 29. 34. Voir ce qui a été dit ci-dessus, au v. 5, à propos de l'égorgement. En général la tradition juive retient le singulier du TM, mais l'interprète comme désignant quand même un prêtre : RACHI (v. 5) « À partir du recueillement du sang le devoir incombe au service des prêtres » ; IBN EZRA « Il ôtera la peau : soit un prêtre, soit le Lévite attaché à son service » ; voir également BRF qui recourt à l'impersonnel « on ».

[15] La tournure, unique dans le Lévitique, בני אהרן הכהן = « les fils d'Aaron, le prêtre » (voir la crit. text.) est malgré tout difficilement explicable. Comme le note RENDTORFF, p. 56-57, il semble que P n'a pas unifié sa terminologie relative à la désignation des prêtres.

[16] Le verbe ערך au qal = « disposer/arranger/mettre en ordre » est employé à plusieurs reprises par P (7 fois dans Lv). Il correspond bien à la tournure d'esprit de l'auteur sacerdotal, toujours soucieux que tout soit bien ordonné, placé, agencé, que ce soit le bois sur l'autel (v. 7), les morceaux de l'animal sacrifié sur le brasier (v. 8 ; 6. 5), le chandelier et ses lampes (24. 3-4) ou les pains de proposition (24. 8).

[17] Voir Nb 18. 1-8, et en particulier le v. 3 qui interdit expressément aux Lévites (et à plus forte raison aux profanes, v. 8) de « s'approcher de l'autel ».

a jugé nécessaire de préciser que la tête et les parties grasses doivent aussi être brûlées[18]. La graisse devait de toute façon être consumée, dans tous les sacrifices israélites (voir 3. 16-17). Quant à la mention de la tête[19], s'agirait-il d'un souci de précision de la part de l'auteur, du fait que Dt 18. 3 attribuait, dans le cas du sacrifice de communion, la mâchoire de la victime comme salaire du prêtre ? Rachi pour sa part y voit une précision d'un autre ordre : comme la tête a été tranchée en premier lors de l'égorgement de la victime, il s'agit de ne pas oublier de la porter sur l'autel.

v. 9. Il reste à l'offrant une double tâche à effectuer : le nettoyage des entrailles et des pattes[20] de la victime. En effet, le contenu de l'estomac et de l'intestin, matériaux en fermentation et en décomposition, est impropre au sacrifice ; de même les pattes d'un animal, particulièrement exposées à se salir, doivent être soigneusement débarrassées de toute trace d'impureté, inconciliable avec la sainteté de l'autel et celle de Dieu. Ce n'est qu'après ce lavage minutieux que pattes et entrailles peuvent être déposées, par le prêtre, sur l'autel.

Le verbe הקטיר est un des nombreux termes techniques que nous rencontrons dans Lv : « faire fumer », en brûlant de manière rituelle sur l'autel. De la même racine dérive le substantif קטרת = « parfum » (voir 4. 7 : « autel du parfum ») ; cette racine indique comment on concevait que Dieu pouvait « bénéficier » du sacrifice offert, sous la forme d'une « fumée parfumée » qui montait jusqu'à lui. Ce verbe a presque toujours pour sujet un prêtre[21], car le rite est réservé spécifiquement au sacerdoce, seul habilité à s'approcher de l'autel (voir v. 8).

La majorité des exégètes modernes ajoutent un הוא après עלה (« un holocauste ce sera » ; voir la crit. text.)[22]. La chute du mot peut s'expliquer entre le ה de עלה et le א de אשה = « mets consumé ». Comme le montrent les formulations parallèles de 1. 13 et 1. 17, il est quasi inévitable d'admettre cette correction. Cela n'implique pas pourtant

---

[18] Il s'agit certainement d'une adjonction au texte primitif ; voir v. 12 et 8. 20, où les mêmes mots reparaissent dans le même contexte, mais à un autre endroit du texte, et dans un ordre différent. Le mot hébreu פדר n'apparaît que trois fois dans l'AT (1. 8, 12 ; 8. 20). Les versions anciennes, quasi unanimes, lui attribuent le sens de « graisse » (p. ex. LXX στεαρ ; Vg (8. 20) *adeps*). Il semble que le mot soit une sorte de collectif recouvrant les divers morceaux gras désignés ailleurs par חלב/חלבים.

[19] En 9. 13 et Ex 29. 17, נתחים = « morceaux » est également accompagné de ראש = « tête », mais sans mention de la graisse.

[20] Certains commentateurs (p. ex. WENHAM, p. 54) déclarent que כרעים désigne de manière spécifique les pattes postérieures d'un animal, celles qui sont le plus souvent salies par les excréments. Un examen attentif des divers emplois du mot dans l'AT ne permet pas d'être aussi catégorique ; les pattes antérieures d'un animal, tout autant en contact avec le sol que les pattes postérieures, sont donc tout aussi exposées à diverses souillures.

[21] 33 fois dans Lv ; les exceptions sont 2. 11 (vous) et 8. 16-28 (Moïse) ; mais le « vous » désigne les Israélites en général, sans impliquer qu'ils puissent, à titre personnel, venir déposer des offrandes végétales sur l'autel ; ils ne peuvent manifestement le faire que par la personne interposée du prêtre. Quant à Moïse, il officie en tant que prêtre dans la cérémonie de l'institution du sacerdoce, donc avant qu'Aaron et ses fils aient été consacrés et puissent eux-mêmes officier.

[22] Le CRPP juge que la base textuelle pour l'acceptation de ce mot supplémentaire est trop étroite ; mais il est alors obligé de modifier l'accentuation massorétique pour regrouper les mots de manière différente, en faisant de עלה = « holocauste » la suite de l'affirmation précédente : « (le prêtre fera fumer le tout sur l'autel) en holocauste ». Cette interprétation semble être une solution de fortune qui s'intègre mal dans le contexte.

que nous souscrivions à l'idée de la « formule déclarative »[23], prononcée par le prêtre pour exprimer que Dieu agrée le sacrifice offert. Elliger, p. 35, n'est pas convaincu dans le cas présent du bien-fondé de cette interprétation[24]. L'hypothèse des « formules déclaratives » est intéressante et éclairante dans plusieurs cas, mais il n'est pas nécessaire de vouloir en trouver dans toutes les pages de l'AT. Il pourrait s'agir ici, plus simplement, d'une formule littéraire de conclusion d'un paragraphe, conforme à l'esprit méthodique et précis de l'auteur.

אשה = « mets consumé » est encore un terme technique fréquent chez P[25]. Son sens précis n'est pas connu ; l'étymologie n'en est pas claire[26]. Toutefois, même si le terme ne dérive pas de אש = « feu », il y a une relation sémantique entre les deux mots, une influence de אש sur אשה, par ressemblance graphique et par assonance, et il a été ressenti de cette manière-là par ceux qui l'ont utilisé, ce qui justifie les traductions habituelles, qui gravitent autour de « mets consumé »[27].

Le terme désigne au sens strict tout ce qui est brûlé sur l'autel pour Dieu ; par extension, dans le cas de l'offrande végétale ou du sacrifice de communion p. ex., il peut s'appliquer à l'offrande ou à l'animal tout entiers, y compris donc la part réservée au prêtre. Cependant il n'est jamais employé explicitement pour désigner tout ou partie du sacrifice pour le péché[28].

L'expression technique ריח ניח(ו)ח = « parfum apaisant » est le décalque hébreu d'une tournure akkadienne qui apparaît dans le récit babylonien du déluge, en parallèle à Gn 8. 21[29]. La racine נוח exprime l'idée de « repos », d'où « apaisement » ; toutefois cet apaisement ne concerne pas un Dieu qui serait fâché par le péché de l'homme, puisque l'expression n'est employée qu'exceptionnellement (1 fois) en rapport avec le sacrifice pour le péché (4. 31)[30]. Dans les autres cas (sauf chez Ez, 4 fois), elle se rapporte soit à l'holocauste, soit au sacrifice de communion, soit à l'offrande végétale. LXX (οσμη ευωδιας = « odeur de bonne odeur ») et Vg (*odor suavis/suavissimus/suavitatis* = « odeur [très] suave ») ont en tout cas évité cette ambiguïté. La précision apportée par cette expression a peut-être aussi une valeur polémique, dans la ligne de ce qui a été dit plus haut sur הקטיר : éviter que le sacrifice ne soit compris dans la piété populaire comme une nourriture matérielle offerte à la divinité ; ce n'est que l'odeur, le parfum, qui monte vers Dieu.

---

[23] « deklaratorische Formel » ; voir RENDTORFF, *Gesetze*, p. 74-76 ; VON RAD, *Théologie* I, p. 230 ; RINGGREN, *Religion*, p. 233. Dans son commentaire du Lévitique, RENDTORFF (p. 61-62) modifie quelque peu sa terminologie et préfère parler désormais de « priesterliche Klassifikationsformel » = « formule sacerdotale de classification ».

[24] Bien qu'il accepte d'ajouter le הוא = « ce (sera) » par analogie avec les v. 13 et 17.

[25] 65 fois dans l'AT, dont 62 fois chez P et 42 fois dans Lv.

[26] Voir WENHAM, p. 56, n. 8 ; RENDTORFF, p. 63-66.

[27] Voir CAZELLES, p. 13.

[28] L'article de HOFTIJZER, « Feueropfer », fournit un grand nombre de constatations et de renseignements intéressants, bien que l'auteur ne parvienne pas à une conclusion claire sur l'étymologie du mot. Par contre, nous ne pouvons pas souscrire à ce qu'il dit aux p. 114-115 : « (Die Uebersetzung "Feueropfer") ist an eine bestimmte etymologische Erklärung (dass 'iššè verwandt sei mit 'eš = "Feuer") gebunden ; sollte diese Erklärung nicht zutreffend sein, muss man jedenfalls die Uebersetzung "Feueropfer" fallenlassen ». Même si l'on peut prouver qu'il n'y a aucune parenté étymologique entre אש et אשה, cela n'exclut pas une parenté sémantique (comparer en français l'expression « jour ouvrable », généralement comprise dans le sens de « jour où l'on ouvre (les magasins, les bureaux, les usines, etc.) », alors que l'adjectif en fait n'est pas dérivé de la racine « ouvrir », mais « ouvrer » = travailler).

[29] Épopée de Gilgamesh, tabl. XI, 1. 160 ; voir RPO, p. 217.

[30] L'expression apparaît 43 fois dans l'AT, dont 38 fois chez P et 17 fois dans le Lv. Dans 30 des 38 passages de P, l'expression est en parallèle étroit avec אשה ; voir ce mot ci-dessus.

v. 10-13. Ce paragraphe reprenant de très près les v. 3-9, nous ne relevons ci-dessous que les différences significatives.

v. 10. Comparer v. 3. צאן = « petit bétail » est expliqué par כשבים (= כבשים)[31] = « moutons », et עזים[32] = « chèvres » (masculin en hébreu). Malgré son absence, le rite d'imposition de la main (comparer v. 4) était certainement aussi pratiqué dans le cas du petit bétail, comme LXX le dit explicitement ici, et comme le confirme 8. 18. Cette absence dans le TM est-elle le signe que le rite n'était pas originel dans le rituel de l'holocauste, comme le pensent Rendtorff, von Rad ou Elliger ? C'est possible, mais ce n'est qu'une pure hypothèse. Il nous paraît plus vraisemblable que le rituel des v. 10-13 est présenté de manière légèrement résumée par rapport à celui des v. 3-9, certains éléments identiques ayant pu être omis dans le second paragraphe.

v. 11. Il donne une précision supplémentaire par rapport au v. 5 : l'égorgement rituel par l'offrant se fait « sur le côté nord de l'autel ». On ignore si cette exigence ne concernait que le petit bétail ; du moment que les v. 3-9 ne disent pas à quel endroit précis le taureau doit être égorgé, il est vraisemblable que l'indication du v. 11 soit une particularité du rituel des v. 10-14, dont malheureusement la signification nous échappe. Nous ne pouvons que formuler des hypothèses[33].

Si le v. 11 ne mentionne pas l'écorchage de la victime (voir v. 6), cela est dû au fait que le présent paragraphe est présenté de manière résumée, comme nous l'avons déjà pressenti au v. 10.

---

[31] כשב (13 fois dans l'AT, dont 8 fois chez P et 7 fois dans Lv) est une variante orthographique de כבש (107 fois dans l'AT, dont 87 fois chez P et 13 fois dans Lv) ; on ne discerne aucune nuance de sens entre les deux formes, qui peuvent coexister dans un seul et même paragraphe (4. 32-35). On retrouve la même variante orthographique au féminin : כבשה ou כשבה (8 fois dans l'AT, dont 2 fois chez P et 1 fois dans Lv), et כשבה (hapax, Lv 5. 6). Sur 129 emplois des diverses formes, 112 sont dans un contexte sacrificiel.
   Le mot a traditionnellement été rendu par « agneau » (voir la traduction habituelle de LXX αμνος) ; toutefois la notion d'âge n'est pas prépondérante et le sens est plutôt celui (général) de « mouton ».
[32] עז (74 fois dans l'AT, dont 44 fois chez P et 12 fois dans Lv) désigne 9 fois le « poil de chèvre ». Des 65 autres emplois, 44 apparaissent dans des contextes sacrificiels (surtout Lv, 12 fois, et Nb, 23 fois).
[33] Dans le temple idéal d'Ézéchiel, comme plus tard dans le temple d'Hérode et précédemment dans le sanctuaire du désert (dans la mesure où les descriptions sont suffisamment claires pour qu'on puisse se représenter la disposition des éléments du sanctuaire, et selon certaines des reconstructions ou plans proposés par les spécialistes), l'autel des sacrifices se trouvait en face de l'entrée principale (orientale) du sanctuaire. Par contre, devant le temple de Salomon, l'autel semble avoir été décalé légèrement vers le nord, en raison de la présence, au sud-est (voir 1 R 7. 39), de la « mer de bronze », le grand bassin contenant l'eau destinée aux purifications. Si la notice de Lv 1. 11 date d'avant l'exil et se rapporte au culte du temple de Salomon, elle signifierait que l'égorgement a lieu derrière l'autel, donc d'une manière relativement discrète. Le texte d'Ez 40. 38-40 pourrait comporter la même note de discrétion, puisqu'il prévoit que tous les animaux soient égorgés à l'intérieur du vestibule du porche, « du côté nord ».
   L'expression על ירך המזבח צפנה = « sur le côté de l'autel, au nord » se retrouve textuellement en 2 R 16. 14, où elle indique l'endroit où le roi Akhaz fait déplacer l'ancien autel des sacrifices, après l'édification du nouvel autel, copié sur celui qu'il avait vu à Damas. Il se pourrait que l'on retrouve dans ce texte une idée analogue de discrétion : le roi n'ose pas faire démolir l'ancien autel, mais il le relègue dans un endroit où il attirera moins les regards.
   De manière très hypothétique, nous nous demandons si l'holocauste primitif n'aurait pas exigé un bovin, mâle (voir la majorité des textes préexiliques) ou femelle (voir 1 S 6. 14-15), et si l'offrande d'un ovin ne serait pas une possibilité admise plus tard et avec quelques réticences, ce qui expliquerait une certaine discrétion dans l'accomplissement du rituel.
   L'interprétation qui veut rattacher la mention du nord en Lv 1. 11 à la « montagne (mythique) des dieux », et donc lui donner une valeur religieuse et non géographique (p. ex. PORTER, p. 23) nous paraît complètement hors du sujet.

v. 12. Comparer v. 6-8. La mention de « sa tête et sa graisse » (voir v. 8) fait encore plus ici figure d'adjonction au texte primitif, à cause de la liaison syntaxique inhabituelle, et de sa place surprenante dans le contexte[34].

Le sujet du verbe ערך = « disposera » est ici הכהן = « le prêtre », au singulier. Sam et Tg s'accordent avec le TM, tandis que LXX et Vg ont le pluriel. Ce pluriel est une assimilation à la formulation du v. 8. En réalité la différence est certainement voulue : alors qu'un prêtre seul peut sans trop de peine porter les quartiers de viande d'un mouton ou d'un bouc, on imagine mal un prêtre seul faire de même pour les quartiers beaucoup plus lourds et encombrants d'un taureau.

v. 13. Comparer v. 9. Ce verset contient quelques variantes essentiellement stylistiques par rapport au v. 9. La plus importante est l'adjonction de והקריב = « présentera » et le déplacement de והקטיר = « fera fumer » ; toutefois cela ne semble pas modifier sensiblement la signification du v. 13.

v. 14-17. Comme nous l'avons signalé plus haut, le paragraphe sur l'holocauste d'oiseau est construit différemment des deux précédents. Mais le v. 14 reprend la même introduction que le v. 10, avec quelques variantes stylistiques (voir aussi le v. 17 par rapport aux v. 9 et 13).

v. 14. Les tourterelles et les pigeons[35] sont les seuls oiseaux admis légalement pour les sacrifices dans l'AT, car ils étaient, à cette époque, les seuls à avoir été domestiqués depuis un certain temps en Israël[36].

L'absence de l'imposition de la main ne signifie probablement pas une différence rituelle. Puisque l'offrant apporte l'oiseau lui-même, certainement « dans ses mains », jusqu'aux abords de l'autel, le geste rituel d'identification (voir v. 4) ne s'imposait pas. Il est en tout cas intéressant de constater que, par rapport au TM, LXX a mentionné explicitement l'imposition de la main au v. 10, mais pas dans le paragraphe concernant les oiseaux. Pour elle donc le geste avait sa place dans l'holocauste des quadrupèdes et pas dans celui des volatiles.

Les difficultés d'identification expliquent suffisamment pourquoi la loi n'exige pas ici un oiseau « mâle », comme cela était prescrit pour les quadrupèdes (v. 2 et 10). Il en va de manière analogue en ce qui concerne l'adjectif תמים = « sans défaut » : les défauts ou imperfections physiques d'un taureau, d'un bélier ou d'un bouc sont assez facilement décelables (voir 22. 22), ce qui n'est de loin pas le cas pour un oiseau.

v. 15. Compte tenu de la petitesse de la victime, il n'y a pas de répartition des tâches entre le prêtre et l'offrant comme pour le gros ou le petit bétail ; le prêtre préside tout le rituel : il tue l'oiseau en lui détachant la tête (la tradition juive, rapportée par Rachi, précise que cela se fait avec l'ongle, sans instrument) et la dépose sur l'autel allumé (le feu perpétuel, selon 6. 5-7). Le sang, en trop petite quantité, n'est pas recueilli dans un récipient ; mais comme il ne doit pas être brûlé, le prêtre exerce une pression sur le corps de l'oiseau pour l'exprimer et le faire gicler directement contre la paroi de l'autel.

---

[34] Le parallélisme avec le v. 8 et la logique voudraient que « tête et graisse » dépendent du verbe « disposera ».

[35] Sur l'expression בני היונה = « fils du pigeon », voir 1. 5.

[36] La colombe, dont le comportement amoureux avait déjà frappé les anciens, était l'oiseau consacré à Ishtar, la déesse mésopotamienne de l'amour. Elle fut probablement domestiquée d'abord dans les temples de cette déesse ; les Israélites pourraient avoir adopté, en l'adaptant, cette domestication.

Il n'est pas question d'ôter la peau de la victime, même pas les plumes, car cela ne peut pas constituer le salaire du prêtre, comme dans le cas du gros bétail, et probablement aussi du petit bétail (voir 7. 8).

Certains commentateurs (p. ex. Bertholet, p. 6) se sont étonnés de trouver deux fois le verbe והקטיר = « fera fumer » dans ce paragraphe : au v. 15 pour la tête de l'oiseau, et au v. 17 pour son corps ; ils proposent donc de biffer les mots « et [la] faire fumer à l'autel » du v. 15, sous prétexte que les autres rituels de l'holocauste ne présente pas cette particularité. Comme aucun témoin de la tradition textuelle ne va dans ce sens, cette solution extrême nous paraît erronée ; l'explication est d'ailleurs simple : après avoir détaché la tête de l'oiseau, le prêtre a besoin de ses deux mains pour la suite des gestes rituels ; il dépose donc tout normalement cette tête sur l'autel pour pouvoir poursuivre sa tâche.

v. 16. Au nettoyage des entrailles et des pattes (voir v. 9 et 13) correspond ici l'arrachage du jabot et de son contenu d'aliments en voie de digestion. En effet les pattes d'un oiseau reposent beaucoup moins souvent sur le sol que celles d'un quadrupède ; elles ne sont donc pas forcément sales. Quant aux entrailles, il est un peu difficile de les sortir du corps et de les laver ; aussi la loi prévoit-elle qu'on élimine symboliquement la partie la plus en vue et la plus accessible de l'appareil digestif : le jabot.

Le terme נצה a été diversement interprété, déjà par les versions anciennes : LXX et Vg l'ont compris comme une *scriptio defectiva* de נוצה = « plumage »[37], tandis que Tg et Syr y ont vu un autre mot désignant le contenu du jabot, ce qui nous paraît mieux convenir au contexte (voir encore une fois le parallélisme avec les entrailles des quadrupèdes, v. 9 et 13). Le jabot est jeté à côté de l'autel, à l'est, c'est-à-dire du côté qu'on ne voit pas de l'entrée du sanctuaire. C'est là que l'on dépose, en attendant de les transporter hors du camp (4. 12), les « cendres grasses », c'est-à-dire les résidus de la combustion des sacrifices.

v. 17. Le prêtre fend l'oiseau en deux parts, sans instrument comme l'interprète la tradition juive et comme le dit expressément Vg (voir la crit. text.), donc probablement ici comme au v. 15, avec les ongles. Le texte ne donne pas la signification de ce rite ; avec la majorité des commentateurs, nous y reconnaissons un équivalent du dépeçage des quadrupèdes (v. 6 et 12).

Le לא יבדיל = « il ne [les] séparera pas » est intempestif, probablement surajouté ; il précise qu'il ne faut pas séparer les deux parties du corps de l'oiseau. On ne voit pas clairement le sens de cette interdiction[38]. La même expression se retrouve en 5. 8, également avec l'aspect d'une glose.

17aβ reprend presque textuellement les v. 8b et 12b, et 17b reprend les v. 9bβ et 13bβ.

---

[37] Voir l'étude très fouillée de RÜGER, « Kropf » ; l'auteur finit par opter pour le sens de « plumage ».
[38] L'explication proposée par KORNFELD, p. 22, et CORTESE, p. 38, nous paraît digne d'être examinée avec attention : Si l'adjonction de « il ne séparera pas » est postexilique, on pourrait imaginer que la glose a une visée polémique ; les exilés ont pu être témoins en Babylonie, ou même avoir participé à des pratiques cultuelles et sacrificielles actualisant ou évoquant le mythe cosmogonique de la création, dans lequel le Dieu Mardouk, après avoir mis à mort Tiamat, coupe son cadavre en deux parties, dont il fait respectivement le ciel et la terre (Poème babylonien de la création, tabl. IV, l. 135-142, et tabl. V, l. 61-66 ; voir RPO, p. 54 et 56). L'interdiction de couper complètement en deux parties le corps de l'oiseau du sacrifice pourrait être un indice de la lutte contre l'influence des mythes et pratiques babyloniens dans le culte israélite.
Un rapprochement avec Gn 15. 10 n'est pas exclu, bien que le verbe hébreu soit différent.

Chapitre 2

L'OFFRANDE VÉGÉTALE

Dans une société composée essentiellement d'éleveurs de bétail, il allait de soi que les offrandes présentées à Dieu soient des animaux. Dans une société sédentarisée et s'adonnant à l'agriculture, il était normal que les produits agricoles servent aussi à exprimer la reconnaissance des fidèles à l'égard de la divinité dispensatrice des bienfaits. Cependant en Israël les offrandes végétales (farine, huile, vin) sont toujours restées secondaires par rapport aux sacrifices d'animaux : le moment important de toute cérémonie sacrificielle est celui où le sang de l'animal, symbolisant la vie, est versé sur l'autel ; l'offrande de produits uniquement végétaux n'a pu se faire qu'à titre exception-nel[1], la règle étant que ces offrandes-là ne pouvaient qu'accompagner un sacrifice sanglant.

Comme à l'époque du second temple les deux holocaustes quotidiens étaient régulièrement accompagnés d'offrandes de farine, d'huile et de vin (voir Ex 29. 38-42), il a paru judicieux de décrire le rituel de l'offrande végétale immédiatement après celui de l'holocauste. L'absence de mention du vin en Lv 2 s'explique par le fait que la libation en tant que telle ne nécessite pas de prescriptions particulières, contrairement à la confection des diverses sortes de gâteaux et de galettes, composés de farine et d'huile et cuits selon des règles précises.

Le chap. 2 sert en même temps de transition entre ceux traitant de l'holocauste (chap. 1) et du sacrifice de communion (chap. 3), car l'offrande végétale se rapproche davantage du sacrifice de communion, au point de vue formel, en ce sens que seule une partie est offerte à Dieu : la plus grande partie de la farine et de l'huile revient aux prêtres (2.3 ; 6. 9-11).

---

[1] DE VAUX, *Institutions* II, p. 300, cite trois occasions où la מנחה est offerte seule :

   a) l'offrande quotidienne du grand prêtre (Lv 6. 13-16) ;

   b) l'offrande d'un pauvre (Lv 5. 11-13) ;

   c) l'offrande de « jalousie » (Nb 5. 15).

   Mais à cela on peut répondre que :

   a) même si l'offrande du grand-prêtre est quotidienne (ce qui n'est pas sûr, le texte étant ambigu), elle est faite « moitié le matin, moitié le soir » (6. 13) et elle accompagne de fait l'holocauste quotidien (6. 2-5 ; Nb 28. 3-8) ;

   b) l'offrande du pauvre n'est un sacrifice complet qu'en ce qu'il remplace occasionnellement, dans certaines circonstances bien précises, un sacrifice expiatoire sanglant ;

   c) l'offrande de « jalousie » est le seul cas où l'offrande végétale est réellement indépendante d'un sacrifice sanglant ; encore que, du point de vue du rituel, elle corresponde à un sacrifice expiatoire et puisse n'être qu'une forme simplifiée d'un sacrifice pour le péché, tout comme l'offrande du pauvre.

A la description de l'offrande végétale régulière, sous ses diverses formes (v. 1-10), l'auteur a raccroché, dans les v. 11-16, le rituel plus occasionnel de l'offrande des prémices, c'est-à-dire des premiers épis de la nouvelle récolte annuelle. C'est d'ailleurs pour lui l'occasion de donner aussi quelques précisions d'ordre général, applicables à toutes les offrandes végétales (exclusion du levain et du miel ; utilisation du sel).

(1) Si un homme apporte en présent à YHWH une offrande végétale, son présent consistera en farine, sur laquelle il versera de l'huile et mettra de l'encens[a]. (2) Il l'apportera aux [a]prêtres descendants d'Aaron[a] et en[b] prendra une pleine poignée — un peu de farine, un peu d'huile, et tout l'encens — ; le prêtre fera fumer cela en mémorial sur l'autel. C'est un mets consumé au parfum apaisant pour YHWH. (3) Le reste de l'offrande reviendra à Aaron et à ses descendants ; c'est quelque chose de très saint[a], parce que cela provient des mets consumés de YHWH.

(4) Quand tu apporteras en présent une offrande végétale cuite au four, elle consistera en farine, sous forme de gâteaux sans levain [a]pétris à l'huile ou de galettes sans levain[a] badigeonnées d'huile. (5) Si ton présent est une offrande cuite sur la plaque, elle consistera en farine pétrie à l'huile, sans levain ; (6) après l'avoir rompue[a] en morceaux, tu y verseras encore de l'huile — c'est une offrande végétale —. (7) Si ton présent est une offrande[a] cuite à la poêle, elle sera faite de farine et d'huile. (8) Tu apporteras[a] à YHWH l'offrande ainsi préparée[b].

L'offrant la remettra[c] au prêtre, qui l'apportera à l'autel. (9) Le prêtre prélèvera sur l'offrande végétale le mémorial, qu'il fera fumer sur l'autel. C'est un mets consumé au parfum apaisant pour YHWH. (10) Le reste de l'offrande reviendra à Aaron et à ses descendants ; c'est quelque chose de très saint, parce que cela provient des mets consumés de YHWH.

(11) Aucune offrande végétale que vous apporterez à YHWH ne sera préparée[a] en pâte levée ; en effet vous ne ferez fumer[b] ni levain ni miel à titre de mets consumé pour YHWH. (12) Comme présent de primeurs, vous en apporterez à YHWH, mais ils ne monteront pas sur l'autel en parfum apaisant[a]. (13) Toute offrande végétale que tu[a] apporteras, tu la saleras[b] de sel ; tu ne cesseras jamais de mettre sur ton offrande[d] le sel de l'alliance de ton Dieu[c] ; avec chacun de tes[a] présents, tu[a] apporteras du sel[e].

(14) Quand tu apporteras à YHWH une offrande de premiers fruits, ce sera sous forme d'épis grillés au feu, de semoule de grains nouveaux[a], que tu apporteras l'offrande de tes premiers fruits[b]. (15) Tu y mettras de l'huile et y déposeras de l'encens — c'est[a] une offrande végétale — ; (16) le prêtre en fera fumer le mémorial — un peu de semoule, un peu d'huile, et tout l'encens —. C'est un mets consumé pour YHWH.

Critique textuelle : • *v. 1a* Assimilation à la formulation des v. 6 et 15. • *v. 2a-a* Le singulier attesté par Syr ne modifie pas le sens du texte (sur l'ordre des mots, voir 1.7a). • *v. 2b* Le מנחה de Sam est une variante stylistique du TM ; le απ'αυτης de LXX ne présuppose pas forcément un original hébreu différent du TM. • *v. 3a* Assimilation à la formulation de 6. 10, 18, 22 ; 7. 1, 6 ; etc. • *v. 4a-a* Homéotéleuton. • *v. 6a* Le και διαθρυψεις de LXX ne présuppose pas nécessairement un original différent du TM ; et selon Joüon 119 p ; 123 v, l'infinitif absolu qal se justifie. (La traduction de Tg s'explique mieux à partir du TM que du texte corrigé). • *v. 7a* Assimilation inopportune à la formulation des v. 4 et 5. • *v. 8a, b* Le προσοισει[1] de LXX lui permet d'interpréter les consonnes ישׂה comme un imparfait qal. Ce pourrait être le texte primitif, car après

מנחה, on attendrait normalement un imparfait niphal 3e pers. fém. sing. תעשה (voir v. 11). Pourtant Tg appuie le TM (2e pers. masc. sing., puis 3e pers. masc. sing.). Vg et Syr ont opté pour une *lectio facilior* en conservant la 2e pers. masc. sing. jusqu'en 8bα. Voir le commentaire. • *v. 8c* L'impératif וְהַקְרִיבָה est une pure conjecture. Voir le commentaire. • *v. 11a* Lectio facilior (comp. v. 8). • *v. 11b* Probablement assimilation inopportune à la même forme au début du verset et au verset suivant. • *v. 12a* Assimilation inopportune à la formulation de 1. 9, 13, 17 ; 2. 2, 9 ; etc. • *v. 13a, b, d, e* LXX a traduit le texte hébreu de manière plus libre qu'habituellement : les 2es pers. masc. sing. du TM sont rendues par des 2es pers. pl. ou par le passif ; cela est dû à l'influence de la 2e pers. masc. pl. des v. 11 et 12. • *v. 13c* Le κυριου de LXX remplace le אלהיך du TM, repoussé en *13e* et complété librement. • *v. 14a* Répétition malencontreuse du τῳ κυριῳ du début du verset. • *v. 14b* L'absence de possessif dans LXX n'implique pas forcément l'absence de suffixe pronominal dans l'original hébreu. • *v. 15a* היא correspond au qeré perpétuel du TM.

La formule נפש כי = « Si un homme » (v. 1) trahit le caractère indépendant de ce chapitre, entre les chap. 1 et 3 qui présentent une autre formule (voir 1. 2).

Les v. 1-3 donnent des prescriptions générales relatives à l'offrande végétale ; les v. 4-10 en présentent des cas particuliers[2] ; les v. 12-16 raccrochent à une autre prescription générale (v. 11) le rituel similaire des prémices.

v. 1. מנחה, comme nous l'avons déjà signalé (voir 1. 2), avait à l'origine le sens général de « don », désignant diverses sortes de sacrifices, ou même, dans des acceptions profanes, un « cadeau » (2 R 20. 12) ou un « tribut » (Jg 3. 15-18). Dans la langue technique de P et d'Ézéchiel, il s'est spécialisé dans le sens religieux d'« offrande végétale », par opposition aux sacrifices d'animaux[3].

Selon les dictionnaires, et selon Dalman, *AuS*, III, p. 290-299, l'hébreu dispose de plusieurs mots différents pour désigner le produit de la mouture des céréales ; les deux principaux sont סלת (14 fois dans le Lv) et קמח (jamais dans le Lv). Deux passages seulement de l'AT utilisent les deux mots ensemble : en Gn 18. 6, סלת glose קמח, ce qui montre que les mots étaient parfois ressentis comme synonymes ; en 2 R 5. 2 par contre, le parallélisme indique clairement qu'il y a une différence entre סלת et קמח. La סלת désigne le blé décortiqué et concassé assez finement, mais non moulu en poudre, donc une sorte de semoule. La קמח par contre est obtenue à partir du blé ou de l'orge, par une mouture fine. Mais la différence principale ne réside pas dans la qualité de la mouture ; plus important et significatif est le fait que la סלת apparaît essentiellement dans les offrandes cultuelles (46 ou 47 fois sur 53 occurrences dans l'AT ; le texte de Gn 18. 6 joue sur les deux nuances), tandis que la קמח est plutôt une nourriture profane (10 ou 11 fois sur 14 occurrences).

---

[2] On a mis parfois en parallèle les v. 1-3 d'une part et les v. 4-7 d'autre part : les premiers parleraient d'une offrande de produits crus, tandis que les suivants traiteraient de produits cuits (voir p. ex. BERTHOLET, p. 7-8 ; NOTH, p. 17-18 ; ELLIGER, p. 45-46). Toutes les différences stylistiques entre ces deux paragraphes nous conduisent plutôt à penser que les v. 1-3, plus anciens, traitent d'une manière générale des offrandes végétales, crues et cuites. Alors que les prescriptions données étaient suffisantes pour les offrandes crues, on a ressenti ultérieurement le besoin de préciser les modes de préparation des offrandes cuites, ce qui a été fait dans les v. 4-10.

[3] מנחה au sens technique apparaît 101 fois chez P (Ex : 3 fois ; Lv : 36 fois ; Nb : 62 fois) et 15 fois chez Ézéchiel, sur un total de 211 emplois dans l'AT ; le terme n'apparaît jamais dans Dt.

שמן = « huile » désigne l'huile d'olive, probablement la seule connue et utilisée à cette époque en Israël (comp. l'expression עץ שמן = « olivier [sauvage] », 1 R 6. 23, 31-33).

לבנה = « encens » est la gomme-résine du Boswellia, arbre de la famille des térébinthacées, poussant sur la côte somalienne et en Hadramaout (côte sud-est de la péninsule arabique), d'où elle était importée en Israël par l'intermédiaire de l'Arabie.

La farine et l'huile sont des produits du pays et constituent la base de l'alimentation de la population. Il n'est donc pas étonnant de les voir figurer aussi comme élément de base de l'offrande non sanglante dans le rituel israélite[4]. Par contre l'usage de l'encens pose un problème : c'est un produit d'origine étrangère et d'importation probablement récente en Israël[5]. Sa présence dans le rituel israélite s'explique peut-être tout simplement par un usage généralisé dans l'ancien Orient. L'emploi de l'encens n'est peut-être pas sans relation avec l'expression ריח ניחוח = « parfum apaisant » (voir 1. 9). En tout cas l'encens (et le parfum en général) symbolise l'adoration, la louange, l'action de grâce, la reconnaissance[6] exprimées également par l'holocauste (chap. 1) et le sacrifice de communion (chap. 3). Or l'encens n'est déposé sur une offrande végétale que si celle-ci accompagne l'holocauste ou le sacrifice de communion. Si l'offrande végétale remplace un sacrifice sanglant de la catégorie de l'expiation, on n'y met pas d'encens[7] et elle n'est pas appelée « parfum apaisant ».

v. 2. Ce verset répartit les tâches respectives de l'offrant et du prêtre, parallèlement à ce que nous avons vu pour l'holocauste : tout ce qui est préparation est effectué par l'offrant, tandis que la présentation à l'autel est réservée au prêtre. Une partie seulement de l'offrande (קמץ = « une poignée ») est brûlée sur l'autel ; d'après le sens de la racine correspondante en arabe, Elliger, p. 45, propose le sens de « ce qu'on peut saisir avec le bout des doigts ». Le sens de « poignée » est plus vraisemblable ; une seule « pincée » représenterait une offrande vraiment dérisoire, surtout si l'on se souvient de la tradition juive attestée par Rachi qui veut qu'une offrande ne soit jamais inférieure à un dixième d'épha, soit entre 2 et 4,5 litres de farine (voir 5. 11 et la note).

Dans ce qui semble être une glose (v. 2aγ), on explique de manière concrète que cette poignée doit contenir une partie (מן partitif) de la farine et de l'huile, mais tout l'encens. Il n'est pas nécessaire de chercher à cela une signification symbolique particulière. La raison est pratique : avec bon sens, l'auteur de cette remarque considère que les prêtres n'auraient que faire de l'encens, tandis que le reste de farine et d'huile leur revient pour leur usage privé, à titre de « salaire » (v. 3).

En 2b apparaît un nouveau terme technique, désignant la partie de l'offrande consumée sur l'autel : אזכרה. Si la racine du mot est facilement reconnaissable (זכר = « se souvenir »), sa signification précise l'est beaucoup moins[8]. S'agit-il, par cette combustion, d'attirer l'attention de la divinité pour qu'elle « se souvienne » avec bienveillance de l'offrant ? Ou bien est-ce un gage qui « rappelle » à Dieu que l'offrande

---

[4] Il en va de même du vin offert en libation, qui n'est pas mentionné ici, mais qui figure en 23. 13.

[5] La mention la plus ancienne de l'encens dans l'AT se trouve en Jr 6. 20. Il est mentionné également dans un ostracon de Lakish (début du VIe siècle av. J.-C.), à cinq reprises dans les papyrus d'Éléphantine (Ve siècle), ainsi que dans une inscription punique (IVe ou IIIe siècle).

[6] Voir p. ex. Ps 141. 2 ; Ap 5. 8 ; 8. 3.

[7] Ni d'ailleurs d'huile, voir 5. 11 ; de même dans le cas de l'offrande de « jalousie », Nb 5. 15.

[8] Voir SCHOTTROFF, *Gedenken.*

est totale ? Ou encore faut-il suivre l'idée de Cazelles, qui suggère de voir dans ce mot une forme verbale (1re pers. sing. de l'imparfait hiphil), premier mot d'une formule de consécration ou de prière prononcée au moment de l'offrande : « Je veux rappeler... »[9] ? Schottroff, dans son étude pourtant détaillée du terme אזכרה[10], ne mentionne pas cette dernière hypothèse. Il conclut pour sa part, que אזכרה est formellement un infinitif 'aph'el araméen substantivé, provenant d'une expression signifiant « invoquer le nom de [la divinité] » ; il parle donc de « Namensanrufung » (über dem Opfer). Mais, comme souvent, la valeur étymologique d'un mot est moins importante que sa valeur sémantique, car la première peut avoir été plus ou moins effacée par l'usage. Ce qui compte finalement, c'est de savoir que אזכרה désigne concrètement la partie de l'offrande qui est brûlée sur l'autel, que cela comprenne de la farine, de l'huile et de l'encens (Lv 2. 2, 9, 16 ; 6. 8), seulement de la farine (Lv 5. 11-12 ; Nb 5. [15], 26), ou seulement de l'encens (Lv 24. 7)[11].

La fin du v. 2 qualifie cette offrande de « mets consumé » et de « parfum apaisant » : voir le commentaire de 1. 9.

v. 3. La part qui revient au sacerdoce est appelée קדש קדשים = « saint des saints ». Contrairement au sens local que l'expression a dans plusieurs textes[12], où elle est l'équivalent de דביר = « lieu très saint », l'auteur du Lv ne l'emploie que pour désigner des choses consacrées à Dieu, et dont par conséquent on ne peut faire aucun usage profane : c'est le cas des parts de l'offrande végétale et des sacrifices expiatoires, ainsi que des objets voués par anathème, qui sont réservés exclusivement aux prêtres.

Le מן de מאשי a probablement, en plus du sens partitif obvie, un sens explicatif : cette part est très sainte « parce qu'elle provient des mets consumés de YHWH »[13].

v. 4-8a. Ce paragraphe traite de trois (ou quatre) modes de préparation et de présentation de l'offrande végétale cuite (v. 4 [deux modes] ; v. 5-6 ; v. 7). Ces versets forment un tout unifié par l'emploi insolite de la 2e pers. masc. sing. Du fait que l'encens n'est pas mentionné explicitement dans les v. 4-10, Elliger, p. 45, tire comme conclusion vraisemblable que sa mention en 2. 1-2 pourrait être une adjonction à un rituel plus ancien qui n'en comportait pas ; c'est possible, mais pas certain. Si les v. 1-3 constituent une introduction générale à la problématique de l'offrande végétale (voir la note 2 ci-dessus), l'on a pu se dispenser de reparler de l'emploi de l'encens dans le sous-paragraphe des v. 4-8a, la mention de 2. 1 étant comprise comme valable pour l'ensemble du chapitre.

Sur le four (תנור, v. 4), la plaque (מחבת, v. 5) et la poêle (מרחשת, v. 7), voir p. ex. Barrois, *Archéologie* I, p. 319-321.

Dans les deux premiers cas (v. 4 et 5), il est précisé que la pâte se prépare sans levain (מצה) ; cette précision manque au v. 7, mais le v. 11 comblera cette lacune.

---

[9] CAZELLES, p. 12.

[10] P. 328-338.

[11] Les deux emplois de אזכרה dans le Siracide (38. 11 ; 45. 16) sont dans des contextes trop généraux pour que l'on puisse savoir s'ils se rapportent à l'offrande végétale (Lv 2) ou au sacrifice pour le péché du pauvre (Lv 5).

[12] Ex 26. 33-34 (P) ; 1 R 6. 16 ; 7. 50 ; 8. 6 (probablement gloses) ; Ez 41. 4 ; 1 Ch 6. 34 ; 2 Ch 3. 8, 10 ; 4. 22 ; 5. 7.

[13] Voir HAL, article מן, 6 ; JOÜON 170 i.

v. 4. Dans le premier cas seulement, on donne le nom technique des deux pâtisseries cuites au four : חלה, qui pourrait bien être le pain en forme de couronne, qu'on enfilait sur un bâton (voir 26. 26 ; racine חלל II = « percer ») ; et רקיק, qui désigne la galette plate (racine רקק II, absente de l'hébreu biblique, mais présente dans plusieurs langues sémitiques, dans le sens de « être mince »).

On ne donne que peu de détails sur la préparation et la composition de la pâte ; l'auteur ne s'intéresse qu'aux ingrédients rituels ; pour le pain en couronne, la farine est pétrie (בלל = « mélanger ») dans l'huile ; pour les galettes, la pâte est badigeonnée d'huile (משח = « frotter/oindre », mais sans la nuance théologique que le verbe prend parfois).

v. 5-6. La pâtisserie faite à la plaque est aussi pétrie dans l'huile, mais en plus, lorsqu'elle est cuite, on la brise en morceaux et on verse encore une fois de l'huile dessus.

v. 7. La confection de la pâtisserie faite à la poêle est décrite en termes trop vagues pour qu'on puisse imaginer de quoi il s'agit précisément. Seuls ressortent les deux mots principaux : farine et huile.

v. 8. Le v. 8a ne signifie pas la même chose que 8bα. L'emploi du verbe non rituel והבאת = « tu apporteras » révèle que la confection des pâtisseries ne se fait pas au sanctuaire, mais à la maison. De là l'offrant les « apporte » au sanctuaire (ליהוה = « à YHWH », 8a) où il les présente au prêtre (8bα), lequel alors accomplit son office propre (8bβ-9a). Ainsi peut se comprendre le changement de personne entre 8a et 8b (voir la crit. text.) : 8a fait encore partie du paragraphe comprenant les v. 4-7, et expliquant ce qui se fait en dehors du sanctuaire ; avec 8b reprend la description de ce qui se fait habituellement au sanctuaire. Le changement de personne souligne le changement de lieu d'action. 8bβ précise que le prêtre va à l'autel avec l'offrande végétale tout entière[14] : l'auteur veut empêcher la solution de facilité qui consisterait à n'apporter à l'autel que le « mémorial ».

v. 9. Le prélèvement du mémorial est fait par le prêtre, alors qu'au v. 2, il se pourrait que ce soit le rôle de l'offrant. S'il faut attribuer de l'importance à cette différence, elle peut être l'indice d'une évolution du rituel, le v. 2 reflétant une phase plus ancienne de la tradition, que le v. 9 voudrait corriger dans le sens d'une augmentation des prérogatives du sacerdoce. Le v. 9b répète presque mot à mot 2b.

v. 10. Ce verset répète textuellement le v. 3.

v. 11-16. Chez l'auteur du Lévitique, le souci d'ordre et de précision, qui transparaît tout au long de son œuvre, s'oppose parfois au souci de ne rien négliger et de ne rien oublier. Cela donne dans plusieurs cas un texte hâché, touffu, où l'on saute d'une idée à une autre de manière imprévue, quoique découlant d'une certaine logique. Un mot suggère à l'auteur une idée, qu'il se dépêche de formuler, ou qu'il développe plus tard, ce qui de toute façon donne un texte quelque peu décousu. Les v. 11-16 du présent

---

[14] והגישה = « et il l'approche » ; du point de vue grammatical, le sujet pourrait encore être l'offrant ; mais du point de vue logique et théologique, ce ne peut être que le prêtre (voir 6. 7-8).

chapitre sont assez typiques de cet état de choses : C'est probablement le terme מצה =
« sans levain » des v. 4-5 qui amène l'auteur à rappeler au v. 11 la règle générale
interdisant d'employer du levain, — et du miel —, dans les sacrifices. Mais aussitôt il
se souvient de l'exception (ou de ce qui peut paraître tel) que constituent les prémices
(v. 12, « primeurs »). Cependant la formulation de la règle générale du v. 11 lui a suggéré
d'en rappeler une autre, sur l'emploi du sel, au v. 13. Mais ensuite il revient au thème
des prémices (v. 14, autre mot hébreu, rendu par « premiers fruits »). Enfin les
v. 15-16 nouent la gerbe en assimilant l'offrande de prémices à une offrande végétale
ordinaire[15].

v. 11. חמץ désigne la pâte ou la pâtisserie préparée avec du levain. Le levain, שאר ,
et le miel, דבש (parfois miel d'abeille, mais ici plus probablement miel de fruits, raisin
ou dattes, à cause du v. 12 qui parle des prémices végétales), bien que n'étant pas prohibés
de l'alimentation générale de la population[16], sont exclus des offrandes régulières d'Israël
à son Dieu. On peut supposer qu'ils sont interdits en Israël parce qu'ils auraient été
utilisés dans le culte cananéen[17] ; ou bien parce que la fermentation provoquée par le
levain et par le miel (spécialement le miel de fruits) était considérée comme une sorte
de corruption. Ou encore serait-ce une prescription primitivement valable dans le cadre
de la fête de la Pâque et des Azymes et qui se serait ensuite imposée à tout le rituel
israélite[18] ? Dans l'état actuel de la recherche, il est impossible de donner une réponse
assurée à cette question.

v. 12. L'exception mentionnée dans ce verset n'en est pas une au sens strict du mot :
il s'agit d'un cas un peu différent, celui de la ראשית = « primeurs », qu'on apporte au
sanctuaire (ליהוה = « à YHWH ») mais qui n'est pas offerte sur l'autel. Elle revient au
prêtre pour être consommée par lui (voir 23. 17-20). 2 Ch 31. 5 rapproche la ראשית de
la dîme, ce qui en accentue le caractère de contribution due au clergé, plus que
d'offrande destinée à Dieu.

Le mot ראשית désigne à l'origine ce qui vient en premier, soit dans l'ordre
chronologique (le « commencement »), soit dans l'ordre de la qualité (le « meilleur »).
Eissfeldt pense que le mot a pris ici le sens technique de « prestation (en nature) pour
les prêtres »[19], ce qui est bien dans la ligne de P, encore que le mot n'ait probablement
pas perdu pour autant son sens primitif de « premiers produits » (ou « produits de
première qualité »).

---

[15] Il y a peut-être à la base de ce texte « décousu » un processus rédactionnel. Toutefois il n'est guère
possible de déterminer si plusieurs mains différentes ont été à l'œuvre, ou si l'« auteur » a retravaillé lui-
même son texte.

[16] Bien au contraire ! Le miel, en particulier, est considéré comme une chose excellente, voir
1 S 14. 25-30 ; Pr 24. 13 ; 25. 16. Il sera la nourriture de l'Emmanuel, Es 7. 14-15. Il ne faut pas oublier non
plus la terre promise, qui sera « terre ruisselant de lait et de miel » (quelle que soit l'interprétation exacte
de cette expression).

[17] On a invoqué en ce sens Am 4. 5 (CAZELLES, p. 25, note b ; ELLIGER, p. 46 ; KORNFELD, p. 24). Mais il
n'est pas sûr qu'Amos fasse allusion à une pratique cananéenne qui se serait infiltrée dans le culte de Béthel ;
le מן de מחמץ peut légitimement être interprété dans un sens privatif aussi bien que partitif.

[18] BERTHOLET, p. 8.

[19] « Priesterdeputat », voir EISSFELDT, *Erstlinge*, p. 79.

v. 13. On ne trouve dans l'AT que trois mentions explicites de l'emploi du sel pour accompagner les sacrifices : Ez 43. 24 ; Esd 6. 9 et Lv 2. 13[20]. Comme presque toujours, l'auteur n'explique pas la signification du rite, qui devait être suffisamment connue de ses contemporains. Pour interpréter ce rite, on rapproche généralement notre texte de Nb 18. 19 et 2 Ch 13. 5, qui parlent d'une « alliance de sel ». Mais comme la plupart des commentateurs des Nombres et des Chroniques renvoient à leur tour à Lv 2. 13, le lecteur n'en est guère plus avancé.

Une vertu « purificatrice » du sel était connue depuis longtemps en Israël (2 R 2. 19-22). Sa vertu « conservatrice » n'est nulle part mentionnée dans l'AT hébreu ; mais *Tb* 6, 5 (Sinaiticus) mentionne incidemment le procédé de la salaison ; Barrois (*Archéologie* I, p. 351) pense que l'emploi des salaisons se généralisa en Israël après le retour d'exil, et surtout avec l'hellénisme. En fait il faut bien avouer que nous ignorons le sens primitif du rite, et il n'est pas impossible qu'à l'époque de P, cette signification primitive ait déjà été perdue[21]. Ce qui semble par contre certain, c'est la façon dont, à l'époque de P et du Chroniste, on a interprété le rite subsistant : le sel serait le symbole de la conservation, et signifierait que l'alliance est éternelle, infrangible[22]. Cela ressort aussi probablement de l'opposition entre levain et miel d'une part, exclus des sacrifices offerts au Seigneur (v. 11-12), et sel d'autre part, indispensable sur certains sacrifices (v. 13)[23].

v. 14. Les בכורים = « prémices » sont les premiers fruits cueillis ou les premiers produits du sol récoltés. Ils sont offerts à Dieu (donc au prêtre), dans un rite très largement répandu dans toutes sortes de religions et de civilisations ; « le rituel réconcilie l'homme avec les forces qui agissent sur les fruits et lui octroie la permission de les consommer sans risques »[24]. Si le v. 14 ne traite que des prémices des céréales, cela est dû au reste du chapitre qui concerne les offrandes de farine, et n'exclut nullement l'existence de rituels semblables pour d'autres produits de la nature. La péricope de 19. 23-25 trahit le même souci de ne pas consommer des produits de la terre avant qu'une offrande en ait été faite à Dieu, dans le sens (au moins primitivement) de désacraliser l'ensemble de la récolte. Ici, le rituel exprime aussi la reconnaissance, la louange de l'homme à l'égard du créateur (voir 19. 24)[25].

---

[20] En Lv 24. 7, LXX affirme qu'on dépose sur les pains de proposition de l'encens « et du sel ». La mention du sel en Esd 7. 22 est probablement dans la même ligne qu'en 6. 9 ; l'apocryphe I Esd 6. 29 reprend en gros la même liste qu'Esd 6. 9.

[21] Ce qui expliquerait l'insistance de l'auteur sur ce point du rituel : dans ce seul verset, il répète trois fois l'ordre de mettre du sel sur les offrandes.

[22] On a aussi voulu interpréter l'expression « alliance de sel » ou « sel de l'alliance » en fonction de la coutume, encore actuelle dans certaines civilisations, du partage du pain et du sel, comme signe d'amitié, d'alliance (voir p. ex. CORSWANT, *Dictionnaire*, article « sel », p. 276-277 ; NOTH, p. 19 ; KORNFELD, p. 24) ; la commensalité crée entre les participants un lien d'une valeur particulière, voir l'expression d'Esd 4. 14. Cette interprétation nous paraît moins probable, du fait que le sel n'est mentionné que dans le cas de l'offrande végétale (dont une partie est brûlée et l'autre revient au prêtre) et de l'holocauste (brûlé en entier pour Dieu) : il n'y a donc pas de véritable commensalité entre Dieu et l'offrant lors de ces sacrifices-là.

[23] Cette opposition serait aussi un des motifs qui ont conduit l'auteur à placer le v. 13 à la suite des v. 11-12.

[24] ELIADE, *Traité*, p. 293.

[25] Lv 2 emploie successivement les mots ראשית (v. 12, rendu par « primeurs ») et בכורים (v. 14, rendu par « premiers fruits ») ; on les retrouve en Lv 23 (23. 10 et 23. 17, 20). Les essais de déterminer les composantes respectives de chaque mot sont restés jusqu'ici infructueux ; il semble bien que ces deux mots sont quasi synonymes et plus ou moins interchangeables (voir Ex 23. 19 ; 34. 26 ; Nb 18. 12-13 ; Ez 44. 30 ; Ne 10. 36-38). La seule particularité digne d'être relevée est que Dt emploie sept fois ראשית, mais jamais בכורים.

אָבִיב = « épi » a donné son nom à un mois de l'ancien calendrier cananéen, repris à l'origine par les Israélites : le mois des épis, identifié plus tard au mois de Nisan du calendrier d'origine babylonienne, soit mars-avril ; c'est le mois au cours duquel a lieu la fête de la Pâque et celle des Azymes, qui coïncide avec le début des récoltes (voir 23. 10).

גֶרֶשׂ , qui ne se rencontre qu'ici et au v. 16, désigne le grain broyé grossièrement, une sorte de semoule. C'était encore, sous le nom arabe de *ǧarišeh*, un élément de l'alimentation des tribus bédouine de Moab, au début de ce siècle[26].

כַרְמֶל , qui n'apparaît que trois fois dans l'AT[27] et dont l'étymologie n'est pas assurée, semble désigner le « grain nouveau », fraîchement récolté.

Selon les spécialistes de la botanique archéologique, la céréale la plus généralement cultivée en Palestine avant l'ère chrétienne était vraisemblablement l'épeautre (*Triticum spelta*) ; en tout cas les céréales d'alors avaient des grains « barbus » (il faut attendre le Ier siècle av. J.-C. pour que les grains « dévêtus » l'emportent sur les grains « barbus »). La première préparation humaine consistait à faire passer les épis sur une flamme et visait essentiellement à éliminer les barbes piquantes et à faciliter le décorticage du grain. La seconde étape était celle de la mouture, sous forme de gruau ou de semoule, car le grain nouveau, encore un peu tendre et pas assez déshydraté, ne peut pas être moulu fin[28].

La phrase hébraïque juxtapose גֶרֶשׂ כַרְמֶל = « semoule de grains nouveaux » à אָבִיב קָלוּי בָּאֵשׁ = « épis grillés au feu », le tout étant en apposition à l'objet direct אֵת מִנְחַת בִּכּוּרֶיךָ = « l'offrande de tes premiers fruits ». Cette formulation est ambiguë : la « semoule de grains nouveaux » peut être comprise comme étant à son tour en apposition à « épis grillés au feu », donc une sorte d'équivalent explicatif ; mais on pourrait aussi y voir une alternative : l'offrande pourrait consister soit en épis grillés, soit en semoule. Tg et Syr sont ambigus, comme le TM ; LXX parle d'« épis nouveaux grillés moulus » (νεα πεφρυγμενα χιδρα ερεικτα) ; Vg décrit plus qu'elle ne traduit : *... de spicis adhuc virentibus torres eas igni et confringes in morem farris* = « ... d'épis encore verts, tu les grilles au feu et tu les broies à la manière de la farine ». Beaucoup de traducteurs et commentateurs modernes évitent de prendre position, se bornant à décalquer la structure syntaxique du TM. Wenham (« roast grain or ground meal ») opte pour l'alternative ; la NAB (« ... in form of fresh grits of new ears of grain, roasted by fire ») suit la tradition représentée par LXX et Vg. C'est également celle qui nous paraît le mieux convenir dans le présent contexte (voir aussi BRF).

v. 15-16. Ces versets reprennent les v. 1b et 2, sous une forme quelque peu abrégée et remaniée, assimilant ainsi (tardivement ?) l'offrande des prémices à une offrande végétale ordinaire.

---

[26] JAUSSEN, *Coutumes*, p. 64-66.
[27] Lv 2. 14 ; 23. 14 ; 2 R 4. 42.
[28] Communication de Mme L. Bolens, Genève.

Chapitre 3

LE SACRIFICE DE COMMUNION

L'étymologie du mot שלמים = « sacrifice de communion » est difficile à déterminer, tout comme son sens précis. Il n'est pas du tout certain que la forme שלמים soit un pluriel[1] ; il est fort possible qu'on ait affaire à un mot singulier avec mimation, emprunté aux Cananéens en même temps que le sacrifice (šlmm dans les textes ougaritiques ; voir de Vaux, *Sacrifices*, p. 47). Le mot est apparenté à la racine sémitique šlm, dont le champ sémantique est vaste ; le verbe hébreu évoque, dans sa conjugaison simple, une idée de plénitude, de perfection, d'harmonie ; au piel, il indique l'idée de restitution ou de remplacement. Le substantif שלום ayant été souvent rendu par « paix » en français, on a parfois parlé du « sacrifice de paix » (BC, TOB) ou du « sacrifice de pacifiques » (BP ; comparer Vg *hostia pacificorum*, BM « sacrifice pacifique »). Une telle traduction ne convient guère, en français du moins, car elle risque d'évoquer surtout, dans un contexte sacrificiel, une idée de réconciliation (« faire la paix »), ce qui ne correspond en aucun cas au sens de ce rite.

LXX, dans Lv, l'appelle θυσια σωτηριου, c'est-à-dire « sacrifice de salut », l'idée étant que celui qui est dans un état d'intégrité, de perfection, d'harmonie, ne peut être que celui qui est « sauvé ». Syr a conservé la tournure hébraïque en la rendant par *dèbha šalma*, qui ne nous éclaire guère. Tg par contre parle de נסכת קודשיא = « sacrifice saint » ou « sacrifice de sainteté », ce qui est une paraphrase plus qu'une traduction proprement dite.

BJ, suivie par Seg 1978 et BFC, a adopté une traduction française descriptive, « sacrifice de communion », qui a l'avantage de mettre l'accent sur un aspect important du rituel, à savoir le repas communautaire auquel donnait lieu le sacrifice en question[2]. Comme la valeur étymologique de la racine šlm s'est certainement effacée dans l'emploi technique du mot שלמים, c'est cette dernière traduction (« sacrifice de communion ») que nous avons retenue dans le présent commentaire.

Pour P (comme on le verra dans l'exégèse de 3. 1), זבח שלמים, שלמים et זבח sont le plus souvent des expressions quasi interchangeables, désignant le sacrifice de communion tel qu'il était pratiqué à l'époque. Pour les périodes plus anciennes, il faut par contre établir une distinction entre le זבח et le שלמים[3] : le premier est un sacrifice

---

[1] Voir CHARBEL, *Pacifico*, p. 67 ; THAT II, col. 920, 931-932 ; Syr l'a rendu par *šalma'*, au singulier.
[2] On l'a parfois aussi appelé « sacrifice d'alliance », voir p. ex. SCHMID, *Bundesopfer*, ou « sacrifice d'actions de grâces » (Seg 1910 et Syn).
[3] Voir MARX, *Formes*, p. 249-260.

essentiellement privé, le second un sacrifice communautaire, offert en certaines circonstances. Levine[4] fait remarquer qu'il est mentionné en des occasions particulières, comme p. ex. lors de la désignation d'un nouveau roi (1 S 10. 8 ; 11. 14-15), lors de la dédicace d'un autel (2 S 24. 25 ; 2 R 16. 13) ou du Temple (1 R 8. 63-64) ; c'est pourquoi il parle à son sujet de « sacrifice dédicatoire ».

Dans sa présentation du rituel, l'auteur sacerdotal se préoccupe avant tout du sacrifice de communion offert à titre privé ; celui-ci est caractérisé par le fait que certains morceaux seulement de la victime sont brûlés pour Dieu sur l'autel, tandis que d'autres morceaux sont attribués aux prêtres, et que la plus grande partie de la viande elle-même revient à l'offrant, qui la consomme avec sa famille et ses proches dans un repas de fête.

A l'époque ancienne d'Israël, on ne connaissait pas l'abattage profane du bétail : toute mise à mort d'un animal avait un caractère religieux et rituel, où qu'elle se fasse. Avec la centralisation progressive du culte sacrificiel au temple de Jérusalem, le rituel s'est précisé et unifié, tel qu'il est décrit dans le présent chapitre ; mais cela posait évidemment des problèmes considérables aux laïcs, qui étaient censés se déplacer à Jérusalem chaque fois qu'ils voulaient abattre une bête de leur troupeau. L'auteur du Lévitique, soucieux de régler le déroulement normal et normatif du rituel, ne se préoccupe pas de ce « détail » d'organisation économico-alimentaire. C'est l'auteur du Deutéronome (12. 15-25) qui aborde cet aspect du problème en prévoyant la possibilité d'un abattage profane du bétail, en dehors du sanctuaire central, même si cet abattage et la consommation de la viande doivent respecter un certain nombre de règles religieuses (essentiellement la non-consommation du sang, lequel est strictement réservé à Dieu).

Il est probable que le sacrifice de communion était anciennement plus fréquent en Israël que l'holocauste. C'était une cérémonie où dominait la note de la joie, de la fête. Trois raisons semblent avoir provoqué une inversion de fréquence après l'exil :

a) la possibilité de l'abattage profane des animaux de boucherie dut restreindre sensiblement le nombre des sacrifices de communion célébrés à Jérusalem ;

b) le rôle grandissant du sacerdoce dans les relations entre Dieu et Israël laissa de moins en moins de place à l'initiative des laïcs dans le culte : le sacrifice de communion, plus spontané à l'origine, a cédé le pas devant l'holocauste, surtout lorsque s'est instauré le rituel du double holocauste quotidien ;

c) l'épreuve de l'exil avait amené les Israélites à une prise de conscience de leur péché, collectif et individuel (séparation d'avec Dieu), ce qui provoqua une moralisation des rapports entre le peuple et Dieu. La joie qui entourait le sacrifice de communion n'était plus tellement de mise, alors que l'holocauste (marqué, comme nous l'avons vu en 1. 4, d'un léger vernis expiatoire) exprimait mieux le sentiment de soumission et de dépendance d'Israël par rapport à son Dieu.

Dans la perspective chrétienne, le sacrifice de communion devient préfiguration du sacrifice du Christ. Dans le sacrifice vétérotestamentaire, le sang de l'animal est offert à Dieu en étant versé par le prêtre sur l'autel, tandis que la viande est consommée par les prêtres et les laïcs. Lors du sacrifice de la croix (au sens large), le Christ est à la fois l'officiant et la victime : dans le dernier repas qu'il partage avec ses disciples, il leur

---

[4] Voir LEVINE, *Presence*, p. 3-52.

offre son corps et son sang (signifiés par le pain et le vin) ; nous sommes associés à ce repas de communion dans notre participation à l'eucharistie.

(1) Si son présent[a] consiste en un sacrifice de communion :

Si l'offrant amène une tête de gros bétail, il amènera devant YHWH un mâle ou une femelle sans défaut. (2) Il placera sa main sur la tête de son présent, puis l'égorgera[a] à l'entrée de la tente de la rencontre. Les prêtres descendants d'Aaron aspergeront de son sang le pourtour de l'autel[b]. (3) Du sacrifice de communion, l'offrant apportera[a], en mets consumé pour YHWH, la graisse qui recouvre les entrailles, toute la graisse qui est au-dessus des entrailles, (4) les deux rognons avec la graisse qui y adhère ainsi qu'aux lombes, et le lobe du foie, qu'on détache en plus des rognons. (5) [a]Les descendants d'Aaron[a] feront fumer cela sur l'autel, en plus de l'holocauste qui est sur les bûches qui sont sur le feu[b]. C'est un mets consumé au parfum apaisant pour YHWH.

(6) Si l'offrant présente une tête de petit bétail en sacrifice de communion pour YHWH, il amènera un mâle ou une femelle sans défaut. (7) S'il amène un mouton[a] en présent, il le présentera devant YHWH. (8) Il placera sa main sur la tête de son présent, puis l'égorgera devant[a] la tente de la rencontre. Les descendants d'Aaron[b] aspergeront de son[c] sang le pourtour de l'autel. (9) Du sacrifice de communion, l'offrant apportera, en mets consumé pour YHWH[a], les parties grasses : [b]la queue entière, qu'on détache au niveau de la colonne vertébrale, [c]la graisse qui recouvre les entrailles, toute la graisse qui est au-dessus des entrailles, (10) les deux rognons avec la graisse qui y adhère ainsi qu'aux lombes, et le lobe du foie, qu'on détache en plus des rognons. (11) Le prêtre fera fumer cela sur l'autel. C'est un aliment consumé pour YHWH.

(12) Si l'offrant amène une chèvre en présent, il la présentera devant YHWH. (13) Il placera sa main sur la tête de l'animal, puis l'égorgera[a] devant[b] la tente de la rencontre. Les descendants d'Aaron[c] aspergeront de son sang le pourtour de l'autel. (14) L'offrant apportera[a] en présent, comme mets consumé pour YHWH, la graisse qui recouvre les entrailles, toute la graisse qui est au-dessus des entrailles, (15) les deux rognons avec la graisse qui y adhère ainsi qu'aux lombes, et le lobe du foie, qu'on détache en plus des rognons. (16) Le prêtre les fera fumer sur l'autel. C'est un aliment consumé au parfum apaisant[a].

Tout ce qui est graisse est réservé à YHWH. (17) C'est une loi perpétuelle pour vos générations, où que vous habitiez : tout ce qui est graisse, et tout ce qui est sang, vous n'en mangerez pas.

Critique textuelle : • *v. 1a* Doublure inutile du εναντι κυριου de la fin du verset. • *v. 2a* Assimilation inutile à la formulation de 1. 5, 11. • *v. 2b* Explicitation du sens de l'original. • *v. 3a* Voir 1. 5a. • *v. 5a-a* L'absence de sujet exprimé dans Vg vient de ce que le sujet n'a pas changé depuis le v. 3 ; l'adjonction de οἱ ἱερεις dans LXX est une assimilation inutile à la formulation de 1. 5, 8, 11 ; 2. 2, etc. • *v. 5b* Assimilation inutile à la formulation de 1. 8, 12. • *v. 7a* Variante orthographique. • *v. 8a* Assimilations inutiles à des formulations qu'on trouve en partie en 1. 3, 5 ; 3. 2. • *v. 8b* Voir 5a-a, seconde partie. • *v. 8c* L'absence de possessif dans Sam et LXX ne modifie pas le sens du texte (voir v. 2). • *v. 9a* Le τῳ θεῳ de LXX est inhabituel ; il faut toutefois conserver le TM, appuyé par les autres versions anciennes. • *v. 9b* L'adjonction de la conjonction de coordination dans LXX et Vg correspond à l'emploi du ו explicatif en 8. 25. • *v. 9c*

L'absence de la conjonction dans plusieurs manuscrits, Sam et Tg montre que la construction de la phrase n'a pas été comprise par certains copistes et traducteurs ; חלבו est un terme collectif (« les parties grasses ») que vient définir la liste qui suit : « la queue... et la graisse... et la graisse... et les deux rognons, etc. » ; voir le commentaire. • *v. 13a* Voir 1. *5a.* • *v. 13b* Comparer *8a.* • *v. 13c* Voir *5a-a.* • *v. 14a* Le και ανοισει de LXX traduit généralement והקטיר, mais on ne rencontre nulle part dans Lv la tournure הקטיר קרבן, tandis que הקריב קרבן est fréquent (1. 2 ; 2. 1, 4 ; etc.). • *v. 16a* Voir 2. *12a.*

Le texte de ce chapitre se subdivise en deux sections, consacrées respectivement au sacrifice de gros bétail (v. 1-5) et au sacrifice de petit bétail (v. 6-16bα). Cette seconde section se subdivise à son tour en deux paragraphes, consacrés aux moutons (v. 7-11) et aux chèvres (v. 12-16bα). Le chapitre se termine par deux règles générales concernant les sacrifices.

v. 1. La volonté classificatrice de l'auteur sacerdotal s'exprime de manière particulièrement claire au cours de ce verset, dans la succession des אם = « si », subordonnés les uns aux autres. Le premier (ואם, 1a) est coordonné au אם de 1. 3a (voir le commentaire) et situe le sacrifice de communion en parallèle à l'holocauste. Le deuxième (אם, 1bα) est coordonné au ואם du v. 6 et situe, parmi les sacrifices de communion, le sacrifice de gros bétail par rapport au sacrifice de petit bétail[5]. Le troisième et le quatrième (אם...־אם־, 1bβ) sont coordonnés l'un à l'autre et précisent que dans le cas du sacrifice de gros bétail, on peut offrir indifféremment un mâle ou une femelle (comparer v. 6b).

זבח a deux extensions sémantiques différentes ; il désigne soit un sacrifice en général, soit la catégorie particulière du sacrifice de communion[6]. Comme le montre la statistique en note, le sens particulier (intrinsèque ou dû à un déterminatif) est attesté presque deux fois plus souvent que le sens général (respectivement 103 fois et 53 fois). Dans P, la formulation la plus fréquente est celle que nous rencontrons ici, זבח שלמים, ce qui ne saurait nous étonner quand nous connaissons la tendance de P à utiliser des formes non ambiguës. Lorsque P emploie זבח seul, il le fait soit dans un contexte où le mot ne peut pas être ambigu (11 fois équivalent de זבח שלמים), soit pour désigner un sacrifice offert en dehors des normes rituelles israélites, mais ressemblant dans sa forme extérieure au sacrifice de communion (17. 5, 7).

שלמים est la forme usuelle du nom (voir l'introduction au chap. 3). La forme שלם ne se trouve qu'en Am 5. 22, où elle est bien attestée dans la tradition manuscrite ; il n'y a donc pas de raison de vouloir la corriger en שלמי comme d'aucuns le proposent (BHS). C'est probablement une forme sans mimation, qui a subsisté dans ce texte prophétique ancien, alors que dans les autres textes vétérotestamentaires, de rédaction plus récente, la forme concurrente שלמים s'est imposée.

---

[5] Le אם du v. 7 correspondra à son tour au ואם du v. 12 et situera, parmi les sacrifices de petit bétail, le sacrifice d'un mouton par rapport à celui d'une chèvre.
[6] L'expression זבח שלמים se rencontre 50 fois dans l'AT (42 fois chez P ; 25 fois dans Lv) ; שלמים seul (36 fois dans l'AT ; 8 fois chez P ; 5 fois dans Lv) en est l'équivalent ; le hapax שלם d'Am 5. 22 a le même sens. זבח seul se rencontre 106 fois dans l'AT (14 fois chez P ; 10 fois dans Lv) ; dans 34 cas, le parallélisme avec עלה montre qu'il s'agit du sacrifice de communion ; dans 19 autres cas, le contexte permet de l'interpréter (à coup sûr ou probablement) dans le même sens. Dans les 53 autres cas, il est pris dans une acception générale : sacrifice pour YHWH ou sacrifice païen (9 fois), parfois précisée par un déterminatif, tel que « sacrifice annuel », « sacrifice de la Pâque », « sacrifice d'ovation », etc.

L'animal offert en sacrifice de communion est indifféremment un mâle ou une femelle, contrairement au cas de l'holocauste, où seul un mâle convient (1. 3). Mais par contre, comme pour l'holocauste, l'animal doit être sans défaut. Il doit être sans défaut parce qu'il est sacrifié « à YHWH », mais ce peut être une femelle, car il sera en grande partie consommé par les hommes (prêtres et laïcs). L'offrant l'amène « devant YHWH », c'est-à-dire au sanctuaire (voir 1. 5).

v. 2. Le rituel décrit au v. 2 correspond exactement à celui de l'holocauste (1. 4a, 5).

v. 3. La spécificité du sacrifice de communion se manifeste à partir du v. 3. L'offrant apporte au prêtre la part réservée à Dieu, et qui doit être brûlée sur l'autel ; cette part (appelée אשה = « mets consumé », voir 1. 9) comprend les éléments soigneusement énumérés en 3b et 4, dans une liste qui reparaît plusieurs fois chez P[7]. La liste comprend avant tout des parties grasses ; elles sont réservées à Dieu parce qu'on les considérait comme des morceaux de choix (voir Gn 45. 18 ; Es 25. 6 ; Ps 36. 9 ; 63. 6)[8].

La différence entre « la graisse qui recouvre les entrailles » et « la graisse qui est au-dessus des entrailles » n'est pas évidente. L'interprétation la plus vraisemblable est que l'une des expressions (mais laquelle ?) désigne la graisse qui entoure l'intestin sur sa longueur, l'autre expression désignant la graisse qui entoure la masse des entrailles.

v. 4. Les rognons semblent avoir été considérés dans une certaine mesure comme des parties grasses, ce qui explique leur présence dans cette liste ; en tout cas, en 3. 10 et 4. 9 p. ex., ils sont mis en apposition, avec le reste de la liste, à חלבו = « les parties grasses » (3. 9a) ou à כל־חלב = « toute la graisse » (4. 8a). De plus, anatomiquement, le rognon est enveloppé d'une capsule adipeuse qui peut avoir incité le clergé à décider que les rognons devaient être brûlés, avec « la graisse qui est au-dessus d'eux ».

היתרת על־הכבד a été compris comme « lobe du foie » par LXX, Syr et Tg, et comme « réticule du foie » par Vg. Ces deux interprétations, sémantiquement possibles, ont subsisté parallèlement jusque dans les commentaires et traductions modernes. En 1967, L. Rost[9] a montré de façon pertinente qu'il s'agissait bien du lobe du foie (*lobus caudatus* du foie, chez les animaux dont il est question dans le présent chapitre) ; en effet, au retour de l'exil, il devait être tentant, pour des gens qui avaient été en contact avec les pratiques hépatomantiques de la Babylonie (voir Ez 21. 26), de se livrer à des essais de divination par l'examen du foie des victimes offertes en sacrifice. Pour éviter le risque d'infiltration dans la religion israélite de coutumes païennes réprouvées, le clergé doit avoir inclus dans la liste des parties à brûler sur l'autel, le *lobus caudatus*, lobe sur lequel s'exerçait en Babylonie la sagacité des devins.

Les trois tournures qui expriment le lien entre יתרת = « lobe » et כבד = « foie » (על ici ; מן en 9. 10 ; complément du nom en 8. 16) décrivent la position de ce lobe dans l'ensemble du foie, plutôt qu'un élément extérieur au foie (le « réticule »).

---

[7] Lv 3. 3-4, 9-10, 14-15 ; 4. 8-9 ; 7. 3-4 ; avec une formulation un peu différente : Ex 29. 13, 22 ; Lv 8. 16, 25 ; 9. 10, 19.

[8] HELLER, « Symbolik », rappelle que dans l'AT la graisse symbolise la force. Pour éviter à l'homme la tentation de se rendre fort de manière magique en consommant les parties grasses des animaux offerts en sacrifice, on aurait décrété que toute la graisse est réservée à Dieu, comme le sang (3. 17), qui symbolise la vie (17. 11, 14).

[9] ROST, « Leberlappen ».

Le second (על(־הכליות ne peut avoir ici que le sens de « en plus », puisque le foie n'est pas situé « au-dessus » des rognons (anatomiquement, il ne touche au plus qu'un seul des rognons).

La phrase de 4b est stylistiquement lourde, ce qui pourrait trahir une précision secondaire, dans laquelle on a rapproché les deux organes qui ne sont pas exactement des parties grasses.

v. 5. La seule nouveauté par rapport au rituel du chap. 1 se trouve dans la mention de l'holocauste. Celui-ci est offert en premier chaque matin (voir 6. 5 ; Ex 29. 38-42), ensuite de quoi les offrants peuvent apporter les graisses des sacrifices de communion, que les prêtres déposeront sur l'autel.

v. 6-11. Ce paragraphe reprend presque textuellement le précédent.

v. 9-10. La première différence importante se trouve au v. 9, où la liste des parties réservées à Dieu (v. 9b-10) est introduite par le terme collectif חלבו (« les parties grasses de la victime ») et où elle est complétée par la mention de « la queue entière, qu'on détache au niveau de la colonne vertébrale »[10]. Le mouton le plus fréquemment élevé en Palestine à l'époque était l'*ovis laticaudata* dont la queue, longue et épaisse, contient une quantité importante de graisse ; elle pèse normalement 6 à 7 kilos, mais elle atteint parfois 12 à 15 kilos chez le bélier. En raison de sa teneur en graisse, cette queue n'est pas consommée par les hommes, mais offerte à Dieu avec les autres parties grasses. Dans d'autres civilisations, cette queue grasse du mouton est un morceau de choix dont on honore les invités au repas[11].

v. 11. La seconde différence consiste dans la précision apportée au v. 11 par rapport au v. 5 : (אשה) לחם = « aliment (consumé) ». Le terme n'implique pas qu'on se représentait Dieu mangeant matériellement cette nourriture, puisque celle-ci est de toute façon brûlée sur l'autel ; il n'y a pas non plus de commensalité de l'homme et de son Dieu, puisque les parts respectives ne sont pas interchangeables, mais au contraire très nettement définies et réparties. C'est peut-être le passage de 21. 22 qui nous laisse pressentir dans quelles circonstances on a pu donner le nom de לחם = « nourriture/ aliment », à la part réservée à Dieu : là, le mot désigne ce qui n'est pas consommé par l'offrant, donc aussi bien ce qui revient au prêtre que ce qui revient à Dieu. La part du prêtre servant effectivement de nourriture, on aura appelé parfois le tout, de manière hyperbolique, « nourriture de (son) Dieu ».

v. 12-16ba. Ce paragraphe n'apporte aucun élément nouveau par rapport au précédent. Seule la liste des parties grasses omet « la queue », car celle de la chèvre n'est jamais grasse.

---

[10]עצה est un hapax, dont cependant le sens est plus ou moins évident par le contexte ; il ne peut désigner que la partie inférieure de la colonne vertébrale de l'animal, là où la queue commence.

[11] On a parfois conjecturé une mention de la queue en 1 S 9. 24 : והאליה en lieu et place du surprenant והעליה = « et ce qui est au-dessus » (voir p. ex. HERTZBERG, *Samuelbücher*, p. 59 ; il affirme même, mais c'est contestable, que cette lecture est appuyée par Tg). Le TM serait une correction doctrinale visant à supprimer une contradiction avec le texte de Lv 3. 9. Mais voir STOEBE, *1 Samuel*, p. 196, et BARTHÉLEMY, *CTAT* I, p. 160-161.

v. 16bβ. Ces trois mots pourraient grammaticalement se rattacher à 16bα, כל חלב = « toute la graisse » étant soit le sujet d'une phrase nominale dont le prédicat serait לחם = « aliment », soit une apposition à לחם. Mais déjà la plupart des versions anciennes ont coupé le texte après 16bα et ont rattaché 16bβ à ce qui suit ; LXX et Sam ajoutent ליהוה = « pour YHWH » après לריח ניחח = « au parfum apaisant ». En fait ces trois mots constituent une première conclusion générale et lapidaire du chap. 3, qui en résume l'essentiel[12].

v. 17. La conclusion brève est reprise, développée et précisée dans le v. 17. L'auteur, dans son souci de ne rien négliger ni oublier, ajoute à la graisse le sang ; ensuite, au lieu de répéter que ces éléments appartiennent à Dieu, il formule la même idée de manière négative en disant qu'ils ne doivent pas être consommés, donc même pas par le clergé qui en prend livraison ; enfin il donne une précision (v. 17a) d'une importance historique considérable[13] : ceux qui avaient été exilés (ou qui étaient encore) en Babylonie pouvaient légitimement se demander si les lois appliquées dans le pays d'Israël, autour du sanctuaire unique, dans le cadre des sacrifices réglementaires de la religion juive, étaient aussi valables en d'autres temps et en d'autres lieux. L'auteur répond (ou prévient la question ?) en précisant que ces règles sont à respecter en tout temps et en tout lieu ; cela découle de la conception qu'il avait d'un Dieu dont l'autorité n'est pas limitée à un territoire et à ceux qui l'habitent : ce Dieu est le Seigneur d'un peuple qu'il s'est choisi (Ex 20. 2), et il le reste, où que réside ce peuple, « puisque c'est à moi qu'appartient toute la terre » (Ex 19. 5).

חקה désigne une loi, une ordonnance, une prescription dont le caractère permanent est souligné par le complément qui lui est souvent attribué חקת עולם = « loi perpétuelle ». De plus le mot est très souvent accompagné d'un suffixe pronominal désignant YHWH ou d'un complément du nom renvoyant implicitement à Dieu. Il n'y a dans l'AT que quelques passages où le mot désigne des lois qui ne viennent pas du Dieu d'Israël[14].

---

[12] חלב (92 fois dans l'AT ; 48 fois dans Lv) est employé 71 fois (45 fois dans Lv) en contexte sacrificiel, 11 fois (Lv : -) comme image de ce qu'il y a de meilleur, et 4 fois (Lv : -) comme trait caractéristique du méchant, « bouffi de graisse ». Dans les 6 derniers cas (Lv 7. 23, 24, 24 ; Jg 3. 22 ; 2 S 1. 22 ; Ez 34. 3), le mot est employé dans son sens propre.

[13] La formule se retrouve en 23. 14, 21, 31 ; Nb 35. 29 ; et sous des formes diversement simplifiées en Lv 7. 26, 36 ; 10. 9 ; 23. 3, 17, 41, ainsi qu'en d'autres livres.

[14] חקה : 104 fois dans l'AT ; 26 fois dans Lv, à savoir :

חקת עולם : 23 fois dans l'AT ; 12 fois dans Lv ;

חקה + complément renvoyant explicitement ou implicitement à Dieu : 73 fois dans l'AT (dans 4 cas, il s'agit de ce que nous appellerions des « lois naturelles », que l'AT réfère à Dieu) ; 11 fois dans Lv.

חקה = « loi humaine » : 8 fois dans l'AT ; 3 fois dans Lv.

Chapitre 4. 1—5. 13

LE SACRIFICE POUR LE PÉCHÉ

Les chap. 4 et 5 traitent des sacrifices expiatoires proprement dits, à savoir le חטאת = « sacrifice pour le péché » et le אשם = « sacrifice de réparation ». Une distinction précise entre ces deux types de sacrifices n'est pas aisée.

Autrefois, certains ont considéré que le chap. 4 traitait du חטאת et le chap. 5 du אשם, puisque le mot אשם apparaît dès 5. 6[1]. A l'heure actuelle, la très grande majorité des traductions et commentaires (pour ne pas dire tous) considèrent que 4. 1—5. 13 concerne le חטאת et 5. 14-26 le אשם, certainement avec raison[2].

Jusque vers 1960, les commentateurs et spécialistes n'étaient pas parvenus à donner une présentation claire des différences qui existent entre le חטאת et le אשם. Les distinctions que l'on essayait d'établir jouaient jusqu'à un certain point, puis tout s'embrouillait[3]. Von Rad (Théologie I, p. 228) résumait bien l'état de la question : « l'antique question de la différence entre ces deux types de sacrifices reste insoluble et c'est peine perdue de vouloir formuler avec subtilité une définition assez générale et assez précise pour faire sentir la différence ». Point de vue partagé par de Vaux (Sacrifices, p. 91) : « la juxtaposition dans le Lévitique de prescriptions souvent parallèles concernant le ḥaṭṭa't et le 'ašam et la confusion qui en résulte indique que les derniers rédacteurs ne savaient déjà plus clairement ce qui spécifiait le ḥaṭṭa't et le 'ašam : ou bien ils ont voulu distinguer des termes qui étaient primitivement synonymes, ou bien ils ont confondu des termes, dont ils ne connaissaient plus la valeur exacte ».

Depuis lors, la recherche s'est poursuivie et affinée. Plusieurs auteurs[4] ont étudié et analysé avec grande minutie les emplois des termes חטאת et אשם et les rituels des sacrifices ainsi désignés. Leurs travaux, qui portent sur l'ensemble du corpus vétérotestamentaire (et non seulement sur le Lévitique) et qui intègrent parfois des données extra-

---

[1] Voir la Bible imprimée par B. Arnoullet, Lyon, 1550 ; celle imprimée par B. Honorati, Lyon, 1578 ; la Bible des pasteurs et professeurs de l'Église de Genève, 1588 ; la King James Version, 1611 ; la version allemande de Piscator, 1683 ; la Bible de D. Martin, 1707.

[2] D'après la qualité des victimes : en 5. 6, le rituel exige une femelle, comme en 4. 27-35, tandis qu'en 5. 16, 18, 25, le rituel exige un mâle (un bélier). Voir aussi la nouvelle formule d'introduction de 5. 14.

[3] Le rituel de purification d'un lépreux prévoit successivement le sacrifice de réparation d'un agneau, le sacrifice pour le péché d'une agnelle, et enfin l'holocauste d'un agneau (14. 10-20) ; de même le rituel de purification d'un homme dont la période de naziréat a été accidentellement interrompue exige le sacrifice pour le péché d'un oiseau, l'holocauste d'un second oiseau, puis le sacrifice de réparation d'un agneau (Nb 6. 9-12).

[4] LEVINE, Presence ; MARX, Formes, « Levée de sanction », « Passage » ; MILGROM, Cult, Studies, « Purification-offering », « Ḥaṭṭa't », « Passage » ; SCHENKER, Versöhnung ; SNAITH, « Sin-offering ».

bibliques, tirées de la littérature du Proche-Orient ancien, conduisent à penser qu'il y a eu à l'origine deux sacrifices différents offerts en des occasions et pour des raisons distinctes. Cependant, si ces auteurs sont d'accord sur le fait de la différence, ils le sont moins sur le sens et la valeur respectifs qu'ils pensent avoir été ceux des deux types de sacrifices. Un coup d'œil sur les tableaux ci-dessous, qui se borne à présenter les appellations nouvelles utilisées pour l'un ou l'autre sacrifice, est instructif :

	חטאת	אשם
Levine	a) purificatory ḥaṭṭa't b) gift of expiation	cultic offering
Marx	sacrifice de séparation	rite de levée de sanction
Milgrom	purification-offering	[reparation-offering]
Snaith	[sin-offering]	compensation-offering

(Schenker ne propose pas de nouvelle terminologie).

Il faudra probablement encore du temps pour qu'un certain consensus se dégage des recherches actuelles. Les limites du présent commentaire ne nous permettent pas d'entrer dans ce débat, d'autant moins que les conclusions auxquelles parviennent les spécialistes sont en général basées plus sur les informations fragmentaires tirées des textes antérieurs que sur les données structurées mais relativement récentes des rituels du Lévitique. Or si l'on peut mettre en doute le lien originel entre les notions de « péché » ou de « faute » d'une part, et l'un ou l'autre des sacrifices expiatoires d'autre part, il n'est guère possible de nier l'existence de ce lien dans la présentation qu'en donne le Lévitique. De plus les probables particularités du חטאת et du אשם se sont peu à peu estompées, à tel point que chez P, l'analogie des rituels a pu être affirmée avec force (7. 7).

On n'a pas encore retrouvé de mention certaine et claire de sacrifices expiatoires au Proche-Orient, en dehors de l'AT[5]. Il semble donc bien que cette catégorie de sacrifices soit particulière au peuple d'Israël. Si son développement spectaculaire a eu lieu après l'exil, il ne faut pas en conclure que les Israélites l'ont inventé durant leur séjour en Babylonie. Il serait étonnant que de tels rituels aient vu le jour à une époque où le culte sacrificiel centralisé n'était pas possible. La prise de conscience morale d'Israël pendant l'exil a certainement favorisé la multiplication des sacrifices expiatoires après le retour en terre sainte, chez des gens qui avaient découvert, de manière si existentielle, le sentiment du péché envers Dieu et de la nécessité d'obtenir son pardon. Mais il est probable que les sacrifices expiatoires étaient déjà connus en Israël avant l'exil, même si les mentions qui en sont faites dans les textes préexiliques sont rares et sujettes à d'autres interprétations[6].

Dans le חטאת comme dans le אשם, les parties grasses de la victime sont brûlées sacrificiellement sur l'autel, tandis que la viande revient en totalité au sacerdoce. L'offrant laïc n'en reçoit rien : en effet il ne peut pas tirer un double bénéfice de son

---

[5] Voir DE VAUX, *Sacrifices*, p. 95-100.
[6] Ézéchiel mentionne 14 fois le חטאת et 4 fois le אשם, mais seulement dans les chap. 40—46, qui sont certainement parmi les plus récents du livre et doivent dater de l'époque de l'exil. Toutefois on en parle non comme de quelque chose de nouveau, qui devrait être expliqué, mais comme d'une réalité connue des auditeurs, donc antérieure à la déportation, et à laquelle on voudrait insuffler une nouvelle vie.

sacrifice, simultanément au plan matériel (de la viande à consommer) et au plan spirituel (le pardon de Dieu) ; cette perspective est confirmée par le cas particulier du sacrifice pour le péché offert par le grand prêtre : la viande ne peut pas être consommée par le clergé, elle doit être brûlée hors du camp, de manière non sacrificielle (voir 4. 12 ; comparer l'affirmation analogue de 6. 16)[7].

Sur l'étymologie du mot חטאת, voir ci-dessous, le v. 2, à propos du verbe חטא = « pécher », et le v. 3, à propos du substantif.

Dans ces chapitres, l'auteur décrit avec plus ou moins de détails les aspects extérieurs du rituel ; cela ne signifie pas que pour lui tout se résume à une observance méticuleuse de la liturgie sacrificielle, qui serait suffisante en elle-même pour obtenir le pardon de Dieu. S'il ne se lance pas dans la description des mouvements du cœur, il n'en présuppose pas moins l'existence de la repentance intérieure, du désir de réconciliation entre l'homme et Dieu, qui donnent un sens aux actes concrets de la liturgie[8].

Dans la perspective chrétienne, le sacrifice pour le péché devient aussi à sa manière préfiguration du sacrifice du Christ. C'est ainsi que l'apôtre Paul pourra dire (2 Co 5. 21) : τον μη γνοντα αμαρτιαν υπερ ημων αμαρτιαν εποιησεν = « celui qui ne connaissait/ pratiquait pas le péché, pour nous [Dieu] l'a fait [sacrifice pour le] péché »[9]. L'élaboration théologique concernant le Christ « Agneau de Dieu » exploite aussi le thème vétérotestamentaire du sacrifice pour le péché, combiné avec ceux de l'agneau pascal (Ex 12) et de l'agneau qu'on mène à la boucherie (Es 53. 7). La nouveauté de la perspective néotestamentaire vient de ce que le Christ y est vu non seulement comme la victime du sacrifice, mais en même temps comme le prêtre lui-même offrant le sacrifice (He 9).

(4. 1) YHWH parla à Moïse en ces termes : (2) Parle aux Israélites en ces termes : Quand un homme aura péché[a] par mégarde contre l'un de tous les commandements de YHWH qui ne doivent pas se faire, à savoir qu'il aura fait (ce qu'interdit) l'un d'entre eux,

(3) si c'est le prêtre oint qui a péché, entraînant ainsi le peuple dans la culpabilité, il offrira à YHWH, en raison du péché qu'il a commis, un taureau sans défaut comme sacrifice pour le péché[a]. (4) Il amènera le taureau à l'entrée de la tente de la rencontre, devant YHWH ; il placera sa main sur la tête du taureau[a], puis il égorgera le taureau devant YHWH. (5) Le prêtre oint[a] prendra du sang du taureau et l'apportera dans la tente de la rencontre ; (6) le prêtre trempera [a]son doigt dans le sang et fera sept aspersions de sang[b] devant YHWH, sur le côté visible du rideau du lieu saint. (7) Le prêtre mettra ensuite du sang sur les cornes de l'autel[a] du parfum aromatique, qui se trouve dans la tente de la rencontre, devant YHWH ; puis il versera tout le reste du sang[b] du taureau à la base de l'autel de l'holocauste, qui se trouve à l'entrée de la tente

---

[7] MILGROM, « Hatta't », souligne fortement les différences existant entre les deux types de sacrifice pour le péché (qu'il préfère appeler « sacrifice de purification »), celui dont le sang de la victime est porté à l'intérieur du sanctuaire (4. 3-21) et celui dont le sang est utilisé à l'extérieur (4. 22-35). A notre avis les différences ne permettent pas d'en faire deux sacrifices distincts, mais seulement deux variantes d'un même sacrifice.

[8] Voir ce que dit VON RAD, *Théologie* I, p. 228-229.

[9] Voir la traduction hébraïque de F. DELITZSCH : את אשר לא ידע חטאה אתו עשה לחטאת בעדנו. Voir également la traduction française proposée par DE VAUX, *Sacrifices*, p. 85 et 100. La version Seg 1978 « il l'a fait (devenir) péché » et sa variante en note « On pourrait aussi comprendre : "il l'a fait devenir sacrifice pour le péché" » suggère que le texte grec serait ambigu ; mais il est très probable que les premiers destinataires ne le ressentaient pas ainsi.

de la rencontre. (8) *Toute la graisse du taureau offert comme sacrifice pour le péché[a], il la prélèvera : la graisse qui recouvre[b] les entrailles, toute la graisse qui est au-dessus des entrailles, (9) les deux rognons avec la graisse qui [a]y adhère ainsi qu'aux[a] lombes, et le lobe du foie, qu'on détache en plus des rognons, — (10) comme ces morceaux sont prélevés du bovidé du sacrifice de communion —. Le prêtre les fera fumer sur l'autel de l'holocauste. (11) La peau du taureau, toute sa viande, y compris sa tête et ses pattes, ses entrailles et sa fiente, (12) le taureau tout entier, il le fera porter[a] hors du camp, dans un endroit pur, là où l'on déverse les cendres grasses, et il le brûlera[a] sur des bûches en feu ; c'est à l'endroit où l'on déverse les cendres grasses qu'il sera brûlé.*

(13) Si c'est toute la communauté d'Israël qui a péché par mégarde, et que l'affaire soit restée ignorée de l'assemblée, s'ils ont fait (ce qu'interdit) l'un de tous les commandements de YHWH qui ne doivent pas se faire et qu'ils se sont ainsi rendus coupables, (14) lorsque le péché qu'ils ont commis viendra à être connu, l'assemblée présentera un taureau[a,b] en sacrifice pour le péché ; ils l'amèneront devant[c] la tente de la rencontre. (15) Les anciens de la communauté placeront leur main sur la tête du taureau, devant YHWH, et l'un d'eux égorgera[a] le taureau devant YHWH. (16) Le prêtre oint apportera du sang du taureau dans la tente de la rencontre ; (17) le prêtre trempera son doigt dans le sang et fera[a] sept aspersions devant YHWH, sur le côté visible du rideau[b]. (18) Il mettra[a] ensuite du sang sur les cornes de l'autel[b] qui se trouve dans la tente de la rencontre, devant YHWH, puis il versera tout le reste du sang à la base de l'autel de l'holocauste, qui se trouve à l'entrée de la tente de la rencontre[c]. (19) Toute sa graisse, il la prélèvera et la fera fumer sur l'autel. (20) Il agira avec ce taureau comme il agit avec le taureau de son sacrifice pour le péché ; il agira exactement de même. Le prêtre fera alors sur eux[a] le rite d'absolution, et il leur sera pardonné. (21) Il fera porter[a] le taureau hors du camp et le[b] brûlera[a] comme il a brûlé[a] le premier taureau. C'est[c] le sacrifice pour le péché de l'assemblée.

(22) Si c'est un prince qui a péché, qui a fait par mégarde (ce qu'interdit) l'un de tous les commandements de YHWH son Dieu qui ne doivent pas se faire[a], et qu'il s'est ainsi rendu coupable, (23) [a]quand on lui fera connaître[a] le péché qu'il a commis, il amènera en présent un bouc, un mâle sans défaut. (24) Il placera sa main sur la tête du bouc, puis l'égorgera[a] à l'endroit où l'on égorge[a] l'holocauste, devant YHWH. C'est un sacrifice pour le péché[b]. (25) De son doigt, le prêtre prendra du sang de l'animal sacrifié pour le péché et en mettra sur les cornes de l'autel de l'holocauste, [a]puis il versera [b]son sang à la base de l'autel de l'holocauste[a]. (26) Il fera fumer toute sa graisse sur l'autel, comme la graisse du sacrifice de communion. Le prêtre fera alors sur lui le rite d'absolution de son péché, et il lui sera pardonné.

(27) Si c'est un simple particulier qui a péché par mégarde en faisant (ce qu'interdit) l'un des commandements[a] de YHWH qui ne doivent pas se faire, et qu'il s'est ainsi rendu coupable, (28) [a]quand on lui fera connaître[a] le péché qu'il a commis[b], il amènera en présent une chèvre, une femelle sans défaut, en raison du péché qu'il a commis. (29) Il placera sa main sur la tête de l'animal sacrifié pour le péché, [a]puis l'égorgera[a,b] à l'endroit de l'holocauste. (30) De son doigt, le prêtre prendra de son sang et en mettra sur les cornes de l'autel de l'holocauste, puis il versera tout le reste de son sang à la base de l'autel[a]. (31) Toute sa graisse, il la détachera comme la graisse est détachée[a] de l'animal offert en sacrifice de communion ; le prêtre la fera fumer sur l'autel, [b]en parfum apaisant pour YHWH[b]. Le prêtre fera alors sur lui le rite d'absolution, et il lui sera pardonné.

(32) S'il amène en présent un mouton[a] comme sacrifice pour le péché, il amènera une femelle sans défaut. (33) Il placera sa main sur la tête de l'animal sacrifié pour le péché, puis l'égorgera[a] à l'endroit où l'on égorge[a] l'holocauste. (34) De son doigt, le prêtre prendra du sang de l'animal sacrifié pour le péché et en mettra sur les cornes de l'autel de l'holocauste, puis il versera tout le reste de son sang à la base de l'autel. (35) Toute sa graisse[a], il la détachera comme la graisse est détachée[b] du mouton du sacrifice de communion ; le prêtre la[c] fera fumer sur l'autel, en plus des mets consumés de YHWH. Le prêtre fera alors sur lui le rite d'absolution pour le péché qu'il a commis, et il lui sera pardonné.

(5. 1) Quand un homme a péché, en ce qu'il a entendu une parole d'adjuration mais, bien que témoin pour avoir vu ou appris quelque chose, il n'a pas annoncé (ce qu'il sait), et qu'il porte ainsi sa culpabilité ;

(2) ou bien quand[a] un homme a touché n'importe quelle chose impure — cadavre d'animal sauvage impur, cadavre de bête domestique impur, cadavre de bestiole impure, [b]même si la chose reste ignorée de lui — et qu'il devienne ainsi impur[c] et coupable[b] ;

(3) ou bien quand quelqu'un touche une impureté humaine — toute impureté par laquelle on devient impur, même si la chose reste ignorée de lui — lorsqu'il l'apprend et devient coupable ;

(4) ou bien quand un homme a prononcé de ses lèvres un serment irréfléchi, qui fait du tort ou qui profite à quelqu'un — en tout domaine où un homme peut faire un serment irréfléchi, même si la chose reste ignorée de lui — lorsqu'il l'apprend et devient coupable ;*

(5) [a]quand quelqu'un est coupable[b] dans l'un de ces cas[a], il confessera[c] en quoi il a péché, (6) puis il amènera, en réparation pour YHWH, à cause du péché qu'il a commis, une femelle de petit bétail, brebis ou chèvre, à titre de sacrifice pour le péché. Le prêtre fera alors sur lui le rite d'absolution de son péché[a].

(7) Si quelqu'un n'a pas les moyens[a] d'(offrir) une tête de petit bétail, il apportera à YHWH[c], [b]en réparation de son péché[b], deux tourterelles ou deux pigeons, l'un à titre de sacrifice pour le péché et l'autre pour un holocauste. (8) Il les apportera au prêtre, qui présentera en premier celui du sacrifice pour le péché[a] ; il lui arrachera[b] la tête en avant de la nuque — sans pourtant la détacher —. (9) Il fera une aspersion de sang de la victime pour le péché contre[a] la paroi de l'autel, puis exprimera[b] le reste du sang à la base de l'autel. C'est un sacrifice pour le péché[c]. (10) Du second, il fera un holocauste selon la règle. Le prêtre fera alors sur lui le rite d'absolution du péché qu'il a commis, et il lui sera pardonné.

(11) Si quelqu'un n'a pas sous la main deux tourterelles ou deux pigeons, il apportera en présent pour le péché commis un dixième d'épha de farine, à titre de sacrifice pour le péché ; il n'y déposera[a] pas d'huile et n'y mettra pas d'encens, car c'est un sacrifice pour le péché. (12) Il l'apportera au prêtre ; le prêtre en prendra une pleine poignée — le mémorial[a] — et la fera fumer sur l'autel, en plus des mets consumés de YHWH. C'est un sacrifice pour le péché. (13) Le prêtre fera alors sur lui le rite d'absolution du péché qu'il a commis en l'un de ces cas, et il lui sera pardonné. Il en ira[a] pour le prêtre comme dans le cas de l'offrande végétale[b].

Critique textuelle (chap. 4) : • *v. 2a* L'adjonction de εναντι κυριου (LXX) explicite l'idée sous-jacente dans la pensée juive que tout péché lèse YHWH dans une certaine mesure. • *v. 3a* Assimilation inutile au חטאתו qui précède. • *v. 4a* Assimilation inutile aux deux autres לפני יהוה du verset. • *v. 5a* Assimilation à la formulation de 16. 32 et 21. 10. • *v. 6a* Inadvertance de copiste ? Pourtant voir aussi le v. 17. • *v. 6b* Redondance après le את־אצבעו du début du verset. • *v. 7a* Variantes difficilement explicables. • *v. 7b* Variante purement stylistique : en fait le כל־דם הפר du TM est remplacé par כל הדם. • *v. 8a* Formulation redondante du TM, évitée par C. • *v. 8b* Le את de plusieurs manuscrits et Sam, supposé également par LXX, Syr et Tg, est préférable au על du TM, probablement dû à une influence inopportune de la tournure de la fin du verset (comparer 3. 3, 9, 14). • *v. 9a-a* Inadvertance de copiste. • *v. 12a* Voir le commentaire et la note. • *v. 14a* Le *ḥd* de Syr n'a probablement que la valeur d'un article indéfini, ne modifiant pas le sens du TM ; s'il insiste sur l'unicité de l'animal, il le fait par opposition à la multiplicité des offrants (la communauté), mais ne présuppose pas un original différent du TM. • *v. 14b* Assimilation inutile à la formulation du v. 3. • *v. 14c* Assimilation à la formulation du v. 4. • *v. 15a* Voir le commentaire et la note. • *v. 17a,b* Assimilations inutiles à la formulation du v. 6. • *v. 18a,b* Assimilations inutiles à la formulation du v. 7. • *v. 18c* Inadvertance ou simplification voulue du copiste. • *v. 20a* Le עליהן de C est difficilement compréhensible, mais il pourrait s'agir d'une lecture erronée des manuscrits par l'éditeur. • *v. 21a* Voir le commentaire et la note du v. 12. • *v. 21b* Répétition inutile de la tournure du début du verset. • *v. 21c* Accord grammatical avec le sujet. • *v. 22a* Probable erreur d'orthographe du copiste. • *v. 23a-a* LXX et Syr ne présupposent pas forcément un original différent du TM ; voir GK 159 cc, Joüon 167 q. • *v. 24a* Voir 1. 5a. • *v. 24b* Voir 21c. • *v. 25a-a* Homéoarcton ou homéotéleuton. • *v. 25b* Assimilation inutile à la formulation des v. 7 et 18. • *v. 27a* Assimilation inutile à la formulation des v. 2, 13 et 22. • *v. 28a-a* Voir 23a-a. • *v. 28b* Assimilation inutile à la formulation du v. 14. • *v. 29a-a* Homéotéleuton. • *v. 29b* Voir 1. 5a. • *v. 30a* Précision redondante. • *v. 31a* *Lectio facilior*, par assimilation au יסיר qui précède. • *v. 31b-b* Assimilation inutile à la formulation du v. 35 ou formule primitive ? Voir le commentaire. • *v. 32a* Anticipation prématurée sur la suite du verset. • *v. 33a* Voir 1. 5a. • *v. 35a* Voir GK 91 e, Joüon 94 h. • *v. 35b* Voir 31a. • *v. 35c* Complément qui peut rester implicite.

(Chap. 5) : • *v. 2a* Assimilation inutile à la formulation du v. 1. • *v. 2b-b* Probable inadvertance de copiste (quasi homéotéleuton sur טמא). • *v. 2c* Assimilation inutile à la formulation des v. 3 et 4. • *v. 4** לאחת מאלה semble être une dittographie du début du v. 5, respectivement après ואשם et יאשם. Voir le commentaire et 5a-a. • *v. 5a-a* Le témoignage de Vg contre le début du v. 5 pèse peu, quand on connaît la tendance de Jérôme à simplifier le texte. Celui de plusieurs manuscrits de LXX n'est pas absolument clair : il n'est pas certain que και αμαρτη εν τι τουτων traduise ואשם לאחת מאלה du v. 4 plutôt que יאשם לאחת מאלה du v. 5. L'absence du début du v. 5 dans C peut être due à un homéotéleuton, dont certains copistes semblent avoir été coutumiers. • *v. 5b* Variante stylistique. • *v. 5c* Explicitation qui ne présuppose pas un original différent du TM. • *v. 6a* Sam, LXX : assimilation inutile à la formulation de 4. 35 ; la variante de C pourrait être une assimilation à la formulation de 19. 22. • *v. 7a* L'absence de pataḥ furtif dans L n'est probablement qu'une erreur de copiste. Le חשיג de Sam est une assimilation inopportune à la formulation du v. 11 ; voir le commentaire. • *v. 7b-b* Variante stylistique. • *v. 7c* Inadvertance de traducteur ou de copiste ? • *v. 8a* Erreur de copiste, peut-être sous l'influence de 12. 8, où le premier oiseau est destiné à l'holocauste. • *v. 8b* L'adjonction du sujet après וּמָלַק est malencontreuse, car c'est certainement déjà le prêtre qui est sujet de וְהִקְרִיב, comparer 1. 15. • *v. 9a* Voir 1. *15b.* • *v. 9b* Voir 1. *15a.* • *v. 9c* Voir 4. *21c.* • *v. 11a* C'est habituellement le verbe יָצַק qui est utilisé pour l'huile, mais il n'est pas indispensable d'uniformiser les textes à tout prix. • *v. 12a* Voir 4. *35a.* • *v. 13a* Traduction influencée, à tort, par 2. 3, 10 ; voir le commentaire. • *v. 13b* Explicitation, qui ne présuppose pas un original différent du TM.

Le texte relatif au sacrifice pour le péché se subdivise en six sections :
a) 4. 3-12 rituel en cas de péché du grand prêtre ;
b) 4. 13-21 rituel en cas de péché de toute la communauté ;
c) 4. 22-26 rituel en cas de péché d'un prince ;
d) 4. 27-35 rituel en cas de péché d'un particulier
[la quatrième section se subdivise à son tour en deux paragraphes, selon que la victime choisie est une chèvre (v. 27-31) ou une brebis (v. 32-35)] ;
e) 5. 1-6 quelques situations de « péché », à titre d'exemple ;
f) 5. 7-13 adoucissement de la législation, en faveur des pauvres
[la sixième section se subdivise à son tour en deux paragraphes : au lieu d'une chèvre ou d'une brebis, le pauvre peut offrir deux oiseaux (v. 7-10) ou une certaine quantité de farine (v. 11-13)].

v. 1. La formule d'introduction porte sur tout le chap. 4 et la moitié du chapitre suivant (5. 1-13).

v. 2. Comme d'habitude, Moïse joue le rôle d'intermédiaire entre YHWH et le peuple, conformément à la supplication d'Israël en Ex 20. 19. 2aβb introduit les quatre premières sections (4. 3-35) et situe en quelques mots les dimensions du problème.
Le champ sémantique du verbe חטא ne correspond pas exactement à celui de « pécher » en français. Il ne s'agit pas avant tout d'une notion morale, liée à la connaissance subjective d'une loi. C'est d'abord une notion relationnelle. Comme le suggère l'étymologie, il y a à la base l'idée de « manquer/ne pas atteindre le but » (voir p. ex. Es 65. 20 ; Jb 5. 24). De là découle le sens de « ne pas être dans une relation juste et normale avec quelqu'un ou quelque chose », et en fin de compte avec Dieu. Dans le cas présent, le sens de « pécher », en français, convient au contexte, mais nous verrons plus loin (p. ex. 8. 15 ; 14. 49, 52) des cas où cette traduction ne convient pas.
שְׁגָגָה (de la racine שגה = « errer/se perdre ») précise qu'il n'est question ici que des péchés commis « par inadvertance » (comparer Nb 15. 22-29)[10]. L'auteur n'aborde pas dans Lv le problème du péché intentionnel ou délibéré[11], au sujet duquel il s'exprimera en Nb 15. 30-36.
מִצְוָה [12] (racine צוה piel = « ordonner ») signifie « commandement/prescription » dans un sens plus individualiste que חֻקָּה (voir 3. 17), qui a plutôt une valeur collective. Nous ignorons si le terme (au pluriel) vise ici une collection particulière de comman-

---

[10] D'après les exemples donnés en 5. 1-4, il semble que les notions de « négligence » ou d'« irréflexion » peuvent aussi rentrer dans la catégorie de l'inadvertance (surtout v. 4).
[11] בְּיַד רָמָה, litt. « à main levée » ; voir Nb 15. 30 (voir pourtant Lv 5. 4).
[12] Toujours au pluriel chez P, sauf Nb 15. 31.

dements que l'on retrouverait dans l'AT. Ces commandements sont définis par la relative אשר לא תעשינה = « qui ne se font pas », expression qui, dans le rabbinisme, désigne les commandements à formulation négative, c'est-à-dire les interdictions (« tu ne commettras pas de meurtre » par opposition à « honore ton père et ta mère »). Il n'y a pas de raison de supposer un autre sens de l'expression chez P ; d'autant moins que 2b définit le péché comme consistant à « faire un de ces commandements », c'est-à-dire à faire ce qu'interdit un commandement négatif[13].

La formule initiale כי נפש = « Quand un homme » est reprise en 5. 1, et commencera également les paragraphes de 5. 15 et 5. 21, ce qui souligne l'unité de perspective sinon d'origine de ces deux chapitres.

v. 3-12. Le péché du grand prêtre.

Ce n'est qu'après l'exil, à une époque qu'il est difficile de préciser, que le chef des prêtres prend le titre de « grand prêtre » (הכהן הגדול)[14] et reçoit l'onction réservée précédemment au roi[15]. En fait il reçoit peu à peu les prérogatives du roi préexilique, et finira même par porter simultanément les deux titres (probablement dès Aristobule 1er, en 104-103 av. J.-C.).

Sa présence en tête de la liste du chap. 4 est due à la fois à sa qualité de prêtre et à son rôle de chef de la nation. Le « prêtre en chef » de l'époque préexilique (כהן הראש, 2 R 25. 18) n'était que le chef du clergé. Son autorité était très limitée, car il était lui-même soumis au roi. C'est le roi qui était le véritable chef de la nation, l'intermédiaire entre YHWH et la nation, dont les actes engageaient toute la nation et dont les désobéissances rendaient punissable toute la nation (voir p. ex. 2 S 24).

v. 3. Ainsi le « prêtre oint » peut-il, par son péché (יחטא), « rendre coupable tout le peuple ». Il n'est plus une personne privée dont les actes n'engageraient que lui-même, il est un homme public qui, en raison de ses responsabilités et de son autorité, est soumis à d'autres normes, beaucoup plus exigeantes, que ses administrés (comparer 10. 6-7 ; 21. 1-15).

Le אם = « si » du début du verset est repris par les ואם des v. 13 et 27, et par le אשר du v. 22 (voir Joüon 167 j).

אשמת = « culpabilité » est soit l'état construit du substantif אשמה, soit l'infinitif construit qal du verbe אשם (Joüon 49 d ; HAL, p. 92-93) ; le sens n'en est pas affecté, mais nous y verrions plus volontiers l'infinitif construit, suivi d'un génitif subjectif, correspondant aux formes verbales conjuguées du même verbe dans les v. 13, 22 et 27. La construction particulière dans le présent passage souligne la signification particulière de l'expression. Alors que dans les trois autres sections, c'est la communauté ou l'individu qui se rend soi-même coupable, ici c'est le peuple qui est coupable quand le grand prêtre se met en faute ; ceci explique par ailleurs l'identité des victimes et des rituels de 4. 3-12 et 4. 13-21.

La victime est un פר, c'est-à-dire un bovidé mâle (femelle פרה, voir p. ex. Gn 41).

---

[13] Sur מן suivi de אחד (מאחת), voir Joüon 133 e.

[14] Voir Ag 1. 1 ; Za 3. 1 ; Ne 3. 1 ; 2 Ch 34. 9 ; voir l'excursus d'Amsler, *Aggée-Zacharie*, p. 79-80. En Lv 21. 10, il ne s'agit pas encore d'un titre, mais d'une tournure descriptive : « le prêtre plus grand que ses frères ». Voir aussi l'Introduction générale à Lévitique 8—10.

[15] Voir de Vaux, *Institutions* II, p. 240-242, 266-268. Des textes d'origine encore plus récente étendent l'onction sacerdotale à tous les prêtres, p. ex. Lv 7. 35-36 ; 10. 7.

Il est possible que le terme à l'origine n'ait été spécifique que pour le sexe de l'animal et non pour son appartenance à une espèce[16]. Ceci justifierait la présence à plusieurs reprises de l'apposition בֶּן־בָּקָר (litt. « fils de gros bétail ») qui, dans l'état classique de la langue, est pléonastique. Cette apposition (et probablement le sens du mot arabe correspondant) ont conduit beaucoup de lexicographes à interpréter le mot dans le sens de « jeune taureau » ou « taurillon » ; mais les contextes vétérotestamentaires n'obligent nullement à lui attribuer une telle nuance de sens. Le texte de Jg 6. 25 s'inscrit même nettement en faux contre cette interprétation, puisqu'on y parle d'un פַּר = « taureau » de sept ans[17] ! L'erreur d'appréciation (voir KBL, p. 775) est certainement aussi influencée par une fausse appréciation du sens de שׁוֹר[18] (« bovidé »), et une fausse compréhension des rapports entre les champs sémantiques respectifs de ces deux mots.

חַטָּאת (racine חטא = « pécher », voir v. 2 ci-dessus) désigne selon les contextes soit « le péché » (= l'acte de péché), ici חַטָּאתָם, soit « le sacrifice pour le péché »[19], ici לְחַטָּאת, soit encore « la victime offerte en sacrifice pour le péché » (voir v. 25).

v. 4. Le rituel qui commence ressemble beaucoup à celui de l'holocauste. Cela explique probablement la présence en 1. 4 de la glose que nous y avons signalée.

L'emploi du verbe סָמַך = « poser/appuyer » a conduit de nombreux auteurs anciens et modernes à imaginer que le rite exprimait la transmission du péché de l'homme sur l'animal[20]. Or il est hautement improbable que tel soit le sens du rite : Si le « péché » passait de l'homme à l'animal, il serait invraisemblable que l'animal soit ensuite sacrifié, et que la chair porteuse de « péché » soit en partie offerte à Dieu et en partie consommée par les prêtres. Cela contredirait aussi l'idée que l'animal doit être תָּמִים = « sans défaut ». D'ailleurs, dans le seul cas où il y a explicitement une transmission du péché de la part de l'homme sur l'animal (16. 21), l'animal n'est justement ni sacrifié, ni consommé, mais il est expulsé au désert, c'est-à-dire conduit vers les puissances occultes et les démons qui incitent les hommes à pécher. La seule signification plausible du geste (différenciant « imposition de la main » et « imposition des mains ») est celle que nous avons donnée dans le commentaire et la note de 1. 4[21].

---

[16] En arabe, le substantif de la même racine désigne un jeune animal, agneau, chevreau ou veau indifféremment. Voir PÉTER-CONTESSE, « Lexicographie ».

[17] La critique textuelle de Jg 6. 25 est difficile. Mais en tout cas LXX, Tg, Vg et Syr appuient le TM sur le point particulier des sept ans.

[18] Voir le commentaire et les notes du v. 10.

[19] CORTESE, p. 42 et 144, à la suite d'ELLIGER, p. 69, de WENHAM, p. 88-89, et de MILGROM, « Purification-offering », prétend que cette appellation traditionnelle ne convient guère. Partant de l'idée que le redoublement de la seconde radicale de חטאת en fait un dérivé de la conjugaison à redoublement du verbe, et que le verbe hébreu au piel prend facilement le sens de « ôter le péché » (p. ex. Lv 8. 15 ; Nb 19. 19 ; Ez 45. 18), CORTESE voudrait créer le néologisme italien de « speccatizzazione », c'est-à-dire de « dépeccamination ». Un tel raisonnement est linguistiquement peu défendable (un dérivé ne conserve pas automatiquement toutes les composantes et nuances du mot dont il dérive) ; de plus le חטאת n'a pas été compris ainsi par les anciennes versions : LXX ἁμαρτια ; Vg *peccatum* ; Tg et Syr, racine חטא ; enfin le sacrifice « n'enlève pas le péché », mais il exprime l'attente de l'homme pécheur comptant sur le pardon de Dieu. Voir aussi ZOHAR, « Repentance ».

[20] Voir la note de BP à propos de Lv 1. 4 : « L'imposition des mains, qui reparaît dans les rites décrits ci-dessous, a pour effet de transmettre à la victime la culpabilité de l'offrant. Voir en particulier le chapitre IV » ; voir également NOTH, p. 28 (« Uebertragung der Verfehlung auf das Opfertier ») et VON RAD, *Théologie* I, p. 218 (« la viande de l'animal qui avait été chargé du péché »).

[21] Voir dans le même sens RINGGREN, *Religion*, p. 181-182 ; DE VAUX, *Institutions* II, p. 292.

v. 5-6. Le prêtre oint, bien que coupable, avec tout le peuple, mais agissant ici en tant que *pontifex maximus* et non à titre personnel, prend un peu de sang de la victime et pénètre dans la première partie du sanctuaire. Du bout du doigt il projette quelques gouttes de sang contre le rideau[22] qui sépare les deux parties de sanctuaire (voir Ex 26. 31-34) et derrière lequel se trouve le « propitiatoire » recouvrant l'arche. La gravité de la faute nécessite une réconciliation plus profonde et, par conséquent, une plus grande proximité du médiateur portant le sang et de la divinité sensée être présente dans ou sur l'arche et le propitiatoire. Toutefois, s'agissant d'un rite occasionnel, l'officiant ne pénètre pas au-delà du rideau, événement qui n'a lieu qu'une fois par an, dans le rituel des purifications du Jour du grand pardon (16. 12-15).

Le verbe נזה apparaît 24 fois dans l'AT, 4 fois au qal, avec le sens intransitif de « gicler » (voir 6. 20 [2 fois] ; 2 R 9. 33 ; Es 63. 3), et 20 fois au hiphil, dont 19 fois chez P (13 fois dans Lv), avec le sens de « projeter [quelques gouttes d'un liquide sur quelqu'un/quelque chose] »[23]. Au hiphil, le verbe a un sens théologique marqué, lié essentiellement à des cérémonies rituelles (sacrifice pour le péché ; Jour du grand pardon, Lv 16 ; rituel de la vache rousse, Nb 19). Il évoque des idées de purification et/ou de consécration, en plus de la notion de relation entre Dieu et l'homme (comparer le verbe זרק = « asperger », en 1. 5).

La symbolique des nombres explique suffisamment la raison des « sept aspersions » du rideau : « sept » est le chiffre de la plénitude, de la totalité, de la perfection.

קדש , dans son sens local, désigne chez P le sanctuaire dans son ensemble.

v. 7. Une autre partie du sang de la victime sert à oindre les « cornes », c'est-à-dire les protubérances des angles de l'autel du parfum, qui se trouve dans la première partie du sanctuaire, devant le rideau, donc encore dans la proximité immédiate de la présence divine. Le reste du sang est versé (שפך) à la base de l'autel de l'holocauste, donc à l'extérieur du sanctuaire, sans signification rituelle[24]. C'était une façon de se défaire, proprement et avec respect, du sang inutilisé. Ce sang s'écoulait probablement dans le tas des cendres grasses, voir 1. 16 ; 4. 12.

v. 8-10. Le grand prêtre prélève, pour les faire fumer sur l'autel, les mêmes parties grasses qui étaient réservées à Dieu dans le rituel du sacrifice de communion, 3. 3b-4. Tous ces morceaux, y compris les rognons et le lobe du foie, sont classés comme en 3. 9 sous le titre de « parties grasses » (אֶת־כָּל־חֵלֶב), 4. 8a.

Dans la mesure où le rituel du chap. 3 visait à établir une communion entre l'offrant et son Dieu, le rituel du chap. 4 vise à « rétablir » cette communion interrompue par le « péché ».

La victime du sacrifice de communion auquel le rituel fait allusion au v. 10 est appelée שור. Ici encore, comme en ce qui concerne פר = « taureau » au v. 3, il s'agit d'un nom dont le sens a souvent été mal compris[25]. Elliger (« שור ist das männliche Rind

---

[22] אֶת־פְּנֵי פָרֹכֶת , litt. « le visage du rideau », c'est-à-dire (en gardant la même racine française) « le côté visible du rideau ».

[23] Le vingtième emploi du hiphil se trouve en Es 52. 15 ; mais ce texte est très incertain ; voir p. ex. l'analyse du problème par BARTHÉLEMY, *CTAT* II, p. 384-395.

[24] Dans le rituel de l'holocauste, on asperge (זרק) rituellement le pourtour de l'autel de l'holocauste avec la totalité du sang de la victime, 1. 5, 11, 15.

[25] Voir PÉTER-CONTESSE, « Lexicographie ».

ohne Rücksicht auf sein Alter » ; p. 70) en donnait une meilleure définition que KBL
(« ausgewachsenes männliches Rind, Stier », p. 958a), puisqu'il précisait que שׁוֹר ne
comporte aucune indication d'âge (voir en effet 22. 27). Mais les deux ouvrages donnent
à tort une spécification sexuelle de l'animal. Pourtant Gesenius dans son dictionnaire
avait déjà vu juste : « Generale est vocabulum et *unum e genere bovino caput* (ein Stück
Rindvieh) designat, nullo sexus aetatisve discrimine »[26].

De fait un examen même rapide des données statistiques vétérotestamentaires
indique clairement que שׁוֹר correspond bien à la définition de Gesenius[27]. Ainsi le פר
est une catégorie spécifique (« taureau ») du שׁוֹר (« bovidé »), lequel, souvent collectif,
est alors en équivalent de בקר, tandis qu'au sens individuel il est le singulier du collectif
בקר (voir Nb 7. 3) ou l'équivalent de בן־בקר (Nb 15. 8-11).

v. 11-12. Le reste de la victime subit un sort particulier. Alors que dans le cas du
péché individuel (v. 22-35), rien n'est précisé, nous verrons en 6. 18-23 que la viande de
la victime constitue un des revenus de la classe sacerdotale. Mais dans le cas du péché
du grand prêtre (qui rend coupable tout le peuple) ou du peuple (dont le grand prêtre
est aussi membre), v. 3-21, aucune partie de la victime n'est consommée, selon la règle
non formulée explicitement, mais dont on trouve l'équivalent en 6. 16, en ce qui concerne
l'offrande végétale.

Avec sa minutie habituelle, l'auteur ne néglige aucun détail : il explicite dans le
v. 11 (glose ?) ce que le את־כל־הפר du v. 12 n'exprimait pas de manière assez claire à
son goût : en effet את־כל־הפר signifie « tout le taureau », mais excepté bien sûr les parties
grasses qui en ont été prélevées pour être brûlées sur l'autel. Pour éviter qu'on
n'interprète cette expression de manière encore plus restrictive, l'auteur énumère : la
peau (car la peau d'un holocauste revient au prêtre ; 7. 8), toute la chair (car la chair
d'une victime sacrifiée pour le péché d'un individu revient au prêtre ; 6. 19), la tête (car
la tête était aussi mentionnée spécialement dans le rituel de l'holocauste ; 1. 8, 12, 15 ;
de plus, selon le rituel de Dt 18. 3, les mâchoires de la victime du sacrifice de communion
constituaient un des revenus du clergé), les pattes et les entrailles avec leur contenu
(car ces deux parties subissaient un nettoyage particulier dans le rituel de l'holocauste,
le contenu des intestins[28] ne devant pas être brûlé sur l'autel).

Tous ces éléments sont transportés[29] en un endroit non précisé, dont on sait

---

[26] GESENIUS, *Thesaurus*, p. 1382. Voir aussi maintenant HAL, p. 1346-1348.

[27] שׁוֹר: 79 fois dans l'AT, 10 fois dans Lv, toujours au singulier, sauf Os 12. 12 (texte ?). Le parallélisme
avec חמור, שה ou même צאן (35 fois, dont 5 fois dans Lv) montre qu'il s'agit d'un terme générique ; l'emploi
de שׁוֹר (5 fois dans Lv) pour désigner la victime du sacrifice de communion (qui peut être un mâle ou une
femelle, 3. 1) le confirme. En fait tous les textes sauf un laissent dans l'incertitude l'appartenance sexuelle
de l'animal ; et dans le seul cas où l'animal est défini sexuellement, notre méconnaissance de la langue fait
que nous ne savons pas de quel sexe est le שׁוֹר ! Il s'agit de Jb 21. 10, où il est question de l'activité sexuelle
de l'animal, mais les deux verbes, au masculin, sont des hapax, compris par LXX et Vg comme « concevoir »
et « avorter » (sujet féminin), tandis que la plupart des auteurs modernes traduisent par « féconder » et « ne
pas réussir », ou des termes équivalents (sujet masculin).

[28] KBL donnait de manière catégorique pour פרש le sens de « contenu de l'estomac (et non des intestins) ».
Ce sens pouvait convenir dans les six emplois du nom, mais rien n'excluait le sens de « contenu de l'intestin ».
C'est d'ailleurs ainsi que l'avaient compris les versions anciennes LXX, Tg, Vg (mais pas Syr), et la plupart
des commentateurs modernes. HAL a adopté ce dernier point de vue.

[29] Le sujet grammatical de והוציא ... ושרף est le grand prêtre ; il est toutefois peu probable que le grand
prêtre en personne emporte et brûle les restes de la victime ; c'était vraisemblablement l'affaire de ses
assistants, les autres prêtres de service (comparer 16. 28). C'est en tout cas l'interprétation de Sam et de LXX,
qui mettent ces deux verbes au pluriel. Mais il n'est pas nécessaire de corriger le TM.

seulement qu'il se trouve « hors du camp » (= hors de la ville sainte ?[30]), qu'il est « pur »
(= à l'écart de tout usage profane), et qu'on y dépose par ailleurs les « cendres grasses »
(= les résidus de la combustion des sacrifices, cendres saturées de matières grasses). En
cet endroit, les restes de la victime sont brûlés de manière non sacrificielle[31] bien que
respectueuse, rituelle et non profane.

La première section n'est pas terminée, comme les suivantes, par la phrase que l'on
trouve comme un refrain en 20b, 26b, 31b, 35b, et plus loin encore dans le chap. 5 :
וכפר עליו/עלהם הכהן ונסלח להם/לו = « le prêtre fera sur eux/lui le rite d'absolution,
et il leur/lui sera pardonné ». Le rite semble ne pas avoir eu lieu dans le cas présent,
parce que le grand prêtre ne peut pas être à la fois le coupable et l'intermédiaire de
l'absolution divine. Il faut en déduire que la certitude du pardon ne reposait pas en
ce cas-là sur le support d'un rite matériel, en paroles ou en actes, mais sur une certitude
intérieure.

v. 13-21. Le péché de la communauté.

Il n'est pas facile d'imaginer en quoi pouvait consister le péché inconscient de toute
la communauté. Clamer, p. 49, fait allusion au récit de 1 S 14. 32, où le peuple, harassé,
se rue sur le butin pris à l'ennemi et consomme la viande de bêtes qui n'ont pas été
abattues selon les règles rituelles. Mais cela peut-il être considéré comme une « faute
involontaire » (ישגו) et qui « reste cachée » (ונעלם דבר) ? Wenham, p. 99, mentionne le
récit de Jos 9, lorsque les Israélites font alliance avec les Gabaonites « sans avoir consulté
le Seigneur » (9. 14). Cette proposition nous semble plus adaptée aux circonstances. Il
se pourrait aussi que l'auteur pense à une situation analogue à celle d'Israël avant la
découverte du livre de la Loi dans le temple (2 R 22 ; voir en particulier les v. 13 et 17).

La tradition rabbinique, dans l'incertitude, a forgé une interprétation dont Rachi
se fait l'écho : jouant sur les deux mots עדה = « communauté » et קהל = « assemblée »,
Rachi dit que עדת ישראל = « communauté d'Israël » désigne le Sanhédrin, qui prendrait
une décision entachée d'erreur. Cette décision peut entraîner un péché inconscient de
tout le peuple, קהל. Une telle explication, qui correspond à une situation politico-sociale
postérieure, ne convient ni à l'époque de Moïse et Aaron, ni à la période exilique ou
du retour, qui est celle de l'auteur. D'ailleurs עדה ne désigne pas en hébreu classique
une classe ou une caste particulière de croyants dans l'ensemble de la communauté
religieuse d'Israël.

v. 13. Il n'en reste pas moins que la juxtaposition de עדה = « communauté » et קהל
= « assemblée » est curieuse. קהל doit avoir été le terme utilisé dans le texte source (voir

[30] Ez 43. 21 parle d'un endroit (non identifié) hors du sanctuaire, mais non hors de la ville.
[31] שרף ne s'emploie pas pour un acte sacrificiel. Il désigne presque exclusivement le rite de destruction
par le feu, d'une ville, d'un coupable, ou d'objets appartenant à un coupable. Son emploi dans le cas des
sacrifices d'enfants (Dt 12. 31 ; Jr 7. 31 ; 19. 5) pourrait sembler contredire notre première affirmation, mais
nous croyons qu'au contraire Dt et Jr (coïncidence ?) qui dans les autres passages emploient toujours le verbe
dans le sens de destruction (rituelle), ont volontairement et consciemment employé ce verbe-là pour bien
montrer que la mise à mort d'un enfant n'est pas à leurs yeux un sacrifice, mais la destruction d'une vie.

la formule de 21b) ; l'auteur sacerdotal lui aura substitué ou aura ajouté deux fois ici (v. 13 et 15) עדה, qu'il préfère nettement[32].

Le verbe שגה = « pécher par ignorance » (voir son équivalent שגג en 5. 18, et le substantif שגגה = « inadvertance », 4. 2) trahit peut-être pour la section présente une autre origine que pour les première, troisième et quatrième sections, qui emploient le verbe (בשגגה) יחטא = « pécher (par inadvertance) ».

La faute a beau être ignorée, נעלם, la responsabilité (ou culpabilité) de la communauté n'en est pas moins engagée, אשמו[33].

v. 14. Quand l'affaire se découvre[34], la communauté prend les dispositions nécessaires pour manifester sa repentance : ce sont les mêmes que dans le cas du péché du grand prêtre.

v. 15. Les anciens, en tant que représentants de la communauté[35], imposent la main (ידיהם, litt. « leurs mains », voir 1. 4 et la note) sur la tête de la victime, puis l'un d'entre eux[36] l'égorge.

v. 16-20a. Les v. 16-19 répètent (quelques détails en moins) les v. 5-10 ; le v. 20a souligne avec insistance (כאשר ... כן = « comme ... de même ») cette identité des rituels.

v. 20b. Le verbe כפר = « faire le rite d'absolution »[37], que nous rencontrons pour la seconde fois dans Lv (voir 1. 4), mais pour la première fois dans son contexte naturel, pose un certain nombre de problèmes difficiles.

Que signifie précisément כפר ? Quelle est son étymologie ? Que signifie la préposition על qui l'accompagne ? Quelle relation y a-t-il entre כפר בעד ,כפר על ,

---

[32] עדה : 149 fois dans l'AT, dont 106 fois chez P et 12 fois dans Lv, jamais dans Dt ; קהל : 123 fois dans l'AT, dont 19 fois chez P et 5 fois dans Lv, 11 fois dans Dt. עדה semble avoir une connotation religieuse plus marquée que קהל, même si les deux termes recouvrent approximativement la même réalité socio-politique (voir THAT II, col. 616).

[33] WENHAM, p. 99, adopte l'interprétation de MILGROM, « Repentance », p. 191, qui donne au verbe אשם (employé sans objet direct dans un contexte cultuel) le sens de « se sentir coupable ». Ce sens peut effectivement convenir dans certains passages (p. ex. 5. 23 ; voir le commentaire), mais il est difficile de l'admettre ici : comment en effet « se sentir coupable » d'un péché commis par mégarde et resté ignoré (v. 13), avant qu'il ne soit connu (v. 14) ? Avec la grande majorité des traducteurs et commentateurs, nous conservons le sens de « se rendre coupable ».

[34] La traduction de Vg est intéressante comme interprétation : *et postea intellexerit peccatum suum.* Il ne s'agit plus tellement du fait que de la compréhension de la faute (de sa gravité ?). De même au v. 23, mais pas au v. 28 *(cognoverit).* Le suffixe de עליה (fin de 14a) se rapporte au commandement (מצוה) enfreint.

[35] זקני העדה est un hapax ; on ne rencontre par ailleurs jamais זקני הקהל. Les expressions habituelles sont זקני העיר = « anciens de la ville », ou זקני ישראל = « anciens d'Israël ». Durant la période monarchique, les anciens avaient perdu beaucoup de leur importance originelle au profit du pouvoir centralisé entre les mains du roi et de sa cour. Après l'exil, à l'heure de la restructuration de l'État, ils semblent avoir regagné une partie de leurs prérogatives et de leur autorité sur le peuple, dont ils sont ici les représentants reconnus.

[36] Le verbe au singulier est plus probable que le pluriel (voir la crit. text.), pour des raisons d'ordre pratique. D'autre part, le sujet est certainement « un parmi les anciens » plutôt que « le grand prêtre », qui n'intervient nommément qu'au verset suivant.

[37] Nous avons recouru, pour rendre le verbe כפר, à l'expression française « faire le rite d'absolution » plutôt que d'utiliser une certaine terminologie traditionnelle qui parle d'« expiation » (voir p. ex. BC, BJ, BM, Seg 1978, Syn). La raison en est que, dans le langage d'aujourd'hui, la composante principale du mot expiation est l'idée de « souffrance imposée ou acceptée à la suite d'une faute » (Petit Robert) ou « châtiment, souffrance considérés comme une compensation du délit ou de la faute » (Larousse en trois volumes) ; une telle notion ne convient absolument pas au contexte de Lv 4.

כפר ל" et כפר את, כפר מן, כפרב" ? L'expression résume-t-elle le rituel qui précède ? Ou bien s'agit-il d'un rite particulier ? Si oui, en quoi consistait-il ? Ces problèmes sont délicats, et les vues ne sont pas unanimes.

Deux étymologies ont été proposées : l'une rapproche כפר de l'akkadien *kuppuru* = « effacer », l'autre de l'arabe *kafara* = « couvrir ». Ni l'une ni l'autre ne s'est imposée, même si plusieurs spécialistes préfèrent un sens originel reflété par la racine arabe[38]. Le résultat est d'ailleurs en gros le même : le péché « couvert » ou « effacé » n'« existe » plus, et l'on rencontre occasionnellement et le verbe כסה = « couvrir » (Ps 85. 3) et le verbe מחה = « effacer » (Ps 51. 3, 11 ; Es 43. 25 ; 44. 22) dans le sens de « pardonner les fautes »[39]. Quelle que soit l'étymologie, le sens du verbe, dans son emploi rituel, a glissé vers « annuler/supprimer/écarter » le péché[40].

Le verbe כפר est suivi le plus fréquemment de la préposition על (60 fois), introduisant le coupable (56 fois) comme c'est le cas ici et aux v. 26, 31 et 35. Dans un seul cas, על introduit l'animal au moyen duquel s'opère le rite (16. 10). Aucun des textes ne nous indique de manière indubitable le sens de על : valeur locale (faire le rite d'absolution *sur* le coupable) ou valeur de destination *(en faveur de)*. Pourtant trois indices nous incitent à trancher pour la valeur locale :

a) le sens fondamental de על est local ; dans son sens dérivé il exprime plutôt une idée d'hostilité (« contre », voir Joüon 133 f) ;

b) l'emploi (unique) de על introduisant l'animal (16. 10) semble bien indiquer en tout cas que l'on ressentait encore le sens local de l'expression ;

c) la coexistence chez P des deux constructions כפר על et כפר בעד (voir plus haut) indique qu'elles ont vraisemblablement deux sens différents, car il n'est pas dans les habitudes de P d'utiliser des termes interchangeables de cet ordre-là. S'il n'emploie pas על quand l'officiant est coupable, c'est en raison de la valeur locale qu'il ressent dans la préposition.

Lorsque le prêtre officiant est en même temps coupable, le verbe est généralement construit avec בעד (7 fois) introduisant le(s) coupable(s) : mais dans les 6 cas de Lv (chap. 9 et 16), le rite se déroule dans le cadre d'une cérémonie générale, motivée par autre chose qu'un péché occasionnel, et concerne à la fois l'officiant et d'autres gens (voir le commentaire de ces deux chapitres). Si l'expression כפר בעד n'a pas été employée à la fin de la première section, c'est que les circonstances étaient différentes : le grand prêtre y était le principal coupable d'un péché particulier, le peuple ne faisant figure que de « comparse » involontaire. Le rite d'absolution aurait dû alors concerner essentiellement le grand prêtre et accessoirement le peuple. Dans les chap. 9 et 16, il s'agit de fautes

---

[38] Voir STAMM, *Erlösen* ; F. MAASS, *in* THAT I, col. 842-843. La dérivation de l'akkadien semble préférable à B. LANG, *in* ThWAT IV, col. 304-305 et à L. SABOURIN, *in* DBS X, col. 1495. Voir la littérature récente sur le sujet dans ces deux derniers ouvrages.

[39] Les raisonnements qui consistent à dire soit « Ce ne peut pas être "effacer", car une faute commise ne peut pas être supprimée, on ne peut pas faire qu'elle n'ait pas été commise », soit « Ce ne peut pas être "couvrir", car alors la faute subsiste en fait et rien n'est fondamentalement changé », les raisonnements de ce genre trahissent une conception philosophico-logique trop moderne du problème, conception dont les Israélites ne s'embarrassaient pas. Les verbes employés sont des métaphores qui nous révèlent tel ou tel aspect de la réalité, mais pas forcément toute la réalité.

[40] כפר piel : 92 fois dans l'AT, dont 70 fois chez P et 49 fois dans Lv ; dans 79 cas (70 fois chez P, 5 fois dans Ez, 3 fois chez le Chroniste et 1 fois dans Dn), le sens est clairement rituel. Dans les autres cas, le verbe signifie le plus souvent « pardonner » (7 fois, dans Dt, Jr, Ez 16 et Ps) avec Dieu pour sujet, et 1 fois « obtenir le pardon » (Ex 32) avec Moïse pour sujet.

générales dans lesquelles le grand prêtre est impliqué simplement parce que le peuple est tout entier impliqué.

Aucun texte non plus ne nous dit ce que recouvre concrètement le verbe כפר dans son emploi rituel : l'auteur veut-il, dans la formule de 20b, résumer l'ensemble du rituel (faire le rite d'absolution, c'est offrir le sacrifice en respectant scrupuleusement les règles) ? Ou bien désigne-t-il un geste particulier, s'ajoutant à l'ensemble du rituel qui précède, et proclamant l'« annulation » du péché en faveur du coupable ? Nous penchons ici pour la seconde interprétation ; en effet, si la formule ne faisait que résumer le rituel, on ne s'expliquerait pas son absence à la fin de 4. 3-12. Si de plus notre interprétation du sens de על est juste, il en découle tout naturellement la seconde interprétation du sens de כפר[41].

Si l'auteur ne décrit pas ce rite de כפר, c'est que pour ses contemporains la chose était suffisamment connue pour ne pas avoir besoin d'être détaillée. Nous ne pouvons donc plus aujourd'hui que l'imaginer : mais nous ne serons probablement pas loin de la réalité en supposant qu'un geste particulier, peut-être une aspersion d'eau lustrale au moyen d'une branche d'hysope (voir Ps 51. 9)[42], accompagnait une formule déclarative dans le genre de נסלח לך = « il t'est pardonné » (= Dieu te pardonne)[43].

v. 21. Le v. 21a renvoie au v. 12 ; 21b n'a pas son équivalent dans les autres sections.

v. 22-26. Le péché du prince.

Ce rituel pour un péché individuel est quelque peu différent des deux rituels précédents, mais très semblable aux suivants (v. 27-35). L'individu entretient sa relation avec Dieu essentiellement au travers de la communauté, donc d'une manière plus ou moins indirecte. Ainsi son péché n'affecte pas, au même degré que le péché collectif, la relation vitale avec Dieu, ce qui fait qu'il ne nécessite pas un rite de réconciliation aussi profond que le péché de la communauté : voir en particulier les rites du sang, v. 25, 30, 34.

v. 22. Sur אשר (rendu par « Si »), voir Joüon 167 j, en précisant qu'ici la conjonction relative remplace la conjonction hypothétique אם (voir 4. 3).

נשיא = « prince/chef » est employé dans l'AT pour désigner aussi bien des chefs israélites qu'étrangers, mais toujours avec une autorité relativement limitée, si ce n'est

---

[41] Bon nombre de commentateurs ne traitent pas cet aspect du problème et laissent donc subsister l'incertitude (CLAMER, CORTESE, KORNFELD, PORTER, WENHAM). ELLIGER se borne à constater que l'absence de כפר à la fin de 4. 3-12 est bizarre ; Noth juge que cette absence est due à une inadvertance. JANOWSKI par contre (*Sühne*, p. 251-254) considère que כפר résume l'ensemble du rituel, opinion partagée par B. LANG (*in* ThWAT) et F. MAASS (*in* THAT). A l'inverse, GERLEMAN (*Studien*) défend comme nous la thèse que כפר correspond à un geste rituel particulier.

[42] Si le rite comportait aussi l'utilisation de sang, ce que pourrait suggérer le texte de Lv 17. 11 (כי־הדם הוא...יכפר), et ce que disent expressément (pour des cas différents il est vrai) des textes comme 8. 23-24 (sacrifice d'investiture), 14. 14, 25 (rituel de purification du lépreux) et Ex 24. 8 (cérémonie d'alliance), la conjugaison de la symbolique de l'eau (« Lave-moi... », Ps 51. 4) et de la symbolique du sang (qui procure l'absolution, Lv 17. 11) pourrait être à l'origine de l'audacieuse image d'Ap 7. 14 « laver et blanchir une robe dans le sang de l'Agneau ».

[43] Voir Mt 9. 2, 5 et les parallèles : αφιενται σου αἱ ἁμαρτιαι et la rétroversion hébraïque de Delitzsch נסלחו לך חטאתיך. Il n'est pas impossible que Jésus ait repris la formule déclarative du rituel, sur quoi ses adversaires lui auraient reproché d'usurper la fonction du prêtre (qu'il n'était pas), prêtre qui seul est habilité à proclamer le pardon que Dieu seul est en droit d'accorder. Dans l'AT, le sujet de l'action exprimée par le verbe סלח est exclusivement Dieu. Au plan de la théologie biblique, voir le solide article de GESE, « Sühne ».

pas subalterne par rapport à un chef plus important[44]. Dans les textes narratifs parlant de l'époque de Moïse, le terme désigne, chez Israël, soit les chefs des douze tribus (Nb 7.2 ; 13. 2), soit des chefs de clans ou de familles (Nb 3. 24, 30, 35 ; 16. 2). Ce sont eux qui, théoriquement, sont visés dans le présent verset (seul emploi dans Lv)[45]. Mais comme il n'est pas dans les habitudes de P de donner des prescriptions qui n'ont pas d'application concrète dans son temps, il semble préférable de chercher une autre identification.

Le terme est aussi employé 37 fois chez Ézéchiel, dont 20 fois en Ez 44—48 où il désigne (à deux exceptions près) celui qu'Ézéchiel répugne à appeler le roi[46], à savoir le Davidide, dont il attend la venue pour conduire le peuple d'Israël comme un berger conduit son troupeau (voir Ez 34. 23-24 ; 37. 24-25). Il est possible que l'auteur sacerdotal, dont les contacts avec Ézéchiel ne sont plus à démontrer, ait été influencé par cet emploi du mot, mais pas exclusivement puisqu'il utilise נשיא à la forme indéterminée, ce qui présuppose la coexistence de plusieurs princes ou chefs.

Nous penchons plutôt pour interpréter le terme נשיא dans un sens assez général, désignant un responsable civil de la communauté juive, sans qu'il soit possible de préciser davantage de qui il s'agit exactement.

En tout état de cause, le présent rituel souligne la différence hiérarchique et par conséquent la responsabilité plus grande d'un chef, quel qu'il soit, par rapport à un simple particulier.

v. 23. La victime est ici un bouc, c'est-à-dire une pièce de petit bétail (par opposition au פר בן־בקר, litt. « taureau, fils de gros bétail », des v. 3 et 14) de sexe masculin (par opposition à la נקבה = « femelle » des v. 28 et 32). Le choix de cette victime, inférieure en valeur au taureau offert par le grand prêtre, exprime bien que pour P le pouvoir civil est subordonné au pouvoir sacerdotal.

v. 24. Sur l'emploi de l'état construit במקום = « à l'endroit » devant אשר = « où », voir GK 130 c, Joüon 129 q.

v. 25. Le sang n'est plus apporté à l'intérieur du sanctuaire, mais le prêtre officiant (manifestement un simple prêtre et non pas le grand prêtre) en badigeonne les cornes (voir v. 7) de l'autel de l'holocauste, partie la plus sainte de la construction[47].

v. 27-35. Le péché d'un particulier.

v. 27. A l'origine, עם הארץ (litt. « le peuple du pays ») désignait la classe sociale des citoyens israélites à part entière, distincte des autorités, roi et notables[48]. A l'époque de P, l'accent n'est certainement plus sur le statut économico-social d'une classe de la

---

[44] Il est intéressant de noter qu'en 1 R 11. 34 (texte ?), Salomon est appelé נשיא, comme si ses infidélités envers Dieu l'avaient disqualifié et qu'il ne soit plus jugé digne de porter le titre de « roi », mais seulement celui de « prince », qui marquerait mieux sa dépendance à l'égard de Dieu.

[45] Voir NOTH, p. 31 : « Die Frage ist..., ob nur theoretisch mit einer idealen und vielleicht wiederher-zustellenden Stammesverfassung gerechnet wird... ».

[46] Chez Ézéchiel, מלך désigne le plus souvent un roi étranger : מלך מצרים, מלך בבל.

[47] De l'absence de mention de l'autel du parfum dans cette section et dans la suivante, NOTH, p. 32-33, tire comme conclusion que le texte primitif devait parler de « l'autel » sans autre précision. Un tel argument *e silentio* n'est pas convaincant.

[48] Voir DE VAUX, *Institutions* I, p. 111-113 ; WÜRTHWEIN, *'amm ha'arez*.

population, mais (par un phénomène d'individualisation) sur l'appartenance à la communauté d'Israël. Ici donc, נפש מעם הארץ signifie « un simple particulier »[49].

v. 28-35. La victime est ici une chèvre (v. 28b) ou une brebis (v. 32), bêtes considérées à l'époque comme ayant moins de valeur qu'un mâle. Cela correspond à la position inférieure d'un simple particulier dans la hiérarchie sociale.

Tout le rituel est répété en 28b-31 et 32-35, pour la simple raison que les parties grasses (חלבה) de la chèvre (v. 31) et de la brebis (v. 35) ne sont pas exactement les mêmes, comme le montre le rituel du sacrifice de communion auquel l'auteur renvoie ; voir 3. 6-11 (surtout 9aβ) par rapport à 3. 12-16bα (surtout 14b-15 [= 9b-10]) : ici comme là, de la brebis, on prélève en plus « la queue ».

v. 31. La présence insolite de l'expression לריח ניחח = « en parfum apaisant » dans un rituel du sacrifice pour le péché (cas unique) a déjà été relevée en 1. 9. Une explication serait qu'un copiste, dans un moment d'inattention, et influencé par une formule fréquente dans les autres rituels (1. 9, 13, 17 ; 2. 2, 9 ; 3. 5, 16) ait ajouté les trois mots לריח ניחח ליהוה = « en parfum apaisant pour YHWH » au texte qu'il avait à recopier ; si c'est le cas, l'erreur est ancienne puisque toutes les versions anciennes confirment le TM. Autre explication possible : le texte primitif aurait comporté les mots על אשה יהוה = « en plus des mets consumés de YHWH » (attestés par un ms de la geniza du Caire ; comp. v. 35), et le copiste les aurait par erreur remplacés par לריח ניחח ליהוה ; ceci est cependant peu probable, encore une fois en raison du témoignage unanime des versions anciennes. Plus vraisemblablement, on a affaire à une adjonction faite par un rédacteur ancien. D'ailleurs, qu'il s'agisse d'une erreur ou pas, l'affirmation en question trahit la même évolution déjà relevée à propos de la glose de 1. 4 (לכפר עליו = « afin que le pardon lui soit accordé »), à savoir que, tous les sacrifices ayant peu à peu acquis une valeur expiatoire, les rituels ont eu tendance à devenir un peu interchangeables.

Les deux premières sections disent explicitement ce qui devait advenir de la chair des victimes : il fallait la détruire par le feu, de manière non sacrificielle mais respectueuse (v. 11-12 et 21). Les troisième et quatrième sections ne disent rien à ce sujet, non parce que le traitement serait identique, mais parce que le problème sera abordé ultérieurement. Les chap. 6. 1—7. 21 traiteront des sacrifices non plus du point de vue des rituels, mais du point de vue des droits et devoirs des prêtres. C'est donc là qu'il sera question de l'usage qui sera fait de la chair des victimes : consommation par les membres du clergé (6. 19, 22), en contraste avec le traitement réservé à la chair du taureau offert pour le sacrifice du grand prêtre ou pour celui de toute la communauté (6. 23).

Chap. 5, v. 1-6. Quelques situations de « péché », à titre d'exemple.
Cette section se rapporte certainement au cas du péché d'un particulier (4. 27-35),

---

[49] Selon ELLIGER, p. 73, l'expression a une certaine connotation religieuse ; elle est une espèce de variante de קהל ou עדה. Dans les textes d'Esd et Ne, la formulation change légèrement (on y trouve surtout « les peuples du/des pays »), tandis que le sens se modifie profondément : on y désigne ainsi les populations étrangères qui s'étaient installées en Palestine durant l'exil et qui entravent l'œuvre de restauration nationale. Plus tard, dans la littérature rabbinique, l'expression עם הארץ prendra un sens péjoratif très marqué, par une évolution sémantique semblable à celle du mot français « paysan » dans l'expression « Quel paysan ! » Ce sera un illettré, un lourdeau, un homme grossier, quelqu'un qui ignore la Loi ou qui ne la pratique pas.

puisque la victime est la même, une femelle (comparer le v. 6 avec 4. 28, 32). Divers indices laissent à penser qu'elle pourrait avoir été insérée après coup entre la section principale qui précède et la section 5. 7-13 qui en est la suite logique. L'indice le plus important est que cette section traite de cas concrets entre deux sections qui traitent de rituels.

Les quatre cas mentionnés dans les v. 1-4 ne constituent sans doute pas une liste exhaustive, mais présentent tout au plus quelques situations typiques données à titre d'exemples, montrant en quoi peut consister le péché d'un particulier.

Les « péchés » nécessitant un sacrifice pour le péché nous apparaissent selon cette liste comme étant de deux ordres possibles : « péchés moraux », se situant au niveau de la volonté (v. 1 et 4) et « péchés physiques », se situant dans la sphère du contact avec les choses impures (v. 2-3). Mais l'ordre même dans lequel les quatre cas sont énumérés nous montre que cette distinction est moderne ; l'auteur envisage les choses sous un angle différent, qui a certainement sa logique interne, même si elle nous échappe. Il avait sans doute des raisons de présenter comme deux cas distincts ce que nous serions tentés de grouper sous un seul titre, à savoir les v. 2 et 3[50].

v. 1. Porter, p. 41, affirme que ce verset n'a rien à faire avec le cas du sacrifice pour le péché, puisqu'il concerne une faute que le système sacrificiel ne peut pas régler. Il figurerait dans le présent contexte uniquement à cause de la formule d'introduction כי ונפש = « Quand un homme ». Nous contestons cette opinion catégorique, trop légèrement étayée, et découlant vraisemblablement d'une logique étrangère à l'auteur. Comme nous l'avons suggéré plus haut (voir 4. 2, première note), il semble plutôt que la notion de « négligence » (péché par omission) soit ici assimilée à celle d'inadvertance (voir aussi plus bas).

Le terme אלה désigne exactement la malédiction conditionnelle prononcée à l'encontre d'un coupable inconnu, pour l'inviter à se dénoncer et à réparer ses torts, ou à l'encontre d'un témoin inconnu, pour l'inciter à ne pas cacher ce qu'il sait. Une allusion à ce second type nous est donnée en Pr 29. 24 ; un exemple du premier type apparaît en Jg 17. 2, où malheureusement le texte proprement dit de la formule d'adjuration n'est pas cité[51].

ידע = « avoir appris », ici opposé à ראה = « avoir vu », indique que même un témoignage indirect est requis.

נשא עון = « porter sa culpabilité » est une formule juridique soulignant la culpabilité ou la responsabilité de quelqu'un, עון ayant dans ce cas le sens de « conséquence du péché », « punition », plutôt que de « péché » proprement dit[52]. La

---

[50] La majorité des commentateurs parlent explicitement ou implicitement des « trois » cas présentés dans les v. 1-4 (BERTHOLET, p. 14-15 ; CLAMER, p. 54-55 ; ELLIGER, p. 73-74 ; KORNFELD, p. 36 ; NOTH, p. 33-34 ; PORTER, p. 41-42). Nous maintenons néanmoins qu'il s'agit de quatre cas distincts dans l'intention de l'auteur (voir la structure globale des v. 1-4 : ... או ... או ...או..?כי ונפש).

[51] La formule d'« automalédiction conditionnelle » (« que Dieu me fasse ainsi et ajoute ceci, si... », voir p. ex. 1 S 3. 17) doit avoir eu une forme semblable, ce que corrobore aussi la formule employée encore aujourd'hui parmi les Bédouins ; si un Bédouin a perdu quelque chose, il prononce la formule suivante : « Celui qui détient cet objet, qu'Allah le prive de ses biens et de sa famille » (voir J. SCHARBERT, *in* ThWAT I, col. 279-285, spécialement col. 280).

[52] Dans 30 passages de l'AT, עון est objet direct du verbe נשא (1 fois du hiphil de נשא), mais dans 18 cas seulement l'expression a le sens indiqué ci-dessus. Dans les autres cas, il s'agit d'un sens différent : « enlever/emporter la faute », donc « libérer de la culpabilité », p. ex. 16. 22 ; Mi 7. 18 ; Ps 32. 5.

formule a un sens assez général, peut-être même un peu vague, indiquant que le coupable mérite un châtiment[53]. Noth, p. 33, relève que cette expression occupe la même place dans le v. 1 que אשם = « devenir coupable » dans les v. 2, 3 et 4, et il en conclut qu'elles ont toutes les deux le même sens, mais trahissent des origines différentes. Nous ne souscrivons pas à la première conclusion, puisque au v. 17 les deux expressions se suivent, manifestement sans avoir le même sens. Par contre la deuxième conclusion est corroborée par le fait que dans le v. 1 il ne s'agit pas, comme au chap. 4 ou dans les v. 2-4 du chap. 5, de fautes involontaires (בשגגה = « par inadvertance » ; נעלם = « rester ignoré »), mais d'une faute consciente même si elle s'apparente à de la négligence : le refus de témoigner malgré l'adjuration. Cette possibilité d'expiation d'un péché volontaire trahit probablement l'ancienneté d'une coutume incorporée dans une législation plus récente et plus stricte, laquelle ne conçoit en principe pas de pardon pour de telles fautes.

v. 2-3. Sur la notion de « péché » appliquée à un état d'impureté physique, voir 8. 15 (le « péché de l'autel »).

Les cas de contacts impurs sont de deux ordres : avec des cadavres d'animaux impurs (pour des détails, voir le chap. 11[54]) ou avec des impuretés humaines. Du premier cas (v. 2), on peut déduire *a contrario* que le contact avec un animal impur vivant ne souille pas, ni non plus le contact avec le corps d'un animal pur tué rituellement ; autrement on ne pourrait pas monter un âne ou un dromadaire, ni par ailleurs manger de la viande (par contre, un animal pur, mort naturellement ou tué autrement que de manière rituelle, rend impur celui qui le touche, selon 11. 39-40).

Selon la législation présente, seul un contact inconscient (נעלם = « rester ignoré ») peut être expié par un sacrifice ; 11. 36 prévoit le cas de force majeure où quelqu'un doit, consciemment et volontairement, toucher un tel cadavre ; l'homme en question a la possibilité de se purifier et par conséquent d'obtenir le pardon de son péché.

v. 3. Une « impureté humaine » signifie un « être humain en état d'impureté ». Aux cas présentés dans les chap. 12—15, on peut sans doute ajouter p. ex. le cas du contact avec un cadavre humain (voir Ag 2. 13) ; de toute façon ce n'était pas le lieu ici de donner une liste exhaustive des cas d'« impureté humaine ». La plupart étaient suffisamment clairs par eux-mêmes, et pour les cas litigieux, on pouvait toujours avoir recours à une consultation des prêtres, dans le genre de celle d'Ag 2. 10-13 précisément.

v. 4. Avec ce verset, nous revenons au niveau de la morale ; mais il faut bien noter que la faute ne consiste pas dans le fait d'un serment qui cause du tort à quelqu'un (voir Pr 12. 18), mais dans le fait du serment prononcé לבטא = « sans réflexion » suffisante (voir Ps 106. 33). Ceci est indiqué par deux faits : premièrement, le serment peut être

---

[53] Il n'est pas impossible que le v. 1b reflète la structure de la formule de אלה : litt. « s'il n'annonce pas, il portera sa faute ».

[54] Sur le sens de שרץ, voir 11. 10-12. Le substantif נבלה est employé dans deux sens différents dans l'AT. Chez P (19 fois), le mot désigne exclusivement le cadavre d'un animal, et l'on peut probablement même préciser le cadavre d'un animal mort naturellement (le mot est plusieurs fois en parallèle avec טרפה = « cadavre d'un animal déchiqueté par une bête sauvage », voir 7. 24 ; 17. 15 ; 22. 8). Il en va de même dans Dt 14. 8, 21 et dans Ez 4. 14 ; 44. 31, dont on connaît les affinités avec la tradition sacerdotale. Dans les autres textes vétérotestamentaires, נבלה désigne toujours un cadavre humain (supplicié, mort au combat, frappé par Dieu ; 24 fois), sauf en Jr 16. 18 où il vise les « cadavres » des idoles.

favorable ou défavorable ; deuxièmement, le destinataire du tort ou du profit n'est pas nommé : il peut s'agir aussi bien de l'auteur du serment (voir Ps 15. 4) que d'une autre personne.

Les serments de Jephté (Jg 11. 29-40) et de Saül (1 S 14. 24-30) illustrent dans une certaine mesure (comme cas extrêmes) ce que pouvait être un serment irréfléchi. Mais c'est probablement le cas mentionné en Nb 30. 7 qui se rapproche le plus de la situation évoquée ici : le hapax מבטא y désigne le serment ou le vœu prononcé par une fiancée et dénoncé par le mari au moment du mariage ; il s'agit donc là de ce qu'on pourrait appeler un serment irresponsable, sinon irréfléchi[55].

Sur לאחת מאלה = « de l'une de ces choses », voir la critique textuelle ; si on tient à garder ces deux mots, il faut constater qu'ils se rattachent difficilement à ואשם = « et devient coupable », duquel seul ils peuvent dépendre grammaticalement : on ne voit en effet pas à quoi ils se rapporteraient (le tort ou le profit ?). Certains rattachent ces deux mots, par-dessus 1aβ-4, à ונפש כי־תחטא = « Quand un homme a péché » de 1aα, mais c'est un pis-aller, une solution artificielle et forcée qui ne respecte ni le sens obvie des mots ni les structures syntaxiques de la langue.

v. 5-6. Ces versets décrivent le déroulement de la cérémonie de confession des péchés et d'absolution, qui comporte trois moments : Celui qui se découvre coupable לאחת מאלה = « dans l'un de ces cas » (l'expression reprend formellement les quatre cas énumérés dans les v. 1-4, mais probablement aussi d'autres cas qui peuvent se présenter dans la vie de tous les jours, et qui sont assimilables par analogie à l'un ou l'autre des quatre) commence par confesser ses péchés ; התודה désigne une confession publique et solennelle[56]. Dans un deuxième temps (v. 6a), il amène la victime, qui est sacrifiée (l'auteur ne répète pas l'ensemble du rituel sacrificiel, qui a été décrit à la fin du chap. 4) ; אשם n'a pas ici le sens technique de « sacrifice de réparation »[57], mais signifie simplement « (à titre de) réparation » (comparer 1 S 6. 3-4, 8, 17) envers YHWH, puisque c'est lui, sa justice et sa sainteté qui sont atteints lors des fautes énumérées ci-dessus ; la qualité de la victime (brebis ou chèvre, voir 4. 28, 32) confirme encore une fois qu'il s'agit bien ici d'un développement de 4. 27-35 : sacrifice pour le péché d'un particulier, alors que le sacrifice de réparation exige un bélier (5. 15, 18, 25). Le troisième moment est celui du rite d'absolution effectué par le prêtre (v. 6b) ; ce passage n'ajoute aucun élément nouveau par rapport à ce que nous connaissons déjà.

Nous avons signalé plus haut que la section 5. 1-6 fait figure de pièce rapportée dans l'ensemble 4. 1—5. 13. Mais son intérêt n'en est pas moins grand pour autant ; elle aborde en effet des cas concrets et nous montre comment les prêtres raisonnaient face aux réalités de l'existence quotidienne.

v. 7-13. Adoucissement de la législation, en faveur des pauvres.

En prévoyant un rituel de rechange, moins coûteux, pour les pauvres, l'auteur admet que le sacrifice n'est pas opérant par lui-même. Si c'était lui qui procurait le pardon,

---

[55] Le serment d'Hérode (Mc 6. 22, 26) rentrait-il dans cette catégorie ? Voir aussi la recommandation de Qo 5. 5.

[56] Le hithpaël de ידה se trouve 4 fois chez P (dont 3 fois dans Lv), 5 fois chez le Chroniste et 2 fois dans Dn. Dans un seul passage, il signifie autre chose que la « confession des péchés » (2 Ch 30. 22 : louange et reconnaissance).

[57] Ce qui contredirait la désignation « sacrifice pour le péché » à la fin du verset.

il devrait être accompli coûte que coûte ; mais le fait qu'il peut être modifié ou simplifié montre bien que le sacrifice ne fait qu'exprimer de manière symbolique la demande de pardon et le désir de réconciliation. Le symbole (dans le rituel simplifié) n'est peut-être plus aussi parlant, mais la recherche du pardon n'est pas moins sincère, et le rite d'absolution finalement accompli par le prêtre (v. 10, 13) signifie que Dieu accepte la requête exprimée par le sacrifice et accorde le pardon.

On trouve des clauses semblables en faveur des pauvres en 12. 8 ; 14. 21 ; 27. 8 ; voir également des analogies dans le « Tarif de Marseille » et le « Tarif de Carthage »[58].

v. 7. L'emploi du hiphil de נגע = « toucher », avec יד = « main » pour sujet (= « Si quelqu'un n'a pas [les moyens] »), est unique et étonnant, mais non impossible ; et le חשיג = « atteint » de Sam est certainement une assimilation inopportune à la tournure du v. 11, où nous verrons que le sens de l'expression est différent.

שה désigne la tête de petit bétail, mouton ou chèvre (voir 1. 2 et la note). אשם a, comme au verset précédent, le sens général de « réparation ». La nouveauté dans ce rituel réside dans le fait que l'un des oiseaux[59] est offert en holocauste, tandis que l'autre est normalement offert comme sacrifice pour le péché. Cela trahit le caractère plus récent de cette clause, datant d'une époque où l'holocauste a pris, comme tous les autres sacrifices, une valeur expiatoire (voir 1. 4). Mais en même temps l'holocauste souligne le caractère de reconnaissance conféré à ce rite : le législateur a pu vouloir rappeler de cette manière que le sacrifice pour le péché n'est pas un moyen de pression sur Dieu ni un marchandage, mais devrait exprimer que l'offrant reconnaît et célèbre la puissance et l'amour du Dieu qui pardonne.

v. 8. Le sacrifice pour le péché garde sa place première (ראשונה) dans ce rituel. Comparer son déroulement avec celui de l'holocauste d'oiseau décrit en 1. 14-17 : voir particulièrement 1. 15 (מלק = « détachera ») et 1. 17 (לא יבדיל = « il ne séparera pas ») ; les deux termes semblent ici incompatibles, et ולא יבדיל est certainement une glose comme en 1. 17. Rachi les concilie pourtant en disant que le prêtre ne doit rompre que l'un des deux tubes, soit le tube digestif (l'œsophage), soit le tube respiratoire (la trachée).

v. 9. Le rite du sang s'apparente à la fois à celui du sacrifice pour le péché (4. 30, 34 : sur les cornes et « à la base de l'autel de l'holocauste ») et à celui de l'holocauste d'oiseau (1. 15 : « sang exprimé (מצה) contre la paroi (קיר) de l'autel »).

v. 10. כמשפט = « selon la règle » (10a) renvoie globalement à 1. 14-17. Le v. 10b reprend, avec quelques variations stylistiques, 4. 20b, 26b, 31b et 35b.

v. 11-13. Le rituel proposé dans ces versets ne présente pas une réduction supplémentaire des prestations sacrificielles, en faveur des gens très pauvres, car le dixième d'épha de farine (voir plus bas) ne devait pas représenter une valeur commerciale très

---

[58] Voir ANET, p. 503.
[59] Sur l'expression בני־יונה, voir en 1. 5 l'expression בן הבקר.

inférieure à celle de deux pigeons ou deux tourterelles[60]. Il s'agit plutôt d'une simplification du rituel, qui se situe au niveau de la pratique (on n'avait pas toujours deux oiseaux sous la main, surtout en ville, tandis que la farine était une marchandise qui ne devait manquer dans aucune maison), et au niveau de la symbolique (l'offrande végétale ne comporte pas de rite du sang, par ailleurs important dans le sacrifice pour le péché).

v. 11-12. P affectionne particulièrement la tournure (ו)השיגה יד[61]. Cette expression, qui signifie litt. « la (sa) main atteint », correspond à « avoir sous la main » ou « avoir à (sa) disposition », « disposer de ». Elle n'est pas l'équivalent de תגיע ידו = « si quelqu'un n'a pas les moyens » du v. 7, comme en témoignent la plupart des versions anciennes (LXX, Vg, Tg) ; au contraire Syr traduit les deux versets de la même manière, et Sam a remplacé au v. 7 תגיע par תשיג.

Sur קרבן = « présent », voir 1. 2.

L'épha est une mesure de capacité pour les solides, mais dont on ignore la valeur précise. Les évaluations varient entre 21 et 46 litres[62]. De toute manière, que l'on penche pour le minimum ou le maximum, le dixième d'épha représentait une quantité relativement importante, dont la valeur marchande n'était probablement pas très inférieure à celle de deux oiseaux.

L'emploi d'huile et d'encens accompagnant la farine aurait assimilé le sacrifice à une offrande végétale ordinaire, voir 2. 1, ce qui doit être évité.

Le reste du rituel s'apparente largement à celui de l'offrande végétale. La seule différence consiste dans le fait qu'en 2. 2 il semble que ce soit l'offrant lui-même qui prélève une poignée de farine, que le prêtre fera ensuite fumer à l'autel ; en 5. 12 (rituel plus jeune probablement), c'est le prêtre qui est expressément désigné pour cette tâche.

v. 13. Les formules habituelles réapparaissent dans le v. 13a (comparer 4. 20b, 26b, 31b, 35b).

En 13b, nous conservons le TM (voir la crit. text.). Il nous paraît donner un sens tout à fait acceptable, meilleur même que LXX et Vg ; ces versions, influencées par 2. 3, 10, y ont vu une allusion à la destination du reste de l'offrande. La plupart des traducteurs et commentateurs suivent LXX et Vg, avec ou sans modification du TM. En fait il est probablement question ici d'une affirmation plus générale : « ce sera pour le prêtre comme l'offrande », que nous interprétons dans le sens de « le prêtre accomplira le rite comme dans le cas de l'offrande (végétale) »[63].

---

[60] Nous nous opposons donc à l'opinion exprimée p. ex. par NOTH, p. 35, qui juge que « un dixième d'épha représentait une très modeste quantité ». Dans le même sens, voir CLAMER, p. 56 : « Si l'offrande de deux tourterelles ou de deux jeunes pigeons est encore au-dessus des moyens de celui qui a péché... ». Voir également toutes les traductions qui rendent de la même manière le verbe נגע du v. 7 et le verbe נשא du v. 11, comme s'il s'agissait de synonymes interchangeables.

[61] 11 fois chez P, dont 10 fois dans Lv, et 1 fois dans Ez (46. 7). השיג dans son sens habituel (« atteindre ») se trouve 36 fois dans l'AT, dont seulement 2 fois chez P (Lv 26. 5) et jamais chez Ézéchiel.

[62] Voir p. ex. BARROIS, *Archéologie* II, p. 250 ; ainsi que les dictionnaires bibliques et les glossaires figurant à la fin de plusieurs traductions de la Bible.

[63] Il est hautement improbable, au vu de 2. 3, 10, que le texte primitif ait comporté et le sujet et la forme verbale, soit sous la forme והנתרת תהיה (voir ELLIGER, p. 56), soit sous la forme והיה הנותר (BHS). On pourrait tout au plus supposer qu'un נותר והנ ou והנתרת primitif ait été lu de manière erronée par un copiste והיתה. L'erreur inverse, faite par les traducteurs grec et latin, nous paraît beaucoup plus vraisemblable.

Chapitre 5. 14-26

LE SACRIFICE DE RÉPARATION

L'expression « sacrifice de réparation » est une traduction descriptive du mot hébreu אשם, dont la racine évoque une idée de « délit » et de « culpabilité »[1]. Une des caractéristiques de ce sacrifice est qu'il s'accompagne habituellement d'une compensation du dommage causé avec augmentation d'un cinquième de la valeur en litige ; c'est ce qui a conduit un certain nombre de traductions françaises à adopter l'appellation ici retenue, « sacrifice de réparation » (Syn, BC, BJ, BM, TOB, BFC).

Sur les rapports entre le אשם et le חטאת = « sacrifice pour le péché », voir ci-dessus l'introduction au chap. 4. 1—5. 13.

Plusieurs commentateurs (p. ex. Noth, Porter) font remarquer que le présent chapitre ne décrit pas de rituel sacrificiel ; il faut en effet attendre 7. 1-7 pour trouver une telle description. Ils en tirent argument pour conclure qu'il ne s'agissait plus, à l'époque de l'auteur sacerdotal, du véritable sacrifice d'un animal, mais d'une loi fixant des compensations pécuniaires en cas de préjudice causé au sacerdoce. Mais les arguments *e silentio* sont toujours délicats à manier.

Une autre argumentation nous semble plus solide : Levine (*Presence*, p. 95-101), Milgrom (*Cult*) et Marx (*Formes*, p. 90-116 ; « Levée de sanction ») pensent que c'est à l'origine que le אשם était la compensation en espèces d'une atteinte à la propriété (voir essentiellement 1 S 6 ; 2 R 12. 17) ; comme dans certains cas on envisageait que la compensation puisse être réglée au moyen d'un animal ayant une certaine valeur (voir 5. 15), il en est résulté assez naturellement que dans le système religieux de P (et d'Ez 40—48), le אשם est devenu un sacrifice.

Dans la formulation de 5. 14-26, c'est l'aspect « compensation » qui prime encore sur l'aspect sacrifice (d'où l'absence de description du rituel sacrificiel) ; mais la dimension « sacrifice » est de toute façon implicitement présente, de par la place même de ce chapitre dans la section des sacrifices du Lévitique, immédiatement après le חטאת = « sacrifice pour le péché », et un peu avant l'affirmation non équivoque de 7. 7 : « Tel le sacrifice pour le péché, tel le sacrifice de réparation : même rituel pour eux deux. »

Dans la perspective chrétienne, le sacrifice de réparation ne joue pas de rôle important, à côté du sacrifice pour le péché ; il n'a donc pas été ressenti comme une préfiguration particulière du sacrifice du Christ. La racine grecque πλημμελ- (« commettre une faute/erreur »), à laquelle les traducteurs de LXX ont le plus souvent

---

[1] Voir Ost : « sacrifice pour le délit » ; Seg, BP : « sacrifice de culpabilité ».

recouru pour rendre la racine hébraïque אשם, n'apparaît pas dans le NT. Tout au plus peut-on signaler l'emploi de אשם en Es 53. 10 (LXX ἁμαρτια = « péché »), dans un texte dont l'application au Christ est fréquente dans l'Église chrétienne ; mais il semble bien de toute façon que le prophète, dans cet emploi de אשם, mette moins l'accent sur l'idée de « réparation/compensation » que sur celle de « sacrifice [expiatoire] ».

(5.14) YHWH parla à Moïse en ces termes : (15) Quand un homme a commis un sacrilège et a péché par mégarde contre les choses saintes de YHWH, il amènera en réparation pour YHWH un bélier sans défaut, pris parmi le petit bétail, valant un certain nombre* de sicles d'argent — d'après le sicle du sanctuaire — et destiné à un sacrifice de réparation. (16) Ce dont il a frustré le sanctuaire, il le restituera, y ajoutera un cinquième de sa valeur, et remettra le tout au prêtre. Le prêtre fera alors sur lui le rite d'absolution au moyen du bélier du sacrifice de réparation, et il lui sera pardonné.
(17) [a]Si un homme[a] a péché[b] et a fait (ce qu'interdit) l'un de tous les commandements de YHWH qui ne doivent pas se faire, même s'il ne le sait pas, il devient coupable et porte ainsi sa culpabilité ; (18) il amènera au prêtre un bélier sans défaut pris parmi le petit bétail, de la valeur correspondant à un sacrifice de réparation. Le prêtre fera alors sur lui le rite d'absolution de la faute qu'il a commise par mégarde et sans le savoir, et il lui sera pardonné. (19) [a]C'est un sacrifice de réparation[a], car l'homme était effectivement coupable envers YHWH.
(20) [a]YHWH parla à Moïse en ces termes : (21) Quand un homme a péché et a commis un sacrilège envers YHWH, soit qu'il a menti à son compatriote à propos d'un objet reçu en dépôt, ou emprunté, ou volé, soit qu'il a exploité son compatriote, (22) soit encore qu'il a trouvé un objet perdu et qu'il mente à ce sujet, soit enfin qu'il a prononcé un faux serment au sujet d'une seule de toutes ces actions que l'homme commet en péchant, (23) celui qui a ainsi péché et est devenu coupable rapportera l'objet qu'il avait volé, ce qu'il avait extorqué, l'objet qui lui avait été confié en dépôt, l'objet perdu qu'il avait trouvé, (24) ou[a] encore tout objet[b] à propos duquel il avait prononcé un faux serment ; il le restituera intégralement, en y ajoutant le cinquième[c] de sa valeur ; il le remettra à son propriétaire dès qu'il se reconnaît coupable. (25) A titre de réparation pour YHWH, il amènera [a]au prêtre[a] un bélier sans défaut, pris parmi le petit bétail, de la valeur correspondant à un sacrifice de réparation. (26) Le prêtre fera alors sur lui le rite d'absolution devant YHWH, et il lui sera pardonné, quelle que soit l'action commise par laquelle il s'est rendu coupable.

Critique textuelle : • *v. 15** Il est possible qu'il faille supposer un espace en blanc entre כסף et שקלים pour un nom de nombre ; voir le commentaire. • *v. 17a-a* אם et כי font double emploi, et l'un doit être supprimé ; voir le commentaire. • *v. 17b* Assimilation inutile à la formulation de 4. 2, 22, 27. • *v. 19a-a* Homéoarcton. • *v. 20a* Voir le commentaire. • *v. 24a* L'absence de la conjonction alternative dans LXX fait du début du v. 24 une apposition récapitulative à la liste du v. 23, ce qui n'est pas incompatible avec la formulation du TM au v. 22. Toutefois un sens alternatif est possible au v. 22, et le או se justifie donc. • *v. 24b* Explicitation non indispensable. • *v. 24c* L'emploi du singulier, avec ou sans suffixe, constitue une *lectio facilior* ; le pluriel a un sens distributif : « dans chaque cas son cinquième ». • *v. 25a-a* Ces mots du TM sont une explicitation légitime, bien que non indispensable et bizarrement placée ; Sam et LXX laissent l'idée implicite.

v. 14-19. Dans cette première section, l'auteur traite des fautes portant préjudice au sanctuaire (et au sacerdoce) ou à Dieu directement ; dans la seconde (v. 20-26), des fautes portant préjudice à un compatriote. Dans les deux cas, la gravité de la faute est soulignée par le fait que c'est Dieu lui-même qui est considéré comme lésé (v. 15, 21).

v. 15. La racine מעל[2] évoque une crime de « lèse-autorité ». Dans les 44 passages où on la trouve, c'est l'autorité de Dieu qui est lésée, de manière directe ou indirecte[3], à quatre exceptions près au plus[4].

Souvent Dieu n'est lésé que de manière indirecte, la première victime étant ici p. ex. le clergé, en ce que les קדשים = « choses saintes » n'ont pas été remises (complètement ?) aux prêtres qui assurent le service du sanctuaire. Ces choses saintes étaient essentiellement les « prémices » et les « dîmes » (voir 2. 14 ; 23. 9-14 ; 27. 26-27, 30-33 ; Dt 14. 22-29 ; 26. 1-15) ; il faut y ajouter ce qui est promis par un vœu (27. 1-25 ; Nb 30. 3-16 ; Dt 23.19) et ce qui est frappé d'interdit (27. 28-29 ; Nb 18. 14). Toutes ces choses dédiées à YHWH constituaient les revenus du clergé (voir 22. 1-16 ; Nb 18. 8-32). L'auteur n'envisage ici que le cas d'une faute involontaire = בשגגה (dans la seconde section, il ne fera plus cette distinction, bien que le dommage causé au compatriote soit aussi une atteinte à l'autorité de Dieu).

את־אשמו occupe la même place dans cette phrase qu'au v. 6 et ne peut avoir aussi que le sens général de « réparation ». C'est לאשם à la fin du verset (comparer לחטאת = « à titre de sacrifice pour le péché », v. 6) qui aura le sens technique de « destiné à un sacrifice de réparation ».

La victime, איל = « bélier », doit évidemment être תמים = « sans défaut » (voir 1. 3). La précision איל מן־הצאן = « bélier pris parmi le petit bétail » (de même aux v. 18 et 25[5]) nous apparaît superflue, mais a pu être jugée nécessaire par l'auteur à cause de l'existence de l'homographe consonantique אַיָּל = « daim ». D'ailleurs, même sans cette nécessité, ce genre de précision est tout à fait dans le style de l'auteur sacerdotal.

Dans ערכך, le suffixe a perdu toute valeur pronominale, au point que le mot se rencontre parfois précédé de l'article (27. 23) ou suivi d'un complément du nom (27. 12). Le mot désigne la « valeur » (d'estimation) d'un objet.

Le sens de l'expression כסף־שקלים בשקל־הקדש (litt. « argent de sicles, en sicle du sanctuaire ») est loin d'être clair. בשקל־הקדש = « d'après le sicle du sanctuaire »[6] est une précision qui doit faire allusion à la coexistence de plusieurs systèmes de poids et

---

[2] On trouve le verbe מעל 35 fois dans l'AT, et le substantif מעל 29 fois ; la figure étymologique מעל מעל intervient dans 20 cas (6 fois chez P, dont 3 fois dans Lv ; 4 fois dans Jos ; 6 fois dans Ez ; 1 fois dans Dn ; 3 fois chez le Chroniste).

[3] Dieu est nommé 21 fois (ב, באלהים,ביהוה + suffixe) ; parmi les 19 cas restants, dans trois passages il s'agit d'une violation d'un anathème (בחרם : histoire d'Akan, voir Jos 7), donc aussi de l'autorité de Dieu, et dans 16 cas, bien que le complément ne soit pas exprimé, il s'agit de toute évidence de Dieu. Sur le crime de « lèse-majesté divine », voir encore le commentaire du v. 19.

[4] Deux exceptions se trouvent en Nb 5. 12, 27, où il est question de l'infidélité conjugale de la femme envers (ב) son mari. Les deux autres cas se trouvent dans la littérature sapientiale : Jb 21. 34 (substantif) et Pr 16. 10 (verbe) ; les traducteurs donnent habituellement à ces deux mots un sens plus général (« fausseté », « tromperie », ou quelque chose d'analogue) ; pourtant, sur Pr 16. 10, voir la remarque de Barucq, *Proverbes*, p. 119 ; et pour Jb 21. 34, il n'est pas exclu que le sens soit plus précis (« sacrilège »), dans la ligne des autres emplois.

[5] Voir également Ez 43. 23, 25 ; איל צאן Esd 10. 19.

[6] Plusieurs textes précisent que ce « sicle » compte vingt « guéra » (גרה ; Lv 27. 25 ; Ex 30. 13 ; Nb 3. 47 ; 18. 16 ; Ez 45. 12).

mesures, dont on ignore les rapports respectifs. La seule chose certaine est qu'il s'agit ici non d'une monnaie, mais d'une unité de poids, évaluée généralement entre 11 et 12 grammes (l'argent monnayé est une invention plus tardive).

Par contre que signifie כסף־שקלים ? Certains traduisent « (évalué) en sicles d'argent », comme si le texte portait שקלים כסף (voir Porter, p. 44). Mais on ne voit pas du tout à quoi servirait cette évaluation ; pourquoi faudrait-il que le bélier soit estimé ou évalué avant d'être offert en sacrifice ? L'auteur est trop méticuleux pour laisser sans explication logique une affirmation de ce genre.

Un examen des textes vétérotestamentaires montre qu'on trouve 27 fois les deux mots כסף = « argent » et שקל = « sicle » rapprochés l'un de l'autre : 9 fois il s'agit de l'expression שקל(ים) כסף = « sicle(s) d'argent » (p. ex. 27. 3, 6, 16), ce qui nous éclaire peu ; mais on trouve aussi 17 fois כסף précédant (immédiatement ou non) (שקל(ים. Toutefois ce nombre relativement élevé doit être ramené en fait à 6 attestations, car on trouve 12 occurrences dans la longue énumération de Nb 7. Ce qui frappe, dans ces 6 attestations[7], c'est la présence, soit avant soit après (שקל(ים, d'un nom de nombre (respectivement 30 ; 70 ; 5 ; 50 ; 7 ; 40)[8]. Il semble bien que la seule solution pour donner un sens acceptable à la tournure de Lv 5. 15 soit de supposer la disparition (volontaire[9] ou non) du nombre de sicles[10]. Or Rachi rapporte justement la tradition juive selon laquelle il s'agissait d'un bélier valant deux sicles, ce qui par ailleurs correspond au texte de Vg *duobus siclis.*

En somme, il s'agissait d'éviter que le coupable ne s'en tire à bon compte, en fournissant un animal (sans défaut évidemment) mais de moindre valeur, ceci assurément en raison de sa jeunesse (Rachi précise également qu'il faut un animal de deux ans).

Levine (*Presence*, p. 95-97) et Milgrom (*Cult*, p. 13-15), reprenant une étude de E.A. Speiser (1960), accordent une grande importance à l'emploi de בערכך en 5. 15, 18, 25. Pour eux, ce terme fait allusion à la possibilité, offerte à celui qui est coupable d'une atteinte à la propriété, de remplacer la compensation en argent par la présentation d'un animal, dont la valeur serait équivalente à celle de la compensation exigée ; mais le but fondamental de cette législation aurait été de promouvoir en fait le payement en espèces de la compensation. D'où la traduction proposée : « a ram..., convertible into payment in silver by sanctuary weight » (Milgrom, p. 13 ; comp. Levine, p. 95).

Leur argumentation repose entre autres sur les 21 emplois de ערכך en 27. 2-27. Or il s'agit dans la plupart de ces occurrences de cas où l'on ne peut pas envisager une autre procédure que le payement d'un équivalent monétaire (consécration à Dieu de personnes, v. 2-8 ; consécration d'animaux qui ne peuvent pas être offerts en sacrifice, v. 12-13, 27 ; consécration de propriétés immobilières, v. 15-19, 23) ; il est donc abusif d'en tirer comme conclusion que, dans le cas de 5. 14-26, l'emploi de בערכך irait automatiquement dans le même sens, l'équivalent monétaire étant favorisé pour ne pas dire imposé, quand bien même le bélier dont il est question là était un animal convenant parfaitement pour un sacrifice.

---

[7] Ex. 21. 32 ; Nb 7. 13, 19, 25, 31, ...79 ; 18. 16 ; 2 S 24. 24 ; Jr 32. 9 ; Ne 5. 15.
[8] C'est également le cas des 9 emplois de שקל(ים) כסף.
[9] Espace laissé en blanc, à compléter selon les fluctuations du cours de l'argent, ou selon les traditions des anciens sanctuaires locaux ?
[10] Ce qui expliquerait aussi le pluriel שקלים, incongru autrement.

v. 16. Ici apparaît l'élément qui distingue le plus nettement le sacrifice de réparation du sacrifice pour le péché. Alors que la partie rituelle proprement dite est identique (7. 7), le sacrifice de réparation s'accompagne, comme la traduction adoptée l'indique, d'une réparation, sous forme de dommages et intérêts : ישלם ואת־חמישתו יוסף = « il restituera et y ajoutera son cinquième ». Les textes ne précisent pas si la compensation du dommage (ישלם) se faisait en espèces ou en nature ; le plus vraisemblable est de supposer qu'elle se faisait en nature dans la mesure du possible, sinon par payement du prix du dommage causé. Quant à l'intérêt de 20 % (un cinquième), régulièrement appliqué par P[11], il devait, lui, être généralement réglé en espèces, bien que parfois un règlement en nature ne fût pas exclu.

L'augmentation d'un cinquième de la valeur (120 %) lors de la réparation du dommage causé est modeste par rapport à ce qu'exigent les lois du Code de l'alliance (Ex 22. 1 : 500 % ou 400 % ; 22. 7 : 200 %) ou le Code de Hammurabi (entre 200 %, § 124, et 1 000 ou même 3 000 %, § 8[12]). Mais il faut pourtant relever que dans Lv, il s'agit pour l'auteur d'un délit, pris de remords, de réparer volontairement les dommages causés, alors que dans les autres recueils de lois, il est question de sanctions juridiques à infliger à des voleurs qui ne se sont pas dénoncés eux-mêmes. La modestie de la compensation prévue dans Lv devait inciter les fautifs à réparer leurs torts plutôt qu'à risquer des sanctions beaucoup plus lourdes.

Dans l'expression באיל האשם = « au moyen du bélier du sacrifice de réparation », le ב est instrumental, comme dans ses autres emplois après כפר = « faire le rite d'absolution »[13]. « Au moyen du bélier du sacrifice de réparation » est à prendre dans un sens large : le prêtre fait le rite d'absolution selon le rituel prévu, après avoir offert le bélier en sacrifice. La précision est utile, afin que le lecteur ne pense pas que le rite se fait sur la base du règlement des dommages-intérêts qui viennent d'être mentionnés en 16a.

Comme déjà signalé plus haut, Noth considère le texte de 5. 14-26 comme un élément plus jeune que le chapitre sur le sacrifice pour le péché, ce qui est certainement justifié. Toutefois la raison qu'il invoque principalement nous paraît peu solide : selon lui, ce texte, et particulièrement l'expression בערכך...הקדש (v. 15, voir ci-dessus) signifierait que l'ancienne habitude d'offrir réellement un bélier en sacrifice serait tombée en désuétude et aurait été remplacée par le payement d'une amende en espèces. Pour justifier cette explication, Noth est obligé de faire de כסף־שקלים (« de l'argent de sicles ») une apposition à איל, malgré la présence dans l'intervalle du mot בערכך. De même au v. 16 il doit donner une explication forcée du באיל האשם : « le bélier du sacrifice de réparation » désignerait en fait « la somme d'argent ».

Nous préférons considérer que la règle générale était d'offrir réellement un animal en sacrifice, sans exclure la possibilité d'une compensation pécuniaire, à laquelle 2 R 12. 17 semble faire allusion[14].

v. 17. L'introduction à ce verset est surchargée avec ses deux conjonctions de

---

[11] Voir 5. 24 ; 22. 14 ; 27. 13, 15, 19, 27, 31 ; Nb 5. 7.

[12] Voir ANET, p. 166, 171.

[13] Lv 7. 7 ; 17. 11 ; Nb 5. 8 ; 2 S 21. 3 ; en Lv 6. 23 ; 16. 17, 27, le sens est évidemment local.

[14] Le sens exact de 2 R 12. 17 et la datation de ce texte sont disputés : s'agit-il d'argent versé au sanctuaire « en remplacement » des sacrifices d'animaux prévus normalement, ou d'autre chose ? S'agit-il d'une glose tardive (ELLIGER, p. 77), ou d'un texte préexilique (DE VAUX, *Sacrifices*, p. 94-95) ?

subordination ואם = « et si » et כי = « quand », dont une est à supprimer. L'origine de cette leçon double est à rechercher dans l'existence des deux formules
ואם־נפש [...] תחטא = « si c'est un [simple particulier] qui a péché » (p. ex. 4. 27) et
(ו)נפש כי־תחטא = « quand un homme aura péché » (p. ex. 4. 2 ; 5. 1, 15, 21) ; LXX et
Vg ne reflètent peut-être pas un texte différent du TM, bien que n'ayant qu'une
conjonction (ή αν ou εαν ; *si* ; en deuxième position de la phrase) ; Sam n'a gardé que
ואם en première position (ce qui est appuyé par Syr *w'n*), et ce doit être la formule
primitive ; en effet le style juridique hébreu emploie généralement des כי pour classer
les différentes catégories de situations, et des אם pour classer les sous-catégories[15]. Or
ici les v. 17-19 apparaissent comme une sous-catégorie dans la section des v. 15-19. De
plus on s'explique plus facilement l'adjonction de כי à l'intérieur de la formule, sous
l'influence des cinq autres emplois de כי dans le chap. 5, que celle de ואם au début
de la formule.

Sur l'expression ועשתה אחת ...תעשינה = « et a fait (ce qu'interdit) l'un de tous les
commandements de YHWH qui ne doivent pas se faire », voir 4. 2 ; ולא ידע = « même
s'il ne le sait pas » est un équivalent de בשגגה = « par inadvertance » (4. 2, 22, 27) ; ואשם
pourrait avoir ici le sens de « se sentir coupable » (voir 4. 13 et la seconde note ; 5. 23) ;
sur ונשא עונו = « porte sa culpabilité », voir 5. 1.

v. 18. Le v. 18a redit de manière simplifiée le contenu de 15b-16a. Les différences
sont les suivantes : absence de את־אשמו = « en réparation » qui peut facilement être sous-
entendu ; absence de כסף־שקלים בשקל־הקדש = « un certain nombre de sicles d'argent,
d'après le sicle du sanctuaire », phrase qui est suffisamment explicitée par בערכך =
« valeur/valant » ; absence de toute mention d'un geste de restitution (dommages et
intérêts, comparer v. 16a), absence que nous justifierons plus bas ; ונתן אתו לכהן = « et
remettra le tout au prêtre » est remplacé par אל־הכהן = « au prêtre », simple variante
stylistique, compréhensible dans la phrase plus courte.

18b par contre développe le contenu de 16b ; s'il ne mentionne plus le bélier comme
moyen d'obtenir l'absolution, ce qui n'était plus nécessaire puisqu'il n'y avait plus de
risque de confusion comme en 16b, il précise par contre avec une lourde insistance
(justifiée, vu la gravité de la faute, voir plus bas) que l'absolution ne concerne que les
fautes commises « par mégarde et par ignorance ».

v. 19. La formule אשם הוא = « C'est un sacrifice de réparation » correspond, à la
fin de ce rituel, aux formules עלה הוא = « C'est un holocauste » (rencontrée en 1. 13, 17),
מנחה הוא = « C'est une offrande végétale » (2. 6, 15) et חטאת הוא = « C'est un sacrifice
pour le péché » (4. 21, 24 ; 5. 9, 12). 19b souligne très fortement la culpabilité de l'individu
envers YHWH.

A première vue, on ne discerne pas clairement en quoi le péché (תחטא, v. 17) traité
dans les v. 17-19 est différent de celui évoqué en 4. 27, pour qu'il nécessite un sacrifice
d'un autre type, d'autant moins que la suite ne mentionne aucun geste de restitution,
comparable à celui exigé en 16a. Ces considérations ont conduit Noth à estimer que
ces trois versets, plus récents que le reste, sont dans la ligne du chap. 4 et parlaient

[15] Voir 4. 2 : כי ; 4. 3, 13, (22), 27, 32 : אם ; 5. 1, (2), 3, 4, 5 : כי ; 5. 7, 11 : אם.

primitivement du sacrifice pour le péché. Ils auraient été placés subséquemment entre 5. 16 et 5. 20, et adaptés en conséquence au rituel du sacrifice de réparation. Cela n'est pas *a priori* exclu, mais il faut reconnaître alors que l'adaptation au nouveau contexte a été très profonde[16].

Nous préférons voir dans ces trois versets un cas particulier (ואם = « Si », voir ci-dessus, v. 17) du sacrifice de réparation, lorsqu'il y a eu sacrilège envers YHWH. Il s'agirait ici d'atteintes directes à l'autorité et à l'honneur de Dieu, certainement des cas graves, vu l'insistance avec laquelle la culpabilité est soulignée (voir en particulier 19b). On pourrait penser que ces crimes de lèse-majesté divine consistaient p. ex. en désobéissances à des commandements fondamentaux comme les premiers du Décalogue (Ex 20. 3-7). L'absence de geste de restitution s'explique alors : si Dieu a été lésé personnellement et directement (non pas au travers du sacerdoce ou du sanctuaire, comme dans les v. 15-16), aucune compensation ne peut intervenir. Le rituel se rapproche ainsi de façon considérable de celui du sacrifice pour le péché, tout en gardant la différence essentielle de victime : un « bélier », au lieu d'une « chèvre » ou d'une « brebis », ce qui souligne à sa façon la plus grande gravité de ce péché-ci par rapport à l'autre.

v. 20-26. Dans LXX, Vg, Syr et quelques traductions modernes, ces versets sont numérotés 6. 1-7.

Par son début, cette nouvelle section se présente comme un parallèle de la précédente, v. 14-19 (le v. 20 est l'équivalent formel du v. 14 ; le v. 21a correspond dans son sens au v. 15α). Dans son ensemble cette section développe sur le mode sacrificiel ce que 19. 11-12 exprime sur le mode social (noter la parenté de vocabulaire). Nb 5. 5-10 développe le même thème.

v. 21-22. L'auteur affirme expressément que le sacrilège atteint YHWH personnellement (מעל ביהוה) quand il y a faute contre un compatriote.

עמית (même racine que עם = « peuple ») désigne l'allié, le compagnon, le parent (au sens large), le membre de la même communauté humaine[17]. Concrètement, le mot désigne l'Israélite dans ses rapports avec les autres membres du peuple de Dieu. Mais il n'est pas exclu qu'à l'époque postexilique ce sens restrictif et nationaliste ait fait place à une notion plus large des relations humaines, dans le sens de 19. 34 (vocabulaire différent).

---

[16] Si l'on admet l'hypothèse de NOTH, il faut supposer les changements suivants (en prenant comme point de comparaison les formules utilisées au chap. 4 pour le péché des individus, v. 22-26, 27-31, 32-35) :

a) ולא ידע remplaçant בשגגה (v. 22, 27) ;

b) ונשא עונו absent du chap. 4 ;

c) absence de את־אשמו (comparer 5. 15), correspond à את־קרבנו (v. 23, 28, 32). Ceci serait l'oubli le plus inexcusable dans le processus d'adaptation ;

d) בערכך absent du chap. 4 ;

e) לאשם remplaçant לחטאת (v. 32) ;

f) suppression de tout le détail du rituel (v. 24-26a, 29-31a, 33-35a) ;

g) על חטאתו אשר־חטא remplaçant על שגגתו אשר־שגג והוא לא־ידע (v. 26b) ou מחטאתו (v. 35b) ;

h) adjonction du v. 19.

C'est, nous semble-t-il, trop ou trop peu ; si un rédacteur s'est permis tous ces changements, pourquoi n'a-t-il pas assimilé encore davantage son texte à celui des v. 15-16 ?

[17] 9 de ses 12 emplois se trouvent dans la Loi de sainteté, et 2 autres dans le présent verset ; le dernier se trouve en Za 13. 7, avec un sens imagé (lien unissant Dieu à l'homme).

Les torts énumérés sont les suivants :
— « le mensonge » (כחש, v. 21 et 22) à propos
  — d'un objet reçu en dépôt (פקדון[18], v. 21 et 23),
  — d'un objet emprunté (תשומת יד[19], v. 21),
  — d'un objet volé (גזל, v. 21 ; גזלה, v. 23),
  — d'un objet trouvé (אבדה, litt. « perdu »[20], v. 21 et 23) ;
— « l'exploitation » illicite du travail d'un compatriote (עשק, v. 21 et 23 ; comparer le texte de 25. 46) ;
— « d'autres fautes de ce genre » (v. 22b) ; cette dernière affirmation montre qu'il ne s'agit pas ici d'une liste exhaustive.

Il s'agit donc de cas où un compatriote est privé, par ruse ou par force, de quelque chose qui lui appartient légitimement, objet ou travail. Bien que l'expression עשה אחת מכל מצות יהוה אשר לא תעשינה = « a fait (ce qu'interdit) l'un de tous les commandements de YHWH qui ne doivent pas se faire » (4. 2 ; 5. 17) ne se trouve pas dans la présente section, il est frappant de constater qu'il s'agit essentiellement dans cette liste d'infractions aux commandements négatifs de la seconde table du Décalogue, même si le vocabulaire est différent : le mensonge (et le faux serment, ונשבע על־שקר) renvoie à Ex 20. 16 ; l'appropriation illicite d'objets évoque 20. 17 ; l'exploitation d'un individu contrevient à 20. 15. Si l'on se rappelle en plus que d'après Lv 19. 20-22, un certain cas d'« adultère » est expiable par un sacrifice de réparation, on a ainsi une allusion également à Ex 20. 14[21].

v. 23-24. Dès que l'on se découvre coupable (אשם, ici comme en d'autres passages, signifie « être subjectivement coupable », « se sentir coupable »), le premier geste à effectuer est de restituer (ou rembourser) l'objet du litige, accompagné d'un intérêt de 20 % comme au v. 16. La restitution doit se faire directement du coupable au lésé, sans intermédiaire[22]. Elle se fait ביום אשמתו = « dès qu'il[23] se découvre coupable ». On a aussi traduit cette dernière expression par « le jour où il offre son sacrifice de réparation »

---

[18]פקדון, de la racine פקד = « se préoccuper de/surveiller », est la « chose dont on se préoccupe », d'où les deux acceptions possibles « réserves (de vivres) », Gn 41. 36, et « objet confié en dépôt » Lv 5. 21, 23.

[19]תשומת est un hapax, de la racine שים. L'expression תשומת יד est à rapprocher de שים ביד, qui signifie « remettre/confier » (voir Ex 4. 21 ; Es 51. 23). Il s'agit donc d'un quasi-synonyme du précédent, comme le montre aussi le fait qu'il n'apparaît plus au v. 23 (NOTH). La nuance particulière n'est pas connue, et l'interprétation de RACHI (« prêt ») est légitime ; elle est suivie d'ailleurs par ELLIGER (« objet emprunté »).

Il est intéressant de relever en passant que LXX, Tg et Syr traduisent l'expression par « communion » (κοινωνια, שותפות), ce qui signifie certainement « objet possédé en commun ». Le sens serait excellent dans ce contexte, mais il serait alors étonnant que le mot ne réapparaisse pas dans la liste répétée du v. 23 ; de plus on voit difficilement par quelle évolution sémantique on aurait passé du sens « placer dans la main » à celui de « posséder en commun ».

[20] Selon l'accentuation massorétique, le « faux serment » porte uniquement sur le cas de l'objet trouvé ; mais il est probable que dans la pensée de l'auteur, il se rapportait à l'ensemble des actions réprouvées, comme le suggère la construction avec על en 22b ; le v. 24 en est également un indice sérieux.

[21] Il n'y a pas d'allusion à Ex 20. 13, car selon P, le meurtre est passible de la peine de mort, voir Gn 9. 6 ; Nb 35. 20-21, 31-33. Il ne faut d'ailleurs pas trop presser ce rapprochement avec le Décalogue, car p. ex. d'autres cas d'adultère sont passibles de mort (voir Lv 20.10). Mais ceci est néanmoins un indice supplémentaire pour voir dans les v. 17-18 une allusion aux commandements négatifs de la première table du Décalogue.

[22] C'est ce que signifie probablement la formule insistante de 24b לאשר הוא לו יתננו = « à qui cela (est), à lui il le donne ».

[23] Sur le sens affaibli de ביום, voir JOÜON 129 p. Son emploi en 7. 35 confirme que le sens de « dès que » est possible.

(Noth, BP, Seg, Syn) ; mais ceci est très improbable, tant du point de vue psychologique que du point de vue exégétique[24].

v. 25-26. 25a reprend presque textuellement 15b ; 25b répète mot à mot (sauf והביא = « il amènera ») 18a ; 26a est la formule traditionnelle de proclamation de l'absolution[25] ; 26b est l'équivalent de l'une ou l'autre formule fréquemment rencontrée dans les chap. 4 et 5[26]. La nouveauté dans ce dernier cas est l'emploi de אשמה = « rendu coupable » (voir la note 24), dicté par le contexte du sacrifice de réparation.

[24] Il serait étonnant que la restitution puisse n'être faite que le jour du sacrifice, si l'on pense que tout le monde n'avait pas la possibilité de se rendre dans les plus brefs délais au sanctuaire unique de Jérusalem pour offrir le sacrifice de réparation. Par ailleurs אשמה n'a nulle part le sens technique de « sacrifice de réparation » (en tout cas pas de manière exclusive ni même prépondérante).

[25] On trouve en plus ici לפני יהוה, qui est implicite dans les autres textes.

[26] — על־חטאתדאשר־חטא(מאחת מאלה): 4. 35 ; 5. 13 ;
— מחטאתו(אשר חטא): 5. 6, 10 ;
— על שגגתו אשר־שגג: 5. 18.

Chapitres 6—7

PRESCRIPTIONS RITUELLES COMPLÉMENTAIRES

Alors que les chap. 1—5 présentaient le déroulement, plus ou moins détaillé, du rituel sacrificiel, dans les différentes catégories et sous-catégories de sacrifices, les chap. 6—7 apportent un certain nombre de prescriptions complémentaires qui ne figuraient pas précisément dans les chap. 1—5. Il semble donc que ces deux chapitres soient dans l'ensemble plus récents que les précédents, et qu'ils en présupposent l'existence.

Comme le montrent les formules d'introduction, 6. 1—7. 21 concerne le clergé (« Aaron et ses fils » en 6. 2aα et 6. 18aα), tandis que 7. 22-36 concerne le peuple (« les Israélites » en 7. 23a et 7. 29a). Les v. 7. 37-38 forment la conclusion.

Ces deux chapitres constituent un tout relativement cohérent, même si, comme nous le verrons, telle section paraît être de rédaction plus tardive que telle autre.

Chapitre 6. 1—7. 21

PRESCRIPTIONS COMPLÉMENTAIRES A L'USAGE DES PRÊTRES

Ce texte traite d'un certain nombre de problèmes intéressant essentiellement le clergé, à savoir des questions d'habillement, d'entretien des lieux et des objets de culte, et de consommation des sacrifices.

Il est frappant pourtant de constater que ce n'est pas dans ce chapitre qu'on dit quelles parties du sacrifice de communion reviennent au prêtre, mais dans le chapitre suivant. Par ailleurs, les règles concernant l'état de pureté (de la viande, et des laïcs admis à la consommer) figurent dans le présent chapitre plutôt que dans le suivant.

Cela revient à dire qu'avec psychologie l'auteur présente les choses sous l'angle du devoir plutôt que du droit : Ce n'est pas d'abord le prêtre qui « a droit » à tels morceaux des animaux offerts en sacrifice (comparer 1 S 2. 12-17), c'est le laïc qui « a le devoir » de remettre ces morceaux au prêtre ; à l'inverse, ce n'est pas le laïc qui « a le droit » de choisir ce qu'il veut manger, et quand et comment il veut le manger, c'est le prêtre qui « a le devoir » d'exercer son esprit de discernement pour décider des cas de pureté et d'impureté (voir 10. 10).

L'ordre de présentation des divers types de sacrifices est légèrement différent ici de celui des chap. 1—5.

chap. 1—5	chap. 6—7
a) holocauste	a) holocauste
b) offrande végétale	b) offrande végétale
—	c) (offrande de consécration sacerdotale)
c) sacrifice de communion	—
d) sacrifice pour le péché	d) sacrifice pour le péché
e) sacrifice de réparation	e) sacrifice de réparation
—	f) (ce qui revient aux prêtres)
—	g) sacrifice de communion

Le problème de l'ordre a été abordé par A.F. Rainey[1], dans un article où il s'efforce de faire entrer tous les textes rituels dans un schéma systématique qui oublie, nous

---

[1] RAINEY, « Sacrifices », à la suite de plusieurs publications de B.A. Levine, a étudié les listes de sacrifices de l'AT pour tenter d'en expliquer l'ordre de présentation. Il distingue ainsi un ordre « didactique », un ordre « administratif » et un ordre « de procédure ». Cet essai éclaire un certain nombre de points obscurs, sans pourtant résoudre tous les problèmes. Une des faiblesses de l'article de Rainey est de négliger la diachronie, même si la datation des textes est difficile.

semble-t-il, qu'il pouvait y avoir des raisons tout simplement pratiques pour modifier l'ordre : le sacrifice de communion ne rentre pas dans la catégorie des « choses très saintes » (voir 6. 10, 18, 22 ; 7. 1, 6), ce qui justifiait qu'on n'en parle qu'après l'holocauste d'une part, les sacrifices définis comme « choses très saintes » d'autre part ; de plus il était utile, dans les chap. 6—7, de traiter le sacrifice de communion en dernier lieu, pour enchaîner plus facilement avec le chapitre suivant (7. 22-36) qui concerne essentiellement ce même sacrifice.

(6. 1) *YHWH parla à Moïse en ces termes : (2) Transmets à Aaron et à ses fils les ordres suivants :

Voici le rituel de l'holocauste : Cet holocauste restera sur son brasier[a] sur l'autel durant toute la nuit jusqu'au matin, et le feu de l'autel y sera maintenu allumé[b]. (3) Le prêtre revêtira sa tunique[a] de lin, il revêtira[b] des caleçons de lin sur sa chair, il enlèvera les cendres grasses de l'holocauste que le feu a consumé sur[c] l'autel et les déposera à côté de l'autel. (4) Il ôtera ses vêtements et revêtira d'autres vêtements, puis il portera les cendres grasses hors du camp, dans un endroit pur. (5) Le feu sur l'autel y sera maintenu allumé, il ne s'éteindra pas. Chaque matin[b], le prêtre y allumera[a] des bûches, y disposera l'holocauste et y fera fumer les parties grasses des sacrifices de communion. (6) Un feu perpétuel sera maintenu allumé sur l'autel, il ne s'éteindra pas[a].

(7) Et voici[a] le rituel de l'offrande végétale : Aux fils d'Aaron de la présenter[b] devant YHWH, devant l'autel. (8) L'un d'eux en[a] prélève une poignée — un peu de la farine de l'offrande, un peu de son huile, et tout l'encens qui se trouve sur l'offrande —, et fait fumer cela sur l'autel[b] en parfum apaisant, en mémorial pour YHWH. (9) Ce qu'il en restera, Aaron et ses fils le consommeront[a] ; cela sera consommé sans levain dans un endroit saint : ils le consommeront dans le parvis de la tente de la rencontre ; (10) cela ne sera pas cuit en pâte levée. C'est la part que je leur[a] donne sur mes mets consumés[b] : c'est[c] quelque chose de très saint, comme le sacrifice pour le péché et le sacrifice de réparation. (11) Tout mâle [a]parmi les descendants d'Aaron[a] en mangera ; ce sera, pour vos générations, une redevance perpétuelle sur les mets consumés de YHWH : tout ce qui y touchera sera sanctifié.

(12) YHWH parla à Moïse en ces termes : (13) Voici le présent qu'Aaron et ses fils présenteront à YHWH, dès qu'il sera oint : un dixième d'épha de farine en offrande végétale[a] perpétuelle, moitié le matin et moitié le soir[b] ; (14) elle sera préparée sur une plaque avec de l'huile, et tu l'apporteras[a] bien mélangée. Tu présenteras[c] les morceaux de cette offrande de pâtisserie[b] en parfum apaisant pour YHWH. (15) Celui de ses fils qui lui succédera comme prêtre oint fera de même : c'est une redevance perpétuelle ; pour YHWH[a], on la fera fumer tout entière. (16) Toute offrande d'un prêtre sera totale : elle ne sera pas consommée.

(17) YHWH parla à Moïse en ces termes : (18) Parle à Aaron et à ses fils en ces termes :

Voici le rituel du sacrifice pour le péché : C'est à l'endroit où la victime de l'holocauste est égorgée que sera égorgée celle du sacrifice pour le péché, devant YHWH ; c'est quelque chose de très saint. (19) Et c'est le prêtre chargé de présenter le sacrifice qui consommera la victime ; elle sera consommée dans un endroit saint, dans le parvis de la tente de la rencontre. (20) Tout ce qui en touchera la viande se trouvera sanctifié. Si un peu de son sang gicle sur un vêtement, la partie tachée[a] sera lavée[b] dans un endroit saint. (21) Un récipient d'argile dans lequel la victime a été cuite sera brisé ; si elle a été cuite dans un récipient de bronze, celui-ci sera récuré et rincé à l'eau. (22) Tout mâle parmi les prêtres mangera de cette victime, car c'est quelque chose de très saint[a]. (23) Mais aucune victime d'un sacrifice pour le péché, dont une partie du sang a été apportée[a] dans la tente de la rencontre pour le rite d'absolution effectué dans le sanctuaire, ne sera mangée ; elle sera brûlée au feu.

(7. 1) Et voici le rituel du sacrifice de réparation : C'est quelque chose de très saint. (2) C'est à l'endroit où l'on égorge la victime de l'holocauste que l'on égorgera celle du sacrifice de réparation[a] ; puis il (le prêtre) aspergera de son sang le pourtour de l'autel. (3) Il en apportera toutes les parties grasses : [a]la queue, la graisse qui recouvre les entrailles[b], (4) les deux rognons avec la graisse qui y adhère ainsi qu'aux lombes, et le lobe du foie, qu'on détache en plus des rognons. (5) Le prêtre fera fumer cela sur l'autel, en mets consumé pour YHWH. Ce sera un sacrifice de réparation. (6) Tout mâle parmi les prêtres mangera de cette victime ; elle sera mangée dans un endroit saint, car c'est quelque chose de très saint. (7) Tel le sacrifice pour le péché, tel le sacrifice de réparation : même rituel pour eux deux. La victime reviendra au prêtre qui a fait le rite d'absolution.

(8) Lorsqu'un prêtre présente l'holocauste d'un particulier, la peau de la victime qu'il présente[a] lui[c] revient — au prêtre[b] —. (9) Toute offrande végétale qui a été cuite au four ou préparée à la poêle ou sur la plaque[a] reviendra[b] au prêtre qui la présente. (10) Toute offrande végétale, tant pétrie à l'huile que sèche, reviendra à l'ensemble des descendants d'Aaron, chacun à égalité.

(11) Et voici[a] le rituel du sacrifice de communion qu'on présentera[b] à YHWH : (12) Si on le présente en « louange », on présentera, en plus du sacrifice de louange, des gâteaux sans levain pétris à l'huile, des galettes sans levain badigeonnées d'huile, ou de la farine bien mélangée [a]en gâteaux pétris[a] à l'huile. (13) En plus des gâteaux, on apportera en présent du pain levé, en plus du sacrifice de communion offert en « louange » ; (14) on [a]en[a] présentera [a]un gâteau de chaque espèce[a] ; ce sera un prélèvement pour YHWH, et cela reviendra au prêtre qui a fait l'aspersion du sang du sacrifice de communion. (15) Quant à la viande du sacrifice de communion offert en « louange »[a], elle sera consommée le jour de sa présentation ; on n'en mettra pas de côté[b] jusqu'au matin.

(16) Si le sacrifice présenté est « votif » ou « spontané », il sera consommé le jour où le sacrifice est présenté, et le lendemain, [a]même ce qui reste sera consommé[a]. (17) Ce qui restera[a] de la viande du sacrifice de communion le troisième jour sera brûlé au feu ; (18) si quelque chose de la viande du sacrifice de communion est consommé[a] le troisième jour, celui qui a présenté le sacrifice ne sera pas agréé, il ne lui en sera pas tenu compte ; c'est devenu quelque chose d'immonde. Et celui qui en aura consommé portera sa culpabilité. (19) Enfin la viande qui aura touché n'importe quelle chose impure ne sera pas consommée ; elle sera brûlée au feu.

Quant à la viande[a] (propre à la consommation), quiconque est en état de pureté peut consommer de cette viande. (20) Mais celui qui, en état d'impureté, consommera de la viande d'un sacrifice de communion offert à YHWH, celui-là sera retranché de sa parenté. (21) De même, celui qui aura touché n'importe quelle chose impure, impureté humaine, animal impur ou toute autre chose abominable[a] et impure, et consommera ensuite de la viande d'un sacrifice de communion offert à YHWH, celui-là sera également retranché de sa parenté.

Critique textuelle (chap. 6) : • *v. 1** Voir le commentaire. • *v. 2a* Un substantif en apposition à un pronom personnel est un phénomène rare et tardif ; les seuls exemples cités par Joüon 146 e sont tirés des livres des Chroniques. Le mot מוקדה est écrit dans plusieurs manuscrits hébreux avec un מ minuscule, qui semble signaler un problème particulier ; et de fait, que le mot en question soit un substantif מוקד avec un pronom suffixe de la 3ᵉ pers. fém. sing. (sur l'absence du mappiq, voir Joüon 94 h) ou un substantif מוקדה (hapax, voir Gesenius), il y a de toute manière un problème : l'utilisation du pronom suffixe est inhabituelle, tout comme le serait dans l'autre cas l'absence d'article ; enfin les deux על successifs sont étonnants. La solution tentante consiste à considérer le premier על comme une dittographie issue de העלה, et מוקדה comme une erreur de copie pour un primitif היקדה ou היקד = « [il s'agit de l'holocauste (litt. celui-ci est l'holocauste)] qui brûle [sur l'autel toute la nuit] ». Tout le v. 2b constituerait alors une sorte de parenthèse explicative. Pourtant, même si Tg et Syr reflètent un texte de ce genre-là, ce peut n'être qu'une *lectio facilior* d'un texte ressenti comme difficile. Le témoignage de LXX, qui confirme assez exactement le TM, dans sa rudesse même, indique qu'en tout cas, si texte erroné il y a, il est ancien. • *v. 2b* Assimilation inutile à la formulation des v. 5 et 6. • *v. 3a Lectio facilior* ; sur la construction מדו בד, voir GK 128 d ; Joüon 129 a, note 2. • *v. 3b* Assimilation inutile à 16. 4. • *v. 3c* Les variantes de LXX et Syr ne présupposent pas absolument un original hébreu différent du TM. • *v. 5a* Variante stylistique. • *v. 5b* Haplographie. • *v. 6a* L'absence du dagesh est probablement une inadvertance de copiste. • *v. 7a* Variante stylistique ; comparer 7. *11a*. • *v. 7b* Traduction *ad sensum* du TM, lequel est tout à fait acceptable, voir GK 113 cc, gg ; Joüon 123 u. • *v. 8a* Le suffixe féminin est plus logique, mais l'accord au masculin a pu se faire par anticipation avec les appositions, parmi lesquelles שמן est masculin. • *v. 8b* C présente probablement une erreur de copiste (chez P, זבח ne désigne jamais un sacrifice non sanglant) ; la forme avec suffixe directionnel de Sam est préférable à celle du TM ; l'adjonction de אשה est une assimilation inutile à la formulation de 2. 2, 9. • *v. 9a* Variante stylistique. • *v. 10a* αυτοις traduit le suffixe de חלקם. • *v. 10b* Voir le commentaire. • *v. 10c* Voir 2. *15a*. • *v. 11a-a* Traduction *ad sensum* (comparer v. 22). • *v. 13a Lectio facilior* ou traduction *ad sensum* ; תמיד est utilisé adverbialement. • *v. 13b* Assimilation inutile à Ex 29. 39, 41 ; Nb 28. 4, 8. • *v. 14a,b* Voir le commentaire. • *v. 14c* Probablement dittographie du θυσιαν précédent. • *v. 15a* Inadvertance de traducteur ou de copiste ? • *v. 20a Lectio facilior* ; pourtant בגד est parfois féminin, voir Ez 42. 14 ; Pr 6. 27. • *v. 20b* Si l'on présuppose un passif dans l'original hébreu, il faut le lire תכבס (féminin, voir *20a* ; voir aussi CRPP I). Mais il peut s'agir aussi dans les versions anciennes de la traduction *ad sensum* d'une 2ᵉ pers. sing. à sens impersonnel. • *v. 22a* Explicitation non indispensable (comparer la formulation de 27. 28). • *v. 23a* Variante stylistique.

(Chap. 7) : • *v. 2a* Précision par assimilation à 1. 5, 11. • *v. 3a* Voir 3. *9b*. • *v. 3b* Assimilation inutile à la formulation de 3. 3, 9, 14. • *v. 8a* 3ᵉ pers. pl. à sens impersonnel ? ou suffixe de la 3ᵉ pers. masc. sing. ? • *v. 8b,c Lectiones faciliores* ; la précision pédante du TM pourrait être due à l'intrusion d'une glose (לכהן), mais ce n'est de loin pas certain. • *v. 9a* Assimilation inutile à la formulation de 2. 5 ; comparer 6. 14. • *v. 9b* Comparer *8b,c*. • *v. 11a* Variante stylistique ; comparer 6. *7a*. • *v. 11b* Pluriel impersonnel. • *v. 12a-a* Inadvertance de traducteur ou de copiste. • *v. 14a-a* Le traducteur de LXX semble ne pas avoir bien saisi la portée respective des deux מן et les avoir en quelque sorte télescopés. • *v. 15a* Dittographie de la fin du v. 14. • *v. 15b* Pluriel impersonnel. • *v. 16a-a* Homéoarcton (voir v. 17). • *v. 17a* Dittographie de la tournure suivante מ[בשר ה] זבח ? • *v. 18a* Variante stylistique, voir GK 113 w ; Joüon 123 p. • *v. 19a* Voir le commentaire et la note. • *v. 21a* La leçon שרץ pourrait être une *lectio facilior* ; toutefois la leçon de L, שקץ, est tellement *difficilior* qu'on peut la tenir pour une inadvertance de copiste, compréhensible dans ce contexte (les deux termes apparaissent respectivement 10 et 8 fois dans le chap. 11). Voir la note du commentaire.

Le présent chapitre comprend donc sept sections :

a)	6. 2-6	rituel de l'holocauste
b)	6. 7-11	rituel de l'offrande végétale
c)	6. 12-16	offrande lors de la consécration sacerdotale
d)	6. 17-23	rituel du sacrifice pour le péché
e)	7. 1-7	rituel du sacrifice de réparation
f)	7. 8-10	ce qui revient aux prêtres
g)	7. 11-21	rituel du sacrifice de communion

v. 1. Dans certaines traductions modernes, à la suite de LXX, Vg et Syr, les v. 6. 1-23 sont numérotés 6. 8-30 ; voir 5. 20.

v. 2aa. Le verbe צוה = « ordonner » apparaît pour la première fois dans Lv. Il y est fréquent (31 fois) en dehors de la Loi de sainteté (4 fois). P l'utilise beaucoup, mais cependant moins que la tradition deutéronomique, qui l'affectionne particulièrement.

Il est difficile de dire si l'usage de l'impératif צו = « transmets les ordres » (ici et en 24. 2) donne une signification spéciale à cette formule d'introduction ; l'emploi de אמר = « dire » dans la formule semblable (20. 2 et 21. 1), à côté de 22 emplois de דבר = « parler » ne permet pas de discerner des nuances particulières[2].

v. 2aβ-6. Le rituel de l'holocauste.

Cette section ne traite pas le cas des holocaustes offerts à titre privé, comme le chap. 1, mais celui du תמיד (littéralement « régulier/continuel »), c'est-à-dire de l'holocauste (ou des deux holocaustes) public(s), offert(s) chaque jour au sanctuaire (voir Ex 29. 38-42 ; Nb 28. 3-8 ; 2 R 16. 15 ; Ez 46. 13-15 ; Dn 8. 11-13).

v. 2aβ. Un autre mot que P utilise fréquemment apparaît ici aussi pour la première fois : תורה. P l'emploie surtout dans les formules d'introduction ou de conclusion d'une section. La seule exception se trouve en 7. 7, texte qui permet de préciser quelque peu le sens général de « directive » que le mot a dans ses divers emplois : il s'agit des prescriptions liturgiques à observer dans les divers cas étudiés, donc du « rituel » de tel acte cultuel.

v. 2b. Voir la critique textuelle. Le TM donne un sens acceptable : « celui-ci (l'holocauste) [est] sur son brasier sur l'autel toute la nuit jusqu'au matin, et le feu de l'autel est allumé sur lui [= l'autel] ».

---

[2] Dans Ex, P utilise 5 fois דבר et 3 fois אמר à l'impératif ; dans Nb, 14 fois דבר, 1 fois אמר et 4 fois צוה.

Toute la section envisage le cas d'un seul holocauste quotidien, conformément à 2 R 16. 15 ; Ez 46. 13-15, et contrairement aux textes qui parlent de l'holocauste du matin et de l'holocauste du soir, Ex 29. 38-42 ; Nb 28. 3-8 ; *Si* 45. 14[3]. Elle reflète donc un état de chose préexilique, l'usage de deux holocaustes quotidiens étant postexilique. La dernière affirmation concernant le feu implique que les prêtres prennent des dispositions soit pour que le feu puisse durer toute la nuit, soit pour l'entretenir durant la nuit ; elle ne double pas, mais prépare l'affirmation des v. 5-6 sur le feu perpétuel.

v. 3. Les vêtements prescrits sont les mêmes que le grand prêtre doit porter pour une partie de la cérémonie du Jour du grand pardon (16. 4, 23-24, 32). Bien que le sens du mot בד soit discuté (HAL : « toile », contrairement à la plupart des traductions qui parlent de « lin »), les vêtements, d'après Ex 39. 28, sont effectivement en (toile de ?) lin, שש.

Ces vêtements sont distincts des somptueux vêtements décrits en Ex 28 et 39, et dans lesquels l'auteur du Siracide fait apparaître les grands prêtres Aaron (chap. 45) et Simon (chap. 50). Ils sont tous deux dépeints ainsi vêtus dans leurs fonctions sacrificielles, ce qui permet de penser qu'en Lv 16. 24, « les (autres) vêtements » qu'Aaron doit remettre pour offrir les holocaustes sont bien ceux d'Ex 39 ; mais alors l'usage des vêtements de lin, dits « vêtements sacrés » en Lv 16. 4, 32, n'est plus homogène : au chap. 16, le grand prêtre les revêt pour une fonction sacrificielle, au chap. 6, pour une fonction secondaire d'entretien de l'autel. Les deux textes sont certainement d'origine différente : Lv 16 est plus ancien, reflétant l'époque où le vêtement de lin (אפוד בד) était caractéristique de la fonction sacerdotale (1 S 2. 18 ; 22. 18 ; 2 S 6. 14 = 1 Ch 15. 27). Ces vêtements simples auront peu à peu cédé le pas, pour les fonctions sacrificielles, aux somptueux vêtements décrits dans l'Exode, sans pour autant être relégués au musée des antiquités ; en raison de leur caractère anciennement sacré, ils auront été réservés à des tâches particulières, touchant au domaine du sacré, telles que celles mentionnées ici : le contact avec l'autel exige une tenue vestimentaire spéciale sinon sacrée, et décente[4].

Sur les « cendres grasses », voir 1. 16 et 4. 12.

v. 4. Les « autres vêtements », בגדים אחרים, sont des vêtements non cultuels et non définis (au contraire des בגדיו = « ses vêtements » de 16. 24), utilisés pour sortir du périmètre sacré du sanctuaire.

Sur l'« endroit pur », voir 4. 12.

v. 5-6. Cependant le feu ne doit pas s'éteindre : il symbolise le culte perpétuel offert à Dieu. Il est possible que le prêtre mentionné au v. 5 ne soit pas le même que celui des v. 3-4 ; en effet on voit difficilement ce dernier aller porter les déchets hors du camp (c'est-à-dire hors de la ville), puis se laver et revêtir ses vêtements sacerdotaux (indispensables) pour recharger le feu et offrir l'holocauste du matin : le feu risquerait trop de s'éteindre dans l'intervalle.

---

[3] Toutefois CAZELLES (BJ 1973, p. 133-134) voit dans le v. 2b une addition maladroite, faisant allusion à l'holocauste du soir.

[4] בשרו est certainement un euphémisme comme en 15. 2 ; comparer aussi Ex 20. 26 ; 28. 42.

L'anecdote de *2 M* 1. 18-22 montre à sa manière l'importance qu'on attribuait plus tard à cette non-extinction du feu sacré[5].

v. 7-11. Le rituel de l'offrande végétale.

Cette section développe ce qui a été dit au chap. 2, en l'abordant non plus sous l'angle de la préparation des offrandes, mais sous celui de leur sainteté éminente, qui a des conséquences pratiques importantes en ce qui concerne la consommation de la part non consumée sur l'autel.

v. 7. Sur l'infinitif הקרב = « présenter », voir Joüon 123 v,y. Il n'est pas nécessaire, sur la base des versions anciennes, de supposer un texte original différent du TM. Des textes cités par Joüon 123 v, seul le שמור = « garder » de Dt 5. 12 a été traduit par un infinitif dans LXX ; aucun autre n'est traduit ainsi, ni dans LXX, ni dans Vg.

Le v. 7b veut probablement trancher l'ambiguïté du v. 8 (voir ci-dessous) en précisant que le rituel doit être accompli par les prêtres.

v. 8. Ce verset reprend avec quelques modifications de détail, dans l'ordre des mots surtout, le texte de 2. 2, avec influence de 2. 9. Si 7b est une précision postérieure au reste de la section, le sens du v. 8 pourrait avoir été primitivement que l'offrant prélevait la poignée de farine, d'huile et d'encens (comme en 2. 2, mais contrairement à 2. 9), et qu'ensuite il offrait lui-même ce mémorial à l'autel. Dans le contexte actuel de 7b, l'ambiguïté est levée, bien qu'encore décelable en raison du changement de nombre (7b pluriel ; 8 singulier).

Le suffixe de אזכרתה = « son mémorial » se rapporte à מנחה = « offrande ».

Pour le sens particulier des termes techniques, voir le chap. 2.

v. 9-10aα. Le v. 9a reprend et précise 2. 3, 10. Non seulement le reste de l'offrande (ce qui n'est pas brûlé sur l'autel) revient au prêtre, mais encore, puisqu'il s'agit d'une « part très sainte des mets consumés de YHWH » (2. 3 ; 6. 10b), le seul usage qu'en puissent faire les prêtres est de le « manger » eux-mêmes.

9b-10aα développe ce qui ne concerne que le clergé : cette part doit se manger « sans levain » ; le thème de l'absence de levain a déjà été esquissé en 2. 4-5 et 2. 11 en ce qui concerne l'offrande elle-même ; cette dernière doit donc demeurer dans son état de pureté jusqu'à la consommation y compris. Enfin, en raison de sa sainteté éminente, cette part ne peut pas être consommée n'importe où ; il faut un « endroit saint », spécifié ici comme étant « le parvis de la tente de la rencontre ». Cette dernière précision est peut-être ultérieure au reste du verset qui aurait primitivement prévu simplement un endroit saint, c'est-à-dire un endroit réservé à cet usage.

v. 10aβ. L'intrusion de la 1re pers. sing. pour Dieu est inhabituelle. Quelques manuscrits hébreux et Sam ont l'expression מאשי יהוה = « des mets consumés de YHWH », ce qui est appuyé par LXX (απο των καρπωματων κυριου = « des sacrifices du Seigneur ») et de manière moins évidente par Vg (*in Domini* [...] *incensum*). Si l'on

---

[5] Sous la domination perse, le feu perpétuel de l'autel de Jérusalem se serait conservé miraculeusement dans un puits desséché, en Perse, sous la forme d'un liquide épais appelé naphte. Récupéré à l'époque de Néhémie, il aurait repris sa forme originelle après avoir été versé sur l'autel reconstruit.

accepte cette leçon, il en découle que le sujet de נתתי = « je donne » ne peut être que Moïse ; mais cela ressemble fort à une *lectio facilior*. Si le TM est primitif, l'emploi de la 1re pers. sing. est une manière de souligner fortement que cette part de l'offrande est « très sainte » (10b) et doit donc être traitée comme telle.

v. 10b. Les v. 3 et 10 du chap. 2 ont déjà affirmé le caractère de sainteté éminente de cette part d'offrande ; mais la comparaison avec la part réservée des sacrifices pour le péché et de réparation anticipe ce qu'affirment 6. 18, 22 ; 7. 1, 6. En effet, les chap. 4—5, au contraire du chap. 2, n'ont pas parlé explicitement du caractère et de la destination de la part non brûlée des sacrifices, si ce n'est de manière très indirecte en 5. 13b, pour le sacrifice pour le péché.

v. 11a. Une dernière prescription rappelle que les parties « très saintes » sont réservées exclusivement aux descendants mâles d'Aaron (y compris ceux qui ne sont pas autorisés à exercer le sacerdoce, voir 21. 17-23) ; selon 10. 14 et 22. 12-13, d'autres parties des sacrifices, dites « choses saintes », peuvent être consommées aussi par d'autres membres des familles sacerdotales, au sens large (les femmes par exemple).

Le substantif חק[6], et surtout l'expression חק־עולם, ne doivent pas être confondus avec חקה = « prescription/loi » ou avec l'expression חקת עולם = « loi perpétuelle »[7], malgré les ressemblances extérieures. Seul le pluriel חקים a de manière non équivoque le sens de « prescriptions/décrets » ; au singulier, חק a tantôt le sens de « prescription/décret », tantôt celui de « part/redevance » (assignée par un décret). Chez P et Ézéchiel[8], à une exception près[9], le sens est celui de « redevance », de manière certaine ou probable. Quant à l'expression חק־עולם, elle n'apparaît que chez P (10 fois) et en Jr 5. 22, et à l'exception de ce dernier texte et d'Ex 30. 21, elle signifie une « redevance perpétuelle ».

v. 11b. Le problème de la « contagion » ou communication d'une vertu par contact (נגע = « toucher ») a déjà été abordé en 5. 2-3 pour des cas d'impureté. Il s'agit dans le présent texte de la vertu de sainteté qui est aussi transmise par un simple contact. Cependant, le cas évoqué ici est différent de celui présenté en Ag 2. 12 : là, il s'agit de viande qui n'est que « sainte », qui ne communique pas sa sainteté, tandis que dans le texte de Lv, l'offrande végétale est « très sainte » et « contamine » celui ou ce qui y touche. Il n'est pas impossible que l'auteur de cette notice ait connu l'oracle d'Aggée. Le thème reparaîtra à plusieurs reprises dans Lv, spécialement dans les chap. 11 ; 15 et 22.

v. 12-16. Le cas particulier de l'investiture du grand prêtre.

Cette section occupe ici une place étonnante, bien qu'explicable. Dans les chap. 1—5, il n'est pas question de sacrifices ou d'offrandes d'investiture en tant que tels (le problème n'est abordé qu'au chap. 8). D'autre part, dans la formule de conclusion de 7. 37, le rituel d'investiture est cité après les sacrifices expiatoires, tandis qu'ici cette section les précède[10]. Il est possible que l'ordre présenté en 7. 37 corresponde à une

[6] Voir VICTOR, « Note ».
[7] Voir 3. 17.
[8] Et probablement aussi dans Pr.
[9] Ex 30. 21.
[10] Les v. 12-16 sont d'ailleurs absents de deux manuscrits grecs (Alexandrinus et un minuscule), mais il pourrait s'agir d'un simple homéoarcton (v. 12 = v. 17). Sur l'investiture, voir 8. 22-30.

certaine hiérarchie de valeur des sacrifices. Si, dans la séquence des sections, le rituel d'investiture a été placé ici, c'est à cause de son contenu, qui ne traite que d'offrandes végétales : ainsi un rapprochement avec les v. 7-11 se justifiait.

Si l'ensemble de la section paraît peu en place dans son contexte proche (voir la formule d'introduction du v. 12, et l'absence de [...] תורת זאת = « Voici le rituel de [...] »), la section elle-même donne en plus l'impression d'un ensemble composite.

v. 13. Ce verset n'est pas d'une seule venue, avec son emploi simultané du pluriel (יקריבו = [Aaron et ses fils] présenteront ») et du singulier (אתו = « lui »). On peut supposer qu'une forme primitive du texte (non attestée) ne parlait que d'« Aaron » en tant que personnification du grand prêtre (lequel seul recevait l'onction, dans les premiers temps qui ont suivi l'exil, voir 4. 3). La mention des « fils » serait postérieure, datant d'une époque (non déterminée avec précision) où tous les prêtres auraient reçu l'onction sacerdotale, ou peut-être d'une époque où l'on imaginait que tous l'avaient reçue[11].

ביום המשח אתו[12] = « dès qu'il sera oint » est ambigu à deux points de vue : le singulier אתו a-t-il une valeur de singulier ordinaire ou une valeur distributive ? La tradition juive attestée par Rachi penche pour la seconde interprétation, tandis que nous préférons la première ; il nous semble en effet que la valeur distributive aurait été exprimée de manière plus claire, si telle avait été l'intention de l'auteur. En second lieu se pose la question du sens de ביום : sens affaibli (« dès que ») comme en 5. 24, ou sens fort (« le jour où ») ? Dans le premier cas, l'offrande de l'investiture devient une offrande quotidienne, faite dès le jour de l'onction, par le grand prêtre (ou par les prêtres) ; dans l'autre cas, il s'agit d'une offrande faite à l'occasion de l'onction et ajoutée ce jour-là à l'offrande accompagnant l'holocauste quotidien (ou les holocaustes quotidiens).

La tradition juive que nous venons de citer, jouant d'ailleurs aussi sur le sens de מנחה תמיד = « offrande végétale perpétuelle », tente de concilier les deux interprétations en considérant que l'offrande du grand prêtre est quotidienne dès son onction, tandis que celle des prêtres n'a lieu que le jour même de leur onction. Il s'agit là d'une surinterprétation qui ne découle pas du sens naturel des mots.

Le sens le plus vraisemblable, compte tenu de l'adverbe תמיד = « perpétuellement » (voir la crit. text.), nous paraît être celui de l'offrande quotidienne, dès l'onction.

La répartition en deux moitiés, offertes respectivement le matin et le soir, évoque plutôt l'époque des deux holocaustes quotidiens que celle, préexilique, de l'holocauste du matin (voir v. 2) suivi de l'offrande de l'après-midi (voir 1 R 18. 29, 36 ; 2 R 16. 15).

---

[11] Voir DE VAUX, *Institutions* I, p. 163 : « l'onction des prêtres n'existait plus à l'époque romaine et les Rabbins pensaient même qu'elle n'avait jamais été pratiquée durant tout le temps du Second Temple ». Nous ne citons que pour mémoire la solution défendue p. ex. par BERTHOLET et appliquée par NEB, qui consiste à biffer purement et simplement les mots אתו המשח ביום, sous prétexte qu'il y a une contradiction insurmontable entre cette affirmation et le תמיד qui apparaît plus loin dans le même verset. BERTHOLET, p. 20, affirme par ailleurs que אהרן ובניו = « Aaron et ses fils/descendants » désigne Aaron en tant que grand prêtre et ceux de ses descendants qui lui succéderont dans la fonction de grand prêtre. Cette interprétation est tentante pour le passage présent, mais malheureusement les 28 autres emplois de אהרן ובניו dans Lv désignent clairement « Aaron et ses fils » en tant que prêtres et non en tant que grands prêtres.

[12] Sur la construction du niphal avec את, voir GK 121 b ; JOÜON 128 b.

v. 14. La vocalisation massorétique de תעשה en imparfait niphal, 3e pers. fém. sing. (= « elle sera préparée »), implique que la préparation ne doit pas nécessairement être le fait du prêtre ; la conjecture תַּעֲשֶׂה = « tu prépareras » (imparfait qal, 2e pers. masc. sing.) n'a aucun appui textuel et conduit à un aplatissement du texte, en mettant uniformément tous les verbes à la même personne.

מרבכת n'apparaît que 3 fois dans l'AT[13], seule forme attestée d'une racine רבך. D'après l'akkadien et l'arabe, le sens semble être celui de « mélanger ». La littérature post-biblique met fréquemment cette racine en relation avec de l'eau chaude, d'où la traduction « échauder » de BRF (en 6. 14 et en 7. 12 ; par contre en 1 Ch 23. 29, elle traduit de façon surprenante « rôti au feu »). Cette traduction est peu vraisemblable, surtout en 7. 12, où il est question de סלת מרבכת = « farine échaudée » ; culinairement parlant, il semble difficile de faire des gâteaux pétris à l'huile à partir de farine que l'on aurait plongée dans de l'eau chaude.

Le sens de « mélanger » (ou éventuellement « imprégner ») convient bien ici, puisqu'il s'agit de pâtisseries faites « sur une plaque », lesquelles, d'après 2. 5-6, sont rompues en morceaux après cuisson, et arrosées d'huile ; 6. 14aβ correspond donc à 2. 5, et 6. 14aα à 2. 6.

14b présente deux difficultés : l'hapax תפיני (dont le sens est inconnu, et que beaucoup de commentateurs et traducteurs corrigent en une forme verbale, voir Noth, Elliger, KBL), et l'ordre des mots (on attendrait l'inverse pour les trois premiers).

תפיני est effectivement difficile ; le corriger en une forme verbale de la racine פתת (תפתנה = « tu l'émietteras »), sur la seule base de Syr, est d'autant plus aléatoire que l'on se retrouve alors devant deux verbes en construction anormalement asyndétique. En hébreu postbiblique, le terme a le sens de « pâtisserie », ce qui est vraisemblable, que l'on cherche une étymologie soit du côté de la racine hébraïque אפה = « cuire », soit du côté de l'akkadien *tappinnu* = « farine d'orge »[14].

Pour ce qui est de l'ordre des mots, le cas présent rentre dans la catégorie mentionnée par Joüon 129 r, מנחח פתים = « l'offrande de morceaux/les morceaux de l'offrande » étant une apposition explicative à תפיני. C'est là nous semble-t-il la seule manière d'expliquer le TM dans son état actuel, ce qui n'exclut pas la possibilité d'une erreur ou d'une série d'erreurs successives de copistes, au travers desquelles il ne nous est guère possible d'imaginer aujourd'hui ce que pouvait être le texte primitif.

v. 15abα. Aucune précision n'étant inutile, l'auteur souligne que le rituel est valable pour tous les grands prêtres et non seulement pour Aaron. Ce verset fait partie de la tradition qui n'envisage l'onction que du grand prêtre.

Sur l'expression « prêtre oint », voir 4. 3.

D'après l'accentuation massorétique, חק־עולם = « redevance perpétuelle » fait partie de 15b, qui est un nouveau développement indépendant de ce qui précède ; mais comme ailleurs l'expression (ל) חק־עולם (voir v. 11) figure toujours dans la conclusion d'une section, nous la rattachons à ce qui précède[15].

---

[13] Lv 6. 14 ; 7. 12 ; 1 Ch 23. 29.
[14] Voir LABAT, *Manuel*, signe n° 536.
[15] Dans le même sens, ELLIGER, p. 82, suggère de déplacer l'atnaḥ sous ליהוה ; nous préférerions le mettre sous עולם, et laisser ליהוה rattaché à ce qui suit, conformément à l'accentuation massorétique.

v. 15bβ-16. La présente notice exprime en clair ce à quoi il a déjà été fait allusion en 4. 11-12, à savoir qu'une personne ne peut pas être à la fois l'offrant et le bénéficiaire d'un sacrifice (exception faite du sacrifice de communion). De même que le laïc ne reçoit aucune contrepartie matérielle d'un sacrifice qu'il offre, de même le prêtre doit faire un don total, dont rien ne lui revient par le canal de son appartenance au clergé.

L'adjectif כליל est employé ici dans son sens ordinaire « tout entier », comme c'est toujours le cas dans les textes en prose et peut-être occasionnellement en poésie (Lm 2. 15, glose ?). Le sens technique de « sacrifice complet » ne se rencontre que dans les deux textes poétiques de Dt 33. 10 et Ps 51. 21[16].

v. 17-23. Le rituel du sacrifice pour le péché.

Toutes les informations contenues dans cette section visent à souligner le caractère de sainteté éminente (« quelque chose de très saint », v. 18, 22) du sacrifice pour le péché : analogie avec l'holocauste (v. 18b) ; problèmes liés à la consommation de la viande (v. 19, 22) ; problèmes de « contagion » (v. 20-21) ; cas particulier du sacrifice du grand prêtre ou de la communauté (v. 23 ; comparer 4. 3-21). Ces questions n'avaient pas été traitées du tout, ou seulement très peu, dans les chap. 4. 1—5. 13.

v. 17-18aα. La formule d'introduction semble superflue, puisque Moïse ne change pas d'interlocuteurs (voir v. 2). Elle n'est probablement pas primitive à cet endroit (comparer 18aβ avec 6. 2aβ ; 6. 7a ; 7. 1a ; 7. 11a), mais a été ressentie comme une utile reprise après l'insertion des v. 12-16, qui comportent une introduction générale (v. 12) et qui ne visaient peut-être à l'origine que le grand prêtre (v. 13).

v. 18aβ. Si notre hypothèse du caractère secondaire des v. 17-18aα est juste, le texte primitif devait être ici וזאת = « Et voici », comme en 6. 7a ; 7. 1a ; 7. 11a.

v. 18b. Sur במקום אשר = « à l'endroit où », voir 4. 24.

Les v. 2b-6 n'ont donné aucune indication sur l'endroit où doit s'effectuer l'immolation de la victime pour l'holocauste. Par contre la comparaison de 1. 3-5 avec 4. 4 montre que la présente affirmation correspond à la réalité des faits. L'endroit en question n'est pas indiqué avec une très grande précision : « à l'entrée de la tente de la rencontre » (1. 3 ; 4. 4), « devant YHWH » (4. 4 ; 6. 18). Mais Lv 1. 11 et Ez 40. 40 parlent d'un endroit situé au nord (de l'autel). Le rapprochement entre les rituels du sacrifice pour le péché et de l'holocauste n'a pas pour but de définir un endroit absolument précis dans les parages du sanctuaire, mais de rappeler que l'immolation doit avoir lieu au sanctuaire (לפני יהוה = « devant YHWH », voir 1. 5) et ne peut être faite ailleurs.

Sur קדש קדשים = « quelque chose de très saint », voir 2. 3.

L'auteur poursuit en énumérant trois conséquences découlant du caractère de sainteté éminente de cette viande :

v. 19. A) La viande très sainte ne peut être consommée que par des gens marqués du sceau de la sainteté, à savoir les prêtres. L'affirmation de 19a est générale, et sera

---

[16] Dans le Tarif de Marseille et le Tarif de Carthage, *kll* se rencontre avec un sens technique sacrificiel, mais sans que l'on puisse déterminer exactement de quel sacrifice il s'agit.

nuancée par le v. 22 ; en effet, on voit difficilement un prêtre manger seul toute une victime du sacrifice pour le péché, même s'il ne s'agit que d'une agnelle (4. 32). Il s'agissait surtout ici pour l'auteur d'exclure les laïcs de la manducation de la viande sacrifiée.

B) La viande très sainte ne peut être consommée que dans un lieu saint, lui aussi ; ce lieu saint[17], c'est « le parvis de la tente de la rencontre », sanctifié par la présence du sanctuaire.

v. 20-21. C) La viande très sainte, enfin, est « contagieuse » ; elle sanctifie donc ce avec quoi elle entre en contact, directement ou indirectement : un habit sur lequel du sang a giclé doit être lavé dans un lieu saint, c'est-à-dire vraisemblablement aussi dans le parvis de la tente de la rencontre, bien que cela ne soit pas dit explicitement ; ce lavage a pour but, non pas essentiellement de nettoyer un habit taché de sang (l'hébreu, par une périphrase laborieuse, évite soigneusement tout terme pouvant évoquer l'idée que l'habit serait sale), ce qui pourrait se faire n'importe où, mais surtout de désacraliser l'habit sanctifié par le sang de la victime, d'où l'exigence d'un lieu saint pour ce faire. Une marmite ayant servi à la cuisson de la viande est aussi « atteinte » de sainteté ; si c'est une marmite de terre, elle doit être détruite, plutôt que de risquer de contaminer une autre fois ce qu'on y cuirait[18] ; si c'est une marmite de métal (de bronze), elle doit être frottée et rincée à grande eau. Nous avons là probablement la survivance d'un ancien usage datant des débuts de l'utilisation du métal : un récipient en métal était trop précieux pour être détruit, tandis que la céramique pouvait être remplacée facilement[19] ; avec le développement de la métallurgie, on aura peu à peu renoncé à utiliser la céramique, pour les ustensiles cultuels. On peut noter en effet que selon P tous les ustensiles fabriqués « pour l'autel » (Ex 38. 3) sont en bronze[20].

Les v. 20-21, qui interrompent la suite logique entre 19 et 22, pourraient bien avoir été insérés dans une rédaction antérieure.

v. 22. Seuls les hommes étant admis au sacerdoce, כל זכר בכהנים ne peut signifier que « tous les hommes faisant partie des familles sacerdotales », ceci incluant donc les hommes qu'une imperfection physique (voir 21. 16-24, en particulier le v. 22) empêche d'exercer le sacerdoce.

v. 23. Ce verset fait allusion aux sacrifices décrits en 4. 3-12 (pour le péché du grand prêtre) et en 4. 13-21 (pour le péché de la communauté). Ce sont les deux seuls sacrifices dont « une partie du sang a été apportée dans la tente de la rencontre ». Cette prescription s'apparente à celle du v. 16 : puisque les prêtres font partie du peuple,

---

[17] Malgré l'identité de vocabulaire dans certaines traductions, il ne faut pas confondre le « lieu saint » traduisant מקום קדש, avec le « lieu saint » traduisant קדש et désignant tout ou partie du sanctuaire proprement dit (voir 4. 6).

[18] Voir des prescriptions analogues en 11. 33 ; 15. 12, en cas de souillure (par contact) d'un récipient.

[19] On a parfois pensé que la céramique, matériau relativement poreux, « s'imprégnerait » davantage de « sainteté » qu'un récipient de métal (CLAMER, p. 65 ; BERTHOLET, p. 36, à propos de 11. 33 ; PORTER, p. 91, également à propos de 11. 33). C'est là à notre avis un raisonnement trop technique, qui satisfait notre esprit moderne et rationnel, mais qui n'aurait peut-être pas effleuré les gens de l'antiquité.

[20] BERTHOLET, p. 21, mentionne à ce propos les observances des Pharisiens concernant le lavage des χαλκιων = « des objets en bronze » (Mc 7. 4). Le parallèle est intéressant, mais il ne faut pas oublier que le contexte est complètement différent ; dans le NT, il s'agit d'ustensiles de ménage, profanes, qu'on nettoie soigneusement, alors que dans Lv il est question d'objets liturgiques qui doivent être désacralisés pour éviter une « contagion ».

lequel est engagé dans les deux rituels mentionnés ci-dessus, ils ne peuvent pas être à la fois offrants et bénéficiaires d'un sacrifice.

Chap. 7, *v. 1-7.* Le rituel du sacrifice de réparation.

Cette section n'apporte pas grand-chose qui ne soit déjà connu par ailleurs :

1a correspond à 6. 2aβ, 7a, 18aβ ; 7. 11a.

Sur 1b-2a, voir (en ordre inverse) 6. 18b.

2b-5 reprennent plusieurs formules stéréotypées que l'on trouvait dans les chap. 1—5, mais justement pas dans le chapitre relatif au sacrifice de réparation (5. 14-26) :

2b reprend 1. 5, 11 ; 3. 2, 8, 13 ;

3-4 reprennent 3. 3-4, 9-10, 14-15 ; 4. 8-9 ;

5a reprend 1. 9b, 13b ; 2. 2b, 9b ; 3. 5, 11, 16 ; 4. 10b, 19b ;

sur la « formule déclarative » (?) de 5b, voir 1. 9.

6a reprend 6. 22a.

6bα reprend 6. 19bα.

6bβ répète 7. 1b.

7a souligne l'identité de rituel entre le sacrifice our le péché et le sacrifice de réparation.

7b exprime, dans un vocabulaire qui rappelle les chap. 4—5, la même idée que 6. 19.

La seule différence de quelque importance réside dans l'emploi, au v. 2, du verbe זרק = « asperger » (voir 1. 5), que l'on rencontre habituellement dans les rituels de l'holocauste (chap. 1), du sacrifice de communion (chap. 3) et du sacrifice d'investiture (8. 24), tandis que c'est le hiphil de נזה = « faire des aspersions » (voir 4. 6) qui apparaît dans le rituel du sacrifice pour le péché, et que l'on attendrait donc dans le rituel en principe identique (voir 7. 7) du sacrifice de réparation. On peut supposer soit que les rituels des deux sacrifices expiatoires n'ont jamais été absolument identiques, soit que celui du sacrifice de réparation a été volontairement différencié à un certain moment de celui du sacrifice pour le péché, sans que l'on sache la raison de cette modification.

v. 8-10. Ce qui revient aux prêtres.

Cette brève section, qui interrompt la suite bien ordonnée des règles rituelles complémentaires, et qui dans une certaine mesure anticipe sur 7. 22-36, semble au premier abord être un élément intrus dans son contexte. Pourtant, réflexion faite, il n'est pas tellement étonnant de la trouver ici : Avant d'aborder le rituel du sacrifice de communion (v. 11-21), unique sacrifice de la religion israélite où l'offrant reçoit une part de la viande, à côté des prêtres et de Dieu lui-même, le rédacteur conclut les rituels des autres sacrifices en énumérant (ce qu'il peut faire brièvement) la part qui revient au(x) prêtre(s) dans chaque cas particulier. De plus les mots לו יהיה = « lui reviendra » figurant à la fin du v. 7, facilitaient l'enchaînement avec les v. 8-10, qui contiennent chacun une formule analogue.

v. 8. L'expression עלת איש est grammaticalement indéterminée ; pourtant la présence de la particule accusative את indique que, malgré l'absence de l'article (il était impossible d'avoir un article devant un mot à l'état construit), le mot en question était senti comme déterminé : « l'holocauste [d'un homme] », voir GK 117 d ; Joüon 125 h.

Ce texte est le seul de l'AT à dire que, dans l'holocauste, quelque chose n'est pas brûlé sur l'autel, mais revient au prêtre. Le rituel de 1. 3-9 mentionne (v. 6) que la victime est écorchée avant d'être dépecée et brûlée, mais ne précise pas ce qu'il advient de la peau. Au sens strict, on constate en tout cas que 1. 8-9 énumèrent expressément les quartiers de l'animal, la tête, la graisse, les entrailles et les pattes, mais pas la peau, comme ce qui doit être déposé sur le feu de l'autel. On peut supposer qu'à l'époque ancienne l'animal tout entier, peau comprise, était brûlé (1. 10-13 ne mentionne pas le dépouillement de la victime), mais qu'à une époque plus récente les prêtres ont réclamé un « salaire » pour les holocaustes[21] comme pour les autres sacrifices qu'ils offraient de la part du peuple, et que la peau leur a été attribuée. Du moins faut-il relever que la peau n'est pas une partie de la victime qui puisse être mangée.

v. 9-10. Le v. 9 reprend, avec un vocabulaire technique tiré du chap. 2, ce qui était déjà connu par le chap. 2 et les sections 6. 7-11 et 6. 12-16. Le v. 10 parle, à côté de l'offrande pétrie à l'huile, d'une offrande sèche (חרבה), non mentionnée dans les autres textes traitant de l'offrande végétale, mais qui pourrait bien être celle décrite en 5. 11 ou celle de Nb 5. 15. S'il faut prendre les v. 9-10 au sens strict, il semble être question de deux cas différents, celui des offrandes cuites (v. 9) réservées à titre personnel au prêtre officiant, et celui des offrandes crues (v. 10), qui doivent être partagées entre tous les prêtres. Mais on peut aussi comprendre le v. 10 comme une explication, ou une explicitation, ultérieure du v. 9 ; la perspective serait alors plus large, le v. 10 ne se limitant pas aux offrandes crues, mais envisageant le mode de préparation des offrandes, alors que le v. 9 n'envisage que le mode de cuisson. Dans ce cas-là, מנחה בלולה־בשמן = « offrande végétale pétrie à l'huile » engloberait les trois types de pâtisseries énumérées au v. 9 (comparer les expressions très proches figurant en 2. 4, 5 et 7) et désignerait donc en fait les offrandes cuites. Le v. 10 aurait aussi pour but d'exclure une interprétation trop individualiste du לו תהיה = « lui reviendra » du v. 9[22].

v. 11-21. Le rituel du sacrifice de communion.

Cette section est un peu plus longue que les précédentes, pour deux raisons :

a) contrairement aux autres sacrifices déjà énumérés, le sacrifice de communion est un sacrifice dont une partie de la viande revient à l'offrant laïc, d'où la nécessité de fixer de manière précise les conditions de la manducation légitime de cette viande ;

b) la catégorie « sacrifice de communion » se subdivise en un certain nombre de sous-catégories, que notre texte envisage successivement[23].

La place du sacrifice de communion en fin de liste (7. 11-21 ; voir aussi 7. 37) trahit à sa manière la perte de prestige de cette catégorie de sacrifices après l'exil.

[21] עלת איש désigne probablement un holocauste offert à titre privé, par opposition à l'holocauste perpétuel, plus « officiel », et dont il n'est pas sûr que quelque chose revînt au prêtre.

[22] Comparer RACHI, p. 43, à propos du v. 9 : « "appartiendra en propre au prêtre qui l'aura offerte." On aurait pu croire, à lui seul ? Aussi l'Écriture dit-elle : "appartiendra à tous les fils d'Aaron" (v. 10). On aurait pu croire, à eux tous ? Aussi l'Écriture dit-elle : "au prêtre qui l'aura offerte". Comment est-ce donc ? A la famille du prêtre officiant le jour où on l'offre ».

[23] Ici sont énumérées trois sous-catégories, mais le chiffre n'est peut-être pas exhaustif. CHARBEL, p. 23-25, parle d'une autre sous-catégorie, non mentionnée dans Lv, qu'il appelle « sacrificio pacifico impetratorio », c'est-à-dire « de supplication » ; ce sont p. ex. les שלמים offerts à YHWH par les Israélites en Jg 20. 26 et 21. 4, par Saül en 1 S 13. 9, par David en 2 S 24. 25. A l'inverse, en 2 Ch 29. 31 et 33. 16, le sacrifice תודה est présenté en parallèle aux זבחים ou aux שלמים זבחי ; cela signifie qu'à l'époque du Chroniqueur le sacrifice תודה était considéré comme une catégorie sacrificielle en soi, et non plus comme une sous-catégorie du שלמים. Quoi qu'il en soit, il semble bien que les שלמים ne rentrent pas tous dans l'une ou l'autre des sous-catégories.

v. 11. Après la formule habituelle d'introduction (11a), 11b rappelle, non sans à-propos, que le destinataire fondamental du sacrifice de communion est et reste YHWH, même si la consommation de la viande par l'offrant et ses proches constitue un but non négligeable aux yeux des laïcs.

v. 12-15. La première sous-catégorie est celle du « sacrifice de louange ». Il s'agit du sacrifice mentionné en Ps 50. 14, 23 ; 56. 13 ; 107. 22 ; 116. 17, et probablement aussi, selon nous, en Ps 95. 2 et 100. 1, 4[24], sans oublier quelques emplois chez les prophètes et chez le Chroniqueur[25]. Les v. 12-14 ne traitent que des offrandes végétales accompagnant la victime animale ; seul le v. 15 traitera de la viande.

v. 12. L'expression על־תודה signifie « en raison d'une louange/pour motif de louange »[26], alors que על־זבח התודה signifie « en plus du sacrifice de louange », על ayant ici une nuance de proximité, d'addition[27], et תודה désignant le « sacrifice [d'un animal] », tout comme aux v. 13 et 15.
Sur les diverses pâtisseries mentionnées ici, voir 2. 4 ; sur מרבכת = « mélangée », voir 6. 14.

v. 13-14. Avec toujours le même souci du détail et la même précision, mais sans grand souci de style, l'auteur indique qu'en plus des gâteaux (sans levain) mentionnés au v. 12, le « sacrifice de louange » est encore accompagné d'une offrande de pain levé. Ce texte rappelle ainsi celui de 2. 12, d'autant plus que le contexte présent ne dit pas que ces gâteaux (un de chaque espèce, v. 14) sont brûlés sur l'autel ; ils sont en effet simplement prélevés[28] symboliquement pour YHWH, mais remis en fait au prêtre officiant, tandis que les autres gâteaux reviennent, avec sa part de viande, à l'offrant.

v. 15. Avec ce verset, nous abordons l'usage fait de la viande de la victime, du moins de la part destinée à la consommation des laïcs : la règle veut que cette viande ne soit pas gardée au-delà au prochain lever du soleil[29]. Deux explications de cette prescription sont possibles : ou bien une règle ancienne concernant les sacrifices en général s'est maintenue dans le cas du « sacrifice de louange », ainsi que dans celui du rituel pascal, où l'agneau offert doit être consommé pendant la nuit, le reste, si reste il y a, devant être brûlé le lendemain (Ex 12. 10) ; ou bien la prescription relative au « sacrifice de louange » a été influencée par le rituel pascal. Cette règle est confirmée explicitement dans la Loi de sainteté, en 22. 29. Par contre, en 19. 5-8, la même Loi de sainteté prescrit pour le זבח שלמים = « sacrifice de communion » (sans mention des sous-catégories), que la viande doit être consommée « le jour du sacrifice et le lendemain », ce qui correspond

---

[24] En Ps 107. 22 ; 116. 17, les vers mettent en parallèle le sacrifice matériel et la confession orale du nom et des œuvres de YHWH. Nous pensons qu'il pourrait en être de même en Ps 95. 2 et 100. 4 (d'où découle le sens de תודה en 100. 1).

[25] Jr 17. 26 ; 33. 11 ; Am 4. 5 ; 2 Ch 29. 31 ; 33. 16.

[26] Voir HAL, על, 3 ou 4, p. 781.

[27] Voir HAL, על, 6, p. 782 ; JOÜON 133 f.

[28] תרומה est un terme fréquent chez P (41 fois ; 20 fois dans Ez, 8 fois chez le Chroniqueur, et seulement 7 fois ailleurs). Dans les contextes sacrificiels, il désigne le plus souvent la part prélevée en faveur des officiants (voir Ez 44. 30), même si, comme ici, il est question d'une תרומה ליהוה. Voir aussi le v. 30, à propos de תנופה.

[29] בקר marque le moment à partir duquel la viande ne doit plus être consommée, voir Ex 12. 10.

à la règle de 7. 16-18. Il est vraisemblable que ces deux passages reflètent ainsi une situation postérieure, où la rigueur primitive s'était quelque peu adoucie[30].

v. 16. ‏ואם‎ = « Si » fait de ce verset le parallèle du v. 12 (‏אם‎ = « Si »), et introduit ainsi deux autres sous-catégories du sacrifice de communion[31], qui vont être traitées ensemble : le « sacrifice votif », offert en accomplissement d'un vœu (‏נדר‎ = « vœu » ; voir p. ex. Jg 11. 30-39 ; 2 S 15. 7-8 ; Ps 66. 13), et le « sacrifice spontané », offert indépendamment de toute prescription et de toute promesse (‏נדבה‎ = « impulsion/décision libre » ; voir p. ex. Ex 35. 29 ; Esd 3. 5 ; 2 Ch 35. 8). Dans les deux cas traités ici, la situation diffère légèrement de celle du sacrifice de louange, puisque la viande peut être mangée encore le lendemain du sacrifice.

Le fait qu'aucune offrande végétale ne soit mentionnée dans cette sous-section n'implique pas forcément que les sacrifices votifs ou spontanés n'aient comporté qu'une victime animale.

v. 17-18. Ces versets ne concernent formellement que le cas des sacrifices votif et spontané, mais en fait ils s'appliquent aussi, *mutatis mutandis*, au cas du sacrifice de louange : si le troisième jour, c'est-à-dire le surlendemain du sacrifice (pour le sacrifice de louange : le lendemain), il reste de la viande, celle-ci doit être détruite par le feu[32]. Si quelqu'un en mangeait, l'offrant ne serait pas agréé[33], ce qui signifie qu'on ne le tiendrait pas quitte de son vœu, le sacrifice n'étant pas compté à son actif (‏חשב‎) mais à son passif.

La viande est traitée de ‏פגול‎ : ce terme, qui se retrouve en 19. 7 (même expression), signifie, d'après ses deux seuls autres emplois en Es 65. 4 et Ez 4. 14, quelque chose d'immonde, d'impur, de dégoûtant ; il ne s'agit donc pas d'un problème d'hygiène (qualité physique ou état sanitaire de la viande), mais d'une question d'ordre religieux : « cette viande ne doit plus être consommée ». Celui donc qui en mangerait ne tomberait pas forcément malade pour avoir ingurgité un aliment avarié, mais tomberait sous le coup de la loi divine[34].

v. 19a. Il s'agit ici d'un deuxième cas où la consommation de la viande est prohibée, pour un motif tenant à l'état de la viande : si celle-ci est entrée en contact avec quelque chose d'impur, elle est contaminée et doit être détruite. Cette affirmation, comme celles des v. 19b-21, implique que l'offrant avait la possibilité d'emporter sa part de viande chez lui, car en principe toutes choses et toutes personnes impures étaient tenues à l'écart du sanctuaire.

---

[30] ELLIGER, p. 100, pense que l'évolution s'est faite en sens inverse : la règle préexilique aurait été celle du délai de deux jours pour tous les sacrifices de communion ; après l'exil, on aurait voulu revaloriser le « sacrifice de louange » en renforçant les exigences à son égard. Il s'agit d'hypothèses dans les deux conceptions ; aucun argument décisif ne permet de trancher en faveur de l'une plutôt que de l'autre.

[31] Au premier abord on pourrait penser qu'il s'agit d'une seule sous-catégorie, la différence résidant dans l'intention de l'offrant, alors que le rituel, non décrit, serait le même dans les deux cas. Pourtant le texte de 22. 23 nous révèle où se situe la différence concrète entre « sacrifice votif » et « sacrifice spontané » : un animal atteint d'une légère anomalie physique peut être offert en « sacrifice spontané », mais ne peut pas être agréé pour un « sacrifice votif ».

[32] ‏שרף באש‎ : voir 4. 12 et la note ; Ex 12. 10.

[33] ‏רצה‎ : voir 1. 4.

[34] ‏נשא עון‎ : voir 5. 1.

v. 19b-21. L'interdiction de consommer la viande d'un sacrifice de communion n'a pas pour cause seulement l'état de la viande (פגול = « immonde », v. 17-18, טמא = « chose impure », v. 19a), mais aussi parfois l'état du consommateur (v. 20-21).

v. 19b. Le והבשר = « Quant à la viande » du TM doit être conservé tel quel[35] ; c'est un *casus pendens* qui reprend le ובשר = « Quant à la viande » du v. 15 (la viande propre à la consommation) en quelque sorte par-dessus la « parenthèse » des v. 16-19a.

La viande non פגול (« immonde ») et non טמא (« chose impure ») ne peut pas être consommée par n'importe qui et n'importe comment : il faut être soi-même en état de pureté pour la consommer de manière légitime.

v. 20. L'interdiction porte sur le cas d'impureté personnelle (וטמאתו עליו = « son impureté [est] sur lui »), dont les exemples types sont l'accouchement (chap. 12), certaines maladies (chap. 13) et les pertes séminales ou les règles (chap. 15).

v. 21. Ce verset mentionne les cas d'impureté acquise par contact. Les diverses causes de contamination rappellent celles énumérées en 5. 2-3[36].

Les v. 20 et 21 se terminent chacun par la clause punitive suivante : « celui-là sera retranché de sa parenté » ; une formule analogue (« retranché de son peuple ») figure en 17. 4 et ailleurs[37]. Le sens de ces formules, propres à P, n'est pas absolument clair. Il n'est pas impossible qu'à l'origine elles aient impliqué une condamnation à mort, mais il est plus probable qu'il s'agissait d'une exclusion du fautif hors de la communauté tribale. En tout cas pour P, il n'est pas question de condamnation à mort, pour laquelle il emploie une autre formule, non ambiguë : מות יומת = « il sera mis à mort » (20. 2 et suivants)[38].

A l'époque postexilique, elle semble avoir été interprétée comme signifiant une excommunication hors de la communauté religieuse ; le fautif, coupé de ses liens vitaux avec la communauté, est livré aux mains de Dieu, qui agira selon les exigences de la justice (voir 20. 6)[39].

---

[35] Les leçons présentées par LXX, Syr, Vg d'une part (והבשר non traduit), et par Sam d'autre part (absence de la conjonction de coordination, ce qui revient au même, puisque הבשר devient ainsi le sujet du ישרף qui précède), montrent que les traducteurs et copistes n'ont pas compris la fonction importante de ce mot, introduisant un nouveau paragraphe qui traite du problème sous un autre angle.

[36] Le texte de L, avec l'emploi de שקץ, n'est pas dépourvu de sens : « impureté humaine, animal impur ou toute autre *chose abominable* et impure ». Toutefois l'emploi de בהמה pour désigner la catégorie animale dans son ensemble est surprenant, de même que l'expression שקץ טמא, qui ne se rencontre nulle part ailleurs. De plus, le passage involontaire de שרץ à שקץ s'explique aussi bien que le passage en sens inverse. Sur les sens de ces deux mots, voir 11. 10-12.

[37] Formellement עמים est le pluriel de עם, mais sémantiquement il y a une nuance sensible entre les deux formes : עם, qui a son origine dans le champ des liens de parenté (voir ROSE, « Peuple de Dieu », p. 139), en est venu progressivement à désigner la « nation » au sens politico-religieux (p. 145). Par contre le pluriel עמים a souvent conservé le sens ancien de « parenté » (dans la présente expression, ainsi que dans une autre, ויאסף אל עמיו = « il fut recueilli auprès de ses parents/ancêtres » = « il mourut »). A l'intérieur du cercle large de עם se trouve le cercle plus restreint de עמים, et à l'intérieur de ce dernier celui de שאר = « proche parenté » (voir p. ex. 18. 6 ; 20. 19 ; 21. 2 ; 25. 49 ; Nb 27. 11).

[38] Quoi qu'en dise PORTER, p. 56 (de même CHAINE, *Genèse*, p. 232, à propos de Gn 17. 14), l'emploi des deux formules en parallèle en Ex 31. 14 n'implique nullement qu'elles aient le même sens.

[39] Dans la littérature rabbinique, telle sera le sens de la peine du *Kareth* (voir JASTROW, *Dictionary*, p. 674, et le Talmud de Babylone, traité *Mo'ed qatan*, 28a).

PRESCRIPTIONS COMPLÉMENTAIRES A L'USAGE DES LAÏCS

La formule d'introduction (7. 23a, répétée en 29a) montre que l'on change de section : on y aborde les devoirs des laïcs à l'égard des sacrifices et à l'égard des prêtres, donc en somme, à l'égard de Dieu lui-même.

(7. 22) YHWH parla à Moïse en ces termes : (23) Parle aux Israélites en ces termes : Tout ce qui est graisse, de bœuf, de mouton ou de chèvre, vous n'en consommerez pas. (24) La graisse d'une bête crevée ou d'une bête déchiquetée peut servir à n'importe quel usage, mais vous n'en consommerez absolument pas ; (25) en effet[a] quiconque consommera la graisse d'une bête dont on a apporté[b] quelque chose en mets consumé[c] pour YHWH, celui-là sera retranché de sa parenté. (26) De même, tout ce qui est sang, d'oiseau ou de bête, vous n'en consommerez pas, où que vous habitiez. (27) Tout homme[a] qui consommera du sang sera retranché de sa parenté.

(28) YHWH parla à Moïse en ces termes : (29) [a]Parle aux Israélites[a] en ces termes : Celui qui présentera à YHWH son sacrifice de communion apportera en présent à YHWH quelque chose de son sacrifice de communion. (30) De ses propres mains, il apportera les mets consumés de YHWH ; il apportera la graisse en plus de la poitrine, [a]cette poitrine[b] qu'il faut offrir avec le geste de présentation devant YHWH. (31) Le prêtre fera fumer la graisse sur l'autel, et la poitrine sera pour Aaron et ses descendants. (32) Vous donnerez également au prêtre[a] la cuisse droite de l'animal comme prélèvement sur vos sacrifices de communion. (33) Celui des descendants d'Aaron qui apportera le sang du sacrifice de communion ainsi que la graisse, la cuisse droite sera sa part. (34) En effet la poitrine du rite de présentation[a] et la cuisse du rite de prélèvement, je les ai prises aux Israélites sur leurs[b] sacrifices de communion et je les ai données au prêtre Aaron et à ses descendants, en redevance perpétuelle de la part des Israélites.

(35) Telle est la part d'Aaron et la part de ses descendants sur les mets consumés de YHWH, dès le jour où on les aura présentés pour être prêtres de YHWH ; (36) c'est ce que[a] YHWH a ordonné de leur donner de la part des Israélites, au jour où il les a oints ; c'est une loi perpétuelle pour leurs générations.

(37) Tel est le rituel de l'holocauste, de l'offrande végétale[a], du sacrifice pour le péché, du sacrifice de réparation, du sacrifice d'investiture et du sacrifice de communion, (38) que[a] YHWH a ordonné à Moïse sur le mont Sinaï[b], le jour où il a ordonné aux Israélites d'apporter leurs présents à YHWH, dans le désert du Sinaï.

Critique textuelle : • *v. 25a Lectio facilior* (le sens de כי dans ce contexte n'est pas des plus clairs). • *v. 25b* Pluriel impersonnel. • *v. 25c* Erreur de copiste sous l'influence de l'expression fréquente הקריב קרבן. • *v. 27a* Variante stylistique ; voir Joüon 139 g. • *v. 29a-a* Variante stylistique. • *v. 30a* L'adjonction de la conjonction de coordination trahit une erreur de compréhension du texte : את אשי יהוה n'est pas suivi d'une double apposition את־החלב... את החזה, mais d'une apposition simple את־החלב ; את החזה est apposition à על־החזה (voir Joüon 125 j1). • *v. 30b* Assimilation inopportune aux listes de 3. 4, 10, 15 ; etc. • *v. 32a* Assimilation partielle et inopportune à la formulation du v. 14. • *v. 34a* Inadvertance de copiste. • *v. 34b* Assimilation inopportune à la formulation du v. 32. • *v. 36a* Les expressions כאשר צוה יהוה et אשר צוה יהוה sont fréquentes l'une et l'autre dans l'AT. LXX traduit habituellement אשר par un pronom relatif, et כאשר par καθα, καθαπερ ou ὁν τροπον, mais parfois un אשר est rendu comme s'il s'agissait d'un כאשר et vice versa. • *v. 37a* La construction asyndétique du TM est anormale ; voir Joüon 177 o. • *v. 38a* Voir 36a. • *v. 38b* Probable inadvertance de copiste.

v. 22-27. Interdiction de consommer la graisse et le sang.

La plupart des commentateurs voient dans cette section une adjonction faite à un texte préexistant, ce qui est très vraisemblable. Clamer, p. 70, va même plus loin en affirmant que ces versets « interrompent la suite des prescriptions concernant le sacrifice pacifique [= sacrifice de communion] ; leur contenu ne répond pas à l'ensemble du passage ». Il souligne donc la parenté de sujet existant entre 7. 11-21 et 7. 28-36, mais conteste que 7. 22-27 puisse se rapporter au sacrifice de communion. Sa première conclusion est justifiée, mais certainement pas la seconde (voir le dernier paragraphe de notre introduction à 6. 1—7. 21) ; pour deux raisons au moins nous considérons que les v. 22-27 traitent aussi du sacrifice de communion :

a) le problème de la consommation de la graisse ou du sang par les laïcs ne se posait pas dans le cas des autres sacrifices, puisque de toute façon les laïcs ne pouvaient rien en consommer. Une interdiction explicite n'avait de sens que dans le cas du sacrifice de communion, dont une partie de la viande revenait à l'offrant ;

b) ces versets reprennent et développent ce qui a été dit en 3. 16bβ-17, donc précisément à la fin du chapitre qui traite du sacrifice de communion.

v. 23. Puisque toute la graisse d'un sacrifice est réservée à Dieu (3. 16), il est évidemment impensable d'en consommer, quel que soit l'animal offert en sacrifice. La comparaison avec le v. 24 implique même que tout usage, autre que sacrificiel, de la graisse d'une victime est prohibé.

v. 24. La consommation de la viande d'une bête crevée ou déchiquetée étant interdite (voir 17. 15 ; 22. 8), la consommation de la graisse étant interdite (3. 17), à plus forte raison, la consommation de la graisse d'une bête crevée ou déchiquetée est interdite ; par contre cette graisse peut être utilisée pour tout usage domestique non alimentaire (graissage d'outils, éclairage, entretien des cuirs). Même si le cadavre d'une bête est tenu pour impur et rend impur celui qui le touche, la graisse cependant est considérée comme non contaminée par l'impureté, dans le cadre d'une utilisation domestique[1].

---

[1] Comme le v. 24 interrompt la séquence logique des v. 23 et 25, il représente probablement un élément plus jeune que son contexte.

v. 25. Ce verset ajoute à ce qui a été dit en 3. 17 et 7. 23 la clause punitive déjà rencontrée en 7. 20-21.

v. 26-27. Le v. 3. 17 interdisait très massivement et sommairement la consommation du sang. 7. 26-27 précise et développe cette interdiction. Tout cela sera repris et motivé en 17. 3-14.

v. 28-36. La part des prêtres sur les sacrifices de communion.

v. 28-29a. La reprise de la formule d'introduction, identique à 22-23a, indique manifestement que les deux sections sont d'origine différente, même si elles traitent du même sujet.

v. 29b-30. Ces versets rappellent et résument les prescriptions du chap. 3, concernant ce qui doit être brûlé sur l'autel pour YHWH : « la graisse » ici résume en un mot l'énumération de 3. 3-4.

L'expression ידיו תביאינה = « ses mains apporteront » souligne la nécessité pour l'offrant de venir personnellement au sanctuaire ; il ne lui est pas possible de déléguer quelqu'un d'autre à sa place.

על־החזה (litt. « sur la poitrine ») a été compris de trois manières différentes :

a) Cazelles, p. 43, parle de la graisse « qui adhère à la poitrine » ; cette interprétation nous paraît peu probable, car d'une part, dans un cas analogue (3. 3-4), P emploie la tournure (הקרב)־על אשר החלב = « la graisse qui est au-dessus (des entrailles) » ; d'autre part, on aurait affaire alors à un texte d'origine totalement indépendante de celle du chap. 3, ce qui nous paraît peu vraisemblable ;

b) Rachi, p. 49, interprète le על dans un sens purement local : l'offrant s'approche du prêtre en tenant sur ses mains la poitrine de la victime, avec « par-dessus » la graisse ;

c) la solution la plus simple, adoptée par la majorité des traducteurs et commentateurs, est de prendre le על dans un sens d'accompagnement : « avec/en plus de ».

La poitrine doit être « présentée » devant YHWH : la tournure הניף תנופה = « offrir avec le geste de présentation », fréquente chez P, est une expression technique désignant un geste liturgique dont la forme précise ne nous est plus connue. L'interprétation traditionnelle y voyait, sur la base d'une étymologie vraisemblable, mais qui ne prouve rien au niveau sémantique, un mouvement de va-et-vient ou de balancement ; cela pouvait se concevoir dans le cas présent, et on y trouvait même un symbolisme parlant : la poitrine est offerte à Dieu, qui la rend au prêtre, son représentant au sein du peuple. Mais ce sens concret ne convient plus du tout dans le cas de Nb 8. 11, 13, 15, 21 p. ex., où il est question des lévites consacrés « par balancement rituel » (sic ! BRF, Syn). De Vaux pense qu'en fait les deux termes תנופה et תרומה (v. 14, 32, etc.) ont été « influencés par le langage juridique de Mésopotamie » et signifient respectivement « contribution » et « prélèvement »[2].

---

[2] Voir DE VAUX, *Sacrifices*, p. 32. Voir, dans une ligne un peu différente, trois études de MILGROM, in *Studies* (p. 133-138 : « The Alleged Wave-Offering in Israel and in the Ancient Near East » ; p. 139-158 : « Hattenûpâ » ; p. 159-170 : « The Šôq hatterûmâ »).

v. 31-33. Tandis que la part réservée à YHWH est brûlée sur l'autel, la poitrine est remise aux prêtres collectivement (« pour Aaron et ses descendants »). Aux v. 32-33 intervient un élément nouveau, ce qui pourrait trahir une origine plus récente de ce passage : la cuisse droite de la victime est prélevée[3] en faveur du prêtre qui a officié lors de ce sacrifice[4] ; la cuisse est non seulement un excellent morceau du point de vue culinaire, mais surtout elle est proche des organes de la reproduction, donc du mystère de la vie, ce qui justifierait bien qu'elle puisse être retirée de la consommation profane.

De plus, il faut se rappeler que le côté « droit » a, en Israël comme dans beaucoup d'autres civilisations, une connotation positive, supérieure au côté gauche (voir p. ex. Gn 48. 14 ; Qo 10. 2 ; Mt 25. 33).

v. 34. C'est peut-être pour donner plus d'autorité à des prescriptions qui ne bénéficiaient pas du poids de l'ancienneté que l'auteur fait s'exprimer YHWH à la 1re pers. sing. ; il s'agissait d'affirmer ainsi l'origine divine de cet ordre.

Sur חק עולם = « redevance perpétuelle », voir 6. 11a.

v. 35-36. Ces versets qui concluent la section sur la part des prêtres constituent en même temps une préparation à la partie suivante de l'œuvre de P, les chap. 8—10. L'insistance de l'auteur sur le sacerdoce (לכהן = « pour être prêtres ») et sur l'onction (משחו = « il [les] a oints ») se comprend mieux dans cette perspective-là. L'emploi du mot משחה = « part » semble bien le confirmer à sa manière : que ce mot dérive de la racine משח = « oindre/consacrer » (voir Wenham, p. 126) ou plutôt à notre avis d'une racine homographe משח = « mesurer », d'où le sens de « part » reconnu au substantif (c'est l'opinion de la majorité des commentateurs modernes), de toute façon il y a un jeu de mots avec le mot משחה = « onction », employé en 8. 2, 10, 12, etc.

Sur אשה = « mets consumé », voir 1. 9 ; sur חקת עולם = « loi perpétuelle », voir 3. 17 (et 6. 11a).

Sur les sens possibles de ביום = « dès le jour où », voir 5. 23-24 ; 6. 13 ; à noter que le « jour » mentionné au v. 35 n'est pas le même que celui du v. 36 : le v. 36 fait allusion au moment de la consécration sacerdotale (משחו = « il [les] a oints », voir chap. 8, donc le premier jour de la cérémonie), alors que le v. 35 concerne l'entrée en fonction des prêtres (לכהן = « pour être prêtres », le huitième jour, voir chap. 9).

v. 37-38. Comme le montre l'emploi de התורה = « le rituel », ces deux versets constituent formellement la conclusion des chap. 6—7. Mais dans le contexte actuel du

---

[3] שוק désigne certainement la « cuisse » (peut-être même plus précisément la partie inférieure de la cuisse ; voir DHORME, *Emploi métaphorique*, p. 154) et non l'« épaule », comme l'ont traduit LXX (τον βραχιονα) et Vg (*armus*), suivies en cela par quelques traductions modernes (Seg 1910, Syn). Dans les textes sacrificiels, le sens d'« épaule » (partie supérieure du membre antérieur d'un animal) serait acceptable en soi, mais il ne convient pas du tout dans plusieurs textes non sacrificiels, où שוק désigne clairement le membre inférieur de l'être humain (voir Es 47. 2 ; Ps 147. 10 ; Pr 26. 7 ; Ct 5. 15).

SCHRADER, *Keilinschriften*, p. 597, signale que dans plusieurs textes rituels babyloniens, « la (cuisse) droite » de la victime est un des premiers morceaux à être offert à la divinité. En 1 S 9. 24, שוק est un morceau de choix, réservé à l'hôte d'honneur d'un repas. Sur תרומה = « prélèvement », voir v. 14 et la note, ainsi que v. 30.

[4] Il ne faut peut-être pas attribuer trop d'importance à la différence de formulation, en ce qui concerne les destinataires de la part réservée au clergé : « pour Aaron et ses descendants » (v. 31) et « celui des descendants d'Aaron qui apportera... » (v. 33) ; on imagine mal en effet un prêtre manger tout seul, dans un délai d'un ou deux jours (v. 15-16), un gigot de bœuf ou même de mouton. Voir d'ailleurs la formulation plus générale de la fin du v. 34, et ce que nous avons dit à propos des v. 9-10.

livre, ils fonctionnent tout aussi bien comme conclusion de la première partie, chap. 1—7.

Les sacrifices sont énumérés dans l'ordre selon lequel ils sont présentés dans les chap. 6—7, sauf en ce qui concerne le sacrifice d'investiture. Voir à ce sujet l'introduction à la section 6. 12-16[5].

En rattachant ces ordres à la révélation fondamentale de YHWH au Sinaï, l'auteur veut en souligner l'importance, plus que ne le faisait l'introduction de 1. 1, où YHWH parlait depuis la tente de la rencontre.

---

[5] Contrairement à NOTH et ELLIGER, nous ne pensons pas que la mention du sacrifice d'investiture dans cette liste conclusive soit secondaire. Si c'était le cas, le rédacteur aurait pris soin de placer cette mention au bon endroit dans la liste.

COUP D'ŒIL RÉTROSPECTIF SUR LÉVITIQUE 1—7

Lv 1—7 (pas plus que le reste de la Bible) n'explique ce qu'est « le sacrifice ». L'auteur n'est pas un théoricien qui viserait à présenter une conception globale et abstraite du phénomène sacrificiel. C'est un théologien, capable, comme nous le montrent ces chapitres, de penser de manière systématique, même si sa logique n'est pas toujours identique à la nôtre ; l'école sacerdotale qu'il représente a réussi une remarquable synthèse d'éléments antérieurs fort divers, souvent disparates, dont quelques-uns avaient probablement été empruntés à d'autres milieux culturels ou religieux et avaient été assimilés par la foi d'Israël. Mais c'est surtout un croyant, qui a découvert comment, au travers des sacrifices, une relation vivante peut s'établir entre Dieu et les hommes, entre Dieu et lui, et qui veut partager cette certitude avec les autres. Le « sacrement » sacrificiel, offert dans le sanctuaire central (lequel est en quelque sort le « sacrement » local de la présence divine), est un moyen par lequel l'homme s'offre à Dieu et par lequel aussi Dieu s'offre à l'homme, un moyen de communication et de communion. Dieu y manifeste sa générosité, sa grâce, sa proximité ; l'homme y dit ses sentiments, reconnaissance, confiance, joie ou repentance.

Une brève revue des principaux termes sacrificiels permet d'ouvrir des perspectives théologiques intéressantes[1] :

Le *présent* (קרבן, de קרב = [faire] s'approcher) nous dit que l'homme est invité à ne pas rester sur place, mais à faire mouvement vers Dieu.

L'*holocauste* (עולה, עלה = [faire] monter) précise que le mouvement est un mouvement ascendant vers Dieu.

L'*offrande* [végétale] (מנחה = primitivement cadeau, tribut) insiste sur la soumission de l'homme à Dieu ; non pas pourtant la soumission du vaincu apportant un tribut au vainqueur, mais bien celle de la créature apportant en cadeau à son Créateur, dans la reconnaissance, une part des récoltes dont il sait qu'elles lui viennent de Dieu.

Le sacrifice de *communion* (שלמים, de שלום = paix, plénitude, bien-être) invite à la relation positive entre Dieu et l'homme d'une part, entre l'homme et l'homme d'autre part, par le partage de l'animal sacrifié entre Dieu, le clergé et l'offrant accompagné de ses proches.

Le sacrifice pour le *péché* (חטאת, de חטא = fauter, manquer le but) rappelle à l'homme sa faiblesse, sa petitesse, sa difficulté à garder le contact avec Dieu, mais lui rappelle en même temps la possibilité (et la nécessité) de la repentance.

---

[1] Les lignes qui suivent s'inspirent, tout en les développant sensiblement, d'un certain nombre de considérations d'Auzou, « Connaissance ».

Le sacrifice de *réparation* (אשם = délit, culpabilité) souligne que la victime d'un délit (homme ou Dieu lui-même) a droit à une compensation pour le tort qu'il a subi.

A côté des vocables désignant les divers types de sacrifices, beaucoup d'autres termes ou expressions du langage technique sacrificiel sont également porteurs de sens profond :

L'animal offert doit être *sans défaut* (תמים) : quand on prend Dieu au sérieux, on ne peut lui offrir que ce que l'on a de meilleur, ce qui correspond le mieux à la perfection du destinataire.

Certaines parties de l'animal doivent être lavées (רחץ) : les pattes sales d'un quadrupèdes, ou le contenu en voie de transformation de l'appareil digestif d'un animal, sont inconciliables avec la sainteté de Dieu.

L'animal doit *être agréé* (רצה) : l'approbation de Dieu est fondamentale.

Le *sang* (דם) représente la vie (17. 14 dira même qu'il *est* la vie) ; son application sur l'un ou l'autre des deux autels du sanctuaire, ou sa projection sur le propitiatoire, et l'interdiction qui est faite de le consommer découlent de la conviction que la vie vient de Dieu et ne peut donc retourner qu'à lui seul.

La *graisse* (חלב ou פדר) symbolise la force ; l'homme n'a pas le droit d'en manger, ce qui trahirait une volonté de puissance ; elle est donc réservée à Dieu, qui, lui seul, peut donner force ou puissance aux hommes.

Les appellations *mets consumés* (אשה) et *nourriture* (לחם) révèlent que Dieu se laisse nourrir par les hommes, mais cette terminologie très anthropomorphique est contre-balancée par les expressions *faire fumer* (הקטיר) et *parfum apaisant* (ריח ניחוח) et par la mention du *feu* (אש), qui montrent de quelle manière Dieu reçoit ces aliments.

La *tente de la rencontre* (אהל מועד) exprime l'idée que le Dieu d'Israël s'offre à la rencontre avec les hommes. C'est d'ailleurs ce qu'affirme également une autre expression employée fréquemment avec une valeur locative, *devant le Seigneur* (לפני יהוה), c'est-à-dire devant le sanctuaire.

L'*imposition de la main* (סמך יד) est le geste par lequel l'offrant déclare que l'animal sacrifié est bien le sien, celui par l'offrande duquel il désire entrer en contact ou rétablir le contact avec Dieu.

Il faut encore mentionner *les prêtres, fils d'Aaron* (בני אהרן הכהנים), dont le rôle est central dans le rituel sacrificiel ; il en sera question dans la section suivante (chap. 8—10). Nous nous bornons à relever ici à leur propos deux expressions capitales de la théologie sacerdotale, *faire le rite d'absolution* (כפר) et *être pardonné* (נסלח) : le geste du prêtre annonce qu'il y a réconciliation entre l'homme pécheur (et repentant) et le Dieu lésé. Le pardon de Dieu (formulation au passif) est proclamé ainsi comme une grâce, et non comme une obligation imposée à Dieu par le rituel.

Toute cette liste (non exhaustive) peut être lue comme une sèche énumération de termes plus ou moins techniques de la langue de P. Nous croyons que l'emploi qui est fait de ces termes et expressions tout au long des chap. 1—7 relève davantage de la proclamation d'une certitude de foi, du témoignage des croyants de l'ancienne alliance, disant à leur manière qui est le Dieu qu'ils servent et dans la communion duquel ils veulent demeurer.

La tentation du ritualisme ou du formalisme (application à la lettre, mécanique, sclérosée, de règles absolutisées) guette bien sûr toujours la vie liturgique comme la vie morale ; mais pourtant la fixation de règles, de cadres bien définis, ne conduit pas automatiquement à ces déviations. Les prophètes ont protesté non contre les sacrifices ou les rites en eux-mêmes, mais contre l'utilisation qui en était faite pour exercer une pression sur Dieu ; en somme, ils conviaient les fidèles à accomplir ces gestes en y mettant leur cœur, en les animant de leur piété ; ils les exhortaient à entrer dans le mouvement, dans le jeu, dans la vie de la liturgie[2].

Il est évident que les chrétiens qui lisent ces chapitres ne sont pas invités à présenter aujourd'hui des sacrifices d'animaux ou des offrandes végétales à Dieu (même les Juifs ne peuvent plus le faire, du moment qu'il n'y a plus de Temple à Jérusalem). Mais ces rituels, regorgeant de gestes concrets, et accomplis dans une dimension communautaire, nous invitent, nous autres réformés en particulier, à remettre en question très sérieusement l'intellectualisme et l'individualisme qui caractérisent trop souvent notre foi. Notre spiritualité moderne n'aurait-elle pas quelque chose à gagner, si nous réapprenions à croire, à espérer et à aimer avec les autres, comme aussi à ne pas avoir peur des gestes concrets, lorsqu'ils sont porteurs de sens ?

---

[2] La littérature sapientiale ne parle que peu du culte sacrificiel. Ce peu toutefois va dans la même ligne que la littérature prophétique, voir p. ex. Pr 21. 27 : « Le sacrifice des méchants est une horreur, d'autant plus qu'ils l'offrent avec malice » ; comparer Pr 15. 8 ; 21. 3.

INTRODUCTION GÉNÉRALE A LÉVITIQUE 8—10

La présence de trois chapitres narratifs au sein d'un livre comportant essentielle-ment des lois et des règles peut surprendre le lecteur à première vue. Toutefois si l'on oublie pour un moment la division actuelle du Pentateuque en cinq livres distincts, on constate que Lv fait suite à Ex, qui se présente surtout comme un récit, même dans sa seconde partie : aux ordres de Dieu, communiqués à Moïse sur le Sinaï, en Ex 25—31, correspond (après l'épisode du « veau d'or », Ex 32—34) le récit de l'exécution des ordres transmis au peuple. Le tableau comparatif établi par Michaeli, *Exode*, p. 295-296, montre clairement que, malgré une ordonnance différente, les ordres de Dieu, donnés au futur (= imparfait hébreu) en Ex 25—31, sont exécutés avec minutie et diligence par les Israélites (récit au passé = parfait hébreu) en Ex 35—39. Un seul ordre n'est pas exécuté dans l'Exode, celui du chap. 29, concernant la consécration des prêtres ; il faut se reporter à Lv 8 pour en trouver le récit de l'exécution.

Vu sous cet angle-là, ce ne sont plus les chapitres narratifs Lv 8—10 qui interrompent les lois de Lv, mais bien les chap. 1—7 qui interrompent une narration plus vaste. Pourtant il est facile de comprendre et d'expliquer leur insertion à cet endroit ; en effet, les ordres d'Ex 25—28 et 30—31 pouvaient être exécutés sans autres explications préliminaires, puisqu'il s'agissait de confectionner des objets (le sanctuaire transportable et ses objets de culte, les vêtements sacerdotaux, l'huile sainte et le parfum) ; c'est donc ce que racontent les chap. 35—39 de l'Exode, dans une formulation parfois identique, mises à part les formes grammaticales des verbes. Par contre, les récits de la consécration et de l'entrée en fonction des prêtres (Lv 8—9), qui parlent de nombreux sacrifices offerts, présupposaient que la tente de la rencontre et son mobilier soient mis en place (ce qui est décrit en Ex 40), et que le rituel sacrificiel soit fixé (Lv 1—7). L'on peut donc à bon droit considérer que la place de Lv 1—7 dans l'ensemble de la narration sacerdotale est judicieuse et que l'auteur a été bien inspiré dans ce choix.

LE SACERDOCE : LES PRINCIPALES ÉTAPES DE SON ÉVOLUTION EN ISRAËL

Ce n'est pas le lieu de faire un historique détaillé du sacerdoce dans l'AT. Nous ne présentons ici que les principaux points de repère permettant au lecteur d'avoir une vision globale de la question[1].

---

[1] La présentation schématique qui suit peut donner, à tort, l'impression d'une évolution douce et régulière de la fonction sacerdotale en Israël. Ce ne fut certes pas toujours le cas ; il y eut à certaines époques des antagonismes profonds entre clergés concurrents, ou entre classes du clergé. Mais il ne nous est pas possible

Pour l'époque ancienne, la situation est fort peu claire, car les textes qui parlent du sacerdoce ont été rédigés longtemps après les événements, et semblent avoir été souvent retouchés ou complétés. Ce qui paraît sûr, c'est que les « spécialistes » du culte sont généralement liés à un sanctuaire local (p. ex. Dan, Jg 17—18 ; Béthel, Jg 20. 18-28 ; Silo, 1 S 1—4) ; ils sont gardiens du sanctuaire et des objets sacrés qu'on y conserve (p. ex. l'arche, à Silo ; voir 1 S 4. 3-4). Leur rôle est plus oraculaire que sacrificiel : on les consulte sur divers sujets, et la réponse qu'ils apportent leur est données entre autres au travers de l'Ourim et du Toummin (Nb 27. 21 ; comparer Ex 28. 30 ; Lv 8. 8).

Sous la royauté, les prêtres de la capitale sont devenus des fonctionnaires de la cour royale, qui peuvent être désignés (1 R 12. 31) ou démis de leurs fonctions par le roi (1 R 2. 26-27). Le prêtre est gardien des traditions religieuses et des commandements de Dieu, chargé de les enseigner aux membres du peuple (voir Dt 33. 8-11 ; Os 4. 4-10 ; Mi 3. 11). Abiatar (1 S 23. 6-12) consulte encore Dieu au moyen de l'éphod divinatoire pour informer le roi David de la volonté divine. Les prêtres sont responsables de l'arche et du sanctuaire (1 R 8. 4, 6). Leur rôle sacrificiel se précise (2 Ch 26. 18), mais est loin d'être exclusif : on voit encore fréquemment des non-prêtres, des rois en particulier, offrir des sacrifices, sans que soit mentionnée explicitement la participation du clergé (voir 2 S 6. 13 ; 24. 25 [David] ; 1 R 3. 3-4 ; 8. 5 [Salomon] ; 2 R 16. 12-13 [Achaz]). L'organisation hiérarchique du sacerdoce se précise, avec un chef, ראש(ה) (כהן(ה) = « le prêtre en chef » (Esd 7. 5 ; 1 Ch 27. 5 ; 2 Ch 19. 11), qui n'est pas encore הכהן הגדול = « le grand prêtre » (Za 3. 8 ; Ne 3. 1) ultérieur[2], des prêtres, et des lévites, qui ne sont pas encore les employés subalternes qu'ils deviendront.

Le Code deutéronomique entreprend une œuvre de systématisation et d'intégration. A la suite de schisme, et plus encore de la chute de Samarie, les « lévites » du Nord, connus pour leur fidélité à l'alliance et leur zèle pour YHWH, semblent s'être repliés en grand nombre sur le royaume du Sud (Dt 18. 1-8) ; la loi de centralisation du culte « dans le lieu que le Seigneur votre Dieu aura choisi » (loi par laquelle s'ouvre le code deutéronomique, Dt 12) date vraisemblablement de cette période. L'arrivée de ces immigrés du Nord n'alla pas sans provoquer des tensions avec le clergé du sanctuaire central, qui craignait de perdre ses prérogatives cultuelles face aux revendications des nouveaux venus. Aussi les théologiens tentèrent-ils de concilier les points de vue divergents en proposant une sorte d'« équivalence des titres », au moyen de tournures telles que הכהנים הלוים = « les prêtres-lévites » (Dt 18. 1 ; comparer Dt 17. 9, 18 ; 24. 8, etc.) ou כל־אחיו הלוים = « tous ses frères lévites » (désignant en Dt 18. 7, les prêtres du sanctuaire central). L'intégration des uns et des autres ne fut pourtant jamais pleinement réalisée, comme le montre p. ex. 2 R 23. 9. Ce dernier texte révèle par ailleurs l'importance croissante du rôle sacrificiel des prêtres.

La Thora d'Ézéchiel provient d'un monde bien différent de celui du Code deutéronomique. Ézéchiel, qui exerça son ministère prophétique auprès des exilés en Babylonie, était auparavant un prêtre de Jérusalem, issu d'un milieu qui semble n'avoir guère apprécié la réforme deutéronomique. Dans les deux seuls passages (7. 26 ; 22. 26)

d'entrer dans les détails. Pour de plus amples développements, le lecteur peut se reporter aux articles des dictionnaires ou aux ouvrages spécialisés. Voici quelques références bibliographiques relatives à cette question : ABBA, « Priests in Dt » ; ABBA, « Priests in Ez » ; CODY, *Priesthood* ; DEISSLER, « Priestertum » ; GUNNEWEG, *Leviten* ; SABOURIN, *Priesthood* ; DE VAUX, *Institutions* II, p. 195-277.

[2] En Lv 21. 10, l'expression הכהן הגדול מאחיו = « le prêtre supérieur à ses frères » montre bien qu'il ne s'agit pas encore d'un titre officiel, mais d'une tournure descriptive.

des chap. 1—39 où les prêtres sont mentionnés, il est question de la תורה = « loi/en-seignement » ; le second de ces textes aborde cet aspect de la fonction sacerdotale en disant : « ils n'ont pas séparé le sacré du profane ; ils n'ont pas fait connaître la différence entre le pur et l'impur » (comparer Lv 10. 10), mettant donc l'accent sur une des tâches traditionnelles du prêtre. L'impossibilité d'avoir un sanctuaire israélite en Babylonie explique qu'Ézéchiel ne mentionne pas les fonctions sacrificielles des prêtres de son temps. Mais il en va tout autrement dans la partie finale de son œuvre (chap. 40—48 : sa « Thora ») ; le prophète y développe avec force détails sa vision idéalisée du pays d'Israël restauré, avec Jérusalem au centre, le nouveau sanctuaire au centre de la capitale, et les prêtres et lévites exerçant l'essentiel de leur ministère dans le culte sacrificiel remis en vigueur. Toutefois les prêtres constitueront une classe nettement différenciée de celle des lévites ; même si le prophète utilise encore quelques fois l'expression « prêtres-lévites » (43. 19 ; 44. 15), il ne manque pas de préciser qu'il s'agit bien, dans son idée, des « fils de Sadoq », chargés de certaines tâches sacrificielles bien définies (44. 15-16), et à ne pas confondre avec les lévites, relégués à des fonctions subalternes (44. 10-14)[3].

L'œuvre sacerdotale considère les lévites comme une classe nettement subordonnée aux prêtres[4] ; seuls ces derniers (rattachés non plus à Sadoq, mais à Aaron, fiction littéraire oblige), sont admis à « s'approcher de l'autel » (קרב אל־המזבח/נגש ; Ex 28. 43 ; 30. 20 ; 40. 32 ; Lv. 9. 7 ; Nb 18. 3), c'est-à-dire à accomplir les rites sacrificiels les plus importants tels que ceux concernant le sang des victimes ou la combustion des parts réservées à Dieu. On voit ainsi que le sacrifice est devenu tout à la fois la chasse gardée et l'occupation principale du prêtre ; l'enseignement occupe encore une certaine place dans ses activités (voir 10. 10-11, illustré d'une certaine manière par les chap. 13—15), alors que la fonction oraculaire semble atrophiée au point de n'être plus qu'un symbole (8. 8). Parmi les prêtres, la position et la fonction particulières du grand prêtre[5] se confirment. Il est devenu non seulement le chef du sacerdoce, investi de certaines tâches spéciales que les simples prêtres ne peuvent pas accomplir, mais également le chef de la nation, puisqu'il n'y a plus de roi, au retour de l'exil, pour occuper cette place.

Les livres des Chroniques incorporent diverses traditions relatives au sacerdoce, ce que trahit entre autres un vocabulaire non uniformisé : on y parle tantôt des « fils d'Aaron », tantôt des « prêtres », parfois des « prêtres, fils d'Aaron », et quelquefois même des « prêtres-lévites » ; en ce qui concerne le chef du sacerdoce, il est souvent appelé tout simplement « le prêtre », mais également « le chef de la maison de Dieu » (נגיד בית־האלהים ; 1 Ch 9. 11 ; 2 Ch 31. 13), « le prêtre en chef » ou « le grand prêtre ». Pourtant l'intérêt du Chroniqueur semble se porter davantage sur les lévites que sur les prêtres, bien qu'il ne minimise nullement l'importance du rôle de ces derniers. Des tâches sacrificielles précises sont dévolues aux prêtres (offrir les sacrifices, répandre le

---

[3] Il est à relever qu'Ézéchiel ne parle jamais d'un « grand prêtre » ; il semble qu'il n'y ait pas de place dans sa contruction idéale pour un prêtre hiérachiquement supérieur à ses collègues. Mais comme il parle par ailleurs d'un « prince » = נשיא (de préférence à un « roi » = מלך ; 44. 1-3 ; 45. 21—46. 10), on est en droit de se demander si ce « prince » idéal, dont les fonctions politiques sont fort limitées alors qu'il assume des tâches spécifiquement religieuses, ne serait pas une sorte de figure laïcisée du « grand prêtre ».

[4] Les lévites n'apparaissent jamais dans Lv 1—16, et ne sont mentionnés que dans un seul passage de la Loi de sainteté, de manière fortuite (25. 32-33). Il n'est donc pas pertinent de développer ce sujet, très difficile, dans notre commentaire. On peut consulter à ce sujet, outre les ouvrages et articles mentionnés dans la note 1, JEPSEN, « Mose » ; SCHMITT, « Ursprung ».

[5] Voir AMSLER, *Aggée-Zacharie*, p. 79-80.

sang des victimes, faire brûler l'encens), alors que l'enseignement, auquel ils participent occasionnellement, est plus généralement du ressort des lévites (2 Ch 17. 7-8).

Les autres écrits récents de l'AT parlent peu du sacerdoce. Le livre de Daniel est quasi muet sur la question ; quelques allusions possibles dans Za 9—14 ne nous éclairent guère. Seul le livre de Malachie fait exception. Toutefois ce dernier prophète, dans son bref message, ne laisse transparaître qu'en filigrane sa vision du sacerdoce ; en effet, ce n'est pas de manière systématique qu'il s'exprime sur ce sujet, mais de façon très pragmatique, lorsqu'il s'en prend avec véhémence aux prêtres infidèles qui ne respectent ni Dieu ni les hommes, c'est-à-dire ni l'une ni l'autre des deux parties entre lesquelles ils sont censés établir la liaison : ils se moquent de Dieu en lui offrant des animaux tarés (1. 6-14), ils se moquent des hommes en leur communiquant un enseignement non conforme à la vérité de Dieu (2. 1-9), et enfin ils se moquent à la fois de Dieu et des hommes en menant une vie morale (conjugale en particulier) dépravée, négation de l'amour de Dieu pour son peuple, et mauvais exemple pour le peuple lui-même (2. 10-16).

LE CONTENU DE LÉVITIQUE 8—10

Ces chapitres se subdivisent en trois éléments distincts : le chap. 8 décrit la cérémonie de consécration d'Aaron et de ses fils comme prêtres ; le chap. 9 raconte l'entrée en fonction des prêtres nouvellement consacrés ; le chap. 10 présente quelques règles particulières que les prêtres doivent respecter dans l'exercice de leur ministère.

Chapitre 8

CONSÉCRATION D'AARON ET DE SES FILS

La cérémonie solennelle de consécration d'Aaron et de ses fils comme prêtres dure toute une semaine (v. 33 et 35). Le chiffre « sept » (voir 4. 6) souligne que ces hommes sont pleinement, totalement consacrés pour être les intermédiaires, les médiateurs de la bénédiction de Dieu octroyée à son peuple d'Israël et de la réponse de ce dernier.

La consécration (racine קדשׁ : voir v. 10, 11, 15 pour les objets ; v. 12, 30 pour les personnes) signifie que des gens et des choses sont mis en relation avec celui qui est קדושׁ = « saint » par excellence, à savoir Dieu (Es 6. 3). Dieu est « tout autre », inabordable, transcendant. L'homme ne peut pas de lui-même aller à Dieu ; seul Dieu peut établir une possibilité de relation, en accueillant certaines personnes et certains objets dans la sphère de sainteté qui lui est propre, pour leur permettre d'être ainsi des médiateurs de la communication[1].

La cérémonie de consécration concerne donc tout à la fois les prêtres et le sanctuaire. En Ex 40. 1-15, Dieu avait ordonné à Moïse de dresser la tente de la rencontre (dont tous les éléments venaient d'être fabriqués) et de la consacrer, de même que les prêtres. L'installation du sanctuaire est racontée dans les v. 16-33 du même chapitre, mais pas la consécration ; Ex 40 se termine par la venue de la nuée et de la gloire de YHWH (v. 34-38), qui donne à la demeure sa légitimation.

Mais une telle légitimation, tout importante qu'elle soit, ne suffit pas aux yeux du sacerdoce ; il faut un rite concret, qui exprime clairement, matériellement, que la tente de la rencontre est devenue le lieu privilégié de la communication. C'est ce que va dire le chap. 8 du Lévitique, où la consécration de la demeure (v. 10-11) s'entremêle à celle des prêtres. Cette dernière, qui occupe une place prépondérante, se déroule en quatre temps :

a) le bain rituel (v. 6)
b) la vêture (v. 7-9, 13)

---

[1] La tradition juive met généralement en relation les notions de « sainteté » et de « séparation ». Dans une étude publiée au siècle dernier, BAUDISSIN *(Religionsgeschichte)* a cru pouvoir confirmer par l'étymologie le bien-fondé de cette interprétation : la « sainteté » consisterait d'abord en une « séparation » d'avec ce qui est profane. Cette compréhension des choses est aujourd'hui remise en question par de nombreux spécialistes, qui voient plutôt dans la « sainteté » une dimension primordiale de la divinité, à laquelle des hommes ou des objets sont admis à participer dans une certaine mesure. Ceux qui ne rejettent pas totalement l'idée de « séparation » insistent sur le fait qu'il s'agit moins d'une notion d'éloignement/isolement (« séparé de ») que d'une notion de communion (« séparé pour » le lien avec la divinité). Voir CAQUOT, « Sacré » ; COSTECALDE, *Sacré*.

    c) l'onction d'Aaron (v. 12)

    d) les sacrifices (v. 14-30)

Suit la semaine pendant laquelle les prêtres demeurent dans la proximité immédiate du sanctuaire ; elle va leur permettre, en quelque sorte, de « s'imprégner » profondément de la sainteté du lieu (v. 31-35), en évitant tout contact avec le monde profane.

    Les rapports littéraires entre Ex 29 et Lv 8 sont difficiles à élucider. On est généralement d'accord pour admettre que ces deux chapitres ne proviennent pas de la même main. On a défendu autrefois l'antériorité d'Ex 29[2] ; aujourd'hui la thèse inverse prévaut[3], ce qui nous paraît vraisemblable. Mais comme ni l'un ni l'autre chapitre n'est d'une seule venue, il est probable que des retouches rédactionnelles plus ou moins importantes apportées à l'un ont pu influencer des insertions analogues dans l'autre, dans un mouvement de va-et-vient qu'il ne nous est plus possible de reconstituer avec certitude aujourd'hui.

    On s'est parfois posé des questions au sujet du rôle sacerdotal de Moïse[4], dans le récit de P. Était-il prêtre, pour pouvoir présenter des sacrifices à l'autel et surtout procéder à la consécration d'Aaron et de ses fils ? Nous pensons pouvoir répondre catégoriquement par la négative. Même si la tradition sacerdotale a tendance, dans le domaine sacrificiel, à restreindre le rôle des laïcs au profit de celui des prêtres, en réservant exclusivement à ces derniers certaines tâches spécifiques, l'auteur ne pouvait pas ignorer l'antique prérogative des laïcs habilités autrefois à officier dans le rituel sacrificiel ; il n'avait donc pas absolument besoin de faire de Moïse un prêtre au sens strict pour lui attribuer le rôle sacrificiel qui est le sien dans Lv 8. La situation est encore plus claire en ce qui concerne la cérémonie de consécration. A la base, le récit de Lv 8 traite manifestement de « l'institution du sacerdoce », et non de la simple consécration d'un grand prêtre parmi d'autres ; nous sommes, dans l'optique de P, à l'origine de la fonction sacerdotale en Israël. Si donc Aaron est le « premier » grand prêtre et ses fils les « premiers » prêtres, il est évident que Moïse ne pouvait être ni l'un ni l'autre.

    En fait Moïse transcende la figure du prêtre israélite ; il agit spécifiquement comme prêtre lors de cette cérémonie, sans l'être institutionnellement. Mais cela fait partie de la dimension particulière que les traditions vétérotestamentaires lui attribuent : il est parfois appelé « prophète » (Dt 18. 15, 18 ; 34. 10), alors même qu'il transcende également la figure traditionnelle du prophète hébreu ; enfin l'on peut rappeler encore son rôle « judiciaire » (Ex 18) et son rôle « politique » à la tête d'Israël, même s'il n'est jamais appelé ni juge ni roi. Moïse est tout cela à la fois, sans l'être vraiment, et surtout sans que l'on puisse l'enfermer dans une « catégorie » ou une autre. Il est ainsi, à sa manière, préfiguration du Christ, lui aussi grand prêtre (même sans être prêtre, voir He 8. 1-4), prophète (Mt 21. 11 ; Lc 7. 16), législateur (Jn 13. 34) et chef du peuple nouveau qu'est l'Église (Ep 1. 21-22).

    (1) YHWH parla à Moïse en ces termes : (2) Prends Aaron et ses fils avec lui, ainsi que les vêtements, l'huile d'onction, le taureau du sacrifice pour le péché, les deux béliers

---

[2] Voir BERTHOLET ; CLAMER ; et plus récemment WENHAM.

[3] Voir CORTESE ; ELLIGER ; MICHAELI, *Exode* ; NOTH ; WALKENHORST, *Sinai.*

[4] Voir CODY, *Priesthood,* p. 41-50.

et la corbeille des pains sans levain. (3) Puis rassemble toute la communauté à l'entrée de la tente de la rencontre.

(4) Moïse fit ce que YHWH lui avait ordonné, et la communauté s'assembla[a] à l'entrée de la tente de la rencontre. (5) Moïse dit à la communauté : Voici la chose que YHWH a ordonné de faire. (6) Moïse fit approcher Aaron et ses fils et les lava avec de l'eau. (7) Il mit sur lui (Aaron) la tunique, l'entoura de la ceinture, le revêtit de la robe, mit sur lui l'éphod, l'entoura des attaches de l'éphod et les noua sur lui. (8) Il plaça sur lui le pectoral et mit dans[a] le pectoral l'Ourim et le Toummim. (9) Il plaça le turban sur sa tête, plaça[a] sur le turban — sur le devant — le fleuron d'or, insigne de la sainteté, comme YHWH l'avait ordonné à Moïse. (10) Moïse prit [a]l'huile[a] d'onction, [b]il oignit la demeure et tous les objets qui s'y trouvaient et les consacra[b]. (11) Il en fit sept aspersions sur l'autel, oignit l'autel[a] et tous ses ustensiles, ainsi que la cuve et son support, pour les consacrer. (12) Puis il versa de l'huile d'onction sur la tête d'Aaron et l'oignit pour le consacrer. (13) Moïse fit approcher les fils d'Aaron, les revêtit de tuniques, les entoura d'une ceinture[a] et les coiffa de tiares, comme YHWH l'avait ordonné à Moïse.

(14) Moïse[a] fit amener le taureau du sacrifice pour le péché ; Aaron et ses fils placèrent leur main sur la tête du taureau du sacrifice pour le péché. (15) Moïse l'égorgea[a] et prit le[b] sang ; de son doigt, il en mit sur les cornes du pourtour de l'autel, et il purifia ainsi l'autel, [c]puis il versa le sang à la base de l'autel[c] et il le consacra pour faire sur lui le rituel d'absolution. (16) Moïse[a] prit toute la graisse qui se trouve au-dessus des entrailles, le lobe du foie, les deux rognons avec leur graisse[b] et fit fumer cela sur l'autel. (17) Ensuite il fit brûler au feu, hors du camp, le taureau lui-même, sa peau, sa viande et sa fiente, comme YHWH l'avait ordonné à Moïse.

(18) Moïse fit amener[a] le bélier de l'holocauste ; Aaron et ses fils placèrent[b] leur main sur la tête[c] du bélier. (19) Moïse l'égorgea[a] et aspergea de sang le pourtour de l'autel. (20) Il découpa le bélier en morceaux, et il fit fumer la tête, les morceaux et la graisse. (21) Moïse lava [a]les entrailles[a] [b]et les pattes[b] avec de l'eau, puis fit fumer le bélier tout entier sur l'autel. Ce fut un holocauste au parfum apaisant, un mets consumé pour YHWH, comme YHWH l'avait ordonné à Moïse.

(22) Moïse[a] fit amener le second bélier, le bélier d'investiture ; Aaron et ses fils placèrent[b] leur main sur la tête du bélier. (23) Moïse l'égorgea[a], prit de son sang et en mit sur le lobe de l'oreille droite d'Aaron, sur le pouce de sa main droite et sur le pouce de son pied droit. (24) Moïse[a] fit alors approcher les fils d'Aaron, et mit du sang sur le lobe de leur oreille droite, sur le pouce de leur main droite et sur le pouce de leur pied droit, puis il aspergea de sang le pourtour de l'autel. (25) Il prit les parties grasses — la queue, toute la graisse qui est au-dessus des entrailles, le lobe du foie, les deux rognons avec leur graisse[a] — et la cuisse droite. (26) Dans la corbeille des pains sans levain[a] qui se trouvait devant YHWH, il prit un gâteau sans levain, un gâteau à l'huile et une galette, et les déposa sur les parties grasses et la cuisse droite. (27) Il plaça le tout sur les mains d'Aaron et sur les mains de ses fils, et le leur fit offrir avec le geste de présentation devant YHWH. (28) Moïse[a] le reprit de leurs mains et le fit fumer sur l'autel, en plus de l'holocauste. Ce fut un sacrifice d'investiture au parfum apaisant, un mets consumé pour YHWH. (29) Moïse prit la poitrine et l'offrit avec le geste de présentation devant YHWH ; du bélier d'investiture, c'est ce qui revint à Moïse en partage, comme YHWH l'avait ordonné à Moïse. (30) Moïse prit de l'huile d'onction et du sang qui était sur l'autel et en fit une aspersion sur Aaron et sur ses vêtements,

de même que^a *sur ses fils et sur leurs vêtements* ; ^b*il consacra ainsi Aaron et*^c *ses vêtements, de même que ses fils et leurs vêtements*^b.

(31) Moïse dit à Aaron et à ses fils : Faites cuire la viande à l'entrée^a *de la tente de la rencontre*^b, *et là, vous la consommerez, ainsi que le pain qui se trouve dans la corbeille d'investiture, comme je l'ai ordonné*^c *en ces termes : C'est Aaron et ses fils qui la consommeront. (32) Le reste de viande et de pain, vous le brûlerez au feu. (33) Pendant sept jours, vous ne quitterez pas l'entrée de la tente de la rencontre, jusqu'au jour où s'achèveront les jours de votre investiture. En effet pendant sept jours on vous conférera l'investiture*^a. *(34) Comme on a fait en ce jour-ci, YHWH a ordonné de faire, pour faire sur vous le rite d'absolution. (35) Pendant sept jours vous resterez nuit et jour à l'entrée de la tente de la rencontre*^a ; *ensuite vous assurerez le service de YHWH, et vous ne mourrez pas. En effet, c'est ce qui m'a été ordonné*^b.

(36) Aaron et ses fils firent tout ce que YHWH avait ordonné par l'intermédiaire de Moïse.

Critique textuelle : • *v. 4a* Il n'est pas certain que le και εξεκκλησιασεν de LXX présuppose un texte hébreu différent du TM. Les traducteurs grecs du Pentateuque n'utilisent jamais le passif des verbes εκκλησιαζω et εξεκκλησιαζω contrairement à ceux du reste de l'AT. Les quatre autres emplois du niphal de קהל dans le Pentateuque (Ex 32. 1 ; Nb 16. 3 ; 17. 7 ; 20. 2) sont rendus par des verbes grecs différents (συνισταμαι, επισυστρεφομαι, αθροιζομαι). En Lv 8. 4, le traducteur grec a voulu conserver la racine εκκλησιαζω déjà employée au v. 3 pour rendre le hiphil de קהל, et il a rendu par un actif, avec Moïse pour sujet, le réfléchi de l'hébreu. • *v. 8a* אל est préférable à על ; voir aussi 1. *15b*. • *v. 9a* Leçon originale ? ou assimilation au texte parallèle d'Ex 29. 6, évitant la répétition du verbe שׂים ? Le sens reste le même. • *v. 10a-a* Traduction *ad sensum*, qui ne présuppose pas automatiquement un מן hébreu. • *v. 10b-b* Voir le commentaire. • *v. 11a* L'adjonction de LXX alourdit la phrase en la coupant indûment. • *v. 13a* Assimilation inopportune à Ex 28. 40 ; comparer toutefois Ex 29. 9 ; 39. 29. Le mot hébreu au singulier peut être pris dans un sens collectif. • *v. 14a* Explicitation du sujet qui pouvait rester implicite en hébreu (voir *16a*, *18a*, etc.). • *v. 15a* C : homéoarc-ton ; Sam : il est tentant, ici et aux v. 19 et 23, de rattacher וישׁחט au verset précédent et de le faire dépendre ainsi du sujet « Aaron (et ses fils) ». Cela correspondrait à la pratique ancienne qui confiait la tâche d'égorgement rituel à l'offrant (voir 1. 5 et le commentaire). Mais l'on peut aussi voir dans le texte de Sam une correction de type dogmatique, réservant ce geste sacrificiel à Aaron et à ses fils en tant que (futurs) prêtres. Il est en tout cas frappant de constater que LXX, qui en 1. 5, 11 s'écarte du TM pour attribuer l'égorgement aux prêtres, appuie ici le TM, en particulier en explicitant le sujet (Moïse) au v. 19. • *v. 15b* Comparer *10a*. • *v. 15c-c* Homéotéleuton. • *v. 16a* Voir *14a*. • *v. 16b* Le pluriel de Sam est une fausse lecture du singulier du TM (avec suffixe inhabituel, voir GK 91 c ; Joüon 94 h) ; voir la même forme au v. 25. Dans le TM, le pluriel de חלב désigne toujours « les parties grasses » d'un animal offert en sacrifice, reprenant généralement de manière globale la liste détaillée où le mot apparaît toujours au singulier. • *v. 18a* Variante stylistique ; voir *14a*. • *v. 18b* Assimilation inutile à la formulation du v. 14. L'hébreu admet dans un tel cas l'accord du verbe au singulier ou au pluriel, voir GK 146 f ; Joüon 150 q (en Ex 29. 10, 15, 19, le TM a respectivement sing., pl., sing. ; LXX : pl., pl., sing. ; Sam : sing., sing., sing.). • *v. 18c* Inadvertance de copiste. • *v. 19a* Voir *14a* ; Syr : explicitation non indispensable de l'objet direct ; voir *15a*.

• *v. 21a-a* Déplacement inutile de mots ; il faut conserver le TM, en conformité avec l. 9. • *v. 21b-b* Variante stylistique. • *v. 22a* Voir *14a.* • *v. 22b* Voir *18b.* • *v. 23a* Voir *15a.* • *v. 24a* Voir *14a.* • *v. 25a* Voir *16b.* • *v. 26a* Traduction *ad sensum*, par assimilation inutile à la formulation du v. 31. • *v. 28a* Voir *14a.* • *v. 30a, c* Assimilations non indispensables au texte parallèle d'Ex 29. 21. • *v. 30b-b* Homéotéleuton. • *v. 31a* Traduction *ad sensum* ; dans le cas de la cuisson de la viande, LXX pouvait difficilement employer, comme ailleurs dans Lv, επι (παρα) την θυραν, ce qui impliquait une trop grande proximité de la « porte » (ou du « rideau ») du sanctuaire. • *v. 31b* C : élément oublié ou laissé implicite par le copiste ; LXX : précision dans la ligne de 10. 13, qui ne présuppose pas un original hébreu différent du TM. • *v. 31c* Lecture possible du texte non vocalisé ; mais il pourrait aussi s'agir d'une assimilation inutile à la formulation du v. 35. • *v. 33a* Pluriel probablement influencé par le pluriel utilisé aux v. 27 et 28 (כפי/כפיהם), mais contredit par la forme habituelle de l'expression מלא יד (au singulier). • *v. 35a* Voir *31b.* • *v. 35b* Traduction *ad sensum*, avec explicitation de l'agent.

v. 2. Les vêtements sacerdotaux sont décrits, puis confectionnés, en Ex 28 et 39. Sur l'huile d'onction, voir Ex 30. 23-33. Le taureau (voir 4. 3-12) et les deux béliers (voir 5. 15 ; 1. 10-13), ainsi que la corbeille des pains sans levain (voir 2. 4-7) sont ceux qui ont été commandés par Dieu en Ex 29. 1-3. Le fait que tous ces objets soient grammaticalement déterminés (*les* vêtements, *l'*huile, *le* taureau, *les* deux béliers, etc.) ne signifie pas forcément, comme le pense Bertholet, p. 25, que Lv 8 est postérieur à Ex 29 (où les ordres sont donnés sous une forme indéterminée : *un* taureau, deux béliers, etc.). En fait il s'agit de distinguer entre *plan historique* (l'exécution d'un ordre présuppose l'ordre lui-même) et *plan littéraire* (le récit de l'événement peut avoir été rédigé avant le récit de l'ordre). De plus Lv 8 n'est pas seulement le récit de la consécration des premiers prêtres de l'histoire d'Israël, il est aussi le récit modèle de la consécration sacerdotale postexilique ; dans cette perspective, l'emploi de l'article hébreu exprime qu'il s'agit des objets habituels pour une telle cérémonie.

v. 3. La cérémonie est publique : toute la communauté d'Israël doit être convoquée près de la tente de la rencontre[5]. Aucun ordre à ce sujet ne figurait en Ex 29.

v. 4. L'exécution de l'ordre הקהל = « rassemble » du v. 3 est contenue dans la tournure de 4a, qui récapitule les v. 2-3 ; 4b, avec son verbe réfléchi (qu'il faut conserver, voir la crit. text.), exprime la conséquence de cette exécution : sur l'ordre de Moïse, la communauté « s'assemble ».

v. 5. Moïse souligne que ce qui va se dérouler est bien ce qui a été voulu et ordonné par YHWH, en Ex 29.

---

[5] WENHAM, p. 138, considère que l'expression « toute la communauté » désigne en réalité « le groupe des anciens représentant l'ensemble d'Israël » ; il est évidemment difficile d'imaginer les quelque 600 000 Israélites de Nb 1. 46 réunis « à l'entrée de la tente de la rencontre » ; de plus les anciens ont effectivement dans certains cas le rôle de représentants du peuple (voir p. ex. 4. 15). Il est toutefois arbitraire de prétendre que lors de la consécration des prêtres, seuls les anciens auraient été convoqués.

v. 6. Le hiphil de קרב = « s'approcher » est employé par P essentiellement pour la présentation des offrandes à Dieu. Il semble exagéré toutefois d'en tirer pour conclusion que son emploi ici et au v. 13 donne à la présentation d'Aaron et de ses fils le caractère d'un acte sacrificiel (Elliger, p. 116, Porter, p. 62). La nuance sacrificielle n'est pas une composante du verbe hébreu en lui-même, mais ressort des contextes dans lesquels il est employé. Ici, comme en Jos 7. 16-18 et 1 S 10. 20-21, le sens du verbe est simplement « faire approcher/avancer ».

Le verbe רחץ = « laver », au qal, n'implique pas absolument que Moïse effectue lui-même le lavage des candidats au sacerdoce. Ce verbe, qui ne se rencontre que deux fois au pual et une fois au hitpaël, est fréquent au qal (69 fois), avec souvent une nuance réfléchie (p. ex. 14. 8), mais on ne le trouve jamais au hiphil. Il est probable qu'ici et en Ex 29. 4 ; 40. 12, il a le sens factitif « faire se laver », « faire prendre un bain ». Le במים = « dans l'eau » n'est probablement pas tautologique, mais insiste sur la nécessité d'un bain (voir Rachi, *Exode*, p. 253) plutôt que d'une simple ablution. Ce bain est le premier élément du rituel de consécration : la purification.

v. 7-9. Le second élément du rituel est la vêture ; le port de vêtements confectionnés spécialement pour les prêtres et réservés exclusivement à leur usage marque de manière visible qu'ils sont affectés à une tâche particulière. Ces trois versets concernent Aaron seul, qui le premier reçoit les diverses pièces d'habillement du grand prêtre, décrites en Ex 28. 1-39 et 39. 1-31. Moïse est le sujet grammatical de tous les verbes, mais il ne faut pas obligatoirement imaginer Aaron totalement passif. On voit plutôt Moïse aidant Aaron à revêtir ce majestueux costume. Pour une description détaillée de ces vêtements, se reporter aux commentaires d'Ex 28, ou à un dictionnaire biblique[6].

Le sens du dernier verbe du v. 7 (אפד, qui ne se trouve qu'en Ex 29. 5 et ici) est inconnu ; nous l'avons rendu d'après LXX (συνεσφιγξεν = « enserra »).

Ex 29 ne parle pas de l'« Ourim » et du « Toummim » (v. 8). C'est à Ex 28. 30 qu'il faut se reporter pour en trouver la mention (voir les commentaires). On ne sait que fort peu de chose sur ces objets (forme ? dimension ? utilisation concrète ?) ; tout au plus apprend-on occasionnellement qu'on interrogeait YHWH par leur intermédiaire (voir Nb 27. 21 ; 1 S 14. 41 [d'après LXX] ; 28. 6)[7].

Le « turban »[8] et l'« insigne »[9] sont généralement, en dehors des textes sacerdotaux, des éléments caractéristiques de la dignité royale. Leur apparition, après l'exil, dans le costume du grand prêtre atteste que celui-ci a reçu les prérogatives royales à l'époque où la fonction royale a disparu.

A la fin du v. 9 apparaît l'expression כאשר צוה יהוה את־משה = « comme YHWH l'avait ordonné à Moïse », qui reviendra comme un refrain à la fin des v. 13, 17, 21 et 29 (à côté des formules très proches rencontrées aux v. 4, 5, 31, 34 et 36, et en 9. 7, 10, 21 ; 10. 13, 15). La même expression figurait déjà sept fois en Ex 39 et sept fois en Ex 40. Elle vise à souligner avec insistance que Moïse a veillé à un accomplissement minutieux des ordres reçus, rien n'étant laissé au hasard, à la libre initiative ou au bon plaisir des exécutants.

---

[6] Voir p. ex. BHH, « Priesterkleidung », col. 1491-1493 ; DEB, « Sacerdotal, Vêtement », p. 1145 ; voir également HAULOTTE, *Symbolique*.

[7] Voir p. ex. ROBERTSON, « Urim » ; sur un parallèle mésopotamien, voir LIPIŃSKI, « Urim ».

[8] מצנפת ; 11 fois chez P, 1 fois en Ez 21. 31.

[9] נזר ; 17 fois chez P, 8 fois ailleurs.

v. 10-11. Le v. 10aα semble avoir été, à l'origine, suivi immédiatement du v. 12, le tout marquant le troisième élément du rituel : l'onction[10], c'est-à-dire la consécration proprement dite d'Aaron. Cela correspond à l'ordre de Dieu en Ex 29. 7. Mais un rédacteur ultérieur s'est avisé qu'en Ex 40. 9-15, l'ordre d'oindre la demeure, l'autel et la cuve (v. 9-11) précède celui d'oindre Aaron et ses fils (v. 12-15), et que l'exécution de cet ordre-là n'avait nulle part été explicitement racontée. Il a donc inséré ici les v. 10aβb-11, jugeant sans doute que l'onction d'Aaron n'avait pas de sens véritable tant que l'espace sacré du sanctuaire n'était pas défini rituellement de manière claire et explicite ; mais cette insertion paraît quelque peu intempestive, car au v. 15 Moïse utilisera le sang du premier animal sacrifié pour « ôter le péché » (ויחטא) de l'autel, ce qui ne se comprend bien qu'avant l'onction-consécration (comparer Ex 29. 36).

L'enchaînement du TM « demeure[11] — autel — cuve » correspond formellement à celui d'Ex 40. 9-11 et représente une conception « hiérarchique » : la demeure est plus importante que l'autel[12], dont elle justifie l'existence, et que la cuve, qui ne joue qu'un rôle préparatoire dans l'activité sacerdotale. L'enchaînement de LXX « autel — cuve — demeure » (voir la crit. text.) représente une conception « topographique » : Moïse oint les objets dans l'ordre où ils se présentent devant lui, l'autel pour commencer, la cuve ensuite, placée entre l'autel et la tente de la rencontre (Ex 40. 30), et la demeure enfin. L'onction de ces objets est le moyen par lequel Moïse les sanctifie ou les consacre (ויקדש = « et consacra », v. 10 ; לקדשם = « pour les consacrer », v. 11), c'est-à-dire les met en état de servir à la communication avec Dieu.

Les « sept » aspersions de l'autel ne sont pas explicitement exigées par l'Exode, mais expriment la perfection de la consécration.

v. 12. L'onction d'Aaron consiste à verser de l'huile sur sa tête ; par ce rite, Aaron est admis à pénétrer dans la sphère de sainteté de Dieu, pour devenir le médiateur de la communion entre Dieu et Israël. Dans Lv 8, Aaron seul reçoit l'onction, en tant que grand prêtre ; ses fils ne la reçoivent pas (voir v. 13). Ceci est conforme à la tradition représentée en Ex 29. 8-9, mais contredit celle d'Ex 40. 15, d'après laquelle les fils sont censés recevoir l'onction sacerdotale. Cet état de chose trahit l'évolution da la pratique au cours des âges. Il est généralement admis[13] qu'avant l'exil l'onction était réservée aux rois (voir p. ex. 1 S 10. 1 ; 16. 13 ; 1 R 1. 39). Aucun texte préexilique ne parle de l'onction d'un prêtre. Après l'exil, sous la domination perse, il n'y a plus de roi en Israël. Le chef des prêtres, devenu de fait le chef du peuple (comparer 4. 1-12), semble avoir reçu peu à peu les prérogatives royales, en particulier l'onction. On ne sait pas précisément à partir de quand et jusqu'à quand le grand prêtre fut oint ; à l'époque romaine, il

---

[10] Sur la composition de l'« huile d'onction », voir Ex 30. 23-25. Sur le symbolisme de l'huile en général et sur les pratiques d'onction (rituelle ou profane) dans la Bible, voir l'article très fouillé de LYS, « Onction ».

[11] L'auteur de Lv n'emploie que 4 fois le terme משכן = « demeure » (8. 10 ; 15. 31 ; 17. 4 ; 26. 11) pour désigner le sanctuaire transportable, alors qu'il utilise 43 fois l'expression אהל מועד = « tente de la rencontre ». D'autres textes sacerdotaux présentent des proportions beaucoup plus équilibrées : Ex 25—40 : 58 fois משכן et 34 fois אהל מועד ; Nb 1—10 : 34 fois משכן et 36 fois אהל מועד.

[12] L'autel mentionné ici, sans précision, est manifestement l'« autel de l'holocauste », situé à l'extérieur du sanctuaire. L'absence de mention de l'« autel du parfum » ne signifie pas forcément que cet autel n'était pas connu (ELLIGER, p. 117) ; simplement il est compris dans l'expression « la demeure et tous les objets qui s'y trouvaient » (v. 10 ; comparer Ex 40. 26).

[13] Voir DE VAUX, *Institutions* I, p. 160-163, II, p. 268-271 ; voir aussi le commentaire de 6. 13 et la première note.

ne l'était plus[14]. Quant à l'onction de tous les prêtres, mentionnée dans quelques textes[15], il est possible qu'elle n'ait jamais été effectivement pratiquée[16].

v. 13. Comme cela vient d'être rappelé à propos du verset précédent, les fils d'Aaron ne reçoivent pas l'onction sacerdotale selon le présent texte. Seule la vêture les met à part pour leur ministère. Leurs vêtements liturgiques (tunique, ceinture, tiare) sont plus simples que ceux dont le grand prêtre est revêtu.

Sur le refrain de 13b, voir v. 9.

v. 14-30. Ces versets décrivent les premiers sacrifices offerts sur l'autel. C'est le quatrième élément du rituel de consécration : la cérémonie d'investiture. Elle consiste en l'offrande de trois sacrifices.

Le premier sacrifice (v. 14-17) est un sacrifice pour le péché ; la victime, un taureau, est celle exigée par 4. 3-12 pour l'offrande du grand prêtre. Aaron n'agit pas encore en tant que grand prêtre (lui et ses fils ne sont ici que les offrants, et c'est Moïse qui tient le rôle de l'officiant bien que n'étant pas prêtre lui-même), mais étant « grand prêtre en devenir », il ne peut pas se borner à offrir un sacrifice moindre. De plus le péché « à effacer » n'est pas celui des prêtres (ils ont déjà été purifiés par le bain rituel du v. 6), mais celui de l'autel (v. 15). Cette situation spéciale explique les différences que l'on peut relever entre le présent rituel et celui de 4. 3-12.

v. 14. Moïse (comme l'explicite LXX) préside le sacrifice. Sur l'imposition de la main sur la tête de l'animal, voir 1. 4 et 4. 4.

v. 15. Dans le TM, c'est Moïse qui égorge la victime (voir la crit. text.). Prenant du sang avec son doigt, il en dépose sur les « cornes » (voir 4. 7) de l'autel, considérées comme la partie la plus sainte de la construction ; il s'agit ici de l'autel de l'holocauste et non, comme en 4. 7, de l'autel du parfum, placé dans la tente de la rencontre. De cette manière Moïse « ôte le péché » de l'autel (piel de חטא), c'est-à-dire l'arrache au domaine du profane pour le faire entrer dans la sphère du sacré. Le reste du sang est versé à la base du même autel, comme en 4. 7.

Le verbe קדש au piel = « consacrer » résume l'ensemble du rite accompli sur l'autel. Il est intéressant de relever que le verbe קדש n'est employé dans les v. 10 et 11 du TM que pour la demeure d'une part, la cuve et son support d'autre part, mais pas explicitement pour l'autel. Le rédacteur qui a ajouté ces deux versets l'a volontairement laissé de côté à cet endroit du texte, en ce qui concerne l'autel, à cause de sa présence au v. 15, et bien qu'on le trouve en Ex 40. 9-11. Le traducteur grec l'a explicité en Lv 8. 11 (voir la crit. text.).

Sur כפר = « faire le rite d'absolution », voir 4. 20. L'expression לכפר עליו peut être comprise de trois manières différentes ici, ce que peu de commentateurs ont remarqué. La plupart ne se posent pas de questions et traduisent le ל + infinitif par un gérondif : « en faisant sur/pour lui le rite d'absolution » (comparer la tournure analogue que l'on rencontre en 8. 34). Mais le ל + infinitif peut prendre aussi un sens final : « afin de

---

[14] Voir DE VAUX, *Institutions* I, p. 163, et II, p. 270 ; DEB, « Onction », p. 920-921 ; KORNFELD, p. 59.
[15] Ex 28. 41 ; 30. 30 ; 40. 15 ; Lv 8. 30 ; 10. 7 ; Nb 3. 3.
[16] Voir DE VAUX, *Institutions* II, p. 270.

faire... ». C'est ainsi que Clamer, p. 79, l'a rendu. Pourtant ce dernier aboutit au même résultat que les autres commentateurs, en interprétant le עַל dans le sens de « afin de faire *pour* lui l'expiation ». Si par contre on conserve au עַל sa valeur locale, le sens devient « afin de faire sur lui le rituel d'absolution », c'est-à-dire « pour qu'il puisse servir [ultérieurement] dans les cérémonies d'absolution » (comparer 16. 10).

Malgré une très forte majorité de commentateurs et traducteurs modernes qui optent pour la première interprétation, et quelques-uns qui adoptent la seconde, nous penchons pour la troisième[17] ; en effet, l'idée d'« absolution » de l'autel est suffisamment exprimée par le וַיְחַטֵּא = « il purifia »[18].

v. 16. Voir la liste très semblable de 3. 3-4 ; 4. 8-9.

v. 17. Sur 17a, voir 4. 11-12 ; sur 17b, voir 8. 9.

v. 18-21. Le second sacrifice est un holocauste, qui se déroule de manière conforme au rituel de 1. 3-9, 10-13. Il symbolise le don total, c'est-à-dire le fait que les prêtres « se consacrent » entièrement au service de Dieu. Ce paragraphe se termine, comme le précédent, par le refrain signalé au v. 9.

v. 22-30. Le troisième sacrifice consiste en l'offrande d'un bélier, comme pour l'holocauste ; ce bélier est appelé « bélier d'investiture », selon une terminologie classique en français (comparer « Einsetzungsopfer »). Il s'agit en fait de l'entrée en fonction des prêtres. Le terme hébreu מִלֻּאִים = « remplissages » est dérivé de l'expression מִלֵּא יַד פּ׳ = « remplir la main de quelqu'un », qui désigne cette cérémonie. On ignore l'origine de cette expression, dont le sens primitif était probablement déjà perdu à l'époque de la rédaction de P[19]. Une tentative d'explication se lit au v. 27, mais elle n'est qu'une étiologie populaire, qui joue sur les mots ; en effet, si telle était l'origine de l'expression, la cérémonie aurait dû s'appeler « remplir *les mains* de quelqu'un ». Le texte le plus ancien où figure cette expression est celui de Jg 17. 5, 12. Les textes de Lv 16. 32 et 21. 10 semblent faire allusion à une époque où seul le grand prêtre se voyait « remplir la main » (comme lui seul était « oint », voir 8. 12). L'évolution de la pratique, ou l'évolution du sens de l'expression, a fait qu'ultérieurement cette cérémonie, ou cette expression, a été appliquée à tous les prêtres (Ex 28. 41 ; 29. 9 ; Lv 8. 33). La dernière étape est celle attestée en Ez 43. 26, où l'expression, devenue métaphore morte, s'applique à l'autel, pour parler de son inauguration.

Ce sacrifice est encore présidé par Moïse, pour tout ce qui concerne la tâche réservée

---

[17] Avec l'appui de LXX (του εξιλασασθαι επ'αυτου), du Tg Neofiti 1 (d'après LE DÉAUT, *Targum*, p. 360), de la tradition juive (voir RACHI, p. 51 ; MUNK, p. 53 ; IBN EZRA, p. 32 ; BRF), d'Ost et de Seg.

[18] ELLIGER considère l'emploi de חטא et קדש dans ce verset comme des adjonctions d'un rédacteur ultérieur. De cette manière il commence par identifier plus nettement le rituel de 8. 14-17 à celui de 4. 3-12, puis il souligne d'autres différences, qui semblent alors le surprendre : « Jedenfalls weiss Pg¹ noch nichts von dem doppelten Blutritus 4. 5-7, 16-18 » (p. 119). Cette position nous paraît manquer de souplesse. L'auteur du chap. 8 ne peut-il pas avoir adapté le rituel de 4. 3-12 aux circonstances particulières du récit de la consécration des prêtres ? Si la mention du rite de חטא n'est pas secondaire, il est évident que l'onction des cornes de l'autel se fait non pas sur l'autel du parfum (contrairement à 4. 7), mais sur celui de l'holocauste, qui doit être utilisé immédiatement après.

[19] Voir THAT I, col. 898-899 ; DHORME, *Emploi métaphorique*, p. 146 ; DE VAUX, *Institutions* II, p. 197-198.

normalement au prêtre. Le rituel de base est celui du sacrifice de communion (chap. 3)[20], adapté aux circonstances exceptionnelles du cas particulier ; les divergences seront soulignées en cours de commentaire. Par ce sacrifice « d'investiture », Aaron et ses fils, déjà consacrés, sont mis en situation de commencer effectivement leur ministère de sacrificateurs.

v. 22. Voir 3. 2, 8.

v. 23-24. Le sang de l'animal, dans un sacrifice de communion ordinaire, sert à asperger le pourtour de l'autel, voir 3. 2, et l'explication de ce rite en 1. 5. Ici un peu du sang de l'animal est d'abord appliqué sur certaines parties du corps des prêtres, avant que Moïse n'asperge l'autel avec le reste. Les prêtres sont ainsi mis en relation avec l'autel, ils ont désormais partie liée avec lui. La droite, dans l'antiquité, symbolise le bonheur : leur ministère sacerdotal est ainsi placé sous d'heureux auspices. Le symbolisme de l'oreille et des pouces n'est pas des plus clairs : Michaeli[21] pense à la consécration des prêtres « dans toute leur action : écouter, agir, marcher, en rapport avec l'exercice du culte » ; mais pourquoi l'accent sur « l'écoute », sans un mot sur « la parole », pourtant bien importante aussi dans le ministère sacerdotal ? L'interprétation qui voit la consécration totale exprimée du haut (l'oreille) par le milieu (la main) jusqu'en bas (le pied) est probablement plus proche de la réalité[22].

v. 25. Voir la liste très semblable de 3. 9-10[23]. On y ajoute la cuisse droite, qui n'était pas mentionnée au chap. 3, mais qui figure en 7. 32-34 comme une partie réservée au prêtre officiant.

v. 26. Des offrandes végétales (comparer 2. 4-7 ; 6. 12-16), une de chaque espèce, sont jointes aux parties grasses et à la cuisse droite de la victime.

v. 27. Moïse dépose le tout sur les mains[24] d'Aaron et de ses fils, pour qu'ils accomplissent le geste rituel de présentation des offrandes. Sur ce geste rituel (non mentionné explicitement en 3. 9, mais probablement exécuté quand même par l'officiant), voir 7. 30.

v. 28. Moïse, toujours officiant principal, reprend le tout des mains des prêtres (voir 3. 11) pour le faire brûler sur l'autel, par-dessus l'holocauste qui s'y consume encore.

Le pronom pluriel הם (= Ce [fut] ») ne désigne pas l'ensemble des deux sacrifices, holocauste et sacrifice de communion adapté. Le pluriel est simplement influencé par le pluriel du prédicat מלאים = « sacrifice d'investiture ». Sur ריח ניחח = « parfum apaisant » et אשה = « mets consumé », voir 1. 9 ; 3. 11, 16.

Il est à noter que la cuisse droite, qui normalement revient au prêtre (v. 25 ;

---

[20] Lv 8 ne l'affirme pas explicitement ; Ex 29. 28 le dit expressément, mais il pourrait bien s'agir d'un élément secondaire.

[21] *Exode*, p. 259, à propos d'Ex 29. 20.

[22] Un rite de sang analogue apparaît en 14. 14, 25, dans le rituel de purification d'un lépreux guéri. La similitude n'implique pourtant pas que les deux rituels aient la même signification. Voir le commentaire du chap. 14.

[23] Le ו de ואת־האליה est un ו explicatif, voir GK 154 a, note 1b.

[24] L'emploi du mot כף au duel au lieu de יד au singulier est un indice de plus du caractère secondaire de l'explication de מלא יד.

7. 32-34) est ici brûlée sur l'autel, probablement parce que l'officiant de ce rituel n'est pas prêtre, même s'il en tient le rôle[25].

v. 29. Moïse prélève alors, sur la viande restante, la poitrine de la victime et la présente avec le geste rituel devant le Seigneur, c'est-à-dire devant l'autel. Cette partie lui revient en tant qu'officiant (7. 31), conformément à la volonté de Dieu (voir v. 9, 13).

v. 30. Ce verset n'a pas d'équivalent au chap. 3, bien entendu. En Ex 29, ce rite est mentionné à une place différente du rituel, à savoir au v. 21, immédiatement après les autres rites du sang. Cela trahit le caractère secondaire de cet élément, dont on peut par ailleurs douter qu'il ait jamais été pratiqué : le simple bon sens n'exclut-il pas qu'on projette ne fût-ce que quelques gouttes de sang sur les précieux vêtements sacerdotaux[26] ?

Cependant, même si le rite n'a jamais été appliqué, il n'en a pas moins une signification intéressante. La question de savoir si l'huile et le sang étaient mélangés pour l'aspersion, ou projetés séparément, ne peut recevoir de réponse certaine aujourd'hui. Les textes d'Ex 29. 21 et Lv 8. 30 ne suggèrent pas qu'ils aient été projetés l'un après l'autre, et si nous n'avions les prétendus parallèles de 14. 14, 17 et 14. 25, 28, les exégètes ne se poseraient probablement pas cette question. Or nous avons déjà eu l'occasion de dire (v. 23-24, note) qu'il n'est pas indispensable de mettre les deux rituels en strict parallélisme, d'autant moins qu'au chap. 14 le rite du sang précède celui de l'huile, alors qu'ici l'huile (qui est huile « d'onction ») est mentionnée avant le sang.

L'aspersion d'huile d'onction signifie que les vêtements sacerdotaux sont consacrés (ויקדש), tout comme la demeure (v. 10), l'autel (comparer v. 15), la cuve (v. 11) et Aaron (v. 12)[27], destinés qu'ils sont à être portés lors des rites accomplis dans le service de Dieu. L'aspersion de sang, pris sur l'autel, met les habits sacerdotaux et ceux qui les portent en relation avec l'autel (comparer v. 23-24), ce qui n'est pas très différent de ce qu'exprimait l'aspersion d'huile. Mais il s'y ajoute peut-être une idée d'alliance, dans la ligne d'Ex 24. 6-8.

v. 31-36. Le chapitre se termine par des recommandations et prescriptions adressées par Moïse à Aaron et à ses fils, relatives à la suite et à la fin de la cérémonie d'entrée en fonction. En effet le sacrifice de communion se continue par le repas au cours duquel les offrants consomment la part d'offrande qui leur revient.

v. 31. Le verbe בשל, fréquent surtout au piel et au pual, signifie « faire cuire », sans précision sur le mode de cuisson. Il est parfois opposé à אפה = « cuire de la pâtisserie » (Ez 46. 20) ou à צלה = « rôtir au feu » (Ex 12. 9 ; 1 S 2. 15), mais on le trouve aussi employé pour « cuire des gâteaux » (2 S 13. 8) ou pour la cuisson de l'agneau pascal sur le feu

---

[25] Ex 29. 27-28 affirme le contraire, mais cet élément est probablement secondaire, comme le montre la contradiction avec le v. 26 (en 26, la poitrine revient à Moïse, en 27-28, elle revient à Aaron et à ses fils).

[26] C'était déjà l'opinion de GALLING (« Sachlich völlig undenkbar, da Blut und Öl die Prachtgewänder völlig verschmutzen ; typisch für einen Theoretiker ! », *in* BEER, *Exodus*, p. 145), citée mais non admise par ELLIGER, p. 110. ELLIGER nous paraît, ici et parfois ailleurs aussi, être un de ces « Theoretiker » auxquels GALLING fait allusion.

[27] En 8. 30, les fils d'Aaron sont aussi consacrés, contrairement au v. 13. Ceci est un indice du caractère secondaire de ce verset.

(2 Ch 35. 13). Dans la plupart des cas néanmoins il est associé à un récipient et suggère que la viande est rôtie, bouillie ou cuite à l'étuvée.

La cuisson de la viande et le repas ont lieu à l'entrée de la tente de la rencontre, dans un « lieu saint », comme le précise ici LXX et comme le dit Ex 29. 31, puisque cette partie de l'offrande est sacrée (Ex 29. 33).

L'ordre de Moïse n'est pas rapporté ailleurs, ce qui n'est pas une raison suffisante pour remplacer le verbe à l'actif par un passif (voir la crit. text.). La nuance de l'ordre est exclusive : « Seuls Aaron et ses fils la mangeront ».

v. 32. La précision donnée dans ce verset correspond à 7. 15, et l'ordre de détruire par le feu le reste de viande correspond à 7. 17. Voir aussi Ex 29. 34.

v. 33. Ici seulement Moïse précise que la cérémonie durera en fait sept jours, pendant lesquels les nouveaux prêtres ne doivent avoir aucun contact avec l'extérieur. Le chiffre « sept » signifie la totale, la parfaite consécration au service de Dieu.

v. 34. Ce verset est susceptible de trois constructions syntaxiques différentes : la première proposition (34a) peut se rattacher soit à ce qui précède (v. 33), soit à ce qui suit (v. 34b) :

a) si l'on s'écarte de l'accentuation massorétique pour rattacher le v. 34a au v. 33 (voir TOB), le sens est : « En effet pendant sept jours on vous conférera l'investiture, comme on l'a fait en ce jour-ci. » Cette interprétation peut se justifier, du fait que le verbe de 34b n'est pas introduit par un כ = « ainsi » ou tout au moins un ו d'apodose (voir Joüon 174 b), qui marquerait le rattachement de 34a à 34b. L'idée est que les sept jours de la cérémonie vont se dérouler sur le même schéma que le premier jour. L'ensemble de la semaine constituera la cérémonie de l'entrée en fonction des prêtres[28] ;

b) si l'on respecte l'accentuation massorétique et que l'on rattache 34a à 34b,

ba) ou bien on le fait d'une manière assez souple ; il s'agit alors d'une comparaison générale : « Comme on a fait en ce jour-ci, YHWH a ordonné de faire [durant les sept jours], pour faire... ». C'est l'interprétation la moins probable ;

bβ) ou bien on le fait de manière stricte, dans le cadre d'une identification : « YHWH a ordonné de faire comme on a fait en ce jour-ci, pour faire... ». C'est l'interprétation la plus communément admise par les traducteurs et commentateurs.

En 34b nous retrouvons, sous une forme un peu différente, le refrain signalé au v. 9. Moïse ajoute que c'est en se soumettant à ce rituel (de sept jours) que les nouveaux prêtres peuvent obtenir le pardon de leurs péchés, dont il n'a pas été question explicitement auparavant.

v. 35. Moïse insiste sur la nécessité absolue d'éviter tout contact avec le monde profane ; Aaron et ses fils doivent rester jour et nuit dans le périmètre du sanctuaire, pour en quelque sorte « s'imprégner » totalement de la sainteté du lieu.

L'expression שמר את־משמרת a dans l'AT deux extensions de sens distinctes : un sens restreint, à nuance cultuelle « assurer le service [du sanctuaire, de la demeure] » ; le sujet

___

[28] Si l'on retient cette interprétation, cela implique que tout le rituel du premier jour est répété chacun des six autres jours de la semaine. Le texte d'Ex 29. 35-37 prévoyait plus simplement la répétition quotidienne du sacrifice pour le péché (8. 14-17).

est alors les prêtres ou les lévites[29] ; l'autre sens, plus général, est « observer les commandements [de Dieu] »[30]. Mais avant de choisir l'une ou l'autre de ces deux significations, il nous faut examiner la relation de cette expression avec ce qui précède et ce qui suit. Les massorètes ont placé un accent disjonctif relativement fort (zaqef) avant ושמרתם את־משמרת יהוה = « vous assurerez le service de YHWH » et un plus faible (tifḥa) après. Négligeant cette indication, la majorité des traducteurs et commentateurs lient cette proposition à ce qui précède, la faisant donc dépendre des circonstanciels ופתח אהל מועד = « à l'entrée de la tente de la rencontre » et שבעת ימים = « pendant sept jours ». Mais alors seul le sens général convient au contexte : la cérémonie d'entrée en fonction n'étant pas terminée, les futurs prêtres ne sont pas encore en état d'« assumer le service cultuel » pour le Seigneur ; par contre « observer les commandements de Dieu » est un sens admissible, encore que cet ordre soit trop général dans ce contexte. Dans la mesure cependant où il est question de prêtres, il nous paraît préférable de suivre l'accentuation massorétique, en mettant une coupure plus nette après 35aα, de telle sorte que 35aβ ne dépende plus des circonstanciels de lieu et de temps de 35aα. Après la période de sept jours, Aaron et ses fils seront des prêtres « à part entière » et il en découle tout naturellement pour l'expression en question le sens restreint : Vous pourrez alors exercer votre ministère cultuel au service de Dieu, sans risquer ce que risquent les laïcs qui s'approchent du domaine du sacré (voir Nb 1. 51 ; 3. 10, 38).

Le v. 35b rappelle une fois de plus que toutes ces instructions données par Moïse viennent de Dieu lui-même, comme LXX l'explicite en traduisant le passif du TM par un actif.

v. 36. Ce verset enregistre l'exécution conforme des instructions données.

---

[29] Voir p. ex. Nb 18. 3-5.
[30] Voir p. ex. 18. 30 ; Za 3. 7 (où l'expression est en parallèle à « marcher dans mes chemins »).

Chapitre 9

PREMIERS SACRIFICES OFFERTS PAR LES PRÊTRES

A la cérémonie d'investiture, c'est-à-dire de consécration, des prêtres (chap. 8) succède la cérémonie de leur entrée en fonction. Comme nous l'avons vu plus haut (Introduction générale à Lévitique 8—10), à l'époque de l'auteur, les tâches sacerdotales sont principalement d'ordre sacrificiel ; il ne faut donc pas s'étonner de constater que la plus grande partie du chap. 9 décrit les sacrifices offerts par les prêtres. Les v. 22-24 mentionnent le rôle sacerdotal dans la transmission de la bénédiction divine, et le chap. 10 parlera à sa manière du rôle d'enseignement du prêtre ; la place accordée à ces deux fonctions « annexes » correspond à l'importance qu'elles avaient aux yeux de P par rapport au ministère sacrificiel.

La position de von Rad[1] qui distinguait, en Lv 9 entre autres, deux récits parallèles n'est plus guère défendue aujourd'hui, même si les spécialistes de la critique littéraire admettent que ce chapitre n'est de loin pas d'une seule venue. Noth considère que nous possédons dans Lv 9 quelque chose du noyau primitif de l'ouvrage sacerdotal[2]. Sans entrer dans les détails d'attribution de tel fragment de verset à telle couche primitive ou rédactionnelle, nous souscrivons à l'analyse de Noth, qui nous semble le mieux rendre justice au texte dans son état actuel. Le fond du récit est certainement antérieur à Lv 1—7, et probablement aussi à Lv 8 ; de nombreuses petites différences de rituel, qui ne peuvent s'expliquer que dans cet ordre chronologique, le laissent pressentir. A ce fond relativement ancien du chap. 9, des rédacteurs ont ajouté des précisions et des informations supplémentaires qui ne s'y intègrent pas toujours sans heurt.

Théologiquement, le chap. 9, à sa place actuelle à la suite du chap. 8, rappelle une chose capitale : la consécration des prêtres n'a pas de sens en elle-même ; être admis dans la sphère de la sainteté divine n'est pas un but en soi, réservé à une caste de privilégiés qui pourraient se fondre béatement dans la gloire divine. Les prêtres sont « consacrés/saints » *pour*, à savoir pour être les médiateurs de la grâce de Dieu manifestée non seulement dans la bénédiction ou dans l'enseignement, mais également dans la fonction sacrificielle[3]. C'est par l'exercice de leur ministère indispensable à l'égard du peuple d'Israël qu'ils justifient leur place particulière dans la communion avec

---

[1] Von Rad, *Priesterschrift*, p. 81-83.
[2] Noth, p. 62 : « Dieses Kapitel ist das erste (und einzige) Stück von "ursprünglichem P" im 3. Mosebuch ».
[3] Voir, dans l'introduction générale à Lv 1-7, la citation d'E. Jacob (note 4).

YHWH. C'est pourquoi il était nécessaire qu'ils inaugurent concrètement leur ministère en offrant les diverses sortes de sacrifices du rituel israélite[1].

Cette fonction médiatrice du (grand) prêtre préfigure celle du Christ dans son office sacerdotal (à côté de l'office royal et de l'office prophétique que l'Église chrétienne lui reconnaît). De même que le prêtre ne peut se prévaloir de la « sainteté » dans laquelle il a été admis pour se distancer du peuple, de même le Christ, « de condition divine, n'a pas considéré comme une proie à saisir d'être l'égal de Dieu, mais il s'est dépouillé... devenant semblable aux hommes », comme le proclame l'hymne christologique de Ph 2. Voir aussi le rôle sacerdotal du Christ dans l'épître aux Hébreux : « Nous n'avons pas un grand prêtre incapable de compatir à nos faiblesses ; il a été éprouvé en tous points à notre ressemblance, mais sans pécher » (4. 15) ; « le Christ ne s'est pas attribué à lui-même la gloire de devenir grand prêtre ; il l'a reçue de celui qui lui a dit : *Tu es mon fils, moi, aujourd'hui, je t'ai engendré* ; ... Tout Fils qu'il était, il apprit par ses souffrances l'obéissance, et, conduit jusqu'à son propre accomplissement, il devint pour tous ceux qui lui obéissent cause de salut éternel » (5. 5-9) ; « tel est bien le grand prêtre qui nous convenait, saint, innocent, immaculé, séparé des pécheurs, élevé au-dessus des cieux » (7. 26) ; voir d'une façon générale He 4. 14—10. 18.

(1) Le huitième jour, Moïse appela Aaron, ses fils [a]et les anciens d'Israël[a]. (2) Il dit à Aaron : Procure-toi un veau à titre de sacrifice pour le péché, et un bélier pour un holocauste, sans défaut, et amène-les devant YHWH. (3) Puis tu parleras aux Israélites[a] en ces termes : Prenez un bouc à titre de sacrifice pour le péché, un veau et un mouton d'un an, sans défaut, pour un holocauste, (4) un taureau et un bélier pour un sacrifice de communion à offrir devant YHWH, ainsi qu'une offrande végétale pétrie à l'huile ; aujourd'hui en effet YHWH vous apparaîtra[a].

(5) On amena devant la tente de la rencontre ce que Moïse avait ordonné, puis toute la communauté s'approcha et se tint debout devant YHWH. (6) Moïse dit : Voici ce que YHWH a ordonné que vous fassiez, et la gloire de YHWH vous apparaîtra. (7) Moïse dit à Aaron : Approche-toi de l'autel et offre [a]ton sacrifice pour le péché et ton holocauste ; fais le rite d'absolution en ta faveur et en faveur du peuple[b], puis offre[a] le présent du peuple et fais le rite d'absolution en leur faveur, comme YHWH l'a ordonné.

(8) Aaron s'approcha de l'autel ; il égorgea le veau de [a]son[a] sacrifice pour le péché. (9) Les fils d'Aaron lui présentèrent le sang ; Aaron trempa son doigt dans le sang et en mit sur les cornes de l'autel, puis il versa le sang à la base de l'autel. (10) Il fit fumer sur l'autel les parties grasses, les rognons et le lobe du foie du sacrifice pour le péché, comme YHWH l'avait ordonné à Moïse. (11) La viande et la peau, il les brûla au feu hors du camp. (12) Il égorgea l'holocauste. Les fils d'Aaron lui remirent le sang et il en aspergea le pourtour de l'autel ; (13) ils lui remirent l'holocauste découpé en morceaux — y compris la tête — et il les fit fumer sur l'autel. (14) Il lava les entrailles et les pattes et les fit fumer sur l'autel avec l'holocauste.

(15) Il fit amener les présents du peuple. Il prit le bouc du sacrifice pour le péché du peuple, il l'égorgea et l'offrit en sacrifice comme la première victime. (16) Il fit amener l'holocauste[a] et l'offrit selon la règle. (17) Il fit apporter l'offrande végétale : il en remplit

---

[1] Seul le sacrifice de réparation ne figure pas dans la cérémonie du huitième jour. Cela pourrait indiquer qu'il n'était pas clairement différencié du sacrifice pour le péché.

sa main[a] et fit fumer cela sur l'autel, en plus de l'holocauste du matin. (18) Il égorgea le taureau et le bélier du sacrifice de communion du peuple ; les fils d'Aaron lui remirent le sang et il en aspergea le pourtour de l'autel. (19) Les parties grasses du taureau, de même que celles du bélier — à savoir la queue, [a]la graisse qui enveloppe les entrailles, les rognons[a] et le lobe du foie —, (20) ils déposèrent[a] ces parties grasses sur les poitrines, et Aaron fit fumer[b] ces parties grasses sur l'autel. (21) Les poitrines et la cuisse droite, Aaron les offrit avec le geste de présentation devant YHWH, comme Moïse[b] l'avait ordonné[a].

(22) Alors Aaron éleva ses mains en direction du[a] peuple et le bénit, puis il descendit, après avoir offert le sacrifice pour le péché, l'holocauste et les sacrifices de communion. (23) Moïse et Aaron entrèrent dans la tente de la rencontre, puis en ressortirent et bénirent [a]le peuple. Alors la gloire de YHWH apparut à tout le peuple. (24) Un feu sortit de devant YHWH et dévora sur l'autel l'holocauste et les parties grasses. Tout le peuple vit cela ; ils crièrent[a] de joie et se jetèrent sur leur visage.

Critique textuelle : • *v. 1a-a* La suppression de ולזקני ישראל, conjecturée par BHS, n'a aucun appui textuel ; elle ne repose que sur la variante suivante du v. 3. • *v. 3a* La variante de Sam et LXX est intéressante à première vue, mais ne résiste pas à un examen minutieux : en effet P ne parle que sporadiquement des « anciens » et ne les considère nulle part comme des interlocuteurs au travers desquels on s'adresse à Israël. • *v. 4a* La vocalisation massorétique נִרְאָה, qui fait de cette forme un parfait niphal, 3e pers. masc. sing., doit être corrigée en un participe niphal נִרְאֶה, qui seul convient au contexte (voir les versions anciennes, qui présentent un participe ou un futur). • *v. 7a-a* Homéoarcton ou homéotéleuton. • *v. 7b* Le TM העם doit être conservé, contre LXX του οικου σου. Dans trois passages différents de Lv, LXX traduit un mot hébreu autre que בית (ou אהל) par οικος (9. 7 et 16. 24 : עם ; 10. 14 : בנות) ; ou bien il s'agit en 9. 7 d'une *lectio facilior* et dans les deux autres cas d'une assimilation inopportune à la tournure qu'on rencontre en 16. 6, 17 ; ou bien en 9. 7 ; 16. 24 le traducteur grec a compris עם dans le sens primitif de « membres de la famille » (voir de Vaux, *Histoire* I, p. 151-152 ; voir aussi 7. 21 et la note relative à la « parenté »). • *v. 8a-a* La précision du TM אשר לו est implicite dans LXX, puisque le עגל החטאת est celui d'Aaron (v. 2), opposé au עגל du peuple, destiné לעלה. • *v. 16a* Assimilation inopportune à la formulation du v. 15. • *v. 17a* Le pluriel est une lecture possible du texte hébreu consonantique ; toutefois 2. 2 ; 5. 12 et 6. 8 attestent (avec le mot קמץ) l'emploi du singulier. • *v. 19a-a* Le והמכסה du TM est une expression condensée que LXX a développée sur la base de 3. 3. Le reste du v. 19 en hébreu résume également 3. 4. • *v. 20a, b* LXX a inversé les nombres des deux verbes, faute d'avoir reconnu la logique du TM ; l'appui de Sam et Syr pour le singulier du premier verbe est une assimilation à la séquence de verbes au singulier. • *v. 21a* L'adjonction de יהוה את־ dans 34 manuscrits hébreux (BHK), Sam et LXX, et l'emploi du passif par Syr, trahissent une volonté d'assimilation de ce texte à d'autres passages tels que 8. 9, 13, 17, 21, 35 ; voir aussi la crit. text. de 8. 31c. Même si le TM ne rapporte pas explicitement l'ordre de Moïse, il peut être conservé. • *v. 21b* Suppression qui va probablement dans le même sens que les variantes de 21a, le sujet non exprimé ne pouvant être alors que YHWH. • *v. 22a* Voir 1. 15b. Nous penchons pour le maintien du TM, une nuance d'hostilité étant probablement plus sensible dans על (voir Ez 44. 12) que dans אל. Toutefois Si 50. 20 dit ונשא ידיו על כל קהל ישראל. • *v. 23a* Adjonction superflue, probablement influencée par le παντι τῳ λαῳ de la fin du verset et le πας ὁ λαος du verset suivant. • *v. 24a* Le pluriel est grammaticalement possible en hébreu, mais pas indispensable.

v. 1. Dans l'état actuel du texte, et quoi qu'il en soit de la probable antériorité du chap. 9 par rapport au chap. 8, le « huitième jour » est celui qui suit les sept jours de la cérémonie de consécration racontée au chap. 8. L'auteur souligne ainsi que la cérémonie se poursuit sans transition, culminant en ce huitième jour qui voit l'entrée en fonction effective d'Aaron et de ses fils dans leur ministère de prêtre. Moïse reste celui qui préside la cérémonie, et à qui Aaron, alors même qu'il est maintenant grand prêtre, obéit encore. C'est en effet Moïse qui réunit les nouveaux prêtres et les anciens du peuple. Ces derniers, rarement mentionnés dans les textes de P, apparaissent ici comme représentants de toute la communauté, lorsque celle-ci ne peut pas être présente dans sa totalité (comparer 4. 15)[5].

v. 2. Les ordres pratiques sont donnés à Aaron seul ; il est possible qu'à l'origine la cérémonie n'ait concerné que le grand prêtre. Aaron doit se procurer un veau (עגל) destiné à un sacrifice pour le péché. Au verset suivant le peuple devra fournir un veau également, destiné lui à un holocauste. Dans aucun autre texte rituel de l'AT, le veau n'est mentionné comme victime sacrificielle[6]. C'est un indice non seulement de l'origine indépendante de Lv 9 par rapport à Lv 1—7, mais probablement aussi de l'antériorité de Lv 9, puisqu'on ose encore y parler d'un « veau ». Sur בן בקר = « fils de gros bétail », voir 1. 5 ; sur תמימם = « sans défaut », voir 1. 3. לפני יהוה = « devant YHWH » signifie concrètement « au sanctuaire » (voir également 1. 5).

v. 3-4. A leur tour les Israélites devront fournir un bouc, destiné à un sacrifice pour le péché, un veau et un mouton d'un an[7], destinés à un holocauste, une tête de gros bétail[8] et un bélier, destinés à un sacrifice de communion, et enfin une offrande végétale, telle que décrite en 2. 5. Il y a là un nouvel indice que le chap. 9 n'est pas issu du même milieu qui a codifié les chap. 1—7 : au chap. 4, le bouc est la victime exigée pour le péché d'un chef, et c'est un taureau qui est exigé pour le péché de toute l'assemblée[9]. A la fin du v. 4, Moïse annonce à Aaron que YHWH va apparaître au peuple d'Israël ; voir le commentaire des v. 23-24.

v. 5. Le récit laisse implicite la transmission de l'ordre par Aaron aux Israélites. Il enchaîne immédiatement avec l'exécution de cet ordre : des gens[10] amènent les animaux

---

[5] A l'origine les « anciens » semblent avoir eu une fonction de dirigeants politiques, surtout au niveau des villes. Avec la centralisation du pouvoir dans le régime monarchique, leur autorité s'est amoindrie et ils sont devenus plutôt des représentants du peuple.

[6] Sur 32 emplois de עגל en dehors de Lv, on ne trouve qu'un seul cas de sacrifice (Mi 6. 6). La situation est très semblable en ce qui concerne le féminin עגלה : aucun emploi dans Lv, 12 en tout dans l'AT, 1 seul cas de sacrifice (1 S 16. 2). Le terme עגל était vraisemblablement trop typé négativement par son emploi dans les récits polémiques d'Ex 32 et 1 R 12 (19 occurrences, plus 1 occurrence de עגלה).

[7] Le sens de בני־שנה (ou de בן־שנה) n'est pas absolument clair : l'expression peut signifier « né dans l'année » ou « âgé d'un an ». En raison de son emploi en Ex 12. 5 (agneau de la Pâque, qui doit servir de nourriture à toute une famille, v. 4), le second sens nous paraît plus probable.

[8] שור : animal de race bovine, mâle ou femelle, jeune ou adulte ; voir PÉTER-CONTESSE, « Lexicographie », p. 496 (après inversion des deux tableaux !).

[9] Au chap. 16 toutefois, le grand prêtre offre un bouc pour le péché de la communauté.

[10] ויקחו = « ils prirent/amenèrent » est certainement à comprendre comme un impersonnel (« On »).

demandés, aussi bien ceux d'Aaron que ceux du peuple. Ensuite toute la communauté se rassemble aux abords du sanctuaire (לפני יהוה, voir v. 2).

v. 6. C'est encore Moïse qui prend la parole ; ses premiers mots (6a) sont presque identiques à ceux de 8. 5 : seule le verbe תעשו [11] = « que vous fassiez » souligne l'importance de la 2ᵉ pers. masc. pl. par rapport à l'impersonnel לעשות = « de faire » de 8. 5. En 6b, il annonce directement au peuple ce dont il avait déjà informé Aaron (v. 4) ; il le fait en usant ici de la tournure moins abrupte « la gloire de YHWH », sorte d'euphémisme permettant de ne pas affirmer que Dieu apparaîtra en personne[12].

v. 7. Moïse ordonne à Aaron de commencer son office de sacrificateur. Tous les sacrifices qu'il offrira ont une fonction expiatoire (comparer 1.4). Sur le verbe כפר = « faire le rite d'absolution », voir 4. 20.

Comme nous l'avons admis dans la crit. text., le ובעד העם = « et en faveur du peuple » doit être conservé, contre la *lectio facilior* de LXX : le sens en est probablement que, toute faute du grand prêtre entraînant la culpabilité du peuple (voir 4. 3), le sacrifice pour le péché du grand prêtre joue aussi un rôle dans la réhabilitation du peuple lui-même. Sur קרבן = « présent », voir 1. 2 ; sur כאשר צוה יהוה = « comme YHWH l'a ordonné », voir 8. 9.

v. 8-21. Aucun des rituels qui suivent ne mentionne le rite d'imposition de la main sur la tête des animaux à offrir en sacrifice. On ne peut pourtant pas en tirer argument pour prétendre que ce geste n'était pas accompli à l'occasion de cette cérémonie. Il en va de même en ce qui concerne l'absence de mention de l'encens au v. 17. Les silences du texte n'ont pas valeur de preuve.

v. 8-11. Aaron s'avance jusqu'à l'autel, selon l'ordre reçu (v. 7). Nulle part ailleurs, dans les rituels sacrificiels, cela n'est précisé ; mais cette mention se justifie ici en ce sens que cette « approche » est une caractéristique exclusive du ministère sacerdotal (voir Ex 40. 32 ; Nb 18. 3) ; Aaron manifeste ainsi son statut nouveau.

Aaron commence par offrir le sacrifice pour son propre péché. On s'est parfois étonné (Porter, p. 72) qu'Aaron doive encore offrir un sacrifice pour son propre péché après tous ceux qui ont été offerts au cours des sept jours précédents. Pourtant si l'on admet que le fond du chap. 9 est antérieur au chap. 8, il n'y a plus de raison de s'étonner. Et même dans l'état actuel du texte, il n'y a pas lieu d'être surpris : les sacrifices pour le péché offerts au chap. 8 ont mis Aaron en état d'être consacré au service de Dieu ; celui du chap. 9 l'habilite à exercer concrètement son ministère sacerdotal, c'est-à-dire à offrir ce type-là de sacrifice (à côté de tous les autres).

Le rituel correspond à celui de 4. 3-12, à deux exceptions près : la qualité de la victime (voir v. 2), et le dépôt du sang sur les cornes de l'autel de l'holocauste (en 4. 7, il s'agissait de l'autel du parfum). 4. 5 ne mentionnait pas expressément le rôle des fils d'Aaron (voir 9. 9), mais ne l'excluait pas. La liste des parties grasses est donnée dans une formulation abrégée par rapport à 4. 8-9, de même que la liste de parties à brûler

---

[11] Subordonné de manière asyndétique à צוה ; voir JOÜON 157 b.
[12] Sur la כבוד יהוה, voir VON RAD, *Théologie* I, p. 211-212.

hors du camp, par rapport à 4. 11-12. Le v. 10b reprend une fois de plus le refrain signalé en 8. 9.

v. 12-14. Aaron offre son holocauste : le rituel, de nouveau, correspond à celui de 1. 10-13. La seule différence consiste dans l'emploi du verbe מצא au hiphil pour décrire le rôle des fils, qui lui « font trouver », c'est-à-dire lui « remettent », le sang et les quartiers de l'animal[13] (en 1. 5, on avait le verbe קרב au hiphil = « présenter » ; nouvel indice de l'origine différente du présent rituel).

v. 15-21. Aaron offre ensuite les sacrifices du peuple :

a) le sacrifice pour le péché (v. 15) : Aaron égorge lui-même l'animal (comparer 4. 15) ; encore un indice de l'origine différente des deux textes. Le אשר לעם = « du peuple » correspond au אשר לו = « son [sacrifice] » du v. 8 ; le כראשון = « comme la première victime » renvoie également au v. 8 ;

b) les holocaustes (v. 16) : le singulier du TM est collectif, pour les deux animaux, un veau et un agneau, exigés au v. 3 ; le כמשפט = « selon la règle » renvoie globalement au rituel de l'holocauste ;

c) l'offrande végétale (v. 17) : le rituel correspond à celui du chap. 2, avec la différence de l'emploi du substantif כף = « main » en lieu et place de קמץ = « poignée ».

La mention, à la fin du v. 17, de l'« holocauste du matin » fait problème. Cette expression désigne habituellement l'holocauste quotidien (עלה תמיד, voir Nb 28. 3, 6, 15) offert chaque matin comme premier sacrifice (voir 6. 2-6) ; mais cela contredit l'essentiel de ce chapitre, où l'accent est mis sur le début du ministère d'Aaron, dont le premier sacrifice est le sacrifice pour le péché ; ou bien alors il faut supposer que, avant le début de la cérémonie du huitième jour, Moïse aurait offert lui-même l'holocauste du matin, ce que le texte ne suggère nulle part, ni au chap. 8, ni au chap. 9. Il faut donc conclure que ces mots constituent une glose, dont deux interprétations sont possibles :

1) l'auteur de la glose estimait que l'holocauste offert par Aaron (v. 12-14) était en quelque sorte le premier « holocauste quotidien » de l'histoire d'Israël ;

2) l'auteur de la glose avait dans l'esprit le rituel sacrificiel de l'entrée en fonction d'un nouveau grand prêtre, dans le cours de l'histoire d'Israël. Dans ce cas, selon la règle citée par Rachi[14], « si l'on doit accomplir deux rites, l'on donne la préséance au plus fréquent ». (Voir aussi 6. 5) ;

d) les sacrifices de communion (v. 18-21) : le rituel correspond à celui du chap. 3 ; toutefois on retrouve au v. 18 le verbe מצא au hiphil = « faire trouver », voir v. 12-14. Le v. 19a résume en un mot la liste de 3. 3-4 ; 19b reprend sous une forme plus succincte la liste de 3. 9-10 ; tout ce verset est ensuite résumé à son tour dans le את־החלבים = « ces parties grasses » du v. 20. Les v. 20-21 correspondent à 7. 30-34 ; voir aussi 8. 25-29.

v. 22. La bénédiction donnée au peuple est une prérogative sacerdotale dans la

---

[13] Le hiphil de מצא n'est employé qu'en Lv 9. 12, 13, 18 dans cette acception rituelle.
[14] RACHI, p. 242, n. 8.

période postexilique (voir Nb 6. 22-27[15] ; Dt 21. 5 ; 1 Ch 23. 13 ; Si 50. 20-21). Elle dérive de la prérogative royale de l'époque préexilique (voir 2 S 6. 18 ; 1 R 8. 55-58). Ce rite, peu attesté dans l'AT[16], est toujours lié à une situation cultuelle. Il exprime habituellement la transmission par l'officiant au peuple de la bénédiction de Dieu, c'est-à-dire une promesse de vie, une promesse de présence et d'aide divines efficaces. Toutefois dans le cas présent l'accent est certainement davantage sur la personne d'Aaron qui prononce la bénédiction (ainsi est légitimé son ministère) que sur le contenu transmis au peuple.

La parole de bénédiction (non citée ici) est accompagnée d'un geste : Aaron lève les mains en direction du peuple (וישא את־ידו). Ce geste, si largement connu aujourd'hui, spécialement dans la tradition réformée, est encore plus rarement attesté dans l'AT que le rite de bénédiction. L'expression נשא יד = « lever la main » est assez fréquente dans l'AT ; toutefois en dehors de Lv 9. 22 (et de Si 50. 20), elle n'est jamais liée au rite de bénédiction sacerdotale, mais plutôt à un serment[17]. De plus le geste liturgique de bénédiction n'est pas exprimé par une formule littéraire particulière ; en 1 R 8. 54, on trouve l'expression פרש כפים = « étendre les mains », qui est ailleurs un geste de prière (1 R 8. 22, 38 ; Esd 9. 5 ; Si 48. 20). On rencontre aussi une formulation plus détaillée en Gn 48. 14 : שית את־ימינו על־ראש = « placer sa main droite sur la tête de » (bénédiction patriarcale). Le geste de prière lui non plus n'est pas exprimé par une formule particulière.

Aaron redescend alors de l'autel, conçu ici comme l'autel monumental dressé devant le temple de Salomon (voir 2 Ch 4. 1), plutôt que comme l'autel, somme toute modeste, de la période du désert (voir Ex 27. 1).

v. 23. Moïse emmène Aaron à l'intérieur de la tente de la rencontre, autre prérogative du grand prêtre, qu'il exerce pour la première fois. Jusqu'alors seul Moïse y avait eu accès[18].

---

[15] En 1979, au cours de fouilles archéologiques effectuées dans la vallée de Hinnom, au sud de Jérusalem, on a trouvé deux lamelles d'argent sur lesquelles étaient gravées des formules de bénédiction. La première de ces formules, sur la plus petite des deux lamelles, est manifestement une forme courte de la formule de Nb 6. 24-26 (dix mots hébreux au lieu de quinze ; manquent 25b et 26a) ; la seconde en est une forme encore plus brève (cinq mots). Ces deux lamelles (des amulettes à porter en pendentif ?) semblent pouvoir être datées du milieu du VIIe siècle av. J.-C., donc de l'époque préexilique. La question, non encore résolue, et de savoir si le texte le plus ancien est celui attesté en Nb 6. 24-26, qui aurait été abrégé ultérieurement, ou celui de la plus petite des lamelles, développé ensuite sous la forme apparaissant en Nb 6. Voir RIESNER, « Priestersegen ».

[16] Voir ThWAT I, col. 829-832.

[17] Dans 13 cas sur 22, il s'agit du geste accompagnant un serment (p. ex. Nb 14. 30) ; suivi de la préposition ב, l'expression signifie « se révolter contre » (2 S 18. 28 ; 20. 21) ; dans les Psaumes, c'est généralement un geste de prière ou de supplication (p. ex. Ps 28. 2).

[18] En fait Ex 40. 35 dit que Moïse « n'a pas pu » pénétrer dans la tente de la rencontre, à cause de la présence de la nuée. Mais cette affirmation implique que lui seul (dans l'optique de P) était admis à y entrer, même si aucun texte de l'AT ne nous parle de Moïse présent dans la tente. L'explication d'ELLIGER, p. 130, est surprenante ; il interprète Ex 40. 35 dans le sens que personne ne pouvait pénétrer dans la demeure, « en tout cas pas Moïse » (« jedenfalls Mose nicht ») ; il en tire comme conclusion qu'en Lv 9. 24 c'est Aaron, en tant que grand prêtre, qui emmène Moïse dans la tente. Cette interprétation soulève trois objections :

a) elle est contraire à la ligne de pensée des chap. 8—9, où c'est toujours Moïse qui a l'initiative par rapport à Aaron ;

b) on ne voit pas la nécessité pour Aaron de conduire Moïse dans la tente, alors que l'inverse se comprend bien : cela fait encore partie de l'initiation sacerdotale d'Aaron ;

c) la formulation de la phrase serait certainement différente si le rôle principal incombait à Aaron (p. ex. « Aaron et Moïse entrèrent »).

La seconde bénédiction, donnée conjointement par Moïse et Aaron à leur sortie de la tente, n'est pas explicitement accompagnée d'un geste ; ce dernier n'est pourtant pas exclu. La double bénédiction (par Aaron seul, puis par Aaron et Moïse) est surprenante, et plus d'un exégète pense que la seconde est secondaire, ce qui est probable[19]. Un rédacteur aura trouvé nécessaire qu'Aaron soit entré dans la tente de la rencontre, c'est-à-dire dans l'intimité de Dieu, avant de pouvoir être pleinement l'intermédiaire de la bénédiction accordée par Dieu à son peuple, et avant que la gloire de YHWH se manifeste à tout le peuple.

Cette manifestation (voir des parallèles en Ex 40. 34 et 1 R 8. 10-11) signifie que YHWH légitime le sacerdoce d'Aaron et de ses fils, tout comme il a légitimé la tente de la rencontre et légitimera plus tard le temple de Salomon[20].

v. 24. La gloire divine est liée aux thèmes de la lumière et du feu, ce qui explique l'apparition de ce feu qui consume les sacrifices offerts sur l'autel. Ce verset semble présupposer que les sacrifices n'avaient pas encore été brûlés, ce qui est contredit par l'emploi du verbe קטר au hiphil (= « faire fumer »), aux v. 10, 13, 14, 17 et 20. Pour cette raison, nombre de commentateurs modernes considèrent le début du verset comme secondaire. C'est là une attitude trop cartésienne, négligeant la portée symbolique du récit. L'exégèse rabbinique tombe d'ailleurs dans le même travers de la « logique » lorsque, pour respecter l'unité du récit, elle voit dans le « feu sorti de devant YHWH » un feu qui double celui, profane, allumé par les prêtres, et qui consume en un instant l'holocauste et les graisses, au lieu de les laisser se consumer pendant des heures[21]. En fait le feu venant de YHWH signifie, comme dans les récits analogues[22], que Dieu accepte les sacrifices qui lui sont offerts. En plus, dans le présent texte, ce feu signifie que Dieu légitime l'autel et le culte régulier inauguré à cette occasion[23]. De cette légitimation découle ensuite la nécessité du feu perpétuel de l'autel (voir 6. 2-6).

A la vue de la manifestation divine, le peuple se met à crier de joie, רנן, verbe fréquent surtout dans les contextes cultuels, où il désigne probablement un élément liturgique plutôt que des cris désordonnés, sans exclure pourtant la spontanéité. Le peuple se jette ensuite le visage contre terre pour adorer YHWH, dans l'attitude traditionnelle de l'humilité et de la soumission[24].

---

[19] PORTER, p. 75, rappelle le parallèle de la double bénédiction royale de 1 R 8. 14, 55, accompagnée d'une manifestation de la gloire de YHWH (8. 10-11). La situation est pourtant bien différente :
   a) l'ordre des événements est inversé (les bénédictions suivent la manifestation divine) ;
   b) les deux bénédictions sont séparées par la longue et solennelle prière de Salomon ;
   c) les deux bénédictions sont données par le même personnage ;
   d) enfin il ne serait pas illégitime de comprendre le ויברך de 8. 14 dans le sens affaibli qu'il prend souvent, « saluer » (voir ThWAT I, col. 823).

[20] Voir aussi en Ex 16. 10 ; Nb 14. 10 ; 16. 19 ; 17. 7 ; 20. 6 comment YHWH légitime ses envoyés au moment où leur autorité est contestée par le peuple.

[21] Voir MUNK, p. 65 ; explication reprise par WENHAM, p. 150, et CLAMER, p. 84-85.

[22] Jg 6. 21 ; 1 R 18. 38 ; 1 Ch 21. 26 ; 2 Ch 7. 1.

[23] Il en va de même en 2 Ch 7. 1 ; en 1 Ch 21. 26, c'est l'emplacement qui est ainsi légitimé. Dans un article de 1968, OLIVA (« Interpretación ») établit un parallèle intéressant entre Ex 19.1 ; 24. 15b-18a (épiphanie du Sinaï) d'une part, et Ex 40. 17, 33b-34 ; Lv 9. 1, 23b-24a (épiphanie du culte) d'autre part. Selon lui, la seconde est une réalisation/actualisation de la première ; cela lui permet d'interpréter le ותצא אש...ותאכל = « un feu sortit... et dévora » de Lv 9. 24 non comme un élément narratif et descriptif, mais comme une reprise théologique du כאש אכלת = « comme un feu dévorant » d'Ex 24. 17.

[24] On retrouve le même geste en 1 R 18. 38 et 2 Ch 7. 1 ; il est accompagné de cris spontanés dans le premier cas, d'une formule liturgique dans le second.

Chapitre 10

QUELQUES DEVOIRS DES PRÊTRES

Le chap. 10 ne constitue pas une présentation exhaustive et systématique des devoirs incombant aux prêtres israélites. En trois paragraphes, il traite de trois aspects particuliers, montrant comment la « sainteté » dont ils ont été investis par leur consécration les oblige à se comporter de manière spécifique :

a) v. 1-7 : le comportement face au deuil,

b) v. 8-11 : le comportement face aux boissons alcooliques,

c) v. 12-20 : le comportement face à la consommation des sacrifices.

On admet généralement que les v. 1-5 représentent un élément ancien de ce chapitre ; les v. 6-7 y auraient été ajoutés lors de l'insertion du paragraphe à la suite des chap. 8—9. Les deux autres paragraphes, qui sont probablement aussi composites, seraient venus se greffer ensuite sur le premier.

Malgré des hyatus encore sensibles, le travail rédactionnel a été bien fait et laisse apparaître un texte final qui a une certaine unité.

Le fil conducteur de ce chapitre, c'est que les prêtres ne sont pas affranchis de leur soumission à Dieu par leur consécration ; Dieu a des exigences à leur égard, même s'ils ont eu accès à la sphère de sa sainteté. Ils n'ont pas le droit de se comporter selon leurs désirs, leurs envies ou leurs intuitions, mais ils doivent le faire selon les règles fixées par Dieu. Toutefois ce Dieu n'est pas un tyran impersonnel, imposant coûte que coûte une loi incontournable ; il est prêt à tenir compte de situations particulières, de « circonstances atténuantes » (voir v. 19-20), car il respecte les personnes humaines.

Le lecteur chrétien de l'AT essaie toujours de comprendre la portée du texte qu'il lit pour la vie dans le monde d'aujourd'hui. Une lecture un peu superficielle de ce chapitre pourrait l'amener à considérer que ces prescriptions visent essentiellement les ministres de l'Église. Or, selon le NT, il n'y a plus, comme dans l'AT, une classe sacerdotale qui constitue la médiation obligée entre le laïc et son Dieu ; Christ est le grand prêtre, et tout croyant est un prêtre (1 P 2. 5 ; Ap 20. 6), habilité à être en communion directe avec son Seigneur. Ainsi Lv 10 ne vise plus seulement la classe des ministres, mais s'applique, *mutatis mutandis*, à tout le peuple de l'Église (ministres compris).

Cependant, même si le ministre chrétien, théologiquement parlant, ne se situe pas comme intermédiaire entre Dieu et le peuple des fidèles, il n'en reste pas moins qu'il occupe, sociologiquement parlant, une position qui le place en point de mire de la communauté dont il a la charge, et de la société au sein de laquelle il vit. C'est à ce titre-là que l'on peut entendre, dans Lv 10, des mises en garde visant plus spécifiquement ceux qui, dans l'Église, assument un ministère, quel qu'il soit : ils sont pour la communauté, comme le disent de nombreux développements des épîtres néotestamentaires, des « modèles » à « imiter » (voir 1 Co 4. 16 ; 11. 1 ; Ph 3. 17 ; 1 Th 1. 6-7 ; 2 Th 3. 7-9 ; 1 Tm 3. 1-13 ; 4. 11-12 ; Tt 1. 6-9 ; 2. 7-8 ; He 13. 7 ; 1 P 5. 3) ; c'est pourquoi certaines façons d'être ne sont pas admissibles de leur part, alors même qu'elles ne sont pas forcément interdites à tout un chacun. A titre d'exemple, le négligé, le laisser-aller, l'absence de maîtrise de soi d'un ministre (dans son langage, dans sa tenue, dans son comportement) peuvent aller à l'encontre de sa prédication (au sens large du mot), et devenir un contre-témoignage à l'égard des fidèles autant que des non-croyants.

(1) Nadab et Abihou[a], fils d'Aaron, prirent chacun sa cassolette, y mirent du feu, déposèrent dessus[b] du parfum, et présentèrent devant YHWH [c]un feu étranger[c], qu'il[d] ne leur avait pas ordonné. (2) Un feu sortit de devant YHWH et les dévora, de sorte qu'ils moururent devant YHWH. (3) Moïse dit à Aaron : C'est ce que YHWH avait dit, en ces termes :

> *Par ceux qui sont proches de moi je serai sanctifié,*
> *en présence de tout le peuple je serai glorifié.*

Aaron resta silencieux. (4) Moïse appela Michaël[a] et Elsaphan[b], fils d'Ouzziel[c], oncle d'Aaron, et leur dit : Approchez, emportez vos frères de devant le sanctuaire, hors du camp. (5) Ils s'approchèrent[a] et les emportèrent dans leurs tuniques hors du camp, comme Moïse l'avait dit. (6) Moïse dit à Aaron, ainsi qu'à Éléazar[a] et Itamar[a], ses fils[b] : Ne laissez pas vos chevelures sans soin et ne[c] déchirez pas vos vêtements, afin que vous ne mouriez pas et qu'Il (YHWH) ne se mette pas en colère contre toute la communauté. En ce qui concerne vos frères, c'est toute la maison d'Israël qui pleurera l'incendie que YHWH a allumé. (7) Vous-mêmes, vous ne quitterez pas l'entrée de la tente de la rencontre, de peur que vous mouriez, car l'huile de l'onction de YHWH est sur vous. Ils firent comme Moïse l'avait dit.

(8) YHWH parla à Aaron en ces termes : (9) Tu ne boiras ni vin ni bière, ni toi ni tes descendants avec toi, lorsque vous entrez dans la tente de la rencontre[a], et vous ne mourrez pas, — c'est une loi perpétuelle pour vos générations — ; (10) c'est[a] pour faire la différence entre le sacré et le profane, [b]et entre l'impur[b] et le pur, (11) et pour enseigner aux Israélites toutes les prescriptions[a] que YHWH a communiquées par l'intermédiaire de Moïse.

(12) Moïse[a] parla à Aaron, ainsi qu'à Éléazar et Itamar, ses fils restants : Prenez ce qui reste de l'offrande végétale, sur les mets consumés de YHWH, et consommezle sans levain, à côté de l'autel, car c'est quelque chose de très saint. (13) Vous le consommerez dans un endroit saint, car c'est ta redevance et la redevance de tes descendants sur les mets consumés de YHWH. En effet, c'est ce qui m'a été ordonné. (14) Quant à la poitrine du rite de présentation et à la cuisse du rite de prélèvement, vous les consommerez dans un endroit pur[a], toi avec tes descendants et tes descendantes[b]. En effet ils sont ta redevance et la redevance de tes descendants, accordée sur les sacrifices de communion des Israélites. — (15) La cuisse du rite de prélèvement et la poitrine du rite de présentation, les offrants les apporteront en plus des parties grasses à consumer, pour les offrir avec le geste de présentation devant YHWH ; ce sera pour toi et tes descendants[a] une redevance perpétuelle, comme YHWH l'a ordonné[b].

(16) Moïse s'informa au sujet du bouc du sacrifice pour le péché : voici qu'il avait été brûlé. Il se mit en colère contre Éléazar et Itamar, les fils restants d'Aaron, en ces

termes : (17) Pourquoi n'avez-vous pas consommé le sacrifice pour le péché dans le lieu du sanctuaire, [a]puisque c'est quelque chose de très saint[a] ? Il (YHWH) vous l'a donné[b] pour enlever le péché de la communauté, pour faire sur eux le rite d'absolution devant YHWH. (18) Du moment que son sang n'a pas été porté à l'intérieur du sanctuaire, vous deviez en consommer la viande dans un endroit saint, comme je l'avais ordonné[a]. (19) Aaron dit à Moïse : Eh bien, en ce jour où ils (mes fils) ont présenté leur sacrifice pour le péché et leur holocauste devant YHWH, des choses pareilles me sont arrivées. Que je consomme (la viande d')un sacrifice pour le péché aujourd'hui serait-il[a] bien aux yeux de YHWH ?

(20) Moïse écouta, et cela fut bien à ses yeux.

Critique textuelle : • *v. 1a* Le nom אביהוא désigne toujours dans l'AT (12 fois) le fils d'Aaron. Les 12 fois, LXX le transcrit Αβιουδ (*Abiud* dans la Vetus Latina d'Ex 24. 1, 9, seuls textes restants), de même que l'hapax אביהוד de 1 Ch 8. 3. Les autres versions anciennes transcrivent *Abiu* (Vg), *'Abihu'* (Tg) et *'Abihu* (Syr). • *v. 1b* Le עליה du TM doit être conservé, contre la variante עליהן de Sam, Syr et Tg ; avec le suffixe se rapportant aux cassolettes, on utiliserait une seconde fois la préposition ב et non על. • *v. 1c-c* Homéoarcton. • *v. 1d* LXX : explicitation du sujet resté implicite dans le TM ; Vg : traduction *ad sensum* de Jérôme, qui est coutumier du fait dans les expressions de ce genre. • *v. 4a,b,c* Les variantes orthographiques des noms propres dans tel manuscrit hébreu, dans Sam et dans les versions anciennes ne pèsent pas assez pour faire modifier la tradition massorétique. • *v. 5a* La variante ויקריבו ne convient pas au sens du verset ; le copiste a pu être influencé par le ויקרבו (*scriptio defectiva* !) du v. 1. • *v. 6a Lectio facilior* (assimilation au אל qui précède). • *v. 6b* Explicitation non indispensable, influencée par le v. 12. • *v. 6c* Le אל(־תפרעו) du TM doit être conservé, contre le לא de Sam, malgré la remarque d'Elliger, p. 132, qui renvoie à 21. 10 ; en effet le אל se justifie ici dans le cas d'une interdiction plus solennelle (voir GK 107 o ; Joüon 113 m). Pour l'interdiction double, on trouve plus fréquemment la tournure אל ... ואל ou אל ... ו ... אל ; pourtant la tournure אל ... ו ... לא est attestée encore deux fois dans Lv (11. 43 ; 19. 4). • *v. 9a* Réminiscence d'Ex 28. 43 ; 40. 32. Voir aussi le commentaire. • *v. 10a* Le ו du TM doit être maintenu, contre LXX et Syr ; voir le commentaire. • *v. 10b-b* Homéoarcton. • *v. 11a* Terme plus général que החקים du TM, lequel doit être préféré. • *v. 12a* Le משה du TM doit être maintenu, contre le יהוה de C, influencé par le v. 8. Au v. 8, le sujet YHWH se justifiait pour une prescription d'ordre général concernant les prêtres ; au v. 12, le sujet Moïse est mieux en place pour un ordre relatif à une situation particulière. • *v. 14a Lectio facilior* influencée par les v. 13 et 17. • *v. 14b* Le και ὁ οικος σου de LXX ne doit pas remplacer le ובנתיך du TM, qui est original ; si la tournure « X et sa maison » est fréquente en hébreu (en tout cas 40 fois), on ne trouve pas sauf erreur « X et ses fils et sa maison ». • *v. 15a* L'adjonction de ולבנתיך par Sam est une répétition du v. 14. Dans le cas de LXX, le και ταις θυγατρασιν σου ne double pas la tournure du v. 14 (voir la note de crit. text. précédente), mais elle n'est pas nécessaire ici. • *v. 15b* L'adjonction de τῳ Μωυση dans LXX est malencontreuse, puisque c'est Moïse lui-même qui parle (voir v. 12). • *v. 17a-a* Probable inattention de copiste. • *v. 17b* Cette précision de LXX est malencontreuse ; voir le commentaire. • *v. 18a* Le צויתי du TM peut être conservé (voir 6. 17-23) ; comparer le cas analogue de 8. 31. • *v. 19a* Sur la vocalisation de la particule interrogative dans הַיִיטַב, voir GK 100 k ; Joüon 102 l.

v. 1-7. Ce premier paragraphe commence par un récit anecdotique (v. 1-5) particulièrement énigmatique. Nadab et Abihou, fils d'Aaron, présentent à YHWH une offrande de parfum illégitime, ce qui entraîne une réaction immédiate et violente de la part du destinataire : les deux prêtres sont dévorés par un feu issu de devant YHWH. Suit la mise en terre des défunts, par leurs cousins.

On a remarqué depuis longtemps le lien qui unit ce récit au chap. 16, par-dessus les chap. 11—15 ; il est probable qu'à un certain moment de l'histoire littéraire de P, ces deux éléments se soient suivis immédiatement. Mais dans l'état actuel du Lv, 10. 1-5 joue un rôle différent que nous allons essayer de définir.

L'extermination de Nadab et Abihou pourrait bien avoir reflété à l'origine une situation historique de conflit entre groupes sacerdotaux rivaux ; tous prétendaient être des descendants légitimes d'Aaron, mais certains seulement réussirent à s'imposer dans le cadre du sacerdoce jérusalémite, les autres étant évincés. Le récit primitif aurait donc eu une portée étiologique. Mais cela n'est manifestement plus le cas dans le TM ; en effet pour que le récit puisse jouer ce rôle explicatif et légitimer l'éviction de certaines familles sacerdotales, il faudrait que soit clairement définie la faute commise par Nadab et Abihou, puisque cette faute est si grave qu'elle entraîne le châtiment suprême infligé par Dieu aux coupables. Or le v. 1 ne parle qu'en termes très vagues d'un « feu étranger », c'est-à-dire « illégitime ». Tous les commentateurs relèvent cette imprécision, et beaucoup[1] échafaudent à cœur joie des théories (dont l'ingéniosité ne le cède qu'à la variété) pour tenter d'expliquer quelle était la faute (liturgique ?) de Nadab et Abihou.

A notre avis ces hypothèses gratuites ne servent à rien ; si le rédacteur a jugé inutile de préciser (ou de conserver) le motif exact du châtiment, ce qui serait indispensable dans une pure narration, c'est que justement il n'a pas pour but de raconter l'anecdote, mais de légitimer, au moyen de cette anecdote, les règles de deuil auxquelles les prêtres doivent se soumettre (v. 6-7). Voir deux cas analogues dans l'œuvre sacerdotale : Lv 24. 10-23, où l'anecdote des v. 10-12 sert essentiellement à introduire la prescription divine concernant le blasphème, et Nb 15. 32-36 (en plein cœur aussi d'un chapitre législatif), où l'anecdote des v. 32-34 permet de légitimer le châtiment suprême infligé à un profanateur du sabbat.

v. 1. Selon Ex 6. 23, texte sacerdotal récent, Nadab et Abihou étaient les deux fils aînés d'Aaron ; cette relation généalogique correspond bien à la prétention, pour des gens dont la légitimité était mise en question, d'exercer le sacerdoce de manière authentique[2].

Aucun rituel d'offrande de parfum (קטרת) n'a été conservé dans l'AT, mais cela ne signifie pas qu'on n'ait pas fait de telles offrandes en Israël comme on en faisait chez les peuples voisins ; quelques textes les mentionnent ou y font allusion[3].

La מחתה est un objet liturgique mentionné plus de vingt fois dans l'AT ; c'était probablement un récipient métallique peu profond, muni d'un manche, servant soit à recueillir les résidus de la combustion des lampes du porte-lampes sacré (sorte de

---

[1] En particulier les auteurs juifs, voir MUNK, p. 68-70 ; mais pas eux seulement, voir quelques hypothèses chez GRADWOHL, « Feuer » ; LAUGHLIN, « Fire » ; ROBINSON, « Prohibition ».

[2] En Ex 24. 1, 9, Nadab et Abihou apparaissent aux côtés de Moïse et d'Aaron, mais sans qu'un lien de parenté soit mentionné ; ce texte date donc d'une époque antérieure, où les descendants de Nadab et Abihou n'avaient pas encore eu besoin de faire admettre la légitimité de leur sacerdoce.

[3] Ez 8. 11 ; 16. 18 ; 23. 41 ; Ps 141. 2.

« cendrier », de petite dimension, voir Ex 25. 38 ; 37. 23 ; Nb 4. 9), soit à présenter des offrandes de parfum (sorte de « cassolette », voir p. ex. Nb 16—17) ; c'est le second sens qui convient dans notre verset. Nadab et Abihou y mettent des braises (אש, litt. « du feu », voir 1. 7) sur lesquelles ils répandent du parfum en poudre (voir Ex 30. 34-38). L'expression לפני יהוה = « devant YHWH » (comparer 1. 5) signifie ici également « devant le sanctuaire ». Il est peu probable qu'il faille la comprendre dans le sens de « à l'intérieur de la tente de la rencontre », sous prétexte que c'est là que se dressait l'autel du parfum (Ex 40. 5). Notre récit ne fait aucune allusion à cet autel, et semble même l'ignorer puisque l'offrande de parfum se fait dans des cassolettes. Comme nous l'avons indiqué plus haut, il ne nous est pas possible de dire en quoi le feu présenté ici était « étranger » (זרה), c'est-à-dire « profane/illégitime »[4]. Tout ce que dit l'auteur, c'est que cette offrande ne leur avait pas été ordonnée[5] ; cela suffisait à son propos.

v. 2. Ce verset débute exactement par la même formule que 9. 24 ; « un feu sortit de devant YHWH ». Le texte de 10. 2 est probablement le plus ancien, et la formulation en a été copiée en 9. 24, avec pourtant un sens profond bien différent ; le « feu » était là légitimation du culte offert par les nouveaux prêtres, alors qu'il est ici châtiment de la faute commise par certains de ces mêmes prêtres. C'est le même feu qui agit, manifestant le double visage de la gloire (ou de la sainteté) de YHWH, visage de vie pour ceux qui se soumettent aux conditions qu'il pose à l'entrée en relation avec lui, visage de mort pour ceux qui veulent forcer son mystère. Une formule analogue se retrouve en Nb 16. 35, dans le récit de l'anéantissement des 250 partisans de Coré (également après une offrande de parfum dans des cassolettes).

Le לפני יהוה = « devant YHWH », reprenant celui du verset précédent, désigne le même endroit, et l'expression tout entière signifie qu'ils sont morts « sur place ».

v. 3. On ignore à quelle occasion YHWH a prononcé les paroles citées par Moïse. קרבי = « ceux qui sont proches de moi » désigne « les prêtres » (comparer Ez 42. 13 ; 43. 19). Le distique, qui comporte sinon une rime du moins une allitération vocalique (*èqqadès - èkkabèd*), est susceptible de deux interprétations :

a) les deux verbes au niphal peuvent être compris comme des réfléchis (« je veux manifester ma sainteté / ma gloire ») et les deux compléments sont strictement parallèles (« parmi mes prêtres / en présence de tout le peuple »). C'est l'interprétation de la majorité des commentateurs modernes : YHWH, en punissant de manière exemplaire Nadab et Abihou, montre sa sainteté, c'est-à-dire exprime combien il tient à être respecté, en particulier par les prêtres[6] ;

b) les deux verbes au niphal peuvent être compris comme des passifs (« je veux être sanctifié / glorifié ») et les deux compléments ont alors des fonctions différentes : le premier est complément d'agent, sujet réel des deux verbes, et le second, complément

---

[4] Voir HUMBERT, « Adjectifs », p. 112-114. L'explication le plus souvent proposée est que les fautifs n'auraient pas pris les braises sur l'autel des sacrifices (comparer 16. 12), mais dans un autre feu, « profane ». Mais on s'attendrait alors à trouver l'adjectif זרה à côté de la première mention du feu (« y mirent du feu étranger/profane ») et non à côté de la seconde (« présentèrent... un feu étranger »).

[5] Nous prenons ici le mot אש dans un sens plus large, désignant l'offrande elle-même ; cela convient mieux au contexte, après le verbe ויקרבו.

[6] Le texte d'Ez 28. 22, où קדש et כבד au niphal apparaissent également en parallèle, avec un sens réfléchi, pourrait appuyer cette interprétation ; voir SEGAL, « Verdict ».

de destination, dépend aussi des deux verbes au point de vue du sens (« par mes prêtres / en présence de tout le peuple »). Cette interprétation, moins fréquemment retenue, est néanmoins celle de LXX et de la tradition rabbinique. Avec elle, la punition de Nadab et Abihou n'est plus la manifestation de l'attitude de YHWH, mais simplement l'occasion de citer cette parole à laquelle Nadab et Abihou ont contrevenu : « Je veux que mes prêtres me sanctifient (ou "respectent ma sainteté"), c'est-à-dire me prennent vraiment au sérieux et me glorifient (ou "me rendent gloire") en présence de tout le peuple. »

Nous optons pour cette seconde interprétation, qui nous semble mieux rendre justice à אכבד = « je serai glorifié » que la première. En effet, si l'on peut admettre que YHWH manifeste sa « sainteté » en infligeant le châtiment suprême aux deux fautifs, affirmerait-on de manière aussi catégorique qu'il manifeste sa « gloire » en agissant de la sorte ? Cela n'est pas absolument exclu, dans la mesure où la כבוד = « gloire » hébraïque est liée à la notion de « poids » (כבד = « être lourd ») : Dieu manifesterait ainsi son poids, c'est-à-dire son importance, et donc sa volonté d'être pris au sérieux. Toutefois cette possibilité nous paraît moins probable, et c'est pourquoi nous avons retenu la seconde interprétation.

וידם peut aussi être interprété de deux manières :

a) traditionnellement, et de manière sauf erreur unanime, on a fait dériver cette forme de la racine דמם I = « se taire, rester silencieux »[7]. Psychologiquement, on comprend tout à fait qu'Aaron, frappé de stupeur par ce châtiment imprévu et douloureux, ne puisse plus prononcer un mot[8]. Cependant il peut aussi paraître justement étonnant, que tel soit le sens dans un récit qui ne laisse guère de place à l'émotion, mais raconte les faits avec une froide objectivité ;

b) c'est pourquoi, dans la TOB, nous avons suggéré de faire dériver cette forme verbale de la racine דמם II = « se lamenter »[9] : Aaron entonne une lamentation rituelle. Cela permettrait d'expliquer d'autant mieux qu'au v. 6 Moïse précise que les « pleurs » (יבכו) sont réservés aux autres Israélites, à l'exclusion des prêtres.

Toutefois, sans exclure catégoriquement cette seconde interprétation, nous penchons maintenant quand même pour la première, en raison du parallélisme antithétique entre 9. 24 et 10. 2 : « le feu issu de devant YHWH », qui consume les sacrifices, provoque les cris de joie du peuple (9. 24), tandis que celui qui consume les coupables provoque au contraire le silence d'Aaron (10. 2-3).

v. 4. Sur Ouzziel, frère d'Amram et par conséquent oncle d'Aaron, et sur ses fils Michaël et Elsaphan, voir Ex 6. 18, 22.

D'après 21. 10-12, le grand prêtre ne doit s'approcher d'aucun cadavre, même de quelqu'un de sa proche parenté. D'après les v. 1-4 du même chapitre, les prêtres pouvaient s'approcher du cadavre d'un proche parent, y compris d'un frère. En 10. 4-7, Moïse interdit de fait à Éléazar et Itamar de s'occuper des corps de leurs aînés. Trois explications sont possibles :

---

[7] HAL, p. 217ab = BDB, p. 198b-199a = Zorell, p. 176a.
[8] Mais alors pourquoi cette information n'est-elle pas donnée à la fin du v. 2 ?
[9] HAL, p. 217b = BDB, p. 199a. Voir aussi ThWAT, II, col. 281.

a) les circonstances particulières (nous sommes encore au huitième jour de la cérémonie solennelle décrite dans les chap. 8—9) excluent que les prêtres accomplissent certains actes qui leur seraient permis en temps normal ;

b) l'auteur ferait une distinction entre la possibilité de s'approcher du cadavre d'un frère, et la tâche de le transporter ;

c) les exigences formulées en 21. 1-4 seraient moins strictes que celles que suppose le présent récit ; il y aurait donc disparité d'origine entre les deux textes.

Dans l'impossibilité de justifier de manière péremptoire l'une ou l'autre des explications, nous penchons néanmoins pour la première (voir 7aα), laquelle n'exclut d'ailleurs pas que les deux autres contiennent aussi un élément de vérité.

A défaut des prêtres, ce sont des proches parents des défunts qui sont chargés d'emporter les corps hors du camp. אחיכם = « vos frères » n'a ici ni le sens étroit de frères (nés des mêmes parents), ni le sens large de membres du peuple d'Israël (voir v. 6) ; il se situe entre deux, désignant un lien de parenté relativement proche.

v. 5. Les deux cousins d'Aaron obéissent à l'ordre de Moïse. Ils emportent les deux corps « dans leurs tuniques » ; le suffixe hébreu rendu par « leurs » est ambigu : se rapporte-t-il aux défunts ou à ceux qui les emportent ? Du fait que les deux fautifs sont morts brûlés vifs, on pourrait déduire que les tuniques qu'ils portaient ont été brûlées avec eux ; il s'agirait donc des tuniques de Michaël et d'Elsaphan. Toutefois deux faits nous invitent à exclure cette interprétation : tout d'abord on voit mal les deux porteurs se dévêtir pour accomplir cette tâche, et en second lieu, le terme כתנת, chez P (et chez le Chroniqueur, voir Esd 2. 69 ; Ne 7. 69, 71) désigne toujours la « tunique » de prêtre. Sans aller aussi loin que certains commentateurs rabbiniques qui supposent que les deux fautifs ont été frappés par l'éclair[10] et que le feu ne s'est propagé qu'à l'intérieur du corps, ne dévorant que l'âme[11], on peut concevoir que les prêtres ne possédaient pas une seule et unique tenue sacerdotale. Le fait qu'on les emporte dans leur « tunique de rechange », qui manifestement sera ensevelie avec eux, signifie que ces deux prêtres se seront pas remplacés par quelqu'un d'autre.

v. 6. Moïse formule les règles à suivre dans le cas présent de deuil, et valables pour les prêtres dans tous les cas analogues. Les prêtres doivent s'abstenir des rites de deuil. Ces rites sont admissibles pour les laïcs, mais pas pour les prêtres ; ils soulignent trop le lien de l'homme avec la mort, et contredisent ainsi l'état de sainteté du prêtre. Moïse mentionne explicitement deux des principaux rites de deuil : absence de soins accordés à la chevelure[12], et déchirement des vêtements[13]. פרע = « laisser sans soin » évoque l'idée de négligence, donc de refus de se coiffer et de se couvrir la tête. Le ולא = « et... ne... pas » a une valeur finale avec négation, qui porte sur les deux verbes suivants : « afin que vous ne mouriez pas et qu'il (YHWH) ne se mette pas en colère contre toute la communauté ». La punition d'une faute commise par les prêtres rejaillirait sur toute

[10] CAHEN, p. 34.
[11] MUNK, p. 70 ; RACHI, p. 61.
[12] Il semble qu'à l'origine l'homme en deuil se rasait la tête et la barbe, voir Es 22. 12 ; Jr 16. 6 ; 41. 5 ; Am 8. 10 ; Mi 1. 16 ; Jb 1. 20. La pratique ultérieure aura été moins exigeante.
[13] Le port du « sac », mentionné dans d'autres textes (Gn 37. 34 ; 2 S 3. 31) devait remplacer les vêtements effectivement déchirés. A l'époque du NT, on se contentait d'une déchirure symbolique du col du vêtement de dessus. Il est possible que ce fût déjà le cas à l'époque de P.

la communauté cultuelle, tout comme la faute commise par le grand prêtre entraîne la culpabilité de tous (voir 4. 3).

Le ו suivant a une valeur adversative : « mais/au contraire ». Le אחיכם = « vos frères » (comparer v. 4) est précisé ici par l'apposition « toute la maison d'Israël », qui lui donne son sens large. בכה, au sens strict, signifie « pleurer/verser des larmes » ; ici il est employé dans le sens dérivé de « célébrer les rites de deuil » (voir p. ex. Gn 23. 2 ; 37. 35 ; 50. 3 ; Nb 20. 29 ; Dt 21. 13). La שרפה = « feu/incendie » est ici une métonymie pour « ceux qui ont passé par le feu » (sur le verbe שרף = « brûler », voir 4. 12).

v. 7. Dans ce verset, Moïse conclut par un ordre valable dans le cas présent, mais certainement pas de manière générale ; il s'agit de l'obligation faite aux prêtres de rester dans l'enceinte sacrée du sanctuaire, sous peine de mort[14]. En effet l'épisode se déroule encore au cours du huitième jour de la cérémonie (comparer v. 4). La justification formulée par Moïse en 7aβ porte sur le v. 6 aussi bien et même plus que sur le début du v. 7 : « l'huile de l'onction de YHWH est sur vous ». Cette phrase présuppose l'onction de tous les prêtres, et non seulement du grand prêtre (comparer 8. 12) ; cela peut expliquer que les simples prêtres, ici consacrés par l'onction, soient soumis aux mêmes exigences que le grand prêtre en 21. 10-12 (comparer v. 4 ci-dessus).

Aaron et ses deux fils restants obéissent fidèlement à l'ordre de Moïse.

v. 8-11. Après la première règle de conduite des prêtres, relative aux situations de deuil, l'auteur enchaîne en présentant une seconde règle que les prêtres doivent observer, règle relative aux boissons alcooliques. Ce paragraphe n'a apparemment aucun lien direct avec l'incident de Nadab et Abihou. Certains commentateurs ont émis l'idée que les deux prêtres auraient abusé de boissons enivrantes avant de présenter leur offrande de parfum, ce qui aurait provoqué le châtiment divin, mais il s'agit là d'une pure spéculation. Une telle justification de la place de ce paragraphe dans le chap. 10 est sans fondement.

v. 8. C'est la seule fois dans Lv que YHWH s'adresse directement à Aaron. Cela ne se reproduira ensuite qu'en Nb 18. 1, 8, 20. Il est possible qu'un rédacteur ait voulu souligner par l'emploi de cette formule inhabituelle qu'Aaron est en quelque sorte « réhabilité », d'une part après la catastrophe qui s'était abattue sur lui et qu'il aurait pu prendre pour un désaveu de son sacerdoce, d'autre part après la violente remise en question de sa position en Nb 16—17.

v. 9. La règle fondamentale figure dans le v. 9 (voir la formule de conclusion de 9b). יין et שכר désignent respectivement le « vin » (obtenu à partir du fruit de la vigne) et une sorte de « bière » (probablement à base d'orge). Les deux termes sont fréquemment utilisés ensemble ou en parallèle, et le sens de l'expression doit alors être envisagé globalement : « vin et autre boisson alcoolique ». L'interdiction de consommer des boissons alcooliques n'est pas absolue pour les prêtres, comme c'était le cas pour les

---

[14] La répétition du תמתו aux v. 6 et 7 montre bien que les ordres qui y sont donnés ne se situent pas sur le même plan.

« nazirs » (voir Nb 6 ; Jg 13) ; elle est liée à leur entrée dans le sanctuaire[15], et cela sous peine de mort (v. 6 et 7). A l'origine cette règle était probablement due à une réaction contre des pratiques du culte cananéen, où l'alcool pouvait jouer un rôle important[16] ; il fallait éviter la propagation de telles pratiques dans le culte d'Israël (comparer Es 28. 7 ; Ez 44. 21) ; la motivation fondamentale de l'interdiction était ainsi d'ordre théologique. Le rédacteur qui a ajouté les v. 10-11 a certainement compris l'expression בוא אל־אהל מועד (litt. « venir à la tente de la rencontre ») dans le sens plus large d'« exercer son ministère au sanctuaire », à quoi fait écho LXX en ajoutant la phrase mentionnée dans l'apparat critique de BHS.

אתך = « avec toi » ne comporte pas ici une simple idée d'accompagnement : interdiction de boire de l'alcool quand ils sont avec Aaron, mais possibilité de le faire quand ils sont sans lui. L'idée est que ni Aaron ni ses descendants *non plus* ne doivent consommer d'alcool, dans les circonstances indiquées.

Sur l'expression de 9b, voir 3. 17.

v. 10-11. Ces versets, de la main d'un rédacteur ultérieur, ajoutent deux motivations d'ordre psychologique à l'interdiction : le prêtre doit s'abstenir d'alcool pour rester à même de discerner le sacré du profane et le pur de l'impur[17] (v. 10 ; comparer Ez 22. 26 ; 44. 23), et pour pouvoir enseigner (v. 11). La première de ces deux tâches, illustrée par Lv 11—15 (« pur et impur », voir en particulier 13—14) et par un texte comme Ag 2. 11-12 (« saint et profane »), consiste pour le prêtre à montrer aux laïcs de quelle manière se comporter pour demeurer dans une relation juste avec Dieu, en évitant aussi bien ce qui est saint que ce qui est impur. La seconde tâche, celle de l'enseignement des prescriptions divines[18], est encore considérée ici comme étant l'apanage des prêtres, maîtres de morale et de religion (comparer Esd 7. 10). Elle deviendra plus tard celui des lévites[19].

Ces deux versets sont rattachés, de manière boiteuse mais grammaticalement compréhensible, au v. 9. Le ו initial du v. 10 coordonne להבדיל = « pour faire la différence », par-dessus 9b, à בבאכם = « lorsque vous entrez » en 9a.

v. 12-20. Avec ce paragraphe, nous retrouvons la suite du récit de l'incident de Nadab et Abihou, au huitième jour de la cérémonie ; c'est de nouveau Moïse qui parle à Aaron et à ses fils. Il règle le problème de la consommation des parts qui reviennent aux prêtres sur les offrandes faites par le peuple.

v. 12-13. Ce qui reste de l'offrande végétale (voir 9. 4aβ ; sur la מנחה = « offrande végétale », voir le chap. 2), après qu'on en a brûlé ce qui revient à YHWH, est une part très sainte (voir 2. 3), qui doit être consommée sans levain (חמץ, voir 2. 11), à côté de l'autel, c'est-à-dire dans la proximité immédiate du sanctuaire. Le v. 13 précise que cet emplacement est nécessaire, car il faut un endroit saint pour la consommation d'une part très sainte. Sur le mot חק = « redevance », voir 6. 11a.

---

[15] L'expression בוא אל־אהל מועד signifie toujours « pénétrer dans la tente de la rencontre », et pas seulement « se rendre à la tente de la rencontre ».

[16] Voir Ex 32. 6 ; Jg 9. 27, qui pourraient bien refléter des influences ou des usages cananéens. Voir aussi le Poème babylonien de la création, tablette III, lignes 134-138 (RPO, p. 50).

[17] Sur ces différentes notions, voir le Coup d'œil rétrospectif sur Lv 11—15.

[18] Sur חקים, voir 6.11.

[19] Voir Ne 8. 7-9 ; 2 Ch 17. 8-9 ; voir aussi DE VAUX, *Institutions* II, p. 207-208, 262.

כִּי־כֵן צֻוֵּיתִי rappelle une fois de plus que Moïse ne fait que transmettre « ce qui lui a été ordonné » par Dieu (voir 8. 9).

v. 14. Sur la poitrine et la cuisse des animaux offerts en sacrifice de communion, voir 7. 30-34. Ces morceaux constituent la part revenant aux prêtres (חֹק), mais sans être une part très sainte, de sorte qu'ils peuvent être consommés non seulement par les prêtres, mais également par les femmes des familles sacerdotales (בָּנֶיךָ = « tes filles/descendantes »), et il suffit de se tenir dans un endroit pur[20].

v. 15. Ce verset répète, de manière un peu pédante, ce qui vient d'être dit, en y ajoutant essentiellement une précision : la cuisse et la poitrine doivent être offertes avec le geste de présentation, en même temps que les morceaux gras, avant d'être remises aux prêtres. Sur 15bβ, voir 8. 9.

v. 16-20. Ce sous-paragraphe présente un certain nombre de problèmes à différents niveaux. Nous avons déjà relevé que les indications données au chap. 9 concernant le sacrifice pour le péché de la communauté ne correspondaient pas aux rituels exposés dans le chap. 4 (voir 9. 3-4 et 9. 15) ; un tableau synoptique sommaire permettra de mieux discerner les points de divergence *(en italique).*

chap. 4	sacr. du grand prêtre	sacr. de la communauté	sacr. d'un chef	sacr. d'un particulier
animal	*taureau*	*taureau*	bouc	chèvre ou brebis
sang	*dans la tente*	*dans la tente*	autel de l'holoc.	autel de l'holoc.
viande	brûlée	brûlée	(consommée par	(consommée par
	(confirmé par 6. 23)	(confirmé par 6. 23)	les prêtres,	les prêtres,
			voir 6. 19, 22)	voir 6. 19, 22)

chap. 9				
animal	*veau*	*bouc*		
sang	*autel de l'holoc.*	*autel de l'holoc.*		
viande	brûlée	(brûlée, voir 10. 16 ;		
		comparer 9. 15)		

On constate donc que le sacrifice de 9. 15 a été brûlé conformément à la règle de 4. 21. Toutefois le sang de l'animal n'a pas été introduit dans la tente de la rencontre, où aucun des prêtres n'est encore entré (voir 9. 9, 11, opposé à 4. 17-18). C'est la raison pour laquelle Moïse déclare (v. 18) que la viande aurait dû être mangée (par application *a contrario* de la règle de 6. 23). Mais alors se dressent deux problèmes :

a) pourquoi, dans le cas du veau offert par Aaron, veau dont le sang n'a pas non plus été porté dans la tente de la rencontre (9. 9), la viande n'a-t-elle pas été consommée par les prêtres ? C'est certainement en vertu de la règle de 6. 16, qui prévaut donc contre celle de 6. 23 ;

b) pourquoi le sacrifice pour le péché de la communauté, selon 9. 15 et 10. 18, est-il différent, sur deux des trois points du tableau ci-dessus, du rituel de 4. 13-21, et est-il identique, sur ces deux mêmes points, au sacrifice pour le péché d'un chef (4. 22-26) ? La seule réponse possible est que le rituel auquel Moïse se réfère n'est pas celui du

---

[20] Les femmes n'auraient de toute façon pas eu accès à un endroit « saint », à proximité du sanctuaire.

chap. 4, mais un autre, probablement d'origine plus ancienne[21], qui ne nous a pas été transmis.

A un autre niveau, le texte des v. 17b et 19 n'est pas des plus clairs en hébreu, ce qui ne facilite pas la compréhension de l'ensemble.

v. 16. Moïse s'inquiète du sort réservé à la viande du bouc de 9. 3, 15 ; après le sacrifice, qu'est-il advenu de la part non consumée sur l'autel ? Apprenant qu'elle a été brûlée (שרף, voir 4. 12), Moïse adresse des reproches à Éléazar et Itamar[22].

v. 17. במקום הקדש ne signifie pas « dans le lieu saint », c'est-à-dire « dans la tente de la rencontre »[23], mais, en parallèle à במקום קדש du v. 13, « dans le domaine sacré où se dresse la tente de la rencontre »[24]. Le caractère « très saint » de cette viande renforce le parallèle avec les v. 12-13. Le suffixe de אתה = « l' [a donné] » se rapporte à החטאת = « la victime du sacrifice ». Le sujet de נתן = « a donné » peut être indéfini (« on » = « la communauté ») ou bien YHWH lui-même, non nommé explicitement ; sans pouvoir trancher de manière certaine, nous penchons pour le sujet implicite YHWH.

Le traducteur de LXX a cru judicieux de donner ici une précision qui, dans son esprit, était probablement l'explicitation de ce qu'il croyait être le sens implicite du texte hébreu : (τουτο εδωκεν ὑμιν) φαγειν = « (il vous l'a donné) à manger ». Cela semble logique à première lecture, puisque le paragraphe traite justement du reproche de Moïse concernant la non-manducation de la viande. Mais il ne s'agit pas de cela. La subordonnée finale qui suit (לשאת את־עון העדה = « pour enlever le péché de la communauté ») dépend directement du verbe נתן = « donner » et non du verbe « manger » exprimé ou sous-entendu, comme l'ont imaginé à tort certains spécialistes[25]. L'expression נשא עון signifie donc ici « ôter le péché » et non « porter le (poids du) péché »[26]. Sur כפר על = « faire le rite d'absolution sur », voir 4. 20. Tout ce verset semble utiliser des expressions fréquentes chez P, mais dans un sens plus flou, moins précis qu'habituellement.

YHWH a « donné » aux prêtres l'animal à sacrifier, avec le rituel à suivre et le droit d'en consommer la viande, afin qu'ils puissent accomplir fidèlement leur tâche de réconciliation du peuple avec Dieu.

v. 18. Ce verset renvoie à 6. 23, ou peut-être à un autre ordre de Moïse (כאשר צויתי = « comme je l'avais ordonné »), non conservé dans le Pentateuque. En effet 6. 23 interdit simplement la manducation de la viande dans certains cas, sans pour autant la rendre obligatoire dans les autres cas.

Le double emploi de הקדש montre bien que pour P le mot désigne le sanctuaire au sens large, l'espace sacré, et non le bâtiment proprement dit (tente de la rencontre,

---

[21] L'évolution d'un rituel se fait généralement dans le sens d'une plus grande exigence.

[22] On ignore pourquoi aucun reproche n'est adressé, semble-t-il, à Aaron. Faut-il supposer que ses fils ont agi à son insu ? Ou bien l'auteur a-t-il été gêné à l'idée de voir quelqu'un, fût-ce Moïse, se mettre en colère contre le grand prêtre (DILLMANN, p. 517) ?

[23] Cela aurait été impensable dans la mentalité de l'époque.

[24] Voir aussi v. 18.

[25] Voir p. ex. VON RAD, *Théologie* I, p. 218.

[26] Comparer 5. 1.

ou temple). Si le mot avait eu en soi un sens restreint, l'auteur n'aurait pas eu besoin de préciser en 18a « à l'intérieur » (פנימה)[27].

v. 19. Bien que les reproches de Moïse eussent été adressés à Éléazar et Itamar, c'est Aaron qui prend la parole pour répondre, exprimant ainsi qu'il se solidarise avec ses fils et entend partager avec eux la responsabilité de la faute commise. Il est important de noter qu'Aaron n'essaie pas de se justifier en arguant d'une erreur d'interprétation ; il admet implicitement qu'il y a eu de leur part une déviation par rapport au rituel normal. Cela confirme une fois de plus que le rituel du chap. 4 n'est pas à la base de la cérémonie du chap. 9, malgré certains points de convergence.

Le sujet non explicité de הקריבו = « ont présenté » est « mes fils », et renvoie à 9. 8-14, compris comme le sacrifice non d'Aaron tout seul, mais des cinq nouveaux prêtres en commun. La tournure ותקראנה אתי כאלה (litt. « me sont arrivées [des choses] comme celles-ci »), très vague en soi, fait allusion, dans le contexte actuel, à la mort de Nadab et Abihou. Aaron, non content de se solidariser avec Éléazar et Itamar, fait comme si lui seul était responsable de ne pas avoir mangé de la viande du sacrifice de la communauté, ואכלתי = « que je consomme ». Le ו a ici une nuance hypothétique : « si je mangeais »[28] ; Aaron maintient que son point de vue est encore valable, même après la démonstration de Moïse, ce qui est confirmé d'une certaine manière par l'emploi de חטאת = « sacrifice pour le péché » sans article, qui ne désigne donc pas « le » bouc du v. 16, mais « un » sacrifice pour le péché, celui-là ou n'importe quel autre qui pourrait être offert à ce moment-là.

La question de 19b est rhétorique : Aaron « affirme » en fait que manger de la viande d'un sacrifice pour le péché dans de telles circonstances ne saurait plaire à YHWH. Il ne dit pas pour quelles raisons il a cette certitude, et nous en sommes réduits aux hypothèses ; la plus vraisemblable est qu'il se sent solidaire de la faute commise par Nadab et Abihou ; or cette faute ayant été commise après que le sacrifice pour le péché a été offert, Aaron se considère en état de péché, ce qui, à ses yeux, exclut qu'il en consomme la viande.

v. 20. L'argumentation d'Aaron satisfait Moïse. Cet épisode montre que, même pour un « juriste » aussi méticuleux que P, l'application mécanique des règles et des lois n'est pas ce que Dieu attend des hommes : le bon sens, l'humilité et la vie priment le légalisme.

---

[27] Sur la construction du hophal avec את, voir GK 121b ; JOÜON 128b.

[28] L'accentuation massorétique (ton mil'el) semble inviter à prendre le ו comme non consécutif (par opposition à 2 S 13. 5 ואכלתי, ton milra'), ce qui justifierait la traduction fréquente par un plus-que-parfait français. Toutefois la forme ואכלתי de Dt 2. 28 (ton mil'el, malgré le ו consécutif incontestable) nous permet de considérer le ו comme consécutif également en Lv 10. 19.

COUP D'ŒIL RÉTROSPECTIF SUR LÉVITIQUE 8—10

Parler du sacerdoce en Israël, c'est parler d'une fonction de médiation et de représentation[1].

La médiation est le fait d'une personne neutre, qui a pour tâche d'établir un contact, une relation entre des individus ou des communautés. Cependant, lorsque le contact a été établi, que le dialogue a été instauré, il arrive que le médiateur devienne superflu : le courant peut passer directement entre les interlocuteurs.

La représentation n'est pas identique à la médiation ; elle est le fait d'une personne qui, dans un dialogue ou un contact, en remplace une autre empêchée d'être présente. S'il arrive que les deux parties prenantes de la relation soient empêchées de participer, elles peuvent toutes deux se faire représenter, et donc dialoguer par personnes interposées.

Le prêtre de l'Ancienne Alliance est à la fois un médiateur et un représentant[2] ; il concilie donc en lui-même, dans ses fonctions, deux rôles apparemment contradictoires.

Comme médiateur, il établit le contact entre Dieu et le peuple d'Israël ; toutefois, contrairement à d'autres médiateurs, il ne devient jamais un élément superflu du dialogue, il reste toujours un passage obligé de la relation.

C'est ce qu'exprime la dimension de représentation qu'il assume également. La particularité de ce rôle est que le prêtre, en tant que représentant, ne se trouve pas face à *une* autre partie ou à *un* représentant de l'autre partie ; il est un représentant « double face », chargé aussi bien de représenter Dieu face au peuple, que le peuple face à Dieu.

La fonction oraculaire primitive du prêtre (pratiquement tombée en désuétude à l'époque de P, voir le commentaire de 8. 8 ; elle avait été progressivement remplacée en quelque sorte par le prophétisme) relevait de la représentation de Dieu devant Israël. La fonction d'enseignement s'inscrit dans la même perspective : le prêtre est un porte-parole de Dieu, chargé de communiquer au peuple les exigences de la volonté de YHWH (Lv 10. 8-11 ; comparer, en Lv 13—14, son rôle de détermination de ce qui est pur ou impur). Et c'est encore comme représentant de Dieu qu'il est le porte-parole de la bénédiction (Lv 9. 22-23 ; comparer Nb 6. 22-27 ; *Si* 50. 20-21).

Parallèlement, le prêtre représente le peuple devant Dieu, au travers de ses tâches sacrificielles (Lv 9 ; *Si* 50. 11-15), purificatrices (Lv 14. 3-20) ou expiatoires (Lv 16).

---

[1] Voir AUZOU, « Connaissance », p. 301.
[2] C'est en somme le grand prêtre qui résume en lui-même cette double fonction ; les prêtres ordinaires « participent » collectivement à son ministère.

La position du sacerdoce en Israël découle tout naturellement de la conception qu'on avait de Dieu. La sainteté[3] de YHWH est si éminente que la rencontre directe d'un être humain avec lui est quasi impensable. L'histoire du peuple d'Israël est jalonnée de récits décrivant ou suggérant la peur provoquée par la transcendance divine : voir la réaction du couple primitif (Gn 3. 8-10) ; celle de Jacob à Béthel (Gn 28. 17) et au gué du Yabboq (Gn 32. 31), celle de Moïse (Ex 3. 6 ; 33. 18-20) ; celle de Gédéon (Jg 6. 22-23) ; celle de Manoah et de sa femme (Jg 13. 22) ; celle d'Ésaïe (Es 6. 5) ; et même celle des disciples face à Jésus, lorsqu'ils découvrent sa puissance divine (Mt 17. 6 ; Lc 5. 8-10). Ainsi il n'y a pas de présence immanente de Dieu dans le monde des hommes (même pas sous forme d'images) ; l'apparition théophanique est uniquement occasionnelle, et toujours accompagnée d'une parole de grâce et de réconfort qui permet d'en atténuer le caractère effrayant dû à l'irruption du monde sacré dans le monde dominé par le péché.

En sens inverse, il est tout simplement impossible qu'un homme pécheur pénètre dans la sphère de la sainteté divine. C'est pourquoi le sacerdoce est appelé à jouer les intermédiaires d'une relation autrement impossible entre Dieu et les Israélites : Des hommes, choisis par Dieu (non pas à titre individuel, mais en tant que membres d'une famille particulière), sont admis à pénétrer dans la sphère des réalités propres à Dieu. Ils sont consacrés au moyen du sang d'un bélier, déposé en partie sur leur corps et en partie sur l'autel (Lv 8. 23-30) ; au cours de la même cérémonie, ils reçoivent une onction d'huile, parallèlement à l'onction du sanctuaire et de son contenu (Lv 8. 10-12)[4]. Ce double rite, effectué au moyen du sang et de l'huile, souligne que ces hommes ont partie liée avec le sanctuaire et l'autel, lieux sacramentels de la présence de Dieu au milieu des siens. Les prêtres sont donc habilités (eux seuls) à s'approcher de l'autel pour y offrir à Dieu les présents des laïcs et à pénétrer dans le sanctuaire, puis dans un mouvement inverse à revenir dans le monde ordinaire pour enseigner à Israël la connaissance de Dieu et pour prononcer sur le peuple la bénédiction venant de Dieu.

« Médiation » et « représentation » sont également des thèmes clé de la théologie biblique du NT. Ce double rôle, préfiguré par le sacerdoce de l'AT[5], est assumé de manière tout aussi indispensable, exclusive et définitive, par Jésus de Nazareth, vrai Dieu (Jn 1. 1 ; Ph 2. 5-6) et vrai homme (Jn 19. 5 ; Ph 2. 7-8), médiateur (1 Tm 2. 5 ; He 8. 6 ; 9. 15 ; 12. 24) qui récapitule tout en lui-même (Ep 1. 10 ; Col 1. 18), témoin fidèle (Ap 3. 14), envoyé de Dieu (Jn 13. 3 ; 17. 3) pour le faire connaître aux hommes (Mt 11. 27//Lc 10. 22 ; Jn 1. 18 ; Ep 1. 9), chemin qui conduit au Père (Jn 14. 6 ; He 10. 20) et intercesseur (Rm 8. 34 ; He 7. 25)[6].

---

[3] Sur la notion de « sainteté », et ses rapports avec celle de « pureté », voir le Coup d'œil rétrospectif sur Lévitique 11—15.

[4] Ainsi que nous l'avons signalé (voir le commentaire de 8. 12), l'œuvre sacerdotale reflète une double tradition, celle de l'onction de tous les prêtres, et celle de l'onction du seul grand prêtre. L'apparente contradiction n'a pas gêné l'auteur du Lévitique, car dans sa mentalité, les prêtres ordinaires, même s'ils n'ont pas été oints individuellement, bénéficient collectivement de l'onction reçue par le grand prêtre.

[5] Et illustré à sa manière par Moïse également, alors même qu'il n'est pas prêtre (voir Ga 3. 19-20 ; voir également l'Introduction au chap. 8).

[6] Pour ceux qui désirent approfondir la réflexion sur le thème de la médiation-représentation, voici quelques références bibliographiques : SCHARBERT Josef. *Heilsmittler im Alten Testament und im Altem Orient*, Freiburg, Basel, 1964, (Quaestiones disputatae, 23/24) ; article כהן et פלל in ThWAT ; article μεσιτης in ThWNT ; article « Médiation » in DBS ; article « Mediator, Mediation » in IDB ; article « Mittler » in RGG(3).

INTRODUCTION GÉNÉRALE A LÉVITIQUE 11—15

Les chap. 11—15 traitent du problème de la pureté et de l'impureté.

Les textes vétérotestamentaires anciens n'abordent cette problématique que de manière occasionnelle et somme toute périphérique : l'impureté, supposée, de David (1 S 20. 26 ; comparer Dt 23. 11) et celle de Bethsabée (2 S 11. 4) sont liées à des questions de physiologie sexuelle ; Israël se souille et souille le sanctuaire en rendant un culte aux faux dieux (Gn 35. 2 ; Jr 2. 23 ; 7. 30 ; 32. 34 ; Os 5. 3 ; 6. 10) ; la terre étrangère de l'exil sera impure (Am 7. 17 ; comparer Esd 9. 11), de même que la nourriture qu'on y consommera (Os 9. 3). Ces informations éparses et peu nombreuses ne permettent guère de tirer des conclusions systématiques, si ce n'est que pureté/impureté sont déjà des notions en rapport essentiellement avec la culte de YHWH.

Ce n'est qu'à l'époque de l'exil que la question prend de l'importance et que les Israélites essaient de mettre un peu d'ordre dans leurs idées. La réflexion théologique sur ce thème semble donc relativement récente en Israël, encore qu'aucune théorie systématique ne soit formulée, ni dans l'AT ni dans le NT. Et les savants modernes (théologiens, historiens des religions, ethnologues, sociologues) qui ont tenté une synthèse de l'enseignement biblique sur le sujet ont surtout réussi à démontrer la considérable complexité de la question, à laquelle aucune réponse simple ne peut être apportée[1].

Nous ne pouvons pas, dans ce commentaire, développer longuement cette thématique et prendre position face aux diverses théories proposées par des spécialistes compétents, qui aboutissent parfois à des conclusions divergentes[2]. En particulier nous n'entrerons pas en matière en ce qui concerne l'origine des notions de « pureté » et « impureté » (domaine de la magie, de la morale, de la psychologie, de la religion ?) ; l'origine lointaine ne joue plus de rôle sensible dans la conception que laisse entrevoir l'œuvre sacerdotale.

Ce qui apparaît clairement, c'est que pour P la notion de « pur/impur » ne relève pas essentiellement de l'ordre de la morale[3], mais plutôt de l'ordre du physique. L'état de pureté est un état « neutre », qui n'oblige à rien et n'exclut rien, qui ouvre simplement diverses potentialités, entre autres celle de la relation avec Dieu, tandis que l'état

---

[1] Voir p. ex. ZINK, « Uncleanness ».

[2] Voir les articles touchant ces notions ou les termes concernés, dans les dictionnaires bibliques ou théologiques (THAT, ThWAT, BHH, DBS, DEB, IDB, IDB.Sup.), ainsi que les études qui y sont citées. CORTESE, « Ricerche », donne en une vingtaine de pages une bonne présentation de l'état de la recherche à la fin des années 70.

[3] La perspective de la pureté morale apparaît surtout chez les prophètes (p. ex. Es 1. 16 ; 6. 5 ; Jr 33. 8 ; Ez 36. 17 ; Za 13. 2), dans la littérature sapientiale (Pr 15. 26 ; 16. 2 ; 20. 11 ; 30. 12), et de manière quasi exclusive dans le NT.

d'impureté n'est pas neutre, en ce sens qu'il exclut la participation à la vie cultuelle d'Israël, donc la relation avec Dieu.

Par contre, il nous paraît important d'établir une distinction formelle qui n'a généralement pas été relevée dans ce débat. Dans la perspective de l'AT, on découvre deux types d'impureté : l'impureté innée et l'impureté acquise.

L'impureté innée est celle de certains animaux qui sont en soi impurs (chap. 11). L'âne et le chameau p. ex. sont impurs, ce qui signifie concrètement qu'on ne doit pas les offrir en sacrifice ni en consommer la chair. Dans la même ligne de pensée, un pays étranger peut être dit impur (Am 7. 17), c'est-à-dire qu'on ne peut y rendre un culte à YHWH (comparer le récit de 2 R 5 : Naaman désire emporter de la terre du pays d'Israël pour pouvoir offrir des sacrifices à YHWH, lorsqu'il sera en Aram, v. 17). Cette impureté-là est intrinsèque, elle ne peut être éliminée d'aucune manière, par aucun rite ; et, corrélativement, elle n'est pas contagieuse : il n'est pas interdit de toucher un âne ou un chameau, ni même de les monter.

L'impureté acquise est, elle, beaucoup plus grave, en ce sens qu'elle peut se transmettre par contact, et qu'elle disqualifie celui qui en est atteint de toute participation à la vie cultuelle, c'est-à-dire à une forme de rencontre avec Dieu. Si la contagion a été involontaire, ou volontaire mais en tant que moindre mal (voir 11. 25), il est possible à la personne devenue impure de se faire réintégrer dans le domaine du pur par divers rites religieux (ablutions, sacrifices). Si par contre quelqu'un a agi volontairement (litt. « à main levée », voir Nb 15. 30) contre les lois divines, il n'y a pas de pardon-purification-réintégration possible : cet homme doit être « retranché de sa parenté » (voir 7. 20-21 ; Nb 15. 31).

Les causes d'impureté acquise sont multiples : il peut s'agir du contact avec un être mort (voir 5. 2 ; 11. 24 ; Nb 19. 11-20), des manifestations physiologiques touchant à la sexualité (accouchement, chap. 12 ; menstruation ou pertes séminales, et même les relations sexuelles légitimes, chap. 15), et enfin de certaines « maladies » (des personnes ou des objets, chap. 13—14).

L'homme doit essayer d'éviter, autant que faire se peut, de se rendre impur ; s'il l'est quand même devenu, il doit accomplir les rites de purification pour être réintégré dans le domaine qui est normalement le sien, domaine neutre, mais ouvert sur la relation avec Dieu, alors que le domaine de l'impur l'enfermerait dans la séparation.

Pour se débarrasser de l'impureté contractée d'une manière ou d'une autre, l'Israélite recourt à deux moyens mis à sa disposition par Dieu : le sacrifice et les ablutions. Toutefois ce n'est pas lui qui peut choisir à bien plaire le moyen qui lui convient : il doit suivre la réglementation qui prévoit tantôt l'un des moyens, tantôt l'autre, tantôt une combinaison des deux, selon le type d'impureté.

Le rituel sacrificiel est mentionné en 12. 6-8 ; 14. 10-31 ; 15. 14-15, 29-30 ; il comporte, selon les cas, holocauste, sacrifice pour le péché, sacrifice de réparation et/ou offrande végétale, et en plus, lors de la purification d'un lépreux (ou d'une maison présentant des taches de lèpre), le rituel spécifique de l'oiseau qui doit emporter l'impureté au loin (14. 4-7, 49-53). Ce dernier rituel, comme nous le relèverons dans le commentaire, présente plusieurs analogies avec celui du « bouc pour Azazel » du chap. 16, et cela nous rappelle également le rôle du Jour du grand pardon dans la purification (collective) des Israélites.

Les ablutions (lavage du corps [c] et/ou des vêtements [v]) sont mentionnées en 11. 25, 28, 40 [v] ; 13. 6, 34, 54-57 [v] ; 14. 8-9 [c + v] ; 14. 47 [v] ; 15. 5-8, 10 [v] ; 15. 11, 13, 16-17 [c + v] ; 15. 18 [c] ; 15. 21-22, 27 [c + v][4].

Au début de l'ère chrétienne, les exigences sacrificielles juives étaient toujours celles codifiées dans l'œuvre sacerdotale ; après la destruction du temple de Jérusalem en 70 ap. J.-C., les sacrifices ne purent plus être offerts. Par contre en ce qui concerne les ablutions, les rabbins en avaient multiplié les occasions (voir Mc 7. 4) ; on sait qu'à Qumrân aussi elles étaient fréquemment pratiquées. Les Évangiles mentionnent également le « baptême de Jean [Baptiste] » (Mt 3 et parallèles), ainsi qu'un baptême pratiqué par Jésus lui-même et/ou ses disciples (Jn 3. 22 ; 4. 1-2), tous deux dérivés des ablutions juives.

L'Église chrétienne conservera les deux moyens de purification en usage dans la communauté juive, sacrifice et ablution, mais sous une forme renouvelée et repensée. Reconnaissant en Jésus de Nazareth le Messie attendu par Israël, et tenant compte du caractère unique, définitif et parfait de sa venue et de son œuvre, elle proclamera la dimension sacrificielle de la mort du Christ, « une fois pour toutes » (He 7. 27 ; 9. 12 ; 10. 10 ; comparer Rm 6. 10 ; 1 P 3. 18). Quant au baptême par lequel elle marque ses membres du sceau de l'appartenance au Christ, ce baptême, unique aussi (Ep 4. 5), résume et condense en lui-même les multiples ablutions de l'ancienne alliance (voir Ac 2. 38 ; 22. 16 ; Rm 6. 3-10 ; 1 Co 10. 2 ; 1 P 3. 21).

Tout comme l'Israélite ne « disposait » pas des sacrifices et des ablutions pour « se purifier », le chrétien n'est jamais que le bénéficiaire de la grâce et du pardon collectifs offerts dans le sacrifice du Christ et dont le baptême lui proclame qu'ils sont efficaces pour lui personnellement.

Les cinq chapitres qui composent cette troisième partie de Lv ne sont pas d'une seule venue (tout comme nous verrons ultérieurement que certains chapitres sont eux-mêmes composites). L'emploi des formules d'introduction, qui n'ont pas été harmonisées par le rédacteur final, le laisse pressentir : en 11. 1 ; 13. 1 ; 14. 33 et 15. 1, Dieu s'adresse conjointement à Moïse et Aaron, tandis qu'en 12. 1 et 14. 1, il s'adresse à Moïse seul[5]. Par contre le rédacteur a terminé chaque section par la formule de conclusion « Telles sont les directives concernant... » = ... תורת זאת (voir 11. 46-47).

---

[4] On peut rapprocher des ablutions le grattage des murs d'une maison suspectée de « lèpre », 14. 40-41, ainsi que le rinçage d'un récipient de bois touché par un homme atteint d'écoulement, 15. 12.

[5] Cela ne signifie pas que nous puissions simplement répartir ces textes en deux groupes distincts ; leur histoire littéraire est infiniment plus complexe. Signalons simplement une constatation qui mériterait peut-être un examen plus approfondi : les deux sections où Dieu s'adresse à Moïse seul ont ceci de commun qu'elles traitent essentiellement de rituels de purification (d'une femme après son accouchement, d'un « lépreux » après sa guérison), et que cela correspond dans une certaine mesure au contenu du chap. 16 (rituel du Jour du grand pardon), introduit par une formule analogue. Mais il est possible qu'il ne s'agisse là que d'une coïncidence.

Le plan de cette partie est le suivant :

11. 1-47 animaux purs et animaux impurs
12. 1-8 purification de la femme après un accouchement
13. 1—14. 57 la « lèpre »
    13. 1-46 la « lèpre » humaine
    13. 47-59 la « lèpre » des étoffes
    14. 1-32 purification de la « lèpre » humaine
    14. 33-57 la « lèpre » des maisons
15. 1-33 les impuretés relatives à la sexualité.

Chapitre 11

ANIMAUX PURS ET ANIMAUX IMPURS

Nombreux sont les problèmes posés par ce chapitre, et plusieurs sont restés jusqu'à ce jour sans solution, malgré les recherches approfondies menées par les spécialistes.

Dès que l'on fait une lecture un peu attentive de Lv 11, on ne peut manquer d'en percevoir le manque d'homogénéité. Il est question tantôt de la manducation de la chair des animaux, tantôt du contact avec les cadavres d'animaux. Le texte est rédigé essentiellement à la 2ᵉ pers. masc. pl., mais certains versets utilisent une tournure impersonnelle (« celui qui... »). Tel paragraphe contient une liste d'animaux, tel autre se borne à donner les caractéristiques physiologiques permettant de classer les animaux en « purs » et « impurs ». Les listes sont parfois développées (exhaustives ?), parfois limitées à quelques exemples. Certaines ne donnent que des noms d'animaux impurs, d'autres également des noms d'animaux purs. Enfin le vocabulaire même de l'impureté présente des variantes significatives[1]. La seule conclusion possible est que le rédacteur de ce chapitre a regroupé (en les respectant autant que possible) des éléments assez disparates.

Il a néanmoins réussi à créer un ensemble relativement bien structuré, malgré quelques notions qui chevauchent sur divers paragraphes :
la première partie, v. 2-23, traite essentiellement de ce qu'il est permis ou interdit de manger ; elle se subdivise en trois paragraphes (conformément au récit sacerdotal de la création, Gn 1), concernant respectivement

   a) les animaux qui vivent sur terre (v. 3-8 ; comparer Gn 1. 24),

   b) les animaux qui vivent dans les eaux (v. 9-12 ; comparer Gn 1. 20a),

   c) les animaux qui vivent dans les airs (v. 13-23 ; comparer Gn 1. 20b) ;
ce troisième paragraphe (« êtres ailés ») traite d'abord

   a) des oiseaux (v. 13-19), puis

   β) des insectes ailés (v. 20-23) ;
la seconde partie, v. 24-40, rappelle que le contact avec un cadavre d'animal rend impur[2].

On trouve en Dt 14. 3-21 un texte très proche de Lv 11. 2-23 ; à côté d'éléments repris mot à mot, certaines informations n'apparaissent que dans Lv 11 ou que dans Dt 14 ; il est donc difficile de dire si l'un des textes est plus ancien que l'autre, ou si tous les deux dépendent d'une source extérieure commune. Noth, p. 76, exprime un avis nuancé

---

[1] טמא = « (être) impur » ; v. 4-8, 24-40, 43-47 ; שקץ = « (être) abominable » : v. 10-23, 41-43.

[2] Il semble que, plus fréquemment qu'ailleurs, des éléments soient restés implicites dans le texte hébreu de ce chapitre ; cela explique le nombre élevé d'informations données entre parenthèses dans la traduction ci-dessous.

en considérant que le fond ancien de Lv 11 est probablement antérieur à Dt 14, et que les éléments récents de Lv 11 semblent postérieurs à Dt 14. Il avoue cependant ne pas pouvoir être plus précis dans ses appréciations, faute d'autres points de comparaison dans l'AT.

Les v. 43-45 recourent à une phraséologie proche de celle de la Loi de sainteté (p. ex. « ne vous rendez pas vous-mêmes abominables » [comparer 20. 25] ; « ne vous rendez pas impurs » [comparer 18. 24, 30] ; « je suis YHWH votre Dieu » [comparer 19. 3-4] ; « vous vous sanctifierez et vous serez saints » [comparer 19. 2 ; 20. 26] ; « pour devenir votre Dieu » [comparer 22. 33 ; 25. 38]). Cela ne suffit pourtant pas, à notre avis, pour conclure que le chap. 11 serait, en tout ou en partie, un élément détaché de la Loi de sainteté[3] ; nous penchons plutôt vers l'idée que ces trois versets, inspirés du style de la Loi de sainteté, ont été insérés par le rédacteur dans le chap. 11.

Dans l'introduction générale à Lv 11—15, nous avons mentionné, sans pouvoir le traiter, le problème de l'origine des notions générales de pureté et impureté ; en ce qui concerne ici les conceptions relatives au caractère de pureté ou d'impureté des animaux, nous pouvons tenter d'aborder cette problématique. Wenham, p. 166-171, a bien résumé l'état de la question en rappelant les quatre types d'explications qui ont été proposées ; on a affirmé que la distinction entre animaux purs et impurs était :

a) **arbitraire** : Dieu seul connaît les raisons, et il demande à l'homme de lui obéir simplement, sans même chercher à comprendre. Une telle approche, jugée négative, ne devrait être retenue qu'en dernier ressort ;

b) **cultuelle** : certains animaux, vénérés dans d'autres religions (p. ex. le porc, victime sacrificielle en Babylonie) auraient été disqualifiés pour cette raison dans le culte d'Israël. Mais le bélier est un animal pur en Israël, bien qu'il ait été consacré à Amon-Ré en Égypte ; de même le taureau, pourtant animal sacré de Baal en Canaan ;

c) **hygiénique** : certains animaux sont susceptibles d'être porteurs ou vecteurs de maladies (trichinose, par le porc ; tularémie, par le lièvre). Un tel raisonnement peut satisfaire le souci d'hygiène d'un esprit du XXe siècle, mais il n'est pas certain que les anciens aient été conscients de ces phénomènes ; de plus si cela avait été le cas, comment comprendre que Jésus puisse déclarer que toutes choses sont désormais pures (Mc 7. 19 ; comparer Ac 10. 12-15) ? Pour lui en tout cas, le problème n'est pas celui de l'hygiène ;

d) **symbolique** : certains animaux sont purs ou impurs en raison de ce qu'ils évoquent des aspects positifs ou négatifs dont les Israélites sont invités à tenir compte : la vache qui rumine suggère au croyant la nécessité de méditer sur la Loi ; le mouton est pur pour rappeler à Israël que Dieu est son berger. Mais ces interprétations sont généralement subjectives, pour ne pas dire fantaisistes.

A ces quatre explications, dont il conteste le bien-fondé, Wenham oppose la conception de Douglas, *Souillure* ; cette ethnologue-anthropologue britannique, spécialiste des religions primitives, qui aborde les problèmes sous l'angle sociologique, définit comme « pur » ce qui est normal et entier, comme « impur » ce qui est incomplet ou en dehors de la norme. Un être affligé d'un défaut physique par exemple n'est pas apte à remplir son rôle (21. 17-21 ; 22. 18-25), car il sort de la norme ; autre exemple, un quadrupède qui ne correspond pas à la norme du ruminant à sabot fendu en deux, c'est-à-dire au type de bétail de l'éleveur palestinien, est impur.

---

[3] Ce que soutiennent H. CAZELLES, *in* DBS, IX, col. 499-500, et P. BUIS, *in* DEB, p. 1157.

La conception de Douglas[4] a apporté un éclairage nouveau et bienvenu sur une problématique qui n'avait jamais reçu de réponse satisfaisante ; toutefois nous remarquons que ce que Wenham et Cortese présentent généralement comme démontré par Douglas, l'auteur elle-même le présente plus modestement comme hypothèse.

De notre côté, nous nous posons encore quelques questions, dont voici les deux principales :

a) la notion de « norme/normalité » à laquelle Douglas fait appel est-elle vraiment première, ou ne s'agirait-il pas plutôt d'une classification *a posteriori*, visant à justifier les règles reçues de la tradition ? On constate en tout cas que les v. 43-45 apportent une explication théologique certainement postérieure, mais qui montre bien que les explications justificatives antérieures n'étaient plus senties comme suffisantes ;

b) les quatre explications rejetées par Wenham ne pourraient-elles pas contenir quand même quelques bribes de vérité ?

Nous remarquons que Douglas est moins catégorique que Wenham. Nous penchons également pour une attitude moins tranchée, pensant que des influences très diverses ont pu s'exercer sur la mentalité sacerdotale et aboutir à la conception que ce chapitre laisse transparaître.

Une autre question doit être brièvement abordée à propos du chap. 11. C'est celle de la taxonomie, c'est-à-dire des principes de classification[5]. Dans le domaine de la zoologie p. ex., les occidentaux du XXᵉ siècle sont habitués à des classifications scientifiques, reposant sur des observations méticuleuses, externes et internes, des diverses espèces animales ; un système hiérarchique globalisant et bien structuré permet de glisser du général au particulier, en passant par toute une série d'étapes intermédiaires de plus en plus spécialisées :

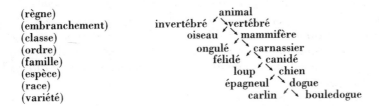

(règne)   animal
(embranchement)   invertébré vertébré
(classe)   oiseau mammifère
(ordre)   ongulé carnassier
(famille)   félidé canidé
(espèce)   loup chien
(race)   épagneul dogue
(variété)   carlin bouledogue

Ce système n'a pourtant rien d'absolu ; il présente des avantages incontestables, mais il n'est pas immuable[6] et surtout pas universel. Il peut être parfaitement légitime de procéder à des classifications selon d'autres critères, et c'est ce que l'on rencontre dans l'AT tout comme dans de nombreuses cultures anciennes ou contemporaines. Nous contestons donc vivement la pertinence des propos condescendants et paternalistes de

---

[4] Nous ne pouvons guère l'exposer plus longuement dans le cadre de ce commentaire, et encore moins la discuter en détail.

[5] Voir MARGOT, *Traduire*, p. 86-87.

[6] A certains niveaux, le recours au critère du code génétique pourrait conduire à remettre en question telle ou telle classification.

certains commentateurs[7]. Le recours à des critères différents des nôtres, parfois mieux adaptés que les nôtres aux circonstances et aux nécessités spécifiques, n'a rien à voir avec des « erreurs » de classification ou des « fantaisies ».

En ce qui concerne les notions de pureté/impureté, il peut sembler à première vue que la perspective du NT est diamétralement opposée à celle de l'AT. Comme nous l'avons rappelé ci-dessus, en passant, on voit Jésus déclarer que « toutes choses sont pures » (Mc 7. 19 ; Ac 10. 12-15) ; la communauté chrétienne primitive reprendra fréquemment le thème en question (Rm 14. 14 ; 1 Co 8 ; 2 Co 7. 1 ; Ph 1. 10 ; 1 Th 4. 7 ; He 9. 13-14 ; Jc 4. 8). Mais dans ces textes il ne s'agit plus de faire le tri entre ce qui est pur et ce qui est impur, comme dans les textes rituels de l'AT ; les notions sont spiritualisées, l'accent n'est plus mis sur la pureté rituelle, mais sur la pureté morale. Est-ce à dire qu'il y aurait eu une rupture radicale entre l'ancienne alliance et la nouvelle alliance sur cette question ? Nous ne le pensons pas. La rupture que Jésus préconise se manifeste non par rapport à la doctrine vétérotestamentaire fondamentale, mais par rapport au formalisme des scribes et des Pharisiens de son temps[8], qui ramenaient la pureté et l'impureté à n'être que des états physiques, conduisant essentiellement à la « séparation ». Pour Jésus, dans la droite ligne des exigences prophétiques, il s'agit de voir la pureté non comme un état « en soi », mais comme une ouverture sur la relation avec Dieu. Jésus, être de relation, de contact, de communication et de communion, rappelle donc à ses contemporains, en la vivant, une vérité ancienne : « C'est le cœur qu'il faut purifier, beaucoup plus que les mains ou les coupes » (DBS, IX, col. 553).

(1) YHWH parla à Moïse et à Aaron, leur[a] *disant : (2) Parlez aux Israélites en ces termes : Voici les animaux que vous consommerez*[a] *:*

Parmi toutes les bêtes qui vivent sur terre, (3) toutes celles qui ont des sabots, dont les sabots sont fendus[a]*, et*[b] *qui ruminent, vous les consommerez. (4) Pourtant vous ne consommerez pas, parmi celles qui ruminent et celles qui ont des sabots*[a]*,*

le chameau, car il rumine, mais il n'a pas [b]*de sabots ; pour vous il sera impur ;*
(5) le daman, car il rumine, mais il n'a pas[b] *de sabots ; pour vous il sera impur ;*
(6) [a]*le lièvre, car il rumine, mais il n'a pas de sabots ; pour vous il sera impur*[a] *;*
(7) le porc, car il a des sabots, des sabots qui sont fendus, mais il ne rumine[a] *pas ; pour vous il sera impur.*
(8) Vous ne consommerez pas de leur viande, et vous ne toucherez pas leurs cadavres ; pour vous ils seront impurs.

(9) [a]*Vous consommerez ceci, de tout ce qui vit dans l'eau : tout ce qui a des nageoires et des écailles, dans les étendues d'eau et dans les cours d'eau, vous le consommerez ; (10) mais tout ce qui n'a pas de nageoires ou d'écailles*[a]*, dans les étendues d'eau ou dans les cours d'eau — toutes les bestioles d'eau ou autres êtres vivant dans l'eau — sera pour vous une abomination. (11) Ils seront pour vous une abomination ; vous ne consommerez*

---

[7] Voir BP, note sur Lv 11. 6 : « L'hébreu *arnébéth* désigne le lièvre et le lapin. C'est par erreur qu'on le classe parmi les ruminants, à cause de son incessante mastication. » Voir également BUIS, *Deutéronome*, p. 115 : « La règle donnée au v. 6 : ruminants aux sabots fendus — n'a qu'une valeur pratique. Elle est d'ailleurs appliquée en suivant une classification zoologique très sommaire, sinon fantaisiste : le lièvre est classé avec les ruminants, les poissons sans écailles sont catalogués avec les reptiles ; et c'est un même mot (צרץ) qui désigne oiseaux et insectes. »

[8] Nous devrions peut-être dire au début de la phrase : « La rupture que le Jésus des Évangiles préconise » ; il est en effet possible que les scribes et les Pharisiens n'aient pas été, historiquement, aussi formalistes que ce qu'en disent les évangélistes et la polémique paulinienne.

pas de leur chair et vous aurez en abomination leurs cadavres. (12) [a]*Tout ce qui n'a pas de nageoires ou d'écailles, dans l'eau, sera pour vous une abomination.*

(13) Vous aurez en abomination ceux-ci parmi les oiseaux — ils ne seront pas consommés[a]*, ils seront en abomination — : l'aigle, le gypaète, l'aigle marin, (14) le milan, le vautour, quelle qu'en soit l'espèce, (15)* [a]*tout*[b] *corbeau, quelle qu'en soit l'espèce, (16) l'autruche, la chouette, la mouette*[a]*, l'épervier, quelle qu'en soit l'espèce, (17) le hibou, le cormoran, la hulotte, (18) l'effraie, la chouette chevêche, le charognard, (19)* [a]*la cigogne,* [b]*le héron, quelle qu'en soit l'espèce, la huppe*[c] *et la chauve-souris.*

(20) Toute[a] *bestiole ailée qui marche sur quatre pattes sera une abomination pour vous. (21) Pourtant*[a] *vous consommerez celles-ci — parmi toutes les bestioles ailées marchant sur quatre pattes —, celles qui ont*[b] *non seulement des pattes leur permettant de marcher, mais d'autres encore leur permettant de sauter*[c] *sur le sol. (22) Parmi elles (les bestioles ailées), vous consommerez celles-ci : la sauterelle, quelle qu'en soit l'espèce, le criquet, quelle qu'en soit l'espèce, le grillon, quelle qu'en soit l'espèce, la locuste, quelle qu'en soit l'espèce. (23) Toute*[a] *autre bestiole ailée qui a quatre pattes sera une abomination pour vous.*

(24) Par ces (animaux-)ci, vous vous rendrez impurs — quiconque touchera un de leurs cadavres sera impur jusqu'au soir ; (25) quiconque transportera un de leurs cadavres[a] *lavera ses vêtements*[b] *et sera impur jusqu'au soir —, (26) par toute*[a] *bête qui a des sabots, mais dont les sabots ne sont pas*[b] *fendus ou qui ne rumine pas — pour vous ils (ces animaux) sont impurs, quiconque les*[c] *touche sera impur —. (27) Et tous ceux qui marchent sur leurs pattes*[a] *(et non sur des sabots), parmi tous les animaux qui marchent sur quatre pattes, seront impurs pour vous ; quiconque touchera un de leurs cadavres sera impur jusqu'au soir, (28) et celui qui transportera* [a]*un de leurs cadavres*[a] *lavera ses vêtements et sera impur jusqu'au soir ; ils seront impurs pour vous.*

(29) Parmi les bestioles qui pullulent sur la terre, voici celles qui seront impures pour vous : la taupe, la souris[a]*, le lézard, quelle qu'en soit l'espèce*[b]*, (30) le gecko, le lézard ocellé, le lézard vert, le lézard des sables et le caméléon. (31) Ces animaux seront impurs pour vous, parmi toutes*[a] *les bestioles ; quiconque les touchera quand elles seront mortes sera impur jusqu'au soir. (32) Tout (objet) sur lequel l'une d'elles, morte, tombera sera impur, que ce soit un objet en bois, un vêtement, une peau, un sac, tout objet servant à n'importe quel usage ; il sera passé*[a] *dans l'eau, il restera impur jusqu'au soir, puis il sera pur. (33) Tout récipient de terre cuite à l'intérieur duquel l'une d'elles tombera, tout son contenu deviendra impur, et vous le briserez (le récipient). (34) Toute nourriture qui se consomme et sur laquelle parviendra de l'eau (contenue dans le récipient du v. 33) sera impure, et toute boisson qui se boit deviendra impure, quel que soit le récipient (si une de ces bestioles y tombe). (35) Tout (objet) sur lequel tombera un de leurs cadavres deviendra impur : un four ou un foyer sera démoli*[a] *; ils seront impurs et vous les tiendrez pour impurs. (36) Pourtant en ce qui concerne une source*[a] *ou une citerne, la masse d'eau restera pure, mais celui qui touchera le cadavre (de la bestiole qui y sera tombée) sera impur. (37) Si un de leurs cadavres tombe sur des graines destinées à être semées, elles restent pures ; (38) mais si de l'eau a été mise sur des graines*[a] *et qu'un de leurs cadavres y tombe, cela sera impur pour vous.*

(39) Si une bête qui[a] *vous sert de nourriture crève, celui qui touchera son cadavre sera impur jusqu'au soir ; (40) celui qui mangera de son cadavre lavera ses vêtements et sera impur jusqu'au soir ; celui qui transportera* [a]*son cadavre*[a] *lavera ses vêtements*[b] *et sera impur jusqu'au soir.*

(41) Toutes les bestioles qui pullulent sur la terre seront en abomination ; elles ne seront pas consommées. (42) De toutes ces[a] bestioles qui pullulent [d]sur la terre, qu'elles se déplacent sur le ventre[b], ou qu'elles se déplacent sur quatre pattes ou sur[c] un plus grand nombre de pattes, vous n'en consommerez pas, elles seront en abomination. (43) Ne vous rendez pas vous-mêmes abominables par toutes ces bestioles qui pullulent[d] ; ne vous rendez pas impurs avec elles, ne soyez pas impurs à cause d'elles. (44) En effet, je suis YHWH votre Dieu ; vous vous sanctifierez et vous serez saints, car moi je suis saint[a] ; ne vous rendez pas vous-mêmes impurs par toutes ces bestioles qui grouillent sur la terre. (45) En effet c'est moi, YHWH[a], qui vous ai fait monter du pays d'Égypte pour devenir votre Dieu, et pour que vous soyez saints, car je suis saint[b].

(46) Telles sont les directives concernant les animaux, les oiseaux, toutes les bêtes grouillant dans l'eau et toutes les bêtes pullulant sur la terre, (47) pour faire la différence entre ce qui est impur et ce qui est pur, entre les animaux qui se mangent et ceux qui ne se mangent pas.

Critique textuelle : • *v. 1a* Il n'est pas indispensable de modifier le TM, soit en supprimant אלהם (LXX et Vg), soit en le remplaçant par להם (C), même si, sur 51 emplois de לאמר dans Lv, c'est le seul cas où il est accompagné d'un complément ; le sens du verset est de toute façon le même. • *v. 2a* Inadvertance de copiste. • *v. 3a* Assimilation inutile à Dt 14. 6. • *v. 3b Lectio facilior.* • *v. 4-5a* Assimilation inutile à la formulation du v. 3. • *v. 4-5b-b* Homéotéleuton. • *v. 6a-a* Homéotéleuton ou homéoarcton. • *v. 7a* Variante orthographique des verbes ע"י (voir GK 67 g ; Joüon 82 g). • *v. 9a* L'adjonction de la conjonction de coordination n'est pas indispensable et ne modifie pas le sens. • *v. 10a* Assimilation inutile à la formulation du v. 9. • *v. 12a* Voir *9a.* • *v. 13a* Assimilation inutile à la forme rencontrée régulièrement dans le reste du chapitre, v. 2, 3, 4, 8, 9(bis), 11, 21, 22, 42 ; elle ne modifie pas le sens. • *v. 15a* L'absence du v. 15 dans certains manuscrits de LXX n'est probablement pas accidentelle, puisque le même phénomène apparaît dans le texte parallèle de Dt 14. 14 ; on en ignore la raison. Serait-ce peut-être à cause du rôle positif joué par le corbeau dans les récits de Gn 8. 7 et 1 R 17. 4-6 ? Voir aussi Ps 147. 9 ; Jb 38. 41. • *v. 15b* L'absence de la conjonction de coordination dans le TM est difficilement explicable. • *v. 16a* L'adjonction de למינו n'est pas impossible, mais ne s'impose pas. • *v. 19a* L'adjonction de καὶ γλαυκα double inutilement la première mention de cet oiseau au v. 16. • *v. 19b* L'absence de ואת dans le TM est difficilement acceptable et s'explique probablement par une inadvertance de copiste. • *v. 19c* Variante orthographique (comparer GK 19 a סכר/סגר). • *v. 20a* Voir *9a.* • *v. 21a* Probable homéoarcton. • *v. 21b* Le לו correspond au qeré du TM, que nous adoptons. • *v. 21c* Variante grammaticale (voir GK 135 o ; Joüon 149 b). • *v. 23a* Comparer *9a, 12a, 20a.* • *v. 25a* Assimilation inutile à la formulation des v. 28 et 40. • *v. 25b* Probable assimilation inutile à d'autres textes, p. ex. 14. 8, 9 ; 15. 5, 6, 7, 8, 10, etc. • *v. 26a* Voir *9a.* • *v. 26b* L'absence de איננה d'après LXX modifie le sens du texte ; voir le commentaire. • *v. 26c* Explicitation qui ne modifie pas le sens du TM. • *v. 27a* Assimilation inopportune au texte du v. 42. • *v. 28a-a* Assimilation inutile à la formulation du v. 25. • *v. 29a* Variante orthographique. • *v. 29b* Probable inadvertance de traducteur ou de copiste. • *v. 31a* Variante grammaticale qui ne modifie pas le sens. • *v. 32a* Sam : variante grammaticale qui ne modifie pas le sens ; LXX : traduction *ad sensum* du TM. • *v. 35a* Le sing. יתץ du TM se justifie, car l'accord a été fait, comme pour יטמא, avec le sujet כל (תנור וכירים sont des appositions) ; le pl. attesté dans Sam, les versions anciennes et les traductions modernes est dû à un découpage légèrement différent du texte, légitime puisqu'il n'en modifie pas le sens. • *v. 36a* Redondance. • *v. 38a* L'adjonction de l'article (Sam) ou de παν (LXX) ne modifie pas fondamentalement le sens du texte et ne présuppose pas un original hébreu différent du TM. • *v. 39a* Erreur de copiste ? ou accord d'après le sens logique (la bête pouvait être un mâle) plutôt que d'après la grammaire ? • *v. 40a-a* Assimilation inutile à la formulation du v. 25. • *v. 40b* Voir *25b*. • *v. 42-43a* Voir *9a*. • *v. 42-43b* Le ו majuscule d'un certain nombre de manuscrits dans le mot גחון indique la lettre centrale du Pentateuque hébreu, selon le Talmud de Babylone, traité Qiddušin, 30a. • *v. 42-43c* L'absence de עד dans un manuscrit hébreu est une *lectio facilior*, qui ne modifie pas le sens du texte. • *v. 42-43d-d* Homéotéleuton. • *v. 44a* Répétition maladroite de la tournure du début du verset. • *v. 45a,b* Assimilations inutiles à la tournure du v. 44.

v. 1-23. On s'est parfois étonné (Elliger, p. 151-152 ; Kornfeld, p. 78) que la première partie du chapitre ne contienne ni menace de punition, ni rituel de purification destinés à ceux qui auraient enfreint les interdictions de consommer de la chair d'animaux impurs. Or cela n'est pas tellement surprenant ; une telle infraction ne peut être que consciente et volontaire, donc une faute commise « à main levée » (voir Nb 15. 30 ; comparer Lv 4. 2) et pour laquelle il n'y a pas de pardon prévu. Il en ira autrement dans la seconde partie, où les contacts avec les cadavres d'animaux peuvent être involontaires, ou volontaires mais par obligation, ce qui justifie la possibilité du pardon et de la purification.

v. 1. Pour la première fois, YHWH s'adresse conjointement à Moïse et Aaron. On trouvera trois autres cas dans Lv (13. 1 ; 14. 33 ; 15. 1). Dans l'esprit de l'auteur, cela signifie la pleine légitimation du sacerdoce d'Aaron, lequel sacerdoce n'exclut pourtant pas Moïse de son rôle d'intermédiaire[9].

v. 2. En 5. 2, les champs sémantiques de חיה et בהמה apparaissaient comme bien distincts (manifestement « animaux sauvages » et « bêtes domestiques »). Ici la relation entre les deux termes est différente : חיה apparaît comme un terme général, englobant tous les animaux, et introduisant tout le chapitre ; בהמה (qui correspond ici en gros aux « quadrupèdes ») introduit le paragraphe des v. 3-8, en parallèle avec les « animaux aquatiques » (v. 9-12) et les « animaux ailés » (v. 13-23). Dans ce verset, בהמה englobe donc aussi bien des animaux sauvages que domestiques.

v. 3. Ce que nous avons dit plus haut du vocabulaire technico-scientifique de l'auteur se retrouve ici dans sa classification des quadrupèdes : il distingue, selon des critères externes, les animaux qui מעלן (ה)גרה de ceux qui ne le font pas, et ceux qui ont des sabots de ceux qui n'en ont pas[10] ; parmi les animaux à sabots, il établit une subdivision entre ceux qui ont les sabots fendus et ceux qui ont les sabots entiers. La classification des animaux en fonction des sabots est facile à réaliser et à comprendre.

---

[9] Comparer 10. 8.
[10] Le mot פרסה (racine פרס = « diviser/briser ») pourrait avoir désigné à l'origine le sabot fendu des bovidés, mais en hébreu biblique, son champ sémantique s'est étendu à tout sabot, y compris celui, non fendu, du cheval, voir p. ex. Es 5. 28 ; Jr 47. 3.

Celle en fonction de la גרה est plus délicate. העלה גרה a toujours été rendu en français par « ruminer » ; or il est peu probable que les anciens aient connu en détail le phénomène complexe et la physiologie de la « rumination » chez certaines espèces animales. Même en ayant constaté que l'animal « faisait remonter » (העלה) sa nourriture, les anciens devaient penser surtout à la partie visible du processus, la mastication prolongée des aliments. La distinction établie par l'auteur (ou par la tradition qu'il reprend à son compte) se situe donc entre les animaux caractérisés par un mouvement constant des mâchoires, et les autres. A ce titre-là, le daman et le lièvre (v. 5 et 6) peuvent bien être assimilés au bœuf et au chameau[11].

v. 4-7. Les quatre exemples donnés dans ces versets ne constituent pas, de loin, une liste exhaustive des quadrupèdes impurs ; il ne faut pas s'étonner p. ex. de ne pas y trouver l'âne. En fait l'auteur n'énumère pas les animaux qui ne possèdent aucune des deux caractéristiques décrites au v. 3, « sabots fendus » et « rumination ». Il se borne à mentionner quelques animaux qui possèdent une seule des caractéristiques, soit la « rumination », soit les « sabots fendus », afin de bien souligner que les deux caractéristiques conjointes sont indispensables pour qu'un animal soit propre à la consommation.

v. 4-6. L'auteur donne trois exemples d'animaux qui, bien que caractérisés par le mouvement de leurs mâchoires, n'ont pas de sabots fendus ; ils sont donc impurs, exclus de l'alimentation. Ce sont le גמל (v. 4), le שפן (v. 5) et la ארנבת (v. 6).

Le גמל hébreu est traditionnellement rendu par « chameau ». Les spécialistes de la zoologie ancienne disent que l'on connaissait surtout au Proche-Orient le « dromadaire » (camelus dromedarius) à une bosse, et que c'est de lui essentiellement qu'il s'agit dans l'AT. Le chameau à deux bosses (camelus bactrianus) est rarement attesté dans l'ancien Orient. Il est probable qu'en fait les Israélites de l'époque vétérotestamentaire ne distinguaient pas, au niveau du vocabulaire, ces deux mammifères voisins.

Le שפן, d'après les trois autres mentions qui sont faites de lui dans l'AT (Dt 14. 7 ; Ps 104. 18 ; Pr 30. 26), est identifié maintenant sans hésitation avec le « daman » (procavia syriacus), petit mammifère herbivore de l'Afrique du Nord et du Proche-Orient, de la taille d'un lapin, vivant essentiellement dans les régions rocheuses ; son genre de vie grégaire se rapproche de celui des marmottes[12].

La ארנבת n'est mentionnée qu'ici et dans le texte parallèle de Dt 14. 7 ; elle est pourtant identifiée de manière certaine avec le lièvre, dont on connaissait deux variétés en Palestine (lepus syriacus, lepus aegyptiacus).

Ces trois espèces animales sont טמא לכם = « impures pour vous », c'est-à-dire que les Israélites doivent les tenir pour impures, même si d'autres peuples en consomment la viande ou les offrent en sacrifice.

---

[11] Les essais tentés à toutes les époques pour trouver un lièvre qui rumine, ou pour prouver que le lièvre en général effectue une sorte de rumination, sont voués à l'échec, pour la simple et bonne raison qu'on oublie que העלה גרה ne recouvre pas exactement le même phénomène que « ruminer » (linguistiquement parlant, les champs sémantiques respectifs des deux expressions ne coïncident pas). Il est donc vain de vouloir démontrer la « véracité » de la Bible tant qu'on parlera, à tort, de lièvre qui « rumine », en donnant anachroniquement à ce verbe le sens qui est le sien dans le langage technique de la zoologie moderne.

[12] Il est frappant de constater que le daman, qui n'est pas plus ruminant que le lièvre (v. 6), mais qui est inconnu dans les pays occidentaux, n'a jamais posé de problèmes de foi semblables à ceux posé par le lièvre ; voir la note précédente.

v. 7. L'exemple inverse des trois précédents est celui du חזיר, qui a bien des sabots fendus, mais qui ne « rumine » pas, ni au sens moderne ni au sens ancien[13], et qui par conséquent ne doit pas non plus être consommé par les Israélites. חזיר est traditionnellement traduit par « porc » ; le terme hébreu englobe en fait aussi bien l'animal domestique que le sanglier (voir Ps 80. 14)[14]. Selon de Vaux, « Porcs », les sacrifices de porcs étaient peu fréquents, mais attestés néanmoins (archéologiquement et littérairement) dans l'ancien Orient ; l'animal était souvent lié à des pratiques plus ou moins magiques. Il est probable que la mention du חזיר ne soit faite ici qu'à titre d'exemple parmi d'autres animaux analogues.

v. 8. A la répétition de l'interdiction de consommer la chair des animaux précités, s'ajoute ici l'interdiction d'en toucher les cadavres, sous peine d'être rendu soi-même impur ; ce thème sera repris et développé dans les v. 24-38. Sur נבלה = « cadavre », voir 5. 2 et la note.

v. 9. Au terme בהמה (= « quadrupèdes ») du v. 2 ne correspond pas ici un terme technique particulier englobant les animaux aquatiques ; l'auteur se sert d'une périphrase, « parmi tout ce qui [vit] dans l'eau ». Sont admis à la consommation les animaux portant nageoires et écailles[15]. L'expression במים = « dans l'eau » est explicitée par בימים ובנחלים. ים, traduit habituellement par « mer », désigne en fait une étendue d'eau (opposé ici à נחל = « cours d'eau ») ; ce terme englobe donc aussi bien les lacs que les mers, les étendues d'eau douce que celles d'eau salée.

v. 10-12. Ces versets insistent, en formulant de façon négative ce que le v. 9 exprimait de manière affirmative. Ils ne contiennent pas de liste d'animaux interdits ou autorisés, ni même d'exemples[16]. On y trouve deux termes qui apparaissent pour la seconde fois dans Lv : שרץ et שקץ.

שרץ ne se rencontre que dans la couche sacerdotale du Pentateuque[17]. L'idée fondamentale semble être celle de « ce qu'on ne peut pas dénombrer », à cause de la multitude ou de la petitesse des éléments. Le mot désigne donc de manière collective ce qui vit en groupes nombreux, ici les bestioles aquatiques, au v. 20 les bestioles ailées, c'est-à-dire les insectes, plus loin encore (v. 29) les bestioles terrestres, souris, lézards et autres[18].

La racine שקץ est apparue en 7. 21, où nous avons jugé que le substantif שקץ n'était pas à sa place. Les composantes principales de cette racine sont les idées d'horreur, d'abomination, d'objet qui provoque la répulsion, au plan religieux et moral. Cet emploi de la racine שקץ, qui se substitue à la racine טמא = « impur », seule présente dans les

---

[13] Dans ce verset, l'expression habituelle העלה גרה fait place, pour une raison inconnue, à la figure étymologique גרר גרה, dont le sens est le même.

[14] Le porc domestique tel que nous le connaissons aujourd'hui est de « création » relativement récente (un ou deux siècles), sous l'effet conjugué de la sélection et des croisements. Le « porc » mentionné dans l'AT et le NT était une sorte de sanglier domestique.

[15] Double caractéristique, comme dans la catégorie des animaux vivant sur terre.

[16] Cela ne doit pas nous étonner, car Israël est un peuple essentiellement terrestre, peu intéressé par les activités aquatiques (à l'inverse des Phéniciens et des Grecs, peuples marins).

[17] Le verbe שרץ (5 fois en 11. 29-46) se trouve 11 fois chez P, 1 fois chez J (Ex 7. 28), 1 fois en Ez 47. 9 et 1 fois en Ps 105. 30.

[18] Le verbe שרץ, dans cette perspective, signifie « être nombreux/pulluler/grouiller ».

v. 4-8, pourrait indiquer des origines différentes pour ces listes, sans qu'il soit possible de les dater, même pas de manière relative. Les emplois parallèles de שקץ et טמא montrent qu'il n'y a pas de différence fondamentale de sens entre les deux mots, dans ce contexte[19].

v. 13-19. La section sur les oiseaux (עוף = « les ailés ») consiste en une liste de vingt noms, qui se veut probablement exhaustive[20]. Dix de ces noms n'apparaissent qu'ici ou dans la liste parallèle de Dt 14 ; cinq autres ne se rencontrent qu'une seule fois en dehors de ces deux listes ; c'est dire que l'identification précise de la plupart des espèces ou des variétés est extrêmement difficile. Si l'auteur a voulu donner les noms en fonction d'une classification particulière, nous devons avouer que le principe nous en échappe[21]. Dans la liste ci-dessous, les noms français sans astérisque sont ceux des oiseaux identifiés à coup sûr ou presque ; un astérisque indique une identification probable, deux astérisques une identification incertaine ; les noms entre parenthèses sont des variantes proposées par divers traductions françaises.

13	*aigle	(vautour)
	*gypaète	(orfraie)
	**aigle marin	(vautour, autour, griffon)
14	*milan	(autour, faucon)
	*vautour	(faucon, autour, milan)
15	corbeau	
16	autruche	
	**chouette	(chat-huant, hirondelle, coucou)
	mouette	
	épervier	
17	*hibou	(chouette, chat-huant, chevêche)
	*cormoran	(plongeon)
	**hulotte	(chouette, hibou, ibis, chat-huant)
18	**effraie	(chat-huant, cygne, ibis)
	**chouette chevêche	(pélican, hulotte, corneille)
	**charognard	(cormoran, gypaète, vautour, percnoptère)
19	*cigogne	[HAL : héron]
	*héron	(pluvier)
	huppe	
	chauve-souris	

Une discussion sérieuse des identifications proposées nécessiterait des connaissances zoologiques qui dépassent nos compétences ; aussi renonçons-nous à nous engager sur ce terrain-là. Ceux qui s'intéressent à cette question consulteront avec profit les dictionnaires bibliques, généraux ou spécialisés[22].

---

[19] Dt 14. 10 emploie טמא au lieu du שקץ de Lv 11. 10-12.

[20] La liste de Dt 14. 12-18 contient vingt et un noms.

[21] DRIVER, « Birds », part de l'idée d'une liste organisée pour interpréter huit noms hébreux (de בת היענה à קאת, à l'exception de גץ) comme désignant huit espèces de rapaces nocturnes (« owls »), énumérés par ordre de grandeur décroissante. Cela demeure très hypothétique.

[22] Voir MOELLER-CHRISTENSEN, *Tierlexikon* ; *Fauna and Flora* ; DRIVER, « Birds ».

Mentionnons seulement la traduction de קָאַת par « pélican », traditionnelle depuis LXX et Vg, mais très invraisemblable en raison de la mention de cet oiseau en Es 34. 11 ; So 2. 14 ; Ps 102. 7. Nous pensons qu'il vaut mieux y voir un rapace nocturne qui pourrait être la « chouette chevêche ».

La plupart de ces oiseaux sont des rapaces, diurnes ou nocturnes, dont l'alimentation à base de bestioles, de batraciens, de reptiles ou même de charogne, suffit à motiver l'interdiction qui est faite d'en manger la chair. L'adjonction de מִין = « espèce » aux v. 14, 15, 16 et 19 montre que certains de ces noms sont plus génériques que d'autres.

v. 20-23. Les versets traitant des bestioles ailées (שֶׁרֶץ הָעוֹף) sont une subdivision du paragraphe sur les oiseaux (עוֹף, v. 13-23) ; on retrouve ainsi une division tripartite (terre : v. 3-8 ; eau : v. 9-12 ; air : v. 13-23), correspondant à un aspect de Gn 1.

Sur le terme שֶׁרֶץ = « bestioles », voir ci-dessus v. 10-12.

L'expression הַהֹלֵךְ עַל־אַרְבַּע (sous-entendu רַגְלַיִם) « allant sur quatre [pattes] » (voir v. 23), est surprenante, car les insectes ont habituellement six pattes et non quatre, ce que les anciens n'ignoraient certainement pas. Deux explications sont possibles :

a) le הַהֹלֵךְ עַל־אַרְבַּע du v. 20 serait une glose malencontreuse, tirée du v. 21 (où cette formulation peut se justifier, voir plus bas) ; il faudrait donc la supprimer du v. 20 (comparer le texte parallèle de Dt 14. 19, où ces mots manquent). Mais une tournure presque identique figure au v. 23, où elle ne s'explique pas bien en tant que glose ;

b) הַהֹלֵךְ עַל־אַרְבַּע désignerait globalement les êtres qui, comme les quadrupèdes proprement dits, se déplacent en position horizontale, quelque soit le nombre effectif de pattes (par opposition aux bipèdes qui se déplacent en position verticale). L'expression désignerait donc en fait « les êtres qui ont plus que deux pattes ». Cette seconde explication nous semble préférable.

v. 20. Ce verset formule la règle générale que les insectes ailés ne doivent pas être consommés (שֶׁקֶץ = « abomination », voir v. 10-12). Cela sera repris en une formulation un peu différente au v. 23.

v. 21. L'exception (אַךְ = « Pourtant ») introduite dans les v. 21-22 n'est pas nécessairement une adjonction tardive d'un rédacteur ; elle peut parfaitement provenir de la législation primitive sur le sujet. La description du v. 21 est susceptible de deux interprétations, conformes à celles indiquées plus haut : ou bien on a affaire à une description anatomique précise, où כְּרָעַיִם et רַגְלַיִם ont deux sens bien distincts : כְּרָעַיִם désignerait les pattes sauteuses (des sauterelles), par opposition aux « quatre » autres pattes, appelées רַגְלַיִם ; mais cela ne correspond en rien aux autres emplois respectifs des deux termes ; ou bien מִמַּעַל ne signifie pas de manière stricte « en plus » ; il indiquerait simplement que certaines pattes de l'insecte, outre la fonction de la marche, sont adaptées anatomiquement « à autre chose », à savoir qu'elle permettent à l'animal de sauter sur le sol.

Comme nous l'avons indiqué dans la critique textuelle, nous suivons la lecture du qeré, qui seule donne un sens satisfaisant.

v. 22. Des quatre noms hébreux de la liste, seul le premier est fréquent (24 fois) ; le deuxième et le troisième sont des hapax ; enfin le dernier (חָגָב) ne se rencontre que cinq fois dans l'AT (ici ; deux fois comme image de la petitesse, Nb 13. 33 et Es 40. 22 ;

une fois comme animal dévastateur, 2 Ch 7. 13 ; l'interprétation de Qo 12. 5 est difficile).
L'hébreu connaît six autres mots désignant des sauterelles[23] ; trois figurent dans les listes
de Jl 1. 4 et 2. 25, où ils désignent peut-être des stades successifs de développement de
l'insecte, mais plus probablement, comme ici, des espèces ou des variétés différentes.
L'identification précise de ces dix mots hébreux est impossible ; nous devons nous
contenter aujourd'hui d'équivalences approximatives, pour éviter la solution de facilité
qui consiste à transcrire les noms hébreux (voir BC ; BP en Lv 11. 22).

   v. 23. Voir le v. 20.

   v. 24-45. La subdivision du chap. 11 en paragraphes était relativement claire jusqu'au v. 23. La suite l'est beaucoup moins ; le texte semble fait de pièces et de morceaux
peu logiquement structurés, mais plutôt ajoutés les uns aux autres au gré des circonstances. Certains commentateurs et traducteurs[24] rattachent même les v. 24-25 à ce qui
précède, ce qui n'est pas du tout satisfaisant. Les subdivisions que nous proposons n'ont
qu'une valeur indicative. Cette section traite surtout du problème de la communication
de l'impureté, par le contact avec les cadavres d'animaux.

   v. 24-28. ולאלה = « par ces (animaux-)ci » renvoie, comme habituellement, à ce qui
suit ; il est repris au v. 26 par לכל־הבהמה = « par toute bête », par-dessus la parenthèse
de 24b-25. Il est possible que cette parenthèse, reprenant par anticipation et presque
mot à mot 27b-28a, ait été ajoutée ici par un rédacteur pour préciser dans quel sens
il fallait comprendre le בהם = « les [touche] » du v. 26 (voir aussi la note de crit. text.
26c). Le contact avec le cadavre d'un animal[25], contact certainement conçu comme
involontaire, rend l'homme impur jusqu'au coucher du soleil, c'est-à-dire l'empêche de
participer aux activités cultuelles.
   Le v. 25 envisage le cas de « celui qui transporte un cadavre »[26] : il s'agit ici d'un
contact volontaire, dans le but p. ex. d'évacuer le cadavre d'un animal qui serait mort
dans l'étable. Dans un tel cas, il est non seulement permis, mais il est même indispensable
que quelqu'un se rende impur, pour éviter à d'autres des risques d'impureté plus grands
encore[27]. Pourtant la nécessité d'évacuer un tel cadavre ne supprime pas le fait que
l'exécutant se rend impur. Il semble même que la contamination soit plus sérieuse,
puisque l'homme doit laver ses vêtements, ce qui n'est pas exigé explicitement pour celui
qui a touché (involontairement) un cadavre (24b).
   Le v. 26 reprend les caractéristiques décrites au v. 3 : d'après le TM, les animaux
visés sont ceux qui, bien que munis de sabots, n'ont pas les sabots fendus, ou[28] ceux
qui ne ruminent pas ; il s'agit donc p. ex. de l'âne ou du porc. LXX, où manque une

---

[23] Cela n'est pas étonnant, compte tenu de l'importance culturelle de ces insectes, soit en tant que
nourriture (Mc 1. 6), soit en tant que menace pour l'agriculture (Ex 10. 1-20 ; Jl 1. 4 ; 2. 25).
[24] Voir PORTER ; Seg 1910 ; Seg 1978 ; Syn ; NEB.
[25] Voir 5. 2 et la note.
[26] Le parallélisme avec le v. 28 montre que le מן partitif (« le cadavre d'une d'elles » = de ces bêtes) est
l'équivalent sémantique du את introduisant l'objet direct.
[27] Le légalisme qui régnera parfois dans le judaïsme prend son origine dans une crispation religieuse
qui est absente de nombreux textes vétérotestamentaires. On voit ici affleurer le bon sens naturel qui tempère
la rigidité apparente de certains principes. D'autres cas analogues ont déjà été signalés ou le seront
ultérieurement.
[28] ו à nuance disjonctive, voir JOÜON 175 a.

négation par rapport au TM, parle des animaux munis de sabots fendus, mais qui ne ruminent pas : il ne s'agit plus alors que du porc.

27a définit une autre catégorie de quadrupèdes à tenir pour impurs : ceux qui se déplacent על־כפיו, traduit généralement par « sur la plante des pieds/pattes ». Il est peu probable que l'expression doive être comprise comme désignant « les plantigrades » au sens de la zoologie moderne (BP ; Cortese, p. 63). Déjà Rachi, p. 71, citait le chat et le chien (à côté de l'ours) comme visés par cette définition, et la plupart des commentateurs modernes pensent que l'expression désigne en fait les pattes formées de doigts et non cornées, par opposition aux sabots des « ongulés »[29].

v. 29-38. Ce paragraphe débute par une brève liste (huit noms) de bestioles (שרץ, voir ci-dessus, v. 10-12) vivant sur la terre ferme (השרץ על־הארץ opposé à שרץ המים = « bestioles d'eau », v. 10, et à שרץ העוף = « bestiole ailée », v. 20), qui doivent être tenues pour impures. Il se continue par une énumération des cas où l'impureté d'un cadavre[30] se communique à divers objets ménager.

v. 29-30. Ici encore l'identification des animaux est difficile. Tout le monde s'accorde pour traduire עכבר par « souris » ; les sept autres noms étant des hapax, on trouve pour חלד une hésitation entre « taupe » et « belette », et une quasi unanimité pour תנשמת = « caméléon ». Les cinq noms qui restent correspondent probablement à cinq espèces de lézards. La liste donnée dans la traduction ci-dessus cherche moins à identifier chaque espèce isolément qu'à suggérer des interprétations possibles, mais non prouvables[31].

Il est peu probable que cette liste vise à interdire de consommer la chair de ces bestioles, car la tentation ne devait pas être grande. L'accent porte sur le risque de contamination de l'impureté par les cadavres[32].

v. 31. L'homme se rend impur s'il touche le cadavre d'une de ces bestioles[33], et reste impur jusqu'au soir ; le texte ne dit pas s'il doit procéder à un rite de purification.

v. 32-33. Un objet ménager sur lequel tombe le cadavre d'une bestiole est contaminé et doit être purifié par un lavage ; il ne pourra d'ailleurs être réutilisé qu'après le coucher du soleil. Cette règle est valable pour les objets d'une certaine rareté et par conséquent d'une certaine valeur. Dans le cas de la vaisselle ordinaire en terre cuite, facilement remplaçable, l'exigence est plus grande ; le récipient contaminé doit être brisé[34] et son contenu tenu pour impur. Il faut probablement penser ici surtout aux récipients contenant une réserve d'eau pour les besoins du ménage.

---

[29] Comparer LXX χειρ ; Tg יד ; SYR *yad* ; Vg *manus*.

[30] Un cadavre est impur, car la mort est par essence la négation de la communion avec Dieu. Il s'agit d'une impureté « acquise », donc transmissible, contrairement à l'impureté « innée » des animaux impurs vivants, qui n'est pas « contagieuse » (voir l'introduction générale à Lv 11—15).

[31] Il faut se méfier, dans des cas semblables, de tentatives comme celles de DHORME, *in* BP, qui traduit les mots hébreux en faisant appel à l'étymologie ; du point de vue linguistique, une telle méthode est hautement contestable.

[32] JIRKU, « Leviticus 11 », rapproche l'hébreu טמח de l'akkadien *ḫulmiṭṭu* et du syriaque *ḫulmaṭā*, désignant une sorte de lézard ; il signale en plus l'ougaritique *ḫlmṭ* qui apparaît dans un contexte cultuel, en rapport avec la déesse *'uš̌hr*. Il en conclut, trop hâtivement à notre avis, que les animaux mentionnés en Lv 11. 29-30 sont considérés en Israël comme impurs, car ils jouaient un rôle dans les cultes cananéens.

[33] La terminologie (במחם) pourrait laisser supposer une origine différente pour ce paragraphe par rapport au précédent (comparer בנבלחם, v. 24).

[34] Comparer un cas analogue en 6. 21.

v. 34. Le sens de ce verset est disputé. Certains y voient simplement un développement du v. 33, relatif au contenu du récipient en terre cuite : que ce contenu soit de la nourriture solide ou de la boisson, il est de toute façon tenu pour impur. L'allusion à l'eau (34a) anticiperait sur ce que dira le v. 38. Mais il n'est pas dans les habitudes de l'auteur ou du rédacteur de P de s'exprimer de manière aussi obscure, renvoyant le lecteur à plusieurs versets plus loin pour trouver le sens d'un texte. Il nous semble préférable d'interpréter séparément les deux parties du v. 34, c'est-à-dire de voir dans la mention de « l'eau » en 34a une allusion à l'eau contenue dans le récipient du v. 33 : si quelqu'un a utilisé de cette eau pour la préparation d'un repas, la nourriture qu'il est normalement permis de manger est contaminée à son tour et donc rendue impropre à la consommation. Quant à 34b, il envisage le cas d'un récipient quelconque contenant n'importe quelle boisson, et dans lequel tomberait le cadavre d'une bestiole (information restée implicite en 34b, mais suggérée par 33a) : cette boisson ne doit pas être consommée, et le récipient doit être traité selon ce qui est dit aux v. 32 et 33, purifié ou détruit[35].

v. 35. Le four, תנור (voir 2. 4), pouvait être une construction très rudimentaire, dont la démolition et la reconstruction (avec d'autres matériaux ? ou les mêmes ? Le texte n'en parle pas) pouvait se faire sans inconvénient majeur pour les occupations ménagères. L'hapax כירים est interprété en fonction du parallélisme avec תנור, avec l'aide des versions anciennes et de la philologie comparée, comme désignant quelque chose en relation avec la cuisson des aliments : foyer, fourneau, réchaud. La désinence du duel est rapportée soit au type de construction (foyer formé de deux pierres ou briques sur lesquelles reposait la marmite), soit à sa fonction (appareil pouvant porter deux récipients). Il est impossible d'être plus précis dans l'état actuel de nos connaissances.

יתץ, qui ne pose pas de problème au point de vue du sens (« sera démoli ») est probablement un vestige de l'ancien passif du qal[36], plutôt qu'une forme de hophal. La fin du v. 35 insiste sur l'impureté objective des installations de cuisson (טמאים הם = « ils seront impurs ») et par conséquent sur l'attitude que doivent avoir les utilisateurs (וטמאים יהיו לכם = « vous les tiendrez pour impurs »). Cette insistance est peut-être due à la tentation que devaient éprouver certains de fermer les yeux sur tel ou tel cas de contamination.

Elliger, p. 153, note à propos du v. 35 que le feu n'a pas ici de pouvoir purificateur, et il oppose cela au pouvoir purificateur de l'eau, qu'il décèle au v. 36. Cette opposition est contestable. C'est dans le cadre de cérémonies rituelles que le feu et l'eau ont un pouvoir purificateur, et non en soi (voir Nb 31. 22-23 ; Es 6. 6-7 pour le feu ; voir aussi Nb 31. 23-24 et de nombreux autres textes pour l'eau). Le feu qui sert à cuire les aliments ne sert qu'à cela et on ne lui attribue pas d'autre rôle simultané, en tout cas pas sur le plan religieux. Concernant l'eau, voir le verset suivant.

v. 36. Le אך = « Pourtant » initial introduit un cas particulier, qui est une exception par rapport à la règle générale du v. 33.

---

[35] Une autre interprétation (ELLIGER, p. 153 ; KORNFELD, p. 80) voit dans le ב de בכל־כלי un sens instrumental : la boisson est contaminée *par* le récipient de terre cuite du v. 33, qu'on aurait quand même réutilisé. Mais il nous paraît impensable que l'auteur ait pu envisager une telle éventualité. De plus dans ce cas l'emploi de l'indéfini כל = « n'importe quel (récipient) » serait illogique, puisque כלי = « récipient » reprendrait quelque chose de déterminé par le verset précédent.

[36] Voir GK 53 u ; JOÜON 58 a.

מעין ובור מקוה־מים ne correspond pas à trois choses différentes, contrairement à l'interprétation de BJ et BP p. ex. ; avec la majorité des traducteurs et commentateurs, nous pensons qu'il s'agit de deux choses, « sources » et « citernes », c'est-à-dire des « amas d'eau » naturels et artificiels. Cependant nous nous écartons de la majorité en ce que nous n'interprétons pas מקוה־מים comme une apposition à un sujet double מעין ובור ; il nous semble plus adéquat de considérer מעין ובור comme un *casus pendens*, et מקוה־מים comme le sujet de la proposition : « en ce qui concerne une source ou une citerne (dans laquelle tomberait le cadavre d'une bestiole), la masse d'eau reste pure ». Il s'agit donc d'une affirmation (qui n'est pas motivée explicitement) portant sur le « contenu » et pas sur le « contenant ».

On a voulu expliquer l'absence de contamination par le fait que l'eau a un pouvoir purificateur : nous avons contesté cette interprétation à propos du v. 35 ; nous pouvons ajouter à notre argumentation que le pouvoir purificateur de l'eau (ou du feu) s'exerce toujours sur quelque chose d'autre et jamais sur elle-même. On a pensé aussi que le renouvellement de l'eau dans une source expliquerait suffisamment que cette eau reste pure ; mais alors le cas de l'eau de citerne fait problème, et les explications proposées ne sont guère convaincantes[37]. Il nous semble préférable de voir ici, comme déjà signalé plus haut, une raison d'ordre pratique, dictée par le bon sens (voir la note sur 11. 26) : dans un pays aussi sec que la Palestine, on pouvait se permettre de perdre le contenu d'une jarre d'eau, mais pas le contenu d'une citerne[38].

36b est l'équivalent du v. 25, sans l'exigence explicite du lavage des vêtements.

v. 37-38. Ces versets traitent d'un autre cas particulier : celui du grain. Ici encore le bon sens naturel prime le légalisme étroit et sclérosant, en distinguant deux éventualités : le grain est destiné aux semailles, ou à la consommation. Il n'est pas nécessaire de supposer que le paysan palestinien avait deux réserves distinctes de céréales ; il est bien plus probable que toute la récolte était entreposée au même endroit, tout étant susceptible soit d'être semé, soit d'être consommé. La part que la ménagère avait prise pour la consommation du jour n'était plus utilisable pour les semailles dès l'instant où le grain était mis à tremper (« si de l'eau a été mise sur des graines ») en vue de la cuisson. Parallèlement à ce qui a été dit au v. 36, on pouvait se permettre de perdre les quelques livres de grains contenus dans la marmite du ménage, mais pas le tas complet de grain constituant la réserve familiale annuelle.

v. 39-40. Tout le passage précédent, sur les cadavres d'animaux impurs et la contamination qu'ils provoquent amène une prescription par analogie concernant les cadavres d'animaux purs qui ont crevé, c'est-à-dire qui n'ont pas été tués rituellement. De tels cadavres sont également source de contamination, la mort non rituelle entraînant avec elle l'impureté[39]. L'auteur rappelle donc que le contact involontaire ou volontaire

---

[37] Voir CHAPMAN, p. 66 : « The case of the pit or cistern is not clear. It might be so large that the effect of a small swarming thing could be neglected, or the water might be replenished by rain ».

[38] Voir dans le même sens BC ; CLAMER, p. 97 ; NOTH, p. 80. Par ailleurs l'interprétation qu'ELLIGER, p. 153, donne de מקוה־מים (allusion à une citerne pleine, le cas d'une citerne vide devant « selbstverständlich » être traité différemment) est une pure supposition que rien dans le texte ne suggère, même si on admet, comme lui, que cette expression serait une apposition à בור = « citerne ».

[39] La raison en est certainement que l'animal n'a pas été saigné rituellement ; comparer 17. 13 ; Dt 12. 15-16, 23-25.

implique la contagion de l'impureté (comparer v. 24-25), et ajoute que le fait de manger d'une telle viande provoque aussi l'état d'impureté. Cette précision était nécessaire dans le cas d'un animal dont on peut normalement consommer la chair[40] ; elle n'avait pas de raison de figurer dans les paragraphes concernant les animaux impurs de leur vivant, puisque leur impureté innée excluait automatiquement toute consommation de leur viande.

v. 41-42. L'interdiction de manger les bestioles vivant sur terre raccroche artificiellement ces deux versets au précédent. Pour la première (et unique) fois dans Lv, on mentionne explicitement les animaux הולך על־גחון (= « allant sur le ventre »)[41], c'est-à-dire dépourvus de pattes : cette expression désigne essentiellement la catégorie des serpents. Les autres bestioles terrestres sont subdivisées en bestioles à quatre pattes ou plus. Le quintuple emploi de כל souligne qu'on a affaire à une règle qui ne souffre aucune exception[42].

v. 43-45. Voir le paragraphe qui leur est consacré dans l'introduction au chap. 11. Ces versets visent à donner un fondement théologique aux règles de pureté rassemblées dans ce chapitre.

v. 43. Ce verset, probablement de la main d'un rédacteur, utilise en parallèle les deux racines שקץ = « abomination » et טמא = « impur », dont nous avons vu plus haut (v. 10-12) qu'elles pourraient provenir de traditions distinctes. Le double emploi de טמא en 43b (hitpaël et niphal) n'a probablement pas d'autre but que celui de marquer l'insistance. S'il y avait dans l'intention du rédacteur une nuance de sens entre le niphal et le hitpaël, il faut avouer qu'aujourd'hui elle nous échappe complètement[43]. L'emploi, successivement, de בהם = « avec elles » et בם = « à cause d'elles » trahit seulement le souci stylistique de ne pas répéter la même forme.

v. 44-45. Ces versets justifient les exigences de pureté formulées dans le chap. 11 par l'affirmation fréquente de la Loi de sainteté כי אני יהוה = « En effet c'est moi, YHWH »[44]. Cette affirmation est expliquée de manière théologique, au v. 44, par le fait que YHWH est קדוש = « saint », ce qui exige que ses fidèles se comportent eux aussi de façon sainte pour pouvoir être en relation avec lui, c'est-à-dire qu'ils évitent les

[40] L'attitude en Israël à l'égard de la chair des animaux purs non tués rituellement a varié : selon Ex 22. 30, cette chair doit être jetée aux chiens ; selon la Loi de sainteté (Lv 17. 15), elle n'est pas absolument prohibée de la consommation, bien qu'elle rende impur celui qui la mange ; selon Dt 14. 21, elle peut être consommée par les étrangers, mais pas par les Israélites.

[41] Comparer Gn 3. 14, seule autre attestation de cette expression.

[42] Ces deux versets présentent une double série d'allitérations entre ארץ, שרץ, שקץ d'une part, entre כל, הלך, אכל d'autre part. Ce type de procédé stylistique est parfois utilisé pour faciliter la mémorisation. Il n'est pas impossible que le traducteur grec, sensible à ce phénomène, ait recouru à un procédé analogue : voir l'accumulation de π dans ces deux mêmes versets.

[43] Sur la graphie נטמתם (avec chute du א quiescent), voir GK 74 k, JOÜON 78 e, f.

[44] 8 fois dans les chap. 20 ; 21 ; 22 ; 24 ; 25 ; 26. La formule sans כי se rencontre 38 fois, dans les chap. 18 ; 19 ; 20 ; 21 ; 22 ; 23 ; 25 ; 26.

situations qui les rendent impurs[45]. Cela est repris au v. 45, qui en plus rattache cette sainteté de YHWH, et par conséquent de son peuple, à l'intervention historique de la délivrance d'Égypte.

Sur les rapports « impureté — sainteté » (v. 44), voir ci-dessous le Coup d'œil rétrospectif sur Lv 11—15.

v. 46-47. Ils forment la conclusion qui résume le contenu du chap. 11[46].
Sur le terme תורה = « directive/prescription/instruction », voir 6. 2aβ.

Les listes d'animaux, d'oiseaux et de bestioles permettent aux Israélites (voir v. 2) de faire les distinctions nécessaires entre ceux qui sont impurs et ceux qui sont purs, c'est-à-dire ceux qui ne doivent pas être consommés et ceux qui peuvent l'être[47]. Une telle liste devait aussi permettre aux prêtres d'exercer leur ministère de discernement et d'enseignement, voir 10. 10-11.

---

[45] Le verbe רמש apparaît ici pour la première fois dans Lv (17 fois dans l'AT, dont 13 fois chez P, et 3 fois dans Lv 11. 44, 46 ; 20. 25). Il exprime l'idée de « grouiller », c'est-à-dire comme la racine שרץ (voir v. 10-12) l'idée d'un grand nombre d'individus, avec en plus la nuance du mouvement continuel. Il ne se limite pas au sens de « ramper », que certaines traductions utilisent (voir v. 46 הרמשת במים).

[46] Des sommaires semblables se retrouvent à la fin de chaque section de la troisième partie de Lv : 12. 7b ; 13. 59 ; 14. 32 ; 14. 54-57 ; 15. 32-33. L'absence d'un tel sommaire à la fin du chap. 16 est un argument pour ne pas inclure ce chapitre dans la troisième partie.

[47] Dans le texte original, la contruction du v. 47 est chiastique (ce qui caractérise souvent en hébreu un élément conclusif) :

impurs	✕	purs
se mangent		ne se mangent pas

A un deuxième niveau, le v. 47 présente une construction chiastique avec l'ensemble du chapitre :

ce qui se mange ou non v. 2-23	✕	ce qui est impur v. 24-42
ce qui est impur ou non v. 47a		ce qui se mange ou non v. 47b

Chapitre 12

PURIFICATION DE LA FEMME APRÈS UN ACCOUCHEMENT

Dans de nombreuses cultures, d'autrefois mais aussi d'aujourd'hui, l'accouchement est lié à une notion d'impureté. Les raisons n'en sont pas toujours évidentes, et il est vraisemblable qu'elles ne soient pas toujours les mêmes non plus.

Certains commentateurs mentionnent la croyance que des puissances démoniaques menacent le phénomène de la reproduction dans le genre humain (Elliger, p. 157 ; Kornfeld, p. 84). On ne peut pas exclure que cette croyance ait joué un rôle dans la pensée primitive d'Israël, mais rien dans le texte du Lévitique (ni dans le reste de l'AT d'ailleurs) ne suggère que telle était la compréhension que l'auteur du chapitre avait de ce rapport.

Tout ce qui nous en est dit est simplement mis en relation avec le phénomène naturel de la menstruation chez la femme : il y a un écoulement de sang lors de l'accouchement comme lors des règles, et cela suffit à justifier l'état d'impureté de la femme, pour un certain temps. Le sang est en effet porteur de la vie (17. 11, 14) ; lorsqu'il s'écoule hors du corps, il y a une perte de vitalité qui met l'être humain dans un état où il ne peut pas entretenir des relations normales avec les autres et avec Dieu. D'où la nécessité pour la femme accouchée de se tenir à l'écart des activités cultuelles pendant une période plus ou moins longue, avant d'être réintégrée par des rites religieux dans le domaine du pur.

(1) YHWH parla à Moïse en ces termes : (2) Parle aux Israélites en ces termes :
Si une femme conçoit[a] et accouche d'un garçon, elle sera impure pendant sept jours ; elle sera impure comme aux jours de la souillure de son indisposition. (3) Le huitième jour, on circoncira[a] la chair de son prépuce (du garçon). (4) Elle (la femme) restera ensuite trente-trois jours dans le sang de la purification ; elle ne touchera aucun objet saint et ne se rendra pas au sanctuaire jusqu'à l'achèvement des jours de sa purification. (5) Si elle accouche d'une fille, elle sera impure pendant deux semaines, comme lors de sa souillure ; ensuite elle restera soixante-six jours dans le sang de la purification.

(6) A l'achèvement des jours de sa purification, pour un fils ou pour une fille, elle amènera au prêtre, à l'entrée de la tente de la rencontre, un mouton d'un an pour un holocauste, et un pigeon ou une tourterelle à titre de sacrifice pour le péché. (7) Il (le prêtre) offrira ces sacrifices devant YHWH, puis il[a] fera sur elle le rite d'absolution, et elle sera purifiée[b] de l'écoulement de son sang. Telles sont les directives concernant la femme qui accouche d'un garçon ou d'une fille.

(8) Si elle n'a pas les moyens d'offrir une tête de petit bétail, elle prendra deux

tourterelles ou deux[a] *pigeons, l'un pour un holocauste, et l'autre à titre de sacrifice pour le péché. Le prêtre fera alors sur elle le rite d'absolution, et elle sera purifiée.*

Critique textuelle : • *v. 2a* L'emploi du niphal de זרע étant presque aussi rare que celui du hiphil, lequel est d'ailleurs acceptable (voir le commentaire), nous ne voyons pas de raison de préférer le Sam au TM. Le passif de LXX [et Vg] n'est probablement qu'une traduction *ad sensum.* • *v. 3a* L'adjonction de את est possible, mais pas indispensable. • *v. 7a* Assimilation inutile à la tournure du v. 8. • *v. 7b* L'interprétation donnée par LXX du texte consonantique hébreu est possible et même intéressante au premier abord. Mais en fait, chez P, partout où la racine טהר est employée après l'expression כפר על, elle indique le résultat de l'action de כפר, et non une autre action qui s'y ajouterait. • *v. 8a* Si la présence du ל n'est pas simplement due à une erreur de copiste, il pourrait s'agir de l'emploi tardif de la particule ל pour introduire un objet direct (GK 117n ; Joüon 125k).

v. 1. Ici et en 14. 1, on ne sait pas pourquoi YHWH ne s'adresse qu'à Moïse, et non pas à Moïse et Aaron (comparer 11. 1 ; 13. 1 ; 14. 33 ; 15. 1). Cela pourrait trahir des origines différentes pour ces chapitres[1].

v. 2. Au אשה כי = « si une femme » de 12. 2 correspondent les אדם כי = « si un homme » de 13. 2, ואיש או אשה כי = « si un homme ou une femme » de 13. 29, והבגד כי = « si un vêtement » de 13. 47 et איש איש כי = « quand un homme » de 15. 2[2].

Le verbe תזריע = « conçoit », précédant וילדה = « et accouche », est employé ici selon une tournure que l'hébreu affectionne et qui consiste à placer avant le verbe principal un autre verbe marquant le début de l'action ou de l'événement[3].

L'emploi du hiphil (voir la crit. text.) correspond à l'usage ultérieur qui connaît un sens sexuel du verbe au hiphil, mais pas au niphal (voir Jastrow, *Dictionary*, p. 414). Le contexte montre que le hiphil de זרע = « ensemencer » fait allusion ici à la conception (comparer עדי = « devenir enceinte » dans Tg).

La racine דוה évoque habituellement l'idée de maladie ou de faiblesse. Son emploi ici est euphémique pour désigner la menstruation (tout comme l'emploi en français de « indisposition » ou de « règles »).

La mise au monde d'un garçon entraîne une mise à l'écart de sa mère pendant un total de quarante jours, subdivisés en deux périodes. La première période, de sept jours, correspond peut-être à un état d'impureté de l'enfant lui-même, bien que cela ne soit pas dit expressément. L'impureté de la mère durant cette période est assimilée à celle due à la menstruation (voir 15. 19-24)[4].

v. 3. La circoncision est probablement venue d'Afrique, par l'intermédiaire de l'Égypte. A l'origine, elle devait avoir une signification sociale : rite de passage pratiqué

---

[1] Cela ne signifie pourtant pas qu'on puisse en conclure que les chap. 12 et 14. 1-32 dériveraient de la même source.

[2] Comparer 1. 2.

[3] Comparer les expressions...ויען...ויאמר = « il répondit... et il dit... » (p. ex. Jb 3. 2 ; Esd 10. 2) et surtout ותהר ותלד = « elle conçut et enfanta » (p. ex. Gen 4. 1, 17).

[4] La comparaison (« comme aux jours de... ») porte autant sur les conséquences de l'impureté que sur sa durée.

au moment de la puberté, il intégrait le jeune homme à part entière dans le clan, tout en le préparant au mariage. Ces éléments se retrouvent dans certains textes de l'AT, p. ex. Gn 17. 25 ; 34. 15-24 ; Ex 4. 24-26. Toutefois pour Israël, c'est l'aspect « intégration » qui semble avoir assez vite prévalu ; la circoncision, marquant l'appartenance au peuple d'Israël (Ex 12. 44, 48), devint le signe de l'alliance de Dieu avec son peuple. C'est pourquoi elle put être pratiquée à l'âge de huit jours (Gen 17. 10-13), ayant ainsi perdu tout lien avec l'aspect de rite de puberté et de préparation au mariage.

Il est peu vraisemblable que le côté hygiénique de la circoncision ait joué un rôle prépondérant dans l'adoption de ce rite, malgré ce qu'en disaient déjà Hérodote et Philon d'Alexandrie[5].

Si le rite est pratiqué à l'âge de huit jours, c'est peut-être qu'on considérait que l'enfant lui-même se trouvait en état d'impureté pendant les sept premiers jours de son existence ; comparer les sept jours d'impureté de l'homme guéri de la lèpre (14. 1-20), et de l'homme ou de la femme guéris d'un écoulement (15. 13-15, 28-30) ; comparer aussi, dans une certaine mesure, la loi de 22. 27 ; Ex 22. 29, ainsi que les récits de Lv 8 et 9 (l'entrée en fonction effective des prêtres se fait le huitième jour de la cérémonie, 9. 1). De plus le huitième jour est celui qui commence un nouveau cycle hebdomadaire, qui marque donc un recommencement : c'est à ce moment-là que se fait l'entrée dans l'alliance de Dieu.

v. 4. Pour la mère, la période suivante, pendant laquelle elle est encore tenue pour impure, dure trente-trois jours. Ce nombre a une valeur purement arithmétique, mais si on l'additionne aux sept jours du v. 2, on trouve un total de quarante jours, nombre qui symbolise souvent dans l'Écriture une période (assez longue) fixée par Dieu, qui forme une unité, et qui marque généralement le début d'un nouveau chapitre de l'histoire du salut[6] : quarante jours de pluie au déluge, quarante ans de séjour au désert, quarante ans de règnes de Saül, de David et de Salomon, quarante jours de fuite d'Élie, quarante jours de tentation de Jésus, quarante jours d'apparitions du ressuscité, etc. Les quarante jours de purification de la femme accouchée marqueraient donc le début d'une nouvelle étape de vie (pour elle comme pour l'enfant).

L'expression hébraïque תשב בדמי טהרה = « elle reste dans le sang de la purification » est une tournure condensée signifiant « elle reste en état d'impureté, suite à sa perte de sang, en attendant d'être purifiée ».

La seconde partie du verset est intéressante, en ce sens qu'il s'agit d'un des rares textes indiquant explicitement des conséquences pratiques de l'état d'impureté : interdiction d'entrer en contact avec des objets (et des êtres ?) en état de sainteté, et interdiction de se rendre au sanctuaire. Habituellement ces conséquences pratiques n'étaient pas formulées explicitement, car elles étaient considérées comme allant de soi.

v. 5. Ce verset est parallèle aux v. 2 et 4. A la naissance d'une fille, jugée moins bénéfique que celle d'un garçon, correspond une période d'impureté deux fois plus longue : deux semaines au lieu d'une seule, et soixante-six jours au lieu de trente-trois.

---

[5] Voir HÉRODOTE, *Histoires*, 2/37 : « Ils (les Égyptiens) se font circoncire par mesure de propreté, aimant mieux être propres que d'avoir meilleur air » ; PHILON, *Legibus*, 1. 4-5 : « La circoncision permet d'éviter une maladie douloureuse et difficilement guérissable du prépuce... elle permet la parfaite propreté corporelle... ».
[6] Voir *Vocabulaire biblique*, article « Nombres », p. 207.

Des essais, anciens ou modernes, de démontrer que physiologiquement la femme accouchée a des « pertes de sang » plus longtemps après la naissance d'une fille qu'après celle d'un garçon, se sont révélés peu convaincants[7]. Il faut admettre qu'on a affaire ici à une pratique basée sur la conception largement répandue en ce temps-là, relative à la « valeur » respective de l'être masculin et de l'être féminin.

Il est à noter qu'au v. 5, l'auteur évite soigneusement d'utiliser l'expression כימי = « comme aux jours de » qu'il avait employée au v. 2, puisque dans le cas de la naissance d'une fille, la comparaison avec la période des règles ne porte pas sur la durée, mais uniquement sur les conséquences.

v. 6. La période de purification se conclut, comme très souvent, par une cérémonie sacrificielle au sanctuaire, qui en marque publiquement la fin.

L'offrande d'un agneau en holocauste et d'un oiseau en sacrifice pour le péché montre que l'accent de cette cérémonie se situe davantage dans la reconnaissance que dans la réconciliation nécessaire après une période d'impureté, même si l'holocauste a pris une certaine couleur expiatoire dans le rituel israélite (voir 1. 4).

Sur l'expression בן־שנתו = « d'un an », voir 9. 3 ; sur בן־יונה = « un pigeon », voir en 1. 5 l'expression בן הבקר (litt. « fils de gros bétail »).

v. 7. Le prêtre offre ces animaux à l'autel[8], et accomplit le rituel (voir 4. 20). L'impureté, comme le péché (chap. 4), signifiait une coupure entre l'homme et Dieu. C'est pourquoi le même rituel sert à rétablir la relation dans les deux cas, même si nous ne pouvons pas parler de « péché » au sens moderne du mot dans le contexte du chap. 12.

Le substantif מקור = « source » est toujours employé au sens figuré dans l'AT. Sur l'emploi de l'article défini devant זכר = « garçon » et נקבה = « fille » (litt. « mâle » et « femelle »), voir GK 126 l,m ; Joüon 137 i.

Le v. 7b forme la conclusion rédactionnelle du chapitre, voir 11. 46-47 et la note.

v. 8. Le caractère secondaire de ce verset ressort bien du fait qu'il a été ajouté, un peu maladroitement, après la conclusion de 7b. Cet adoucissement de la législation, en faveur des pauvres, provient du même milieu sinon de la même main que 5. 7-13. La situation est pourtant un peu différente : en 5. 7-10, l'indigent peut, au lieu d'offrir une chèvre (4. 28) ou une brebis (4. 32) en sacrifice pour le péché, offrir deux oiseaux (tourterelles ou pigeons), l'un en sacrifice pour le péché, l'autre en holocauste (l'accent principal est donc sur le sacrifice pour le péché), alors qu'en 12. 8, l'indigente peut offrir deux oiseaux au lieu d'un agneau et d'un oiseau (v. 6) ; l'un des oiseaux remplace l'agneau pour l'holocauste (cité en premier), l'autre oiseau étant de toute façon offert en sacrifice pour le péché. De plus, seconde différence, ce rituel ne prévoit pas la possibilité de remplacer le sacrifice d'animaux par une offrande végétale, comme en 5. 11-13.

---

[7] Voir MACHT, « Appreciation ».
[8] Le suffixe du verbe, à la 3ᵉ pers. masc. sing., a une valeur collective, ou neutre : « cela ».

Chapitre 13

LA « LÈPRE »

Les chap. 13—14 regroupent sous un même vocable plusieurs choses différentes que nous tenterons de définir. Il est d'abord question de maladies de la peau chez les humains (13. 2-46), puis de moisissures se développant sur des vêtements ou des étoffes (13. 47-59). Après une section décrivant avec minutie le rituel de purification d'une personne « guérie » (14. 2-32) figure un paragraphe traitant des taches qui peuvent apparaître sur les murs d'une maison (14. 33-48), suivi d'un paragraphe donnant le rituel de purification de la maison restaurée (14. 49-53).

Le mot צרעת est traditionnellement rendu en français par « lèpre », à la suite du grec λεπρα (LXX et NT) et du latin *lepra*. Mais les études lexicographiques d'une part, médicales d'autre part, ont abouti de façon convergente à la certitude que la צרעת vétérotestamentaire et la λεπρα néotestamentaire ne désignent pas la maladie qu'on appelle aujourd'hui la « lèpre » et qui est provoquée par le bacille de Hansen[1].

Historiquement la lèpre semble bien n'être apparue autour du bassin méditerranéen que vers la fin du IVᵉ siècle av. J.-C., rapportée probablement par l'armée d'Alexandre le Grand au retour de sa campagne en Inde (326), donc après la rédaction des textes vétérotestamentaires parlant de צרעת. Cette maladie nouvelle fut désignée en grec par le terme ελεφαντιασις. C'est au cours du Moyen Age que la confusion s'est faite entre ελεφαντιασις et λεπρα, lorsque (au IXᵉ siècle ap. J.-C.) les deux termes grecs ont été malheureusement rendu par un seul et même mot (ǧuḏam) dans les ouvrages scientifiques arabes. La Renaissance n'a plus su faire ensuite les distinctions nécessaires, de sorte qu'aujourd'hui encore on désigne sous le nom de « lèpre » aussi bien la « maladie de Hansen » que les affections cutanées de l'AT et du NT[2].

Si nous n'étions pas conditionnés par cette confusion de vocabulaire, une simple lecture attentive de Lv 13—14 nous montrerait bien que la צרעת n'est pas la « lèpre » :

a) le mot s'emploie de manière non métaphorique pour des taches ou des moisissures apparaissant sur des objets inanimés ;

b) appliqué à des êtres humains, il recouvre diverses affections de la peau (dartre, boursouflure, tache, teigne, etc.) ;

c) la צרעת est guérissable (contrairement à la maladie de Hansen, avant la découverte des sulfones).

---

[1] Voir ANDERSEN, « Leprosy » ; COCHRANE, « Leprosy » ; GRAMBERG, « Leprosy » ; NIDA, « Leprosy » ; PAUL, « Lèpre » ; SWELLENGREBEL, « Leprosy » ; WALLINGTON, « Leprosy » ; et spécialement WILKINSON, « Leprosy ».
[2] Selon ANDERSEN, « Leprosy ».

Cependant le poids de la tradition est si fort qu'il est quasi impossible de modifier aujourd'hui l'appellation habituelle. Les traducteurs de la NEB ont remplacé, en Lv 13—14 et quelques autres textes vétérotestamentaires, « leprosy » par « a malignant skin-disease » ; il faut avouer que cette périphrase, souvent répétée, devient vite insupportable à la lecture[3]. Dans les autres textes de l'AT et dans le NT, ils ont fini par garder « leprosy » ou « leper ». Nous avons également conservé les termes « lèpre » et « lépreux » en français, faute de mieux.

D'ailleurs ce qui importe dans ces chapitres, c'est moins le diagnostic médical[4] que le diagnostic religieux. Le prêtre apparaît moins comme le spécialiste du « service d'hygiène » (des personnes ou des bâtiments), que comme le spécialiste des problèmes religieux ; il n'a pas pour tâche fondamentale de dire si la personne ou la chose examinée est malade ou en bonne santé, mais de la déclarer impure ou pure, c'est-à-dire de décréter si elle est exclue ou non de la communauté cultuelle. Si la personne, après une période d'impureté, est reconnue pure, il incombera encore au prêtre de présider la cérémonie de purification rituelle qui la réintégrera effectivement dans la société et dans la communion avec Dieu[5].

En résumé, la צרעת (comme la maladie en général dans la Bible) ne pose pas d'abord un problème d'ordre physique ou médical, mais un problème de relations sociales et religieuses.

Comme le laisse entrevoir la présentation sommaire du contenu de ces deux chapitres (voir le début de la présente introduction), l'ordre des sections est surprenant. L'absence de logique s'explique pourtant par la manière dont, probablement, les diverses pièces ont été progressivement regroupées. Les spécialistes de l'analyse littéraire considèrent généralement que le fond le plus ancien se trouve dans la première section, les maladies de la peau chez les humains, [A] (13. 2-46)[6]. A ce noyau primitif aura été ajouté d'abord la section décrivant le rituel de purification, [C] (14. 2-32). La section relative aux moisissures qui se développent sur des vêtements ou des étoffes, [B] (13. 47-59), a été insérée ensuite entre [A] et [C], puisqu'elle ne comportait pas de rituel de purification. Finalement, la section traitant des taches sur les murs des maisons, [D] (14. 33-53) a été placée en dernière position ; elle ne pouvait guère être insérée entre [B] et [C] (là où l'on aurait pu l'attendre), puisqu'elle se terminait elle-même par un rituel de purification.

La législation vétérotestamentaire sur la צרעת est de loin beaucoup plus développée que celle concernant d'autres affections, ce qui montre l'importance qu'on accordait à

---

[3] Voir aussi l'opposition exprimée par WILKINSON, « Leprosy », 1978, p. 164, alors même qu'il souhaite que les versions modernes de la Bible renoncent à l'emploi de « leprosy » ou de ses équivalents pour traduire צרעת.

[4] WILKINSON, « Leprosy », 1977, p. 165-166, énumère diverses identifications médicales possibles des affections cutanées dont parle le chap. 13 : vitiligo, leucodermie, syphilis, psoriasis, pityriasis, teigne, alopécie, kwashiorkor, eczéma, érysipèle, carcinome, pian.

[5] La personne ou la chose n'est pas automatiquement impure parce qu'elle est atteinte d'une affection de la peau ou d'une moisissure, mais parce que le prêtre, après examen, l'a déclarée impure ; de même elle n'est pas automatiquement pure parce que les symptômes ont disparu, mais parce que le prêtre l'a déclarée pure après l'avoir soumise au rituel officiel de purification. Cela n'exclut pas, bien entendu, qu'il y ait souvent coïncidence entre pureté et santé d'une part, entre impureté et maladie d'autre part.

[6] Nous n'entrons pas ici dans le détail de l'analyse littéraire interne des sections ; chacune présente elle-même une histoire complexe.

ce groupe de maladies, en raison de l'état d'impureté qui en découlait. Toutefois cette
législation était encore insuffisante aux yeux des rabbins, qui multiplièrent les observations et rassemblèrent toute une casuistique minutieuse dans un traité complet de la
Michna, appelé *Nega'im*[7]. L'accent y est toujours davantage sur la dimension religieuse
et rituelle que sur l'aspect médical. L'impureté du « lépreux » est considérée comme aussi
contagieuse que celle d'un cadavre[8], et si une guérison est envisagée comme concevable,
c'est surtout comme signe messianique.

C'est avec cet arrière-plan culturel à l'esprit qu'il faut lire les récits des Évangiles
où apparaissent des « lépreux ». Jésus, en les guérissant, se manifeste moins comme un
thaumaturge médical que comme le Messie attendu, qui apporte une « résurrection »
à des « morts » et une réintégration dans la communauté cultuelle à ceux qui en étaient
exclus par leur impureté[9].

*(1) YHWH parla à Moïse et à Aaron en ces termes : (2) Si un homme a sur la peau
de sa chair une boursouflure, une dartre ou une tache luisante, et que cela devienne,
sur la peau de sa chair, une maladie de lèpre, il sera amené chez le prêtre Aaron ou
chez l'un de ses descendants, les prêtres.*

*(3) Le prêtre examinera la partie malade, sur la peau de la chair : si le poil de la
partie malade a tourné au blanc et que la partie malade paraisse faire un creux dans
la peau de sa chair, c'est une maladie de lèpre ; dès que le prêtre l'aura examiné[a], il
le déclarera impur. (4) S'il s'agit d'une tache luisante et blanche sur la peau de sa chair,
qu'elle ne paraisse pas faire un creux dans la peau[a], et que le poil[b] n'ait pas tourné
au blanc, le prêtre mettra le malade à l'isolement pendant sept jours. (5) Le septième
jour, le prêtre l'examinera[a] : si le mal est visiblement[b] resté stationnaire, qu'il ne s'est
pas étendu sur la peau, le prêtre le mettra une seconde fois à l'isolement pendant sept
jours. (6) Le septième jour, le prêtre l'examinera une nouvelle fois : si la partie malade
s'est ternie, qu'elle ne s'est pas étendue sur la peau, le prêtre le déclarera pur ; c'est
une dartre. L'homme lavera ses vêtements et il sera pur. (7) Mais si la dartre s'étend
sur la peau, après qu'il a été examiné par le prêtre pour être déclaré pur, il se fera
examiner une nouvelle fois par le prêtre. (8) Le prêtre l'examinera donc : si la dartre
s'est étendue sur la peau, le prêtre le déclarera impur ; c'est la lèpre.*

*(9) Si une maladie de lèpre[a] atteint[b] un homme, il sera amené chez le prêtre.
(10) Le prêtre l'examinera : s'il y a une boursouflure blanche sur la peau, que le poil
de celle-ci ait tourné au blanc et que de la chair à vif y apparaisse, (11) c'est une lèpre
chronique, sur la peau de sa chair. Le prêtre le déclarera impur ; il ne le mettra pas
à l'isolement, puisqu'il est impur. (12) Mais si la lèpre bourgeonne sur la peau et recouvre
toute la peau du malade, de sa tête à ses pieds, en tout ce qu'aperçoivent les yeux du
prêtre, (13) le prêtre l'examinera : si la lèpre recouvre toute sa peau, il déclarera pur*

---

[7] Le mot hébreu *nega'im* est le pluriel de נגע (voir 13. 2), qui a totalement supplanté le mot צרעת dans
la Michna.

[8] Comparer JOSÈPHE, *Histoire* (3/11/3), p. 95 : « Il (= Moïse) ordonna que... les lépreux seraient séparés
pour toujours d'avec les autres et considérés comme des corps morts. » Cette perspective, pour ne pas dire
cette identification, était déjà suggérée dans le texte biblique par Lv 13. 45, qui décrit la tenue que le lépreux
doit adopter avec les mêmes termes que 10. 6 utilisait pour décrire les gens en deuil.

[9] Malgré l'unité des chap. 13 et 14 de Lv, unité dont nous reconnaissons l'importance dans la forme actuelle
du texte, nous présenterons chacun des chapitres pour lui-même (traduction, critique textuelle et commentaire du chap. 13, suivis de traduction, critique textuelle et commentaire du chap. 14), ceci pour une raison
d'ordre pratique, tenant à la longueur des chapitres respectifs.

le malade ; tout, en lui, ayant tourné au blanc, il est pur. (14) Mais le jour où l'on verra sur lui de la chair à vif, il deviendra impur ; (15) le prêtre examinera la chair à vif et le déclarera impur : la chair à vif est impure, c'est[a] la lèpre. (16) Ou bien si la chair à vif a changé et tourné au blanc, l'homme se rendra chez le prêtre ; (17) le prêtre l'examinera[a] : si la partie malade a tourné au blanc, le prêtre déclarera pure la partie malade ; il (l'homme) est pur.

(18) Si quelqu'un a eu sur la chair, [a]sur sa peau[a], un furoncle, que celui-ci a guéri, (19) mais qu'à l'emplacement du furoncle se forme une boursuuflure blanche ou une dartre d'un blanc rougeâtre, l'homme se fera examiner par le prêtre. (20) Le prêtre l'examinera : si la partie malade paraît[a] faire une dépression[b] dans la peau et que son poil a tourné[c] au blanc, le prêtre le déclarera impur ; c'est une maladie de lèpre, qui a bourgeonné dans le furoncle. (21) Mais si le prêtre l'examine[a] et qu'il n'y a pas de poil blanc ni de dépression dans la peau, et que la partie malade est devenue terne, le prêtre le mettra à l'isolement pendant sept jours. (22) Si alors le mal s'est étendu sur la peau, le prêtre le déclarera impur ; c'est* une maladie (de lèpre)[a]. (23) Mais si la tache luisante est restée stationnaire, ne s'est pas étendue, c'est la cicatrice du furoncle ; le prêtre le déclarera pur.

(24) Ou bien si quelqu'un a eu sur la chair, sur sa peau, une brûlure de feu, et qu'il y a eu évolution de la brûlure en tache luisante d'un blanc rougeâtre ou blanche, (25) le prêtre l'examinera (la brûlure) : si le poil a tourné au blanc dans la tache luisante et qu'elle paraît faire une dépression dans la peau, c'est la lèpre qui a bourgeonné dans la brûlure. Le prêtre le déclarera impur ; c'est une maladie de lèpre. (26) Mais si le prêtre l'examine[a] et qu'il n'y a pas de poil blanc [b]dans la tache luisante[c] ni de dépression dans la peau, et que la partie malade est devenue terne, le prêtre le mettra à l'isolement pendant sept jours. (27) Le septième jour, le prêtre l'examinera[a] : si le mal s'est étendu sur la peau, le prêtre le déclarera impur ; c'est une maladie de lèpre[b]. (28) Mais si la tache luisante est restée stationnaire[a], ne s'est pas étendue sur la peau, et qu'elle est devenue terne, c'est une boursouflure de la brûlure. Le prêtre le déclarera pur ; c'est la cicatrice de la brûlure.

(29) Si un homme ou une femme est atteint de quelque mal sur la tête ou au menton, (30) le prêtre examinera la partie malade ; si elle paraît faire une dépression dans la peau et qu'il s'y trouve du poil jaunâtre et clairsemé, le prêtre le déclarera impur ; c'est la teigne, c'est[a] la lèpre de la tête ou du menton. (31) Mais si le prêtre examine la partie atteinte de teigne et qu'elle ne paraît pas[a] faire une dépression dans la peau, alors même qu'il ne s'y trouve pas de poil noir*, le prêtre mettra à l'isolement pendant sept jours celui qui est atteint de teigne. (32) Le septième jour, le prêtre examinera la partie malade[a] : si la teigne ne s'est pas étendue, qu'il ne s'y trouve pas de poil jaunâtre et qu'elle ne paraît pas faire une dépression dans la peau, (33) il (le malade) se rasera[a], mais ne rasera pas la partie atteinte de teigne, et le prêtre mettra le malade une seconde fois à l'isolement pendant sept jours. (34) Le septième jour, le prêtre examinera la teigne : si la teigne ne s'est pas étendue sur la peau et qu'elle ne paraît pas faire une dépression dans la peau, le prêtre le déclarera pur ; il (le malade) lavera ses vêtements et sera pur. (35) Mais si la teigne s'étend sur la peau après sa déclaration de pureté, (36) le prêtre l'examinera[a] : puisque la teigne s'est étendue sur la peau, le prêtre ne cherchera même pas s'il y a du poil jaunâtre ; il est impur. (37) Mais si la teigne est visiblement[a] restée stationnaire et que du poil noir[b] y a poussé, la teigne est guérie : il est pur, et le prêtre le déclarera pur.

(38) *Si un homme ou une femme a sur la peau de sa chair des taches, des taches blanches, (39) le prêtre l'examinera : si les taches, sur la peau de sa chair, sont d'un blanc terne, c'est un vitiligo qui a bourgeonné sur la peau ; il (le malade) est pur.*

(40) *Si un homme perd ses cheveux et devient chauve, il est pur ; (41) s'il* [a]*perd ses cheveux*[a] *sur le devant et a le front dégarni, il est pur. (42) Mais si, dans la calvitie, sur le sommet de la tête*[a] *ou sur le front*[a]*, il y a un mal d'un blanc rougeâtre, c'est la lèpre qui bourgeonne dans sa calvitie, sur le sommet de la tête ou sur le front. (43) Le prêtre l*[a]*'examinera : si la boursouflure dans la partie malade est d'un blanc rougeâtre, soit sur le sommet de la tête soit sur le front, et qu'elle ressemble à la lèpre de la peau de la chair, (44) l'homme est lépreux. Il est impur, et le prêtre le déclarera impur ; le mal est sur sa tête.*

(45) *Celui qui est atteint de lèpre aura ses vêtements déchirés, ne se coiffera pas, se couvrira*[a] *la moustache et criera : « Impur ! Impur ! » (46) Tous les jours où le mal dont il est atteint est impur, il est impur ; il habitera à part, sa demeure sera hors du camp.*

(47) *Si un vêtement est atteint d'une tache de moisissure, vêtement de laine ou vêtement de lin, (48) tissu ou tricot de lin ou de laine, peau ou tout objet confectionné en peau, (49) si la tache est verdâtre ou rougeâtre, sur le vêtement ou sur la peau, sur le tissu ou sur le tricot, ou sur tout objet de peau, c'est une tache de moisissure ; elle sera montrée au prêtre. (50) Le prêtre examinera la tache, puis mettra*[a] *l'objet taché sous séquestre pendant sept jours. (51) Le septième jour, il examinera la tache : si la tache s'est étendue sur le vêtement, sur le tissu ou le tricot, ou sur la peau — quel que soit l'objet fait en peau —, c'est une tache de moisissure qu'on ne peut pas éliminer*[a] *; l'objet est impur. (52) On brûlera le vêtement, le tissu, le tricot, de laine ou de lin, ou tout objet de peau qui a cette tache, car c'est une moisissure qu'on ne peut pas éliminer*[a] *; l'objet sera brûlé au feu. (53) Mais si le prêtre l'examine et que la tache*[a] *ne s'est pas étendue, sur le vêtement, sur le tissu ou le tricot, ou sur tout objet de peau, (54) le prêtre ordonnera qu'on lave l'objet taché, puis le mettra*[a] *une seconde fois sous séquestre pendant sept jours. (55) Le prêtre l'examinera après que la tache aura (de nouveau) été lavée : si la tache n'a pas changé d'aspect*[a] *— même si la tache ne s'est pas étendue —, il (l'objet) est impur et tu le brûleras au feu ; c'est un objet rongé, à l'envers ou à l'endroit. (56) Mais si le prêtre l'examine et que la tache s'est ternie après avoir été lavée*[a]*, on découpera*[b] *la partie tachée du vêtement ou de la peau, du tissu ou du tricot. (57) Si (plus tard) quelque chose réapparaît sur le vêtement, sur le tissu ou le tricot, ou sur tout objet de peau, c'est un bourgeonnement (de moisissure) ; tu brûleras au feu l'objet taché. (58) Le vêtement, le tissu ou le tricot, ou tout objet de peau qui aura été lavé et d'où la tache aura disparu, sera lavé une seconde fois et alors il sera pur.*

(59) *Telles sont les directives au sujet des taches de moisissure*[a] *sur un vêtement, de laine ou de lin, sur un tissu ou un tricot, ou sur tout objet de peau*[b]*, permettant de le déclarer pur ou impur.*

Critique textuelle : • *v. 3a* L'absence du complément pronominal dans Sam et dans LXX ne modifie pas le sens du verset. A de nombreuses reprises dans les chap. 13 et 14, Sam ou les versions anciennes ajoutent au texte hébreu ou en retranchent un complément pronominal ou même un sujet ou un objet. Ces modifications trahissent probablement davantage des soucis stylistiques que l'existence d'une *Vorlage* différente du TM. • *v. 4a,b* Voir *3a*. • *v. 5a* Voir *3a*. • *v. 5b* Il faut conserver le TM, voir le commentaire. • *v. 9a* Assimilation inutile à la formulation plus fréquente avec la conjonction ו . • *v. 9b* Le masculin de C est une *lectio facilior* ; sur l'accord du verbe avec le *nomen rectum* du groupe génitival, voir GK 146 a ; Joüon 150 n. • *v. 15a* La vocalisation en הגּוּא a probablement été influencée par l'autre הגּוּא du même verset ; bien que cela ne modifie pas le sens évident du texte, il semble préférable de rétablir le qeré perpétuel הָוא, comme p. ex. aux v. 8, 11 et 27. • *v. 17a* Voir *3a*. • *v. 18a-a* La construction בּו־בערו n'est pas très heureuse stylistiquement parlant ; בערו est une explicitation (légitime) de בו, mais on ignore si elle provient de l'auteur (comparer v. 29) ou d'un rédacteur ultérieur. Les versions anciennes ne témoignent pas de manière certaine de l'absence de בו dans la *Vorlage*. Si l'on juge nécessaire de corriger le TM, mieux vaut suivre Sam en éliminant בערו, car on s'expliquerait mal l'adjonction de בו à un texte primitif comportant בערו. • *v. 20a* Le suffixe féminin du TM se rapporte à שאת או בהרת ; le suffixe masculin de Sam et de G58 se rapporte à שחין (v. 19). • *v. 20b* Assimilation inutile au terme synonyme des v. 3-4, 25, 30-34. • *v. 20c* L'adjonction de la négation לא dans C est difficilement explicable et justifiable ; le sens ne pourrait être que concessif « bien que le poil n'ait pas tourné au blanc ». • *v. 21a* Voir *3a*. • *v. 22** L'expression נגע הוא (hapax !) est difficile à admettre telle quelle ; il faut supposer la chute de צרעת (comparer v. 20, 25 et 27). • *v. 22a* Assimilation inutile à la formulation du v. 20. • *v. 26a* Voir *3a*. • *v. 26b* Erreur probable de copiste. • *v. 26c* Erreur probable de copiste (influence de la vocalisation en 13. 38-39 ; 14. 56 ?). • *v. 27a* Voir *3a*. • *v. 27b* Voir *22a*. • *v. 28a* Homéoarcton ? • *v. 30a* Voir *15a*. • *v. 31a* Erreur probable de copiste, comparer v. 30. • *v. 31** θριξ ξαντιζουσα de LXX ne doit pas être préféré à שער שחר du TM ; voir le commentaire. • *v. 32a* Confusion entre deux mots commençant par les mêmes syllabes ; comparer *53a*. • *v. 33a* Le ג majuscule d'un certain nombre de manuscrits dans le mot והתגלח indique le verset central du Pentateuque hébreu, selon le Talmud de Babylone, traité Qiddušin 30a. • *v. 36a* Voir *3a*. • *v. 37a* Voir *5b*. • *v. 37b* Homéoarcton. • *v. 41a-a* Si l'absence de ימרת ראשו dans C n'est pas accidentelle, il faut y voir une tournure elliptique possible après le v. 40. • *v. 42a* Le possessif peut demeurer implicite dans le TM, même s'il est explicité dans Sam et dans plusieurs versions anciennes et modernes. • *v. 43a* Le אחה de Sam peut être compris de deux manières différentes : ou bien (apparat critique de BHS) on a affaire à un suffixe féminin, se rapportant à צרעת du v. 42 ; ou bien le ה est *mater lectionis* du ḥolem d'un suffixe de la 3e pers. masc. sing. (voir GK 7 c ; 91 e ; Joüon 7 b ; 94 h). • *v. 45a* Variante orthographique ? • *v. 50a* Le sujet peut rester implicite dans le TM. • *v. 51a* Métathèse de consonnes ? ou racine מרא (comparer So 3. 1) = מרה ? • *v. 52a* Voir *51a*. • *v. 53a* Voir *32a*. • *v. 54a* Voir *50a*. • *v. 55a* Assimilation inopportune à la formulation des v. 5 et 37. • *v. 56a* La forme הכבסו de Sam est difficilement explicable : faut-il y voir une forme conjuguée de parfait, 3e pers. pl. à sens impersonnel « on » (voir *56b*), mais de quelle conjugaison ? Dans l'expression parallèle du v. 55, deux manuscrits samaritains seulement présentaient la forme הכבסו, avant que le ו soit biffé par une seconde main. • *v. 56b* Pluriel impersonnel, se rapportant en fait au laïc, et non au prêtre comme avec le singulier du TM. • *v. 59a* La présence de l'article dans Sam implique une rupture de construction, בגד devenant une sorte d'accusatif de limitation (GK 118 q ; Joüon 126 g). • *v. 59b* Variante sans modification de sens, voir v. 52.

v. 1. Voir 11. 1.

v. 2. Sur אדם כי = « Si un homme », voir 12. 2 (אשה כי = « Si une femme »).

L'expression בעור־בשרו = « sur la peau de sa chair » (que l'on rencontre neuf fois dans ce chapitre, mais jamais ailleurs) est surprenante à la première lecture ; c'est son emploi au v. 43 qui nous éclaire sur son sens : là elle est employée, à titre de comparaison, dans un contexte où il est question d'affections de la peau se manifestant sur le cuir chevelu. L'expression doit donc désigner, par opposition, les parties du corps où la peau n'est pas recouverte de poils[10].

Les trois termes techniques médicaux de ce verset n'apparaissent qu'en Lv 13 et dans le sommaire de 14. 56 ; c'est dire que leur sens est difficile à déterminer de manière précise. Compte tenu de son étymologie, שאת (racine נשא = « lever/soulever » semble correspondre à une « boursouflure » ; ספחת[11] pourrait être la « dartre », selon l'interprétation majoritaire ; בהרת évoque quelque chose de brillant, d'où la traduction habituelle « tache (luisante) ».

Le terme נגע = « atteinte » apparaît 61 fois dans les chap. 13—14, toujours en relation explicite ou implicite avec צרעת = « lèpre » ; sur les 17 autres emplois dans les autres livres de l'AT, on ne retrouve qu'une seule fois (Dt 24. 8) l'expression נגע צרעת. Dans ces 62 occurrences, il semble avoir pour rôle de relativiser le sens de צרעת : une atteinte = « une forme » [de צרעת].

Sur Aaron et ses fils, voir 1. 5.

v. 3-8. Ces versets traitent conjointement des cas de la ספחת = « dartre » et de la בהרת = « tache luisante ». Le but de l'examen par le prêtre est de déterminer si le malade est pur ou impur, au point de vue rituel. Le prêtre peut donner trois réponses à cette question : « pur », « impur », « incertain ». En cas d'incertitude, une période (parfois deux périodes) d'attente doit lui permettre de se faire une opinion plus précise, suite à l'évolution du mal. Les divers paragraphes des chap. 13 et 14. 33-48 sont construits sur ce plan tripartite. Voici la structure des v. 3-8 :

$$E^3 \left\{ \begin{matrix} I^3 \\ A^4 \end{matrix} \right. - E^5 \rightarrow A^5 - E^6 \rightarrow P^6 \mid^7 E^8 \rightarrow I^8$$

Explication des sigles : E = Examen par le prêtre
                        A = période d'Attente
                        I = déclaré Impur par le prêtre
                        P = déclaré Pur par le prêtre
                        — = suite ordinaire du processus
                        → = décision du prêtre, suite à l'examen
                        | = changement imprévu, après une décision du prêtre.

Les chiffres en exposant correspondent aux numéros des versets concernés.

---

[10] Voir Wilkinson, « Leprosy », 1977, p. 159.
[11] Remplacé en 13. 6-8 par la variante orthographique מספחת.

v. 3. Le blanchissement des poils est un indice négatif ; s'il s'y ajoute la formation d'un creux, d'une cavité dans la chair[12] (deuxième indice négatif), l'hésitation n'est plus possible et la décision du prêtre doit tomber immédiatement : l'homme est impur[13].

L'examen mentionné en 3b n'est pas un nouvel examen par rapport à celui de 3a : c'est le même examen, simplement mentionné à nouveau pour bien marquer que la décision du prêtre peut se prendre sans délai.

v. 4. L'absence de poils blancs et de creux dans la chair ne permet pas de trancher sans autre en faveur d'un état de pureté ; une période d'attente est indispensable, pour voir comment la maladie évolue. Le verbe סגר au hiphil[14] ne peut pas signifier de manière univoque « enfermer », « séquestrer », dans le sens de « emprisonner ». Dans le cas des personnes, il faut l'entendre au sens de « isoler » (voir LXX αφοριζω ; voir aussi le niphal de סגר en Nb 12. 14-15). Cet isolement sert d'ailleurs aussi bien à constater l'évolution du mal qu'à préserver la communauté de toute contagion de l'impureté. Le texte ne dit pas où le suspect doit être mis à l'isolement ; ce n'était certainement pas dans les parages du sanctuaire, mais plus probablement hors du camp, c'est-à-dire hors de la ville. En fait l'auteur ne se préoccupe pas de ce genre de questions, car pour lui l'accent se trouve sur le rôle du prêtre.

La période de « sept jours » est une période assez longue en principe pour pouvoir observer un changement notable dans l'apparence extérieure de la plaie ; en même temps, le chiffre « sept » a une valeur symbolique (plénitude, totalité, perfection ; voir 4. 6).

v. 5. La conjecture בעינו = « dans son aspect », admise dans la plupart des commentaires de langue allemande (Bertholet, Elliger, Kornfeld) à l'exception de celui de Noth, est inutile. Le εναντιον αυτου = « devant lui » de LXX ne correspond nullement à une *Vorlage* בעינו, contrairement à ce que pourrait laisser supposer l'apparat critique de BHS ; c'est une traduction judicieuse sinon littérale du TM : le pronom se rapporte au prêtre qui, בעיניו = « de ses yeux » (comparer v. 12) examine la plaie. Ni εναντιον ni εναντι ne conviendraient en grec pour rendre une expression hébraïque où עין aurait le sens de « aspect », comme en 13. 55. L'expression hébraïque a une valeur adverbiale, qui correspond assez bien au français « visiblement » ou « au premier coup d'œil ».

L'emploi du verbe עמד marque l'absence d'évolution de la plaie ; « se tenir (debout) » quelque part, c'est « s'en tenir à », « rester stationnaire ». Cela implique une seconde période d'isolement et d'attente.

---

[12] WILKINSON, « Leprosy », 1977, p. 161-162, écarte cette interprétation, qui lui paraît peu vraisemblable, médicalement parlant. Après avoir écarté, avec raison, également l'interprétation de Rachi (une tache d'une couleur « plus profonde »), il suggère le sens d'une affection qui atteint les tissus situés au-dessous de la peau (« plus profond que la peau ») ; cette interprétation nous paraît trop recherchée, négligeant le sens obvie des mots.

[13] Le piel de טמא a généralement un sens factitif : « rendre impur », « souiller » (voir p. ex. 18. 28 ; 20. 3). Dans le présent chapitre, il a plutôt un sens déclaratif : « déclarer impur » (comparer aussi 20. 25 « reconnaître comme impur »).

[14] Toujours au hiphil dans Lv, jamais en dehors des chap. 13—14 ; 7 fois en 13. 3-33 (complément direct : une personne), 2 fois en 13. 50-54 (complément direct : une étoffe), 2 fois en 14. 38-46 (complément direct : une maison).

Le paragraphe n'expose pas la marche à suivre si l'examen du prêtre à la fin de la première semaine aboutit à un résultat clairement positif ou négatif. Le prêtre devait manifestement agir alors par analogie : en cas d'évolution de la plaie vers une aggravation, il déclarait le malade impur (voir v. 3) ; en cas de guérison, il le déclarait pur (voir v. 6).

v. 6. Le « septième jour » est ici le dernier jour de la seconde semaine. Il semble qu'au bout de deux semaines d'attente, le prêtre devait prendre une décision. Le v. 6 n'envisage que le cas d'une modification vers l'amélioration, et donc une déclaration de pureté. Il est permis de supposer qu'en cas d'aggravation, et peut-être aussi de simple état stationnaire, le prêtre déclarait la personne impure (voir v. 3).

שנית = « une nouvelle fois » marque ici la simple répétition d'un événement, et n'implique pas fondamentalement la valeur numérique « deux », puisqu'il s'agit en fait dans le cas présent d'un troisième examen (voir v. 3, 5, 6).

La racine כהה exprime l'idée d'un affaiblissement ; employée six fois en Lv 13, elle indique qu'une tache luisante sur la peau d'un homme (v. 2) s'est ternie, ou que la tache de moisissure sur une étoffe a pâli, signe que le « mal » perd de sa vigueur.

La mise à l'isolement de la personne suspectée de lèpre signifie un état de quasi-impureté. La déclaration de pureté par le prêtre[15] la libère de tout soupçon personnel ; mais sa mise à l'écart temporaire l'oblige à passer néanmoins par un rite de réintégration de la communauté, à savoir le lavage de ses vêtements.

v. 7-8. Comme indiqué plus haut, il y a solution de continuité entre les v. 6 et 7. Le v. 7 envisage la possibilité d'une rechute de la maladie, après que le cas a été réglé à satisfaction par le prêtre. Dans cette éventualité, le processus d'examen exposé dans les v. 3-6 recommence ; il est présenté ici de manière simplifiée (le cas d'impureté était probablement le plus fréquent), mais il n'est sans doute pas exclu que le prêtre ait pu prononcer un « non-lieu » et en conséquence déclarer l'homme pur.

Sur le sens de שנית = « une nouvelle fois », voir v. 6.

v. 9-17. Ces versets traitent du cas de la boursouflure (voir v. 2) ; en voici la structure :

$$E^{9\text{-}10} \left\langle \begin{matrix} I^{11} \\ E^{12\text{-}13} \end{matrix} \right. \rightarrow P^{13} \mid^{14} E^{15} \rightarrow I^{15} \mid^{16} E^{17} \rightarrow P^{17}$$

(Voir l'explication des sigles aux v. 3-8.)

v. 9. Comparer le v. 2.

v. 10. Sur le blanchissement des poils, voir le v. 3. L'apparition de chair à vif[16] confirme l'indice négatif des poils blancs.

v. 11. Comparer le v. 3. Le participe נושנת = « ancienne » oppose le cas présent à

---

[15] Le piel de טהר a généralement un sens factitif : « rendre pur », « purifier » (voir p. ex. 16. 19, 30). Dans le présent chapitre et dans le suivant, il a plutôt un sens déclaratif : « déclarer pur » (comparer la remarque sur טמא dans la note du v. 3).

[16] מחיה, de la racine חיה = « vivre », est employé ici en relation avec בשר חי = « chair à vif », ce qui donne une tournure analogue à la *figura etymologica* (voir GK 117 p-r ; JOÜON 125 q-r). L'interprétation de מחיה doit donc se faire en fonction de בשר חי, qui désigne ainsi la chair dépourvue de la protection assurée par la peau. Le symptôme est négatif, conduisant à une déclaration d'impureté. מחיה ne peut donc pas signifier la « formation de chair nouvelle » (= « Bildung von neuem Fleisch », HAL, ThWAT), qui serait un symptôme éminemment positif, mais la formation/apparition de chair à vif.

celui d'une atteinte récente et subite. Il semble donc correspondre à ce que le français médical appelle une maladie chronique par opposition à une maladie aiguë. Sur la mise à l'isolement, voir les v. 4-5.

v. 12. Ce verset envisage le cas inverse de celui du v. 11 : le mal s'étend soudain sur le corps entier de la personne[17]. לְכָל־מַרְאֵה עֵינֵי הַכֹּהֵן =« en tout ce que voient les yeux du prêtre » exprime une restriction par rapport à l'affirmation absolue « toute la peau du malade, de sa tête à ses pieds ». L'examen du v. 10 portait sur les parties à découvert du corps ; si toutes ces parties sont atteintes, cela laisse supposer une extension encore plus grande de l'affection.

v. 13. Le prêtre vérifie cette intuition par un examen plus approfondi[18]. Si l'examen démontre que le corps du malade est effectivement devenu entièrement blanc, le prêtre conclut à un état de pureté. Cette manifestation épidermique n'est pas décrite avec assez de précision pour qu'on puisse l'identifier aujourd'hui, mais on peut penser à une espèce de desquamation consécutive à une affection cutanée généralisée. Que cette affection soit contagieuse ou non du point de vue médical, cela ne concerne pas le prêtre, qui ne se préoccupe que de l'aspect rituel. Or à ce point de vue là, le malade n'a pas besoin d'être mis à l'écart de la communauté : il est pur.

v. 14. Comme au v. 7, le cas envisagé est celui d'une récidive du mal, qui semblait écarté. Sur la chair à vif, voir le v. 10. Le malade est « objectivement » impur, mais seule la déclaration du prêtre (v. 15) l'exclura de la vie communautaire.

v. 15. Cette déclaration est, comme d'habitude, précédée d'un examen attentif.

v. 16. Nouvelle solution de continuité : après la déclaration d'impureté du verset précédent, la maladie évolue de nouveau, la chair à vif laisse la place à une cicatrice blanche[19]. Cela nécessite une nouvelle intervention du prêtre pour rendre au malade le droit de réintégrer la communauté.

v. 18-23. Ces versets traitent le cas des séquelles d'un furoncle ; en voici la structure :

$$E^{18-20} \left\langle {I^{20} \atop A^{21}} \right. - (E)^{22} \left\langle {I^{22} \atop P^{23}} \right.$$

(Voir l'explication des sigles aux v. 3-8).

v. 18. A nouveau l'interprétation du nom hébreu de la maladie est difficile ; on trouve שְׁחִין dans quatre contextes différents, qui ne permettent pas une identification précise, si ce n'est qu'il s'agit d'une maladie de la peau : Ex 9. 9-11 et Dt 28. 27, 35 (sixième

---

[17] L'emploi de פרח, au sens propre « bourgeonner », « éclore », « fleurir », évoque le développement relativement rapide de la maladie.
[18] Puisque le second examen (v. 13) suit sans période d'attente le premier (v. 10), cela implique qu'il soit fait plus en détail, bien que le texte hébreu ne le dise pas explicitement.
[19] Le texte hébreu parle de « chair à vif qui redevient blanche ». C'est probablement une façon condensée de s'exprimer, pour parler de la formation d'un tissu épithélial (blanc) à l'endroit où se trouvait la chair à vif.

plaie d'Égypte) ; 2 R 20. 7 = Es 38. 21 (maladie du roi Ézékias) ; Jb 2. 7 (maladie de Job) ; Lv 13. 18-23. Par sa racine (שחן = « être chaud », attestée en hébreu postbiblique, en araméen, en syriaque et en arabe), שחין doit désigner une sorte d'« inflammation », donc quelque chose comme un furoncle ou un ulcère. L'auteur n'envisage d'ailleurs pas cette maladie en elle-même, puisqu'il part du moment où, guérie, il n'en reste qu'une cicatrice.

v. 19. Si, dans la cicatrice laissée par la plaie primitive, se développe une nouvelle plaie (boursouflure, tache, voir v. 2), on doit recourir à une décision du prêtre.

v. 20. Comparer v. 3.

v. 21. Comparer v. 4. Sur la racine כהה = « être terne », voir v. 6.

v. 22. Le TM ne mentionne pas explicitement le nouvel examen effectué par le prêtre, à la fin des sept jours d'isolement (comparer avec les v. 5 et 27). Comparer le reste du verset avec le v. 8.

v. 23. Comparer avec les v. 5 et 6.

v. 24-28. Ces versets traitent du cas des séquelles d'une brûlure ; en voici la structure, tout à fait parallèle à celle des v. 18-23 :

$$E^{24\text{-}25} \Big\langle \begin{matrix} I^{25} \\ A^{26} \end{matrix} - E^{27} \Big\langle \begin{matrix} I^{27} \\ P^{28} \end{matrix}$$

(Voir l'explication des sigles aux v. 3-8).

v. 24. Le TM précise que la brûlure a été provoquée par le feu (מכות־אש) ; à l'époque de l'auteur, on pouvait envisager une brûlure par l'eau chaude, mais pas tellement d'autres causes comme aujourd'hui (produits chimiques). Cependant il ne faut probablement pas considérer que la mention du feu est exclusive de toute autre forme de brûlure.

Sur מחית = « évolution », voir v. 10 et la note. Comparer l'ensemble du verset avec les v. 18-19.

v. 25-28. Comparer, verset par verset, avec les v. 20-23.

v. 29-37. Ces versets traitent du cas des maladies du cuir chevelu ; en voici la structure, très proche de celle des v. 3-8 :

$$E^{29\text{-}30} \Big\langle \begin{matrix} I^{30} \\ A^{31} \end{matrix} - E^{32\text{-}33} \rightarrow A^{33} - E^{34} \rightarrow P^{34} \mid {}^{35} E^{36} \Big\langle \begin{matrix} I^{36} \\ P^{37} \end{matrix}$$

(Voir l'explication des sigles aux v. 3-8.)

v. 29. Certaines maladies de la peau affectent les parties où poussent normalement des poils et provoquent la chute de ceux-ci. L'auteur ne mentionne que les parties habituellement visibles, à savoir la tête et le menton. Le terme hébreu זקן désigne souvent la « barbe », mais par métonymie il prend ici le sens de « menton », puisqu'il doit s'appliquer aussi bien à la femme qu'à l'homme. D'ailleurs la mention explicite de la femme est due justement à l'emploi de זקן, qui autrement aurait pu laisser croire que le cas ne concernait que des hommes adultes.

v. 30. Comparer le v. 3. Le sens de l'adjectif צהב = « jaunâtre » (qui ne se rencontre qu'aux v. 30, 32 et 36) est connu uniquement par le verbe צהב[20] et par les versions anciennes : LXX ξαντιζουσα, Vg *flavus*, Tg סומק = « rouge », Syr s'r šmš' = « sunny or red hair » (dictionnaire de Smith). La nuance de teinte (« jaunâtre » ou « roussâtre ») est difficile à déterminer ; ce qui est certain, c'est qu'il s'agit d'une anomalie (poil décoloré), dans un pays où la chevelure est normalement noire.

דק ne souligne pas la qualité de finesse des cheveux, mais leur état de déficience ; appliqué aux cheveux pris isolément, il peut signifier « grêle », « mince » ; appliqué à la chevelure, il signifie plutôt « clairsemé ».

Le terme technique נתק ne se rencontre que 14 fois en hébreu biblique[21]. La maladie qu'il désigne est difficilement identifiable : « teigne » ? « pelade » ? ? (la gale, qui a parfois été proposée [Noth, « Krätze »], est peu probable, car elle n'est pas caractéristique des endroits où poussent des poils).

v. 31. Comparer avec les v. 3b et 4. La proposition שער שחר אין בו = « il ne s'y trouve pas de poil noir », simplement coordonnée à la précédente en hébreu, exprime cependant une idée bien différente, ce que suggère déjà la place particulière de la négation ; la conjonction de coordination ו a ici une valeur concessive (« alors même que »). Il n'est donc pas nécessaire de suivre la variante de LXX (voir la crit. text.). Le poil noir (voir v. 30 et 37) serait un signe de santé ; son absence (qui ne signifie pas la présence de poil décoloré, voir le verset suivant) justifie le soupçon d'impureté et donc la mise à l'isolement.

v. 32. Comparer v. 5a.

v. 33. Le verbe גלח signifie « raser les poils » d'une façon générale, et non seulement ceux de la barbe (en français « se raser »). Le rasage concerne ici la tête du sujet, à l'exception de la partie atteinte de teigne ; il a pour but de faciliter le contrôle de l'extension du mal. Comparer le v. 33b avec le v. 5b.

v. 34-35. Comparer le v. 34 avec le v. 6, le v. 35 avec le v. 7a.

v. 36. Comparer le v. 36a avec le v. 8a. Le premier indice d'impureté (extension du mal) étant manifeste, il n'est pas nécessaire d'en chercher un second (poil décoloré) ; comparer une situation analogue au v. 11 (pas besoin de période d'attente).

v. 37. Ce verset n'a pas d'équivalent dans le paragraphe des v. 3-8 ; comparer avec les v. 23 et 28.

Sur בעיניו = « visiblement », voir v. 5. Le poil noir manifeste un état normal.

---

[20] Voir Esd 8. 27 (participe hophal, « brillant » ?) ; *Si* 10. 10 (imparfait hiphil, sens disputé).
[21] Treize fois dans les v. 30-37, et une fois en 14. 54.

v. 38-39. Ces versets traitent du cas d'une affection de la peau difficilement identifiable ; en voici la structure :

E$^{38-39}$ → P^{39} (Voir l'explication des sigles aux v. 3-8).

Sur בהרת = « tache », voir v. 2. Ces taches blanches nécessitent un examen par le prêtre. Si celui-ci constate qu'il s'agit d'un blanc terne (כהה, voir v. 6), il peut tranquilliser le sujet : il n'y a pas d'état d'impureté.

Le sens de בהק (hapax) est incertain : « urticaire » (BP) est peu probable, car il s'agit d'une manifestation cutanée de couleur rosée ou rouge ; « exanthème » (BJ) est un terme trop général. On peut hésiter entre « vitiligo » (TOB, Wenham) ou une variété de « dartre ». De toute façon, comme le montre le contexte, il s'agit d'une atteinte qui ne rend pas le sujet impur.

v. 40-44. Ces versets traitent du cas de la chute des cheveux ; en voici la structure :

(P)$^{40-41}$ E$^{42-43}$ → I^{44} (Voir l'explication des sigles aux v. 3-8).

v. 40. La plupart des commentateurs et traducteurs font de קרח הוא = « il est chauve » la proposition principale, suivant la subordonnée (temporelle ou hypothétique), et de טהור הוא = « il est pur » une sorte d'apposition (à nuance consécutive) de la principale[22]. Cela est grammaticalement possible, mais peu satisfaisant d'un point de vue de la logique, car c'est une lapalissade. Il est préférable de faire de קרח הוא une sorte de parenthèse, et de comprendre l'expression טהור הוא comme proposition principale[23].

קרח est souvent interprété, par opposition à גבח du v. 41, comme désignant la perte des cheveux sur l'arrière du crâne ; les autres emplois de la racine קרח, en particulier קרחה en Dt 14. 1, ne favorisent pas cette interprétation restrictive.

v. 41. Ce verset présente la même construction que le précédent. L'adjectif גבח est un hapax ; la racine ne réapparaît que sous la forme גבחת aux v. 42, 43, et 55. Le sens en est déterminé par le contexte : est גבח celui qui perd ses cheveux sur le devant de la tête.

v. 42. Les substantifs קרחת et גבחת désignent la « calvitie », respectivement celle du קרח et celle du גבח. Sur le blanc rougeâtre, comparer v. 24. Sur le bourgeonnement du mal, voir v. 12.

---

[22] Voir p. ex. Seg 1978 « Lorsqu'un homme aura la tête dépouillée de cheveux, c'est un chauve : il est pur » ; BJ « Si un homme perd les cheveux de son crâne, c'est la calvitie du crâne, il est pur. »

[23] Voir CLAMER, p. 107 « Lorsqu'un homme a la tête dégarnie de cheveux et qu'il est ainsi chauve par derrière, il est pur » ; KORNFELD, p. 88 « Verliert jemand sein Haupthaar, so dass er hinten kahl wird, so bleibt er rein » ; malheureusement Kornfeld, *Levitikus*, p. 52, a repris dans son nouveau commentaire l'interprétation majoritaire « Verliert ein Mann auf seinem Kopf die Haare, so ist es eine Hinterkopfglatze ; er ist rein ».

v. 43. L'évolution constatée nécessite le recours au prêtre, qui doit trancher après examen. Sur la boursouflure, voir v. 2. L'expression « elle ressemble à la lèpre de la peau de la chair » renvoie globalement au paragraphe des v. 2-17.

v. 44. L'adjectif צרוע = « lépreux » (participe passif qal de צרע) est peu employé en hébreu[24] ; on lui préfère généralement le participe pual מצרע (voir 14.2).

La dernière affirmation du verset (בראשו נגעו) a une nuance causale : le prêtre le déclarera impur, « à cause du mal qui l'a frappé à la tête ».

v. 45-46. Ces versets traitent du comportement social que le lépreux doit adopter.

v. 45. Trois signes clairement visibles doivent permettre à chacun d'éviter tout contact avec le lépreux, impur et source d'impureté : les « vêtements déchirés », habituellement signes de deuil (voir 10. 6), expriment ici l'état d'impureté du sujet ; il en va de même des cheveux défaits, « non coiffés » (voir également 10. 6). Le troisième signe, qui est mentionné en Ez 24. 17, 22 comme signe de deuil, et qui en Mi 3. 7 exprime l'idée de honte, n'est pas des plus clairs. Déjà le sens de שפם n'est pas certain[25] ; on pense en général à la « moustache » (parfois à la barbe). De plus s'il est bien question de la moustache, que signifie concrètement « se couvrir la moustache » ? S'agit-il uniquement de la partie située entre le nez et la bouche ? ou de la partie inférieure du visage (depuis la moustache, ou depuis les yeux, vers le bas) ? ou de la partie supérieure du visage (du front jusqu'à la moustache y compris) ? Cette expression est-elle l'équivalent de « se voiler le visage » (2 S 15. 30 ; 19. 5)[26] ? Dans l'état actuel de nos connaissances, il n'est pas possible de répondre à ces questions.

Les trois signes visibles, qui évoquent chacun à sa manière l'idée de « mort en sursis », doivent s'accompagner d'un signe audible (« Impur ! Impur ! »), mettant en garde les autres gens contre un contact involontaire et dangereux avec le lépreux.

v. 46. L'impureté est liée à l'évolution de la maladie : si cette dernière évolue de manière positive (voir p. ex. v. 16-17), il est possible d'envisager le moment où le mal n'est plus « impur » en soi, et où par conséquent le prêtre peut prononcer une déclaration de pureté[27]. Tant que cette déclaration n'a pas été faite, le malade reste impur. Cela implique pour lui une coupure par rapport à la communauté et par rapport à la sainteté du camp : il doit se retirer hors du camp (comparer Nb 12. 14-15), ce qui pour Israël installé en Canaan signifiera « hors de la localité » (comparer 2 R 7. 3 ; Jb 2. 8). L'expression בדד ישב est souvent traduite, à tort, par « il habitera seul » ; or בדד ne marque pas essentiellement l'isolement ou la solitude, mais la séparation. Comme

---

[24] Voir v. 45 ; 14. 3 ; 22. 4 ; Nb 5. 2.

[25] En dehors des textes cités (Lv, Ez et Mi), le mot n'apparaît qu'en 2 S 19. 25, où le contexte ne permet pas non plus d'en cerner le sens.

[26] Certains commentateurs (BERTHOLET, p. 45 ; NOTH, p. 90 ; ELLIGER, p. 185 ; KORNFELD, p. 90) évoquent l'origine possible de ce geste rituel : primitivement il se serait agi de se rendre méconnaissable et de se protéger les voies respiratoires pour empêcher des esprits malfaisants de pénétrer en soi. C'est une hypothèse légitime, mais qui n'explique aucunement le recours à ce geste dans le cas du lépreux exclu de la communauté. La suggestion pratique de CORTESE, p. 69 (éviter une projection de salive, comparer 15. 8) est certainement plus éclairante.

[27] Voir p. ex. Lc 17. 11-19.

le montre l'un des récits que nous venons de mentionner (2 R 7 ; voir aussi Lc 17. 11-19), il était permis à des lépreux de vivre ensemble, pour autant qu'ils soient séparés de la communauté[28].

v. 47-58. Ces versets constituent une nouvelle section, traitant sous la même terminologie (צרעת = « lèpre ») d'un phénomène différent, à savoir de taches de moisissure pouvant apparaître sur des étoffes ou des cuirs. Les apparences extérieures et des analogies dans le développement du mal ont amené les « spécialistes » anciens à grouper dans le même chapitre des phénomènes que notre vision des choses nous invite à distinguer de manière très nette[29].

Voici la structure de cette section :

$$E^{49\text{-}50} \to A^{50} - E^{51}_{53} \Big\langle \begin{matrix} I^{51} \to DT^{52} \\ L+A^{54} - L^{(55?56?)}_{58} - E^{55}_{56} \Big\langle \begin{matrix} I^{55} - DT^{55} \\ DP^{56} \mid I^{57} - DT^{57} \end{matrix} \\ G^{58} \to L^{58} \to P^{58} \end{matrix}$$

Explication des sigles :   DP = Destruction Partielle de l'objet
DT = Destruction Totale de l'objet
G = « Guérison » de l'objet
L = Lavage de l'objet
Autres sigles, voir v. 3-8.

v. 47-48. Sur נגע צרעת = « tache de moisissure », voir v. 2. Le בו (litt. « [le vêtement, s'il y a] en lui [une tache] ») de 47a est explicité par 47b et 48, où chacun des termes de la liste est introduit par la particule ב. צמר désigne la « laine » animale, פשת la fibre végétale tirée de la plante de « lin ». Les deux termes שתי et ערב ne se rencontrent que neuf fois dans l'AT, dans les v. 48-59 du présent chapitre, et toujours ensemble. Dans l'hébreu rabbinique et dans l'hébreu moderne, ils désignent la « chaîne » et la « trame » d'un tissu, et de nombreux traducteurs ont admis ces sens pour l'hébreu biblique. Mais cela ne convient pas, car on voit difficilement comment une moisissure pourrait ne se développer que sur la chaîne ou que sur la trame d'un tissu, et encore plus difficilement comment on pourrait ne découper que le morceau de chaîne ou de trame moisi (v. 56). L'explication donnée par la tradition juive[30] (chaîne et trame encore séparées, pas encore tissées ensemble pour en faire une étoffe) est peu satisfaisante, car si la chaîne peut exister en tant que telle, ce n'est pas le cas de la trame. Malgré les versions anciennes, qui sont unanimes à rendre ces mots par « chaîne » et « trame », il semble donc indispensable d'y voir plutôt deux modes différents de fabrication d'une étoffe, ce que nous rendons, à titre d'hypothèse, par « tissu » et « tricot »[31].

עור est une « peau », envisagée ici probablement en tant que couverture pour la nuit (comparer 15. 17). Par opposition, כל־מלאכת עור doit désigner des objets confectionnés en cuir ou en peau.

---

[28] Le sens de בבית החפשית en 2 R 15. 5 n'est pas clair ; si la traduction « dans la maison d'isolement » est justifiée, ce texte illustrerait par un cas particulier la règle à observer à l'égard des lépreux.

[29] Voir encore, en 14. 33-53, la section traitant des taches sur les murs des maisons.

[30] Voir CAHEN, p. 54-55.

[31] BJ traduit « un tissu ou une couverture » et donne en note (première édition), « Ces termes sont empruntés, semble-t-il, à l'Égypte (*st* ' ; *'rf*), le grand producteur de tissus dans le monde d'alors. »

v. 49. L'auteur, pour qui le souci de précision prime les questions de style, ne craint pas de répéter un peu mécaniquement la liste des objets déjà mentionnée aux v. 47-48. Si la tache est ירקרק = « verdâtre »[32] ou אדמדם = « rougeâtre »[33], l'objet suspect doit être soumis au prêtre[34].

v. 50. Sur le verbe סגר au hiphil = « mettre sous séquestre », voir v. 4.

v. 51. Sur le nouvel examen après la période d'attente, comparer v. 5.
ממארת exprime une idée de persévérance, de continuité, d'où ici « lèpre maligne » ou « lèpre chronique »[35].

v. 52. Le sujet de « brûlera » est soit le prêtre lui-même, soit un « on » impersonnel. L'emploi du verbe שרף = « brûler » (voir la note sur 4. 11-12) souligne l'idée de destruction par le feu. La répétition du même verbe à la fin du verset, cette fois au niphal, indique que l'identité du sujet de l'action est secondaire : ce qui compte, c'est le fait de l'élimination de l'objet impur.

v. 53. L'examen est celui mentionné au v. 51. Comparer avec les v. 21, 26.

v. 54. Par rapport aux rituels précédents, celui-ci prévoit le lavage de l'objet suspect avant la seconde période d'attente ; ce lavage correspond en quelque sorte au rasage de l'homme atteint de teigne, au v. 33. Comparer v. 5.

v. 55. Sur le troisième examen, comparer v. 6. Le lavage dont il est question ici n'est pas clairement défini[36] : s'agit-il d'une allusion au lavage du v. 54, ou d'un nouveau lavage ayant lieu entre la période d'attente et le troisième examen par le prêtre ? Nous optons pour la seconde interprétation, qui nous paraît simplement plus logique.

Les deux indices résultant de l'examen sont en apparence contradictoires : la tache n'a pas changé d'aspect[37], ce qui est un indice négatif ; mais elle ne s'est pas étendue, ce qui est un indice positif ; comparer une situation analogue au v. 31. Toutefois comme il y a déjà eu deux périodes d'attente, le prêtre doit prendre maintenant une décision définitive ; seule une amélioration évidente aurait permis de déclarer l'objet pur (voir v. 58) ; l'incertitude doit conduire à le déclarer impur et à l'éliminer.

L'emploi de תשרפנו = « tu le brûleras » (2ᵉ pers. masc. sing., à valeur impersonnelle) pourrait trahir une adjonction à un texte antérieur.

Le substantif פחתת[38] (hapax) évoque l'idée de perforation ou de rongement, dû à la moisissure (« objet rongé »).

---

[32] Voir 14. 37 ; Ps 68. 14.

[33] Voir v. 19, 24, 42, 43 ; 14. 37.

[34] Le hophal de ראה est rare, voir Ex 25. 40 ; 26. 30 ; Dt 4. 35. Son emploi avec את introduisant celui qui voit est un hapax. Voir GK 121 b ; JOÜON 128 b ; et comparer 10. 18 et la note.

[35] Le participe hiphil est la seule forme attestée de la racine מאר : on le trouve 3 fois au féminin, 13. 51-52 ; 14. 44, et 1 fois au masculin, Ez 28. 24 ; dans ce dernier cas, l'idée est celle d'une ronce toujours prête à piquer.

[36] La forme הכבס est un hotpaël, sorte de passif du hitpaël, voir GK 54 h ; JOÜON 53 h ; et les dictionnaires.

[37] Sur ce sens de עין, voir la discussion du v. 5.

[38] A rapprocher de פחת = « fosse/trou ».

L'expression בקרחתו או בגבחתו désignait aux v. 42-43 la partie chauve sur le crâne ou sur le front d'un homme. Elle est employée ici de manière métaphorique, dans un sens que le contexte nous permet de cerner de manière quasi certaine : « l'endroit et l'envers » de l'étoffe ou de la peau.

v. 56. L'examen du début du verset est celui mentionné au début du v. 55, et le lavage est celui que nous croyons devoir placer après la seconde période d'attente (voir v. 55). Si la tache a pâli (voir v. 6), c'est un indice positif, mais pas suffisant toutefois pour permettre une déclaration de pureté de l'objet, surtout après deux périodes d'attente. C'est pourquoi le prêtre (ou « on », comparer v. 52) élimine la partie atteinte, mais elle seulement.

v. 57. Ce verset envisage le cas d'une « rechute » après la décision du prêtre (comparer v. 7-8).

Le sujet grammatical de תראה = « réapparaît » ne peut pas être נגע = « une atteinte » qui est masculin ; la forme féminine est employée pour exprimer l'idée neutre « quelque chose », avec peut-être une influence rétroactive du féminin פרחת = « bourgeonnement ».

פרחת הוא = « c'est un bourgeonnement » est l'équivalent de צרעת פרחת הוא = « c'est la lèpre qui bourgeonne » du v. 42. Sur תשרפנו = « tu le brûleras », voir v. 55. את אשר־בו הנגע = « l'objet taché » (litt. « ce en quoi il y a la tache ») est une apposition au pronom suffixe de תשרפנו (voir GK 131 m ; Joüon 146 e, 2).

v. 58. Le lavage mentionné ici est celui du v. 56 ; si on refuse l'hypothèse du lavage après la deuxième période d'attente, il faut admettre qu'il s'agit de celui du v. 54, mais cela convient moins bien. Sur l'emploi de la 2e pers. masc. sing., voir v. 55.

Le premier lavage est une mesure d'hygiène : si le résultat n'est pas satisfaisant, selon ce qui a été constaté aux v. 55 et 56, les mesures rituelles appropriées de destruction sont prises. Si au contraire le résultat est positif en ce que la tache a disparu, un second lavage doit avoir lieu, qui est cette fois de type rituel ; le soupçon d'impureté est un état de quasi-impureté, qui a entraîné la mise à l'écart de l'objet suspect ; lorsque le soupçon est levé, un rite de réintégration est nécessaire pour qu'on puisse utiliser de nouveau l'objet.

v. 59. Ce verset constitue la conclusion de la section sur les moisissures des étoffes et des peaux. Sur ... תורת = « directives au sujet de... », voir 6. 2aβ ; voir aussi 11. 46-47. Sur le piel des verbes טהר = « déclarer pur » et טמא = « déclarer impur », voir les notes des v. 3 et 6.

Chapitre 14

LA « LÈPRE » (suite)

Voir l'introduction aux chap. 13—14. Le chap. 14 comprend deux sections :
a) v. 1-32 la purification d'une personne guérie de la « lèpre »,
b) v. 33-53 la « lèpre » des maisons,
suivies d'une conclusion générale (v. 54-57).

(1) *YHWH parla à Moïse en ces termes : (2) Voici les directives concernant le lépreux, au jour de sa purification. Lorsqu'on le présentera au prêtre, (3) c'est le prêtre qui sortira du camp ; le prêtre l'examinera : Si le lépreux est guéri de sa maladie de lèpre, (4) le prêtre ordonnera qu'on prenne*[a]*, pour celui qui se purifie, deux oiseaux* [b]*vivants, purs*[b]*, du bois de cèdre, de la laine teinte en cramoisi éclatant et de l'hysope. (5) Le prêtre ordonnera qu'on égorge*[a] *l'un des oiseaux au-dessus d'un récipient de terre cuite contenant de l'eau vive. (6)* [a]*Il prendra l'oiseau vivant, le bois de cèdre*[b]*, la laine teinte en cramoisi éclatant et l'hysope, et les plongera — y compris l'oiseau vivant — dans le sang de l'oiseau égorgé au-dessus de* [c]*l'eau vive*[c]. (7) Il fera sept aspersions sur celui qui se purifie de la lèpre, et il le déclarera pur*[a]. Il laissera l'oiseau vivant s'envoler vers la pleine campagne. (8) Celui qui se purifie lavera ses vêtements, rasera tous ses poils, se baignera dans l'eau, et il sera pur. Ensuite il regagnera le camp, mais restera sept jours hors de sa tente. (9) Le septième jour, il rasera tous ses poils, ceux de sa tête, de son menton, de ses arcades sourcilières, il rasera tous ses (autres) poils, il lavera ses vêtements, baignera son corps dans l'eau, et il sera pur.*
(10) *Le huitième jour, il prendra deux moutons sans défaut*[a]*, une brebis d'un an sans défaut, une offrande végétale de trois dixième (d'épha) de farine pétrie à l'huile, et* [b]*un log d'huile*[b]. (11) Le prêtre qui effectue la purification placera l'homme qui se purifie, ainsi que ses présents, devant YHWH, à l'entrée de la tente de la rencontre. (12) Le prêtre prendra le premier mouton et le présentera pour un sacrifice de réparation, de même que le log d'huile, et il les offrira avec le geste de présentation devant YHWH. (13) Il égorgera le mouton à l'endroit où l'on égorge*[a] *la victime du sacrifice pour le péché ou celle de l'holocauste, dans le lieu du sanctuaire ; — en effet le sacrifice de réparation*[b]*, tout comme le sacrifice pour le péché, revient au prêtre, car c'est quelque chose de très saint —. (14) Le prêtre prendra du sang de la victime du sacrifice de réparation, et il*[a] *en mettra sur le lobe de l'oreille droite de celui qui se purifie, sur le pouce de sa main droite et sur le pouce de son pied droit. (15) Il prendra le log d'huile et en versera dans sa propre main gauche. (16) Il trempera un doigt de sa main droite dans l'huile qui se trouve dans sa main gauche, et de son doigt*[a] *fera*

sept aspersions d'huile devant YHWH. (17) De ce qui reste d'huile dans sa main, le prêtre
en mettra sur le lobe de l'oreille droite de celui qui se purifie, sur le pouce de sa main
droite et sur le pouce de son pied droit, par-dessus[a] le sang de la victime du sacrifice
de réparation. (18) Le reste d'huile qui se trouve dans sa main, le prêtre le mettra sur
la tête de celui qui se purifie. Il fera alors sur lui le rite d'absolution, devant YHWH.
(19) Le prêtre offrira le sacrifice pour le péché ; il[a] fera le rite d'absolution sur celui
qui se purifie de son péché. Puis il égorgera la victime de l'holocauste ; (20) il fera monter
l'holocauste et l'offrande végétale sur l'autel[a] ; il fera alors sur lui (l'homme) le rite
d'absolution, et il (l'homme) sera pur.

(21) S'il (l'homme) est pauvre et n'a pas (tout cela) sous la main, il prendra un seul
mouton pour le sacrifice de réparation à offrir avec le geste de présentation, pour qu'on
fasse sur lui le rite d'absolution, un seul dixième (d'épha) de farine pétrie à l'huile comme
offrande végétale, et un log d'huile[a], (22) ainsi que deux tourterelles ou deux pigeons
— ce qu'il a sous la main —, dont l'un[a] sera (offert) en sacrifice pour le péché et l'autre[b]
en holocauste. (23) Le huitième jour, il les apportera (ces présents) au prêtre, à l'entrée
de la tente de la rencontre, devant YHWH, pour sa purification. (24) Le prêtre prendra
le mouton du sacrifice de réparation et le log d'huile, et il[a] les offrira avec le geste
de présentation devant YHWH. (25) Il égorgera le mouton du sacrifice de réparation,
prendra du sang de la victime et en mettra sur le lobe de l'oreille droite de celui qui
se purifie, sur le pouce de sa main droite et sur le pouce de son pied droit. (26) Le
prêtre versera de l'huile dans sa propre main gauche. (27) [a]D'un doigt de sa main droite,
il fera sept aspersions de l'huile qui se trouve dans sa main gauche[a], devant YHWH.
(28) Il mettra de l'huile qui est dans sa main sur le lobe de l'oreille droite de celui
qui se purifie, sur le pouce de sa main droite et sur le pouce de son pied droit, à l'endroit
où il aura mis du sang du sacrifice de réparation. (29) Le reste [a]d'huile[a] qui se trouve
dans sa main, le prêtre le mettra sur la tête de celui qui se purifie, en faisant sur lui
le rite d'absolution devant YHWH. (30) De l'une des tourterelles ou de l'un des pigeons
— ce qu'il aura sous la main —, (31) [a]de l'un (des oiseaux) qu'il aura sous la main[a],
il fera un sacrifice pour le péché et de l'autre un holocauste en plus de l'offrande végétale.
Le prêtre[b] fera alors le rite d'absolution sur celui qui se purifie, devant YHWH.

(32) Telles sont les directives concernant celui qui a une maladie de lèpre et qui
n'a pas sous la main (ce qu'il faut normalement) pour sa purification.

(33) YHWH parla à Moïse et Aaron en ces termes : (34) Quand vous serez entrés
dans le pays de Canaan, que je vous donne en propriété, et que je mettrai une tache
de lèpre sur une maison du pays qui sera votre propriété, (35) le propriétaire de la
maison viendra et l'annoncera au prêtre en ces termes : « Il me semble qu'il y a comme
une tache dans la maison. » (36) Le prêtre ordonnera qu'on vide la maison avant que
le prêtre s'y rende pour examiner la tache, de sorte que rien de ce qui se sera trouvé
dans la maison ne sera (tenu pour) impur. Après cela[a], le prêtre s'y rendra pour examiner
la maison. (37) Il[a] examinera la tache : si la tache, sur les parois de la maison, se présente
sous forme de cavités verdâtres ou rougeâtres, si elle paraît faire une dépression dans
la paroi, (38) le prêtre sortira de la maison, à la porte de la maison, et il mettra la
maison sous séquestre pendant sept jours. (39) Le septième jour, le prêtre y retournera
et l'examinera[a] : si la tache a pris de l'extension sur les parois de la maison, (40) le prêtre
ordonnera qu'on arrache les pierres qui sont tachées et qu'on les jette à l'extérieur de
la ville, dans un lieu impur. (41) Il fera gratter[a] la maison, à l'intérieur, tout autour,

et on versera la terre [b]qu'on aura grattée[c,b] à l'extérieur de la ville, dans le lieu impur. *(42) On prendra d'autres[b] pierres[a] et on les mettra à la place des pierres (précédentes), et l'on prendra[c] de l'autre terre et l'on recrépira[c] la maison.*

(43) Si la tache se remet à bourgeonner dans la maison, après[a] l'arrachage[b] des pierres, le grattage[c] de la maison et le recrépissage, (44) le prêtre y reviendra et l'examinera : si la tache s'est étendue[a] dans la maison, c'est[c] une lèpre qu'on ne peut pas éliminer[b], dans la maison ; elle (la maison) est impure. (45) On démolira[a] la maison — ses pierres, ses poutres, et toute la terre (de crépissage) de la maison — et on portera[b] (cela) à l'extérieur de la ville, dans le lieu impur. (46) Quiconque pénétrera dans la maison durant tous les jours où elle est sous séquestre deviendra impur jusqu'au soir ; (47) quiconque couchera dans la maison devra laver ses vêtements[a] ; quiconque mangera dans la maison devra laver ses vêtements[a]. (48) Mais si le prêtre y est revenu, l'a examinée et que la tache ne s'est pas étendue[a] dans la maison après le recrépissage de la maison, le prêtre déclarera la maison pure ; en effet le mal a été guéri.

(49) Pour purifier la maison, il (le prêtre) prendra[a] deux oiseaux[b], du bois de cèdre, de la laine teinte en cramoisi éclatant et de l'hysope. (50) Il égorgera l'un des oiseaux au-dessus d'un récipient de terre cuite contenant de l'eau vive. (51) Il prendra le bois de cèdre, [a]l'hysope, la laine teinte en cramoisi éclatant[a] et l'oiseau vivant et les[b] plongera dans le sang de l'oiseau égorgé et dans l'eau vive, et il fera sept aspersions sur la maison. — (52) Il purifiera ainsi la maison au moyen du sang de l'oiseau, de l'eau vive, de l'oiseau vivant, du bois de cèdre, [a]de l'hysope et de la laine teinte en cramoisi éclatant[a]. — (53) Il laissera l'oiseau vivant s'envoler hors de la ville vers la pleine campagne. Il fera alors le rite d'absolution sur la maison, et elle sera pure.

(54) Telles sont les directives concernant n'importe quelle atteinte de lèpre, la teigne, (55) la moisissure d'un vêtement ou la lèpre d'une maison, (56) la boursouflure, la dartre ou la tache luisante, (57) pour enseigner[a] quand il y a impureté et quand il y a pureté.

Telles sont les directives concernant la lèpre.

Critique textuelle : • *v. 4a* Pluriel impersonnel ; le sens n'est pas différent. • *v. 4b-b* Probablement inadvertance de copiste, par assimilation inopportune au v. 49. • *v. 5a* Voir 4a. • *v. 6a* Variante sans modification de sens ; la présence du ו semble plus conforme au style habituel de l'hébreu. • *v. 6b* Inadvertance de copiste. • *v. 6c-c* Variante sans modification de sens ; l'absence comme la présence de la détermination est concevable dans ce cas, où le sens est partitif. • *v. 7a* Assimilation inutile à la formulation des v. 8 et 9. • *v. 10a* L'adjonction de בני שנה est possible (comparer 23. 18), mais d'autant moins indispensable que le TM présente dans le même verset l'expression בת-שנתה, qui peut porter, logiquement sinon grammaticalement, sur les deux compléments d'objet. • *v. 10b-b* Variante syntaxique sans modification de sens. • *v. 13a* Voir 4a. • *v. 13b* La nuance introduite par la répétition du כ (voir GK 161 c ; Joüon 174 i) ne change pas considérablement le sens ; il est inutile de modifier le TM. • *v. 14a* Voir 13. 3a. • *v. 16a* Sam laisse implicite (et légèrement ambigu) ce que le TM formule explicitement. • *v. 17a* Assimilation inutile à la tournure du v. 28. • *v. 19a* Voir 13. 3a. • *v. 20a* L'adjonction de לפני יהוה explicite sans nécessité une idée implicite du TM. • *v. 21a* Assimilation inutile à la tournure du v. 10. • *v. 22a* L'absence de l'article dans le TM est surprenante (voir cependant la note suivante) ; sa disparition est probablement due à une haplographie. • *v. 22b* L'absence de l'article dans Sam est admissible dans

la mesure où le premier אחד y est aussi sans article. On trouve la tournure avec deux
articles au v. 31, et en 15. 30 ; la tournure sans article en 5. 7 et 12. 8 ; comparer encore
15. 15. • *v. 24a* Voir 13. 3a. • *v. 27a-a* Homéotéleuton. • *v. 29a-a* Assimilation inutile à
la tournure du v. 18. • *v. 31a-a* La redondance du TM n'est pas forcément erronée ; LXX
et Syr n'impliquent pas absolument l'existence d'une *Vorlage* différente du TM.
• *v. 31b* Voir 13. 3a. • *v. 36a* Variante orthographique. • *v. 37a* Voir 13. 3a.
• *v. 39a* Voir 13. 3a. • *v. 41a* Le hiphil du TM se justifie, en tant qu'ordre du prêtre.
Ni le יקצעו de Sam (qui doit être lu comme un imparfait qal, voir l'emploi de קצע en
hébreu postbiblique), ni le יקלפון de Tg (imparfait paël), ni le αποξυσουσιν de LXX
ne s'imposent. • *v. 41b-b* LXX laisse implicite l'élément explicité par le TM. • *v. 41c* Le
הקיצו de Sam est trop difficilement explicable (hiphil de קיץ ou de קצץ ? mais le sens
ne convient guère) pour conduire à modifier le TM ; celui-ci peut être conservé, le hiphil
de קצה ayant un sens admissible dans ce contexte ; ou bien encore קצה pourrait n'être
ici qu'une variante orthographique de קצע. • *v. 42a* LXX ne fait qu'expliciter ce qui
est implicite dans le TM. • *v. 42b* La variante στερεους de LXX semble bien n'être
qu'une erreur de copiste pour έτερους (peut-être par suite d'une réminiscence des quatre
emplois de στερεα πετρα dans la LXX d'Ésaïe, voir une concordance). • *v. 42c* Le pluriel
impersonnel de Sam et de LXX peut rendre le singulier impersonnel du TM (voir
GK 144 d, f ; Joüon 155 b, d). • *v. 43a* Voir *36a*. • *v. 43b* L'infinitif de LXX n'implique
pas que le TM avait un infinitif ; sur le חלצו de Sam, voir *42c*. • *v. 43c* On peut conserver
le TM, voir GK 53 l, et comparer *41c*. • *v. 44a* Assimilation inutile au verbe employé
dans le v. 43. • *v. 44b* Voir 13. 51a. • *v. 44c* Assimilation inutile à la tournure de 13. 51.
• *v. 45a, b* Voir *42c*. • *v. 47a* LXX explicite, selon le v. 46, ce que le TM a laissé implicite.
• *v. 48a* Voir *44a*. • *v. 49a* Voir 13. 56b. • *v. 49b* Assimilation inutile à la tournure du
v. 4. • *v. 51a-a* Assimilation inutile à l'ordre des mots des v. 4, 6 et 49. • *v. 51b* Le αυτο
de LXX pourrait n'être qu'une erreur de copiste pour αυτα (voir v. 6) ; si ce n'est pas
le cas, il n'est pas certain qu'il corresponde automatiquement à un singulier à sens neutre
dans le TM. • *v. 52a-a* Voir *51a-a*. • *v. 57a* L'adjonction inopportune de la conjonction
de coordination est due à l'influence des six occurrences de ול" dans les v. 54-56 ; la
fonction différente du ל du v. 57 exclut la coordination.

v. 1-32. La cérémonie rituelle de purification d'un lépreux guéri se compose de trois
parties : un rituel probablement ancien, à connotation primitivement magique, suivi
d'un rituel plus récent, de type sacrificiel, et d'une variante sacrificielle encore plus
récente, destinée aux pauvres. Les v. 1-3 en constituent l'introduction.

v. 1. Voir le commentaire de 11. 1 et 12. 1.

v. 2. Sur ... תורת= « directives concernant... », voir 6. 2aβ.
La טהרה = « purification » représente ici une notion assez générale et non un aspect
particulier (purification physique, rituelle, légale[1]).
Certains commentateurs (Noth, p. 91 ; Porter, p. 107) ont ressenti une opposition
entre les affirmations de 2b et de 3a, qui trahirait à leur avis deux pratiques différentes.
Selon Noth, la pratique ancienne consistait en ce que l'on amenait le lépreux guéri chez

[1] Le sens de טהרה ne peut en tout cas pas être « la déclaration de pureté », laquelle n'intervient que
huit jours plus tard, v. 10.

le prêtre (v. 2b), alors qu'ultérieurement c'est le prêtre qui devait sortir du camp (v. 3a) pour éviter que le lépreux n'y pénètre avant d'avoir été reconnu pur. Il ne semble toutefois pas indispensable de recourir à ce genre de découpage. Dans le présent contexte, l'expression והובא אל־הכהן = « et il sera conduit vers le prêtre » ne désigne pas une action particulière qui serait suivie d'une succession d'autres actions ; elle n'implique pas que le lépreux soit immédiatement amené en présence du prêtre. Elle est une sorte de subordonnée introductive, qui résume de manière générale le processus décrit plus en détail dans le v. 3 : « Lorsqu'on le présentera au prêtre,... ».

v. 3. Le lépreux ne peut pas pénétrer dans le camp tant que le prêtre ne l'a pas reconnu purifié ; c'est donc ce dernier qui doit sortir du camp pour aller à sa rencontre et procéder à l'examen nécessaire. Lorsqu'il constate la guérison[2] effective de la maladie, le rituel de purification peut commencer. Les rites matériels et physiques de la première semaine occupent les v. 4-9, le rituel sacrificiel les v. 10-32.

Les v. 4-20 et 23-31 font penser à une sorte de « check-list » ou d'aide-mémoire, énumérant dans l'ordre les points de la procédure à observer.

v. 4. Liste des objets à fournir. Le prêtre donne ses instructions et dirige toute la cérémonie. Le sujet du verbe לקח = « prendre » est un « on » impersonnel qui doit recouvrir en fait les proches du lépreux, agissant au nom de ce dernier.

« deux oiseaux vivants, purs » : l'espèce n'est pas précisée, mais il est probable qu'il s'agissait généralement de tourterelles ou de pigeons[3]. L'auteur insiste sur le caractère de pureté des oiseaux ; en effet, comme ils n'étaient pas offerts en sacrifice, on aurait pu penser que d'autres oiseaux pourraient convenir.

« du bois de cèdre » : il est mentionné aussi en Nb 19. 6 dans un autre rituel de purification (de même que le cramoisi éclatant et l'hysope). Pour quelles raisons ces matériaux étaient-ils utilisés dans de tels rituels ? Il y avait certainement des symbolismes qui nous échappent en partie aujourd'hui.

« de la laine teinte en cramoisi éclatant » : l'expression שני תולעת [4] signifie littéralement « cramoisi/écarlate de cochenille/vermisseau ». La couleur rouge sombre était obtenue à partir d'une cochenille vivant sur le chêne[5] ; rappelant la couleur du sang, elle avait vraisemblablement une vertu apotropaïque. Comme on s'en servait pour teindre des étoffes ou de la laine, l'expression שני תולעת en était venue à désigner le matériau teint de cette couleur, ce qui est manifestement le cas ici (« laine teinte », voir v. 6).

« de l'hysope » : la plante en question est généralement identifiée à l'*Origanum Maru*, d'une taille inférieure à un mètre, qui est caractérisée par des feuilles couvertes de poil ; à cause de cela elle était utilisée pour des aspersions, et s'est donc trouvée tout naturellement liée aux rituels de purification (voir Ps 51. 9).

---

[2] Le verbe רפא = « guérir » n'apparaît que quatre fois dans Lv, ce qui confirme à sa manière que la perspective sacerdotale n'est pas médicale, mais religieuse et rituelle ; en 13. 18, il est question d'un furoncle qui a guéri antérieurement à la manifestation de la « lèpre » ; en 13. 37 ; 14. 3 et 14. 48, il s'agit de la simple constatation par le prêtre que la « lèpre » a guéri, c'est-à-dire que les symptômes ont disparu, ce qui lui permet de prononcer la « déclaration de pureté ».

[3] Vg parle de *passeres* = « passereaux ».

[4] Parfois שני תולעת = « cochenille/vermisseau de cramoisi/écarlate ».

[5] *Coccus ilicis*, voir BARROIS, *Archéologie* I, p. 471 ; BHH, col. 1685-1686 ; DALMAN, *AuS* 5, p. 84-86 ; MOELLER-CHRISTENSEN, *Tierlexikon*, p. 164-165.

Le texte ne précise pas en quelle quantité il fallait fournir le bois de cèdre, la laine teinte et l'hysope. Cela devait être suffisamment connu, et précisé oralement si nécessaire par le prêtre, pour ne pas avoir besoin d'être mis par écrit ; mais il est probable que la quantité n'était pas très grande.

v. 5. L'ordre donné par le prêtre implique que ce n'est pas lui qui égorge l'oiseau ; mais le texte ne précise pas qui doit le faire : le lépreux, ou l'un de ses proches ? Nous penchons pour la seconde hypothèse, considérant que si c'était la tâche du lépreux lui-même, cela serait probablement dit explicitement. L'égorgement est lié à l'idée du sang qui s'écoule dans le récipient (voir v. 6). L'emploi d'un récipient de terre cuite (vaisselle ordinaire, facilement remplaçable, voir 11. 32-33) signifie certainement que ce récipient devait être détruit après un tel usage religieux.

« l'eau vive » est une expression qui désigne l'eau de source, par opposition à l'eau de citerne. Pour un rituel de purification, le recours à l'eau de source était d'un symbolisme plus parlant.

v. 6-7. C'est le prêtre qui accomplit les actes suivants. Ayant pris l'oiseau, le bois de cèdre, la laine teinte et l'hysope, il plonge le tout, y compris l'oiseau vivant[6] dans l'eau mêlée du sang de l'autre oiseau, et il asperge sept fois (voir 4. 6) l'homme à purifier. L'aspersion d'eau de source et de sang (porteur de vie, voir 17. 11, 14), au moyen des éléments purificatoires, exprimait symboliquement et de manière visible que le bénéficiaire était purifié, c'est-à-dire arraché à sa condition d'exclu.

La déclaration de pureté prononcée par le prêtre pourrait bien avoir été définitive à l'origine, permettant la réintégration totale dans la communauté : l'homme n'avait plus qu'à se laver, se raser et à regagner le camp (v. 8a). Mais le rituel s'est développé et a été complété par des éléments nouveaux, ce qui fait que la déclaration de pureté, dans le contexte actuel, ne marque plus qu'une étape, la plus importante sans doute du processus, mais pas la dernière en date ; elle permet la réintégration dans le camp, mais avec certaines restrictions.

« Il laissera l'oiseau vivant s'envoler » : le piel de שלח a parfois un sens causatif (p. ex. 18. 24 ; 20. 33 « faire partir », « chasser »), parfois un sens permissif (p. ex. Gn 24. 54, 56 ; 1 S 20. 29 « laisser partir »). Ici la nuance n'est pas certaine. A cause du parallélisme de rituel avec l'envoi au désert du bouc « pour Azazel » (chap. 16), on serait tenté d'y voir un sens causatif ; mais par ailleurs comment pourrait-on « diriger » un oiseau ? Le sens permissif semble plus adapté au présent contexte.

« vers la pleine campagne » (litt. « à la face de la campagne ») ne signifie pas fondamentalement une direction précise, mais évoque la remise en liberté de l'oiseau, lâché hors des lieux habités.

Ce rituel rappelle donc celui du bouc du chap. 16 ; l'oiseau n'est pas chargé explicitement de l'impureté du lépreux, comme le bouc l'était des péchés d'Israël[7], mais étant trempé dans le sang de l'autre oiseau égorgé pour servir à asperger le lépreux,

---

[6] Le ו de ואת הצפר החיה est explicatif, voir GK 154 a, note 1b.

[7] L'imposition des deux mains mentionnée en 16. 21 n'a pas son parallèle dans le rituel du chap. 14 ; on ne peut pas en conclure de manière certaine qu'elle n'avait pas lieu. Néanmoins il nous semble probable qu'elle ne se pratiquait pas dans le présent rituel, par analogie avec l'imposition de la main dans le cas de l'holocauste d'un quadrupède, mais pas dans le cas de l'holocauste d'un oiseau (voir le commentaire de 1. 14).

il était en quelque sorte mis en contact avec le lépreux, par l'intermédiaire du sang purificateur, et il symbolisait par son envol la maladie qui s'éloignait dans le monde non habité.

v. 8. L'homme qui vient d'être déclaré pur lave ses vêtements, contaminés par son impureté, rase tout son poil et se lave. Le symbolisme du lavage (des vêtements et du corps) est si évident qu'il n'est pas besoin d'en parler ; par contre celui du rasage l'est beaucoup moins pour notre culture occidentale moderne. Il n'est certainement pas suffisant de lier ce rasage au fait que la lèpre se développait parfois dans les zones poilues du corps (13. 29-37, 40-44)[8]. Dans de très nombreuses cultures, les cheveux et les poils sont considérés comme porteurs de vertus, de puissances spéciales[9] ; le rasage indique donc un renouveau total au moment du passage de l'exclusion à la réintégration.

Sa pureté retrouvée, l'homme peut regagner le camp.

Les v. 8b et 9 sont probablement d'origine plus tardive que les précédents, puisqu'ils mettent une réserve à la réintégration du lépreux guéri, montrant que la purification n'est pas terminée. Pendant une semaine, la personne n'a pas le droit de regagner sa tente ; s'agit-il, sans que cela soit dit, d'une nouvelle période d'attente, dans la crainte d'une rechute de la maladie ? Rien ne suggère une telle interprétation. On penserait plutôt à une sorte de « sas sanitaire » : le passage de l'état d'impureté à celui de pureté exigerait un changement progressif[10].

v. 9. Le rituel de purification du septième jour, au moment où l'homme est sur le point de réintégrer sa tente, est semblable à celui du premier jour : rasage, et lavage des vêtements et du corps. Le rasage est ordonné avec plus de détails qu'au v. 8 ; on précise qu'il doit se raser « la tête » (= les cheveux), « la barbe et les arcades sourcilières ». La répétition (un peu lourde) « et tout son poil il rasera » pourrait n'être qu'une formule récapitulative de la liste qui précède ; mais on peut aussi y discerner une précision supplémentaire, désignant de manière euphémique les autres poils du corps, c'est-à-dire en particulier ceux du pubis.

Sur וטהר = « et il sera pur », voir v. 7 et 8. La pureté n'est toujours pas définitive, puisque l'on doit encore accomplir tout le rituel du huitième jour (v. 10-20).

v. 10-20. Ce paragraphe décrit le rituel sacrificiel, qui rétablit le lépreux guéri dans sa relation avec Dieu. Il est vraisemblable qu'il est une adjonction de type plus « religieux » ou « spirituel » aux versets précédents qui étaient ressentis comme décrivant une procédure trop « matérielle » et peut-être trop primitivement « magique ».

v. 10. Le lendemain de sa réintégration dans la tente familiale, l'homme accomplit

---

[8] Voir p. ex. DE VAUX, *Institutions* 2, p. 357.

[9] Dans l'AT, on voit le cas du « nazir » qui ne doit pas se couper les cheveux, sauf s'il est entré en contact avec un cadavre, ce qui « profane/souille sa tête consacrée » (Nb 6. 9) ; dans le cas de Samson, le secret de sa puissance réside dans sa chevelure non coupée (Jg 16. 17-22) ; voir aussi l'allusion au rôle de la chevelure dans la guerre sainte, en Jg 5. 2. Sur la chevelure dans le domaine de l'histoire des religions, voir CHANTEPIE DE LA SAUSSAYE, *Manuel*, p. 184 : « d'après les idées sémitiques, la force vitale résidait dans la chevelure, comme l'âme dans le sang » ; voir également ce qu'en disent FRAZER, *Rameau d'or*, p. 218-221, 634-635, et PIKE, *Dictionnaire*, p. 76.

[10] Comparer tous les cas où un homme impur, même après avoir procédé à tout le rituel de purification imposé, est déclaré « impur jusqu'au soir », p. ex. 11. 24 ; 15. 5.

le rituel sacrificiel. Il se présente à la tente de la rencontre avec deux moutons et une brebis d'un an, ainsi qu'avec une offrande végétale. Sur כבש = « mouton » et כבשה = « brebis », voir 1. 10 ; sur תמים = « sans défaut », voir 1. 3 ; sur סלח = « farine » et שמן = « huile », voir 2. 1 ; sur מנחה = « offrande végétale », voir 1. 2 et 2. 1.

Le עשרון = « un dixième » est une mesure de capacité pour les solides, qui correspond à un dixième d'épha (voir 5. 11). Le לג = « log » est une mesure de capacité pour les liquides, dont la valeur se situe probablement entre cinq et sept décilitres.

v. 11. אתם = « eux » désigne les présents apportés par l'homme.

v. 12. Sur אשם = « sacrifice de réparation », voir 5. 14-26. Clamer, p. 113, se demande à la suite de Bertholet, p. 47, et d'autres commentateurs, pourquoi le lépreux guéri doit offrir un sacrifice de réparation. Il commence par écarter, avec raison, deux interprétations théoriques possibles : la première verrait dans la maladie la punition d'une faute cachée, mais rien dans la loi sur la lèpre n'étaye une telle hyptohèse ; la seconde imagine que le lépreux devrait compenser de la sorte les obligations sacrificielles qu'il n'aurait pas pu remplir durant le temps de son exclusion de la communauté cultuelle, mais il y a d'autres cas d'exclusion de longue durée qui ne sont pas « sanctionnés » par l'offrande d'un sacrifice de réparation. Il remarque ensuite que la victime est un « agneau » (כבש) et non un « bélier » (איל ; comparer 5. 15), et que le rituel comporte un « geste de présentation » (הניף תנופה ; comparer 7. 30) qui n'est pas mentionné en 5. 14-26. Il en conclut qu'il ne s'agit donc pas au chap. 14 d'un אשם au sens strict. Nous croyons pourtant pouvoir reconnaître dans ce sacrifice un authentique אשם. Une étude lexicographique plus poussée montrerait probablement que la différence entre כבש et איל n'est pas aussi nettement marquée en hébreu qu'entre « agneau » et « bélier » en français[11] ; et l'argument *e silentio* de l'absence de הניף תנופה en 5. 14-26 n'est pas suffisant pour prouver quelque chose. Enfin le אשם se justifie dans la mesure où l'on reconnaît que le « péché » n'est pas avant tout un acte moral commis à l'encontre de Dieu ou d'un être humain, mais l'état de l'homme dont la relation avec Dieu a été interrompue (voir 4. 2, ainsi que l'introduction à Lv 11—15).

הקריב est pris ici dans le sens faible de « faire approcher », « présenter », et non dans le sens technique et précis d'« offrir un sacrifice » ; cela ressort du contexte, selon lequel le sacrifice proprement dit est décrit seulement à partir du v. 13.

v. 13. L'égorgement du mouton est effectué par le prêtre, ce qui n'est pas précisé dans le rituel du chap. 5[12]. L'endroit où l'on égorge la victime du sacrifice pour le péché ou celle de l'holocauste est le côté nord de l'autel, voir 1. 11 ; 6. 18 ; par conséquent l'expression במקום הקדש ne peut pas signifier « dans le lieu saint » (voir aussi 10. 17).

La fin du v. 13 est une sorte de parenthèse, qui rapproche les sacrifices pour le péché et de réparation, du moins au niveau de ce qui revient au prêtre. Sur קדש קדשים = « quelque chose de très saint », voir 2. 3.

v. 14. Selon 7. 2, on aspergeait du sang de la victime les parois de l'autel, ce qui n'est pas explicite ici, mais qui était connu des usagers. Le fait que le prêtre dépose

[11] Voir 1. 10 et la note.
[12] Dans le cas de l'holocauste, c'est l'offrant, non le prêtre, qui égorge la victime, voir 1. 5, 11.

également du sang de la victime sur l'homme qui se purifie signifie que, par l'inter-médiaire du sang, l'homme est mis en contact avec l'autel, donc réconcilié avec Dieu[13].

Sur le symbolisme de l'oreille et des pouces, voir 8. 23-24. Le rituel de consécration du chap. 8 est évidemment très différent de celui de purification du chap. 14, mais le symbolisme est semblable : l'homme guéri est tout entier rétabli dans sa communion avec Dieu[14].

v. 15-18. L'huile, qui a été rituellement présentée à Dieu (v. 12), est utilisée de façon presque semblable au sang de la victime. Cet emploi, qui ne se rencontre que dans le présent rituel, ne fait certainement pas que doubler le rite du sang. L'huile symbolise la joie (Es 61. 3 ; Ps 45. 8 ; Pr 27. 9), la prospérité (Ps 109. 24 ; 133. 2) ; elle s'emploie dans un geste d'accueil (Ps 23. 5 ; Lc 7. 46), pour les soins de beauté (Ez 16. 9 ; Est 2. 12) et pour les soins des blessures (Es 1. 6 ; Lc 10. 34) ; elle est utilisée dans les cérémonies d'onction, c'est-à-dire de consécration (8. 30 ; 10. 7 ; 1 S 10. 1 ; 16. 13). Enfin, contrairement au sang, l'huile peut être consommée par les humains. Il ressort de cela que le sang évoque plutôt le mouvement de l'homme vers Dieu (le sang d'un animal n'est pas consommé ; il doit être versé sur l'autel, ou à défaut versé à terre et recouvert), alors que l'huile évoque à l'inverse le mouvement de Dieu vers l'homme (elle est don de Dieu, Os 2. 10 ; elle permet de consacrer des hommes, ou plus généralement de les faire participer à la plénitude et à la joie). Dans le rituel de purification, le rite du sang opéré par le prêtre réconcilie l'homme avec Dieu, et le rite de l'huile assure l'homme que Dieu s'engage dans cette réconciliation[15].

v. 15. ‏הכהן‎ ... ‏ויצק על־כף הכהן‎ (litt. « le prêtre ... verse dans la main du prêtre ») est une tournure lourde ; toutefois le souci premier de l'auteur n'est pas l'élégance du style, mais la clarté et la précision des pensées. Si l'auteur avait employé l'expression ‏על־כפו‎ = « dans sa main », l'affirmation aurait été ambiguë : le lecteur (ou l'auditeur) n'aurait pas su s'il s'agissait de la main de l'homme à purifier ou de celle du prêtre.

v. 16. Dans ‏אצבעו הימנית‎ (litt. « son doigt droit »), le suffixe ne donne qu'une détermination approximative ; l'expression désigne probablement l'index droit, mais on peut aussi comprendre (et traduire) « un doigt de sa main droite ». Sur les sept aspersions, voir 4. 6.

v. 17. Sur « oreille » et « pouces », voir v. 14. ‏על דם האשם‎ = « sur le sang du sacrifice de réparation » signifie en fait « là où il a mis précédemment du sang du sacrifice de réparation ».

v. 18. En mettant le reste d'huile sur la tête de l'homme, le prêtre renforce le symbole de la réconciliation. Sur ‏כפר על‎ = « faire le rite d'absolution sur », voir 4. 20.

---

[13] Comparer la cérémonie d'alliance d'Ex 24. 5-8.

[14] CLAMER, p. 113, relève à juste titre que le sang qui sert à la consécration sacerdotale est celui de l'animal offert en sacrifice d'investiture (8. 22-23), tandis qu'ici le sang est celui d'un sacrifice de réparation ; de même il y a une différence fondamentale en ce qui concerne l'huile : huile d'onction en 8. 2, 30, huile ordinaire en 14. 10, 15-16.

[15] Notons que ces versets évitent soigneusement le langage technique (racine ‏משח‎) de l'onction/consécra-tion. Sur le symbolisme de l'huile et les diverses pratiques d'onction, voir LYS, « Onction ».

v. 19. L'animal offert en sacrifice pour le péché est la brebis du v. 10 ; voir 4. 32-35. L'animal préparé pour l'holocauste est le second mouton du v. 10 ; voir 1. 3 (« un mâle ») et 1. 10-13. C'est ici le prêtre qui égorge la victime, contrairement à 1. 5, 11. Cela pourrait trahir une pratique plus récente, la pratique ancienne étant certainement l'égorgement par l'offrant ; toutefois une autre explication est possible : c'est le prêtre qui égorge la victime, car l'offrant n'est pas encore en état de pureté suffisante pour le faire.

v. 20. Sur la מנחה = « offrande végétale », voir v. 10 et le chap. 2. Le prêtre répète le geste de כפר = « rite d'absolution » (v. 18), et dès lors l'homme est définitivement purifié et réintégré dans la communauté et dans la communion avec Dieu.

v. 21-32. Ce paragraphe envisage le cas d'un lépreux guéri mais n'ayant pas les moyens de fournir tous les présents énumérés au v. 10 ; la réduction porte sur un mouton et la brebis, remplacés par deux tourterelles ou deux pigeons, et les trois dixièmes d'épha de farine, ramenés à un seul dixième. Voir les cas analogues de 5. 7-13 ; 12. 8 ; 27. 8.

Les différences existant entre les v. 23-31 et les v. 10-20 sont d'ordre stylistique et ne reflètent pas des différences de rituels.

v. 21. L'adjectif דל qualifie une personne de condition modeste, tant au point de vue social que financier, un petit, un faible, un « pauvre », même parfois sur le plan psychosomatique (2 S 13. 4). Ici le contexte montre qu'il s'agit des moyens financiers limités.

Sur l'expression אין ידו משגת = « et n'a pas sous la main », voir 5. 11 ; כבש אחד = « un seul mouton » s'oppose aux deux moutons et une brebis du v. 10 ; sur אשם = « sacrifice de réparation » et תנופה = « geste de présentation », voir v. 12 ; sur לכפר עליו = « pour qu'on fasse sur lui le rite d'absolution », voir les v. (13-)18 ; עשרון ... אחד = « un seul dixième (d'épha) » s'oppose aux trois dixièmes du v. 10 ; sur לג שמן = « un log d'huile », voir également v. 10.

v. 22. Sur תרים = « tourterelles » et בני יונה = « pigeons », voir 1. 14 ; 5. 7 ; אשר תשיג ידו est une sorte de parenthèse, justifiant le choix entre tourterelles et pigeons : « ce qu'il a sous la main ». L'un des oiseaux devra remplacer la brebis du sacrifice pour le péché (v. 19), l'autre le mouton de l'holocauste (v. 19-20).

v. 23-29. Voir les correspondances suivantes :

v. 23 = v. 10-11	v. 25 = v. 13-14	v. 27 = v. 16	v. 29 = v. 18
v. 24 = v. 12	v. 26 = v. 15	v. 28 = v. 17	

v. 28. על־מקום דם = « sur l'endroit du sang » est une tournure plus explicite, mais de même sens que le על דם = « sur le sang » du v. 17.

v. 30-31. Voir v. 19-20 ; la répétition מאשר תשיג ידו: את אשר־תשיג ידו = « ce qu'il aura sous la main —, (31) de l'un (des oiseaux) qu'il aura sous la main » est certainement peu élégante, mais ne résulte pas forcément d'une dittographie. Les trois mots du v. 30

constituent, comme au v. 22, une sorte de parenthèse ; les quatre mots du v. 31 sont grammaticalement une apposition à את־האחד = « de l'un » du v. 30.

v. 32. Ce verset constitue la conclusion du seul paragraphe des v. 21-31 (le paragraphe des v. 10-20 n'avait pas de conclusion particulière) ; c'est l'indice que les v. 21-32 sont un élément plus tardif ajouté aux v. 10-20.

v. 33-53. Cette section traite du problème posé par l'apparition de taches de צרעת = « lèpre » sur les murs d'une maison. On considère généralement qu'il s'agissait de taches de salpêtre ou du développement de champignons ou de lichens sur les murs. Comme ces phénomènes sont caractéristiques des régions plus humides que la Palestine, on pense que la législation en question a pu prendre naissance durant l'exil en Babylonie, ce qui expliquerait du même coup que le rituel de purification (v. 49-53, parallèle aux v. 4-7) ne comporte aucune offrande sacrificielle, contrairement au rituel de purification d'une personne (comparer v. 10-32), puisqu'il n'y avait pas de culte sacrificiel israélite possible pendant l'exil.

Dans la perspective théologique de P, qui décrit Israël au désert, vivant en camp sous des tentes (v. 8), cette section est une anticipation, puisqu'elle envisage l'installation des Israélites dans des maisons de pierre (בית, v. 34, 35, etc.) regroupées en localités (עיר, v. 40, 41, etc.), dans le pays de Canaan (v. 34). Elle n'en est que plus intéressante, parce qu'elle nous montre comment de vieilles prescriptions relatives à des taches de moisissures se manifestant sur des étoffes (donc p. ex. sur des toiles de tentes) ont été repensées, réinterprétées et actualisées dans des circonstances nouvelles, pour qu'elles puissent rester applicables.

Notre logique moderne nous aurait probablement conduits à placer cette section immédiatement après celle concernant les étoffes, mais comme nous l'avons signalé dans l'introduction aux chap. 13—14, le rédacteur a eu de bonnes raisons de la faire figurer à sa place actuelle. En effet elle comporte deux paragraphes :

a) v. 34-48, qui établissent le constat de « maladie », donc d'impureté (comparer 13. 2-44 ; 13. 47-58),

b) v. 49-53, qui décrivent la cérémonie de purification (comparer 14. 2-9).

Voici la structure du premier paragraphe, v. 34-48 :

$$E^{36-37} \rightarrow A^{38} - E^{39} \rightarrow DPR^{40-42} \Big\langle \begin{array}{l} RT^{43} - E^{44} \rightarrow I^{44} \rightarrow DT^{45} \\ P^{48} \end{array}$$

Explication des sigles : DPR = Destruction Partielle et Reconstruction
DT = Destruction Totale de la maison
RT = Réapparition des Taches
Autres sigles, voir 13. 3-8

v. 33. Voir 11. 1.

v. 34. La 2ᵉ pers. masc. pl. ne concerne pas seulement Moïse et Aaron (v. 33), mais tout le peuple d'Israël. L'emploi de la 1ʳᵉ pers. sing. pour YHWH ne pose pas de problème dans le cas de אני נתן = « je donne » ; par contre le ונתתי = « et que je mettrai » de 34b peut paraître étrange à des Occidentaux du XXᵉ siècle. Or dans la pensée théocentrique de l'AT en général et de P en particulier, YHWH est la source unique de tout événement, bon ou mauvais (comparer Am 3. 6 ; Qo 7. 14).

Sur la valeur indéterminée de בית = « une maison », malgré le suffixe du *nomen rectum* אחזתכם = « du pays qui sera votre propriété », voir GK 127 e ; Joüon 140 a.

Comme dans les cas de la « lèpre » humaine et de la « lèpre » des étoffes, un prêtre devra juger de la gravité du mal et trancher entre pureté et impureté.

v. 35. Le propriétaire d'une maison est tenu d'informer le prêtre de l'apparition de taches suspectes sur les murs ; il le fait sous la forme la plus vague possible, usant de tournures où il accumule les à peu près : כנגע = « comme une tache », נראה לי = « m'est apparue » (= « il me semble que... »).

v. 36. L'ordre de vider[16] la maison avant l'examen par le prêtre est un nouvel exemple du bon sens naturel qui tempère la rigidité de certains principes[17]. Par ailleurs ce fait nous montre une fois de plus que le prêtre n'est pas un spécialiste (avant l'heure) de la contamination ou de la contagion du point de vue hygiénique, mais des questions de pureté, du point de vue religieux.

v. 37. Le sens de שקערורת (hapax) est clair par la racine sémitique q'r = « être creux » : le mot désigne des creux, des profondeurs, des « cavités » ; sur ירקרק = « verdâtre » et אדמדם = « rougeâtre », voir 13. 49.

La construction de la phrase hébraïque est surprenante : grammaticalement, le suffixe et le pluriel de מראיהן = « leurs apparences » se rapportent à שקערורת = « cavités », mais logiquement il est étonnant de parler de « cavités » dont « les apparences sont plus profondes que le mur ». Ailleurs dans Lv (10 fois dans le chap. 13), מראה est toujours au singulier, et les autres emplois du pluriel dans le reste de l'AT sont assez différents de celui-ci. Il semble que l'accord logique aurait dû se faire avec הנגע, mais il a été fait avec son prédicat שקערורת. Ainsi l'ensemble de la tache paraît faire un creux (שפל) dans la paroi, et elle est en plus caractérisée par de petites cavités (שקערורת) plus nettement marquées.

v. 38. אל־פתח הבית = « à la porte de la maison » indique que le prêtre ne doit pas s'éloigner de la maison après en être sorti (ויצא). Sur le hiphil de סגר = « mettre sous séquestre », voir 13. 4, 50 ; ici le sens est « interdire l'entrée dans la maison » plutôt que « fermer l'accès » (voir en effet les v. 46-47, qui envisagent la possibilité matérielle de s'introduire dans le bâtiment sans pour autant, semble-t-il, qu'il y ait effraction).

v. 39. Comparer 13. 5, 51.

v. 40. Un parallélisme strict avec 13. 52 voudrait, puisqu'il y a eu extension du mal, que la maison soit entièrement détruite comme on a brûlé en entier l'objet atteint de moisissures. Mais encore une fois, le bon sens l'emporte : une étoffe ou un objet en cuir pouvaient être remplacés sans grande difficulté et sans dépense excessive ; par contre la démolition de la maison privait les habitants d'un toit pour une durée indéterminée,

[16] ופנו est un pluriel impersonnel.
[17] Voir 11. 24-28.

et la reconstruction pouvait peser lourdement sur les finances familiales. On ne recourait donc à cette décision extrême qu'en cas d'absolue nécessité (v. 44-45). Dans le cas présent, on se limitait à remplacer les pierres endommagées par des neuves. Les premières étaient alors transportées hors de la localité, « dans un endroit impur »[18]. Cette expression ne reparaît que deux fois dans l'AT, dans les v. 41 et 45 ; elle désigne certainement l'endroit où l'on entassait les détritus de la localité, la « décharge publique » en quelque sorte, ce que l'on appelle aujourd'hui encore, à proximité des agglomérations arabes, le *mazbala*. C'est assurément près d'un tel tas d'ordures que Job s'installe בתוך־האפר, Jb 2. 8 ; voir les commentaires).

v. 41. Tout le crépi intérieur de la maison (en fait une simple application de terre ou de sable, העפר, contre les murs) est tenu pour contaminé et doit donc être éliminé au même endroit[19]. Sur les racines קצע et קצה = « gratter », voir la critique textuelle[20].

v. 42. La réparation se fait sans délai : remplacement des pierres éliminées et recrépissage de l'intérieur de la maison.

Après les verbes au pluriel impersonnel ולקחו = « on prendra » et והביאו = « on mettra », l'emploi des singuliers יקח וטח = « on prendra et on recrépira » semble indiquer en hébreu un changement de sujet. Toutefois il est peu vraisemblable que la tâche de recrépir les murs ait incombé au prêtre (seul nom au singulier dans le contexte). Il faut donc comprendre ces verbes au singulier comme des impersonnels aussi, ainsi qu'en témoignent les pluriels de LXX et de Sam, voir la critique textuelle.

v. 43. Comparer 13. 7, 35, 57.

v. 44. La réapparition des taches[21] signifie que le mal est inguérissable[22]. Le prêtre déclare alors la maison impure, טמא הוא.

v. 45. Il en résulte que la maison doit être démolie[23]. את־אבניו ... הבית = « ses pierres, ses poutres, et toute la terre (de crépissage) de la maison » est une apposition explicative à את־הבית = « [On démolira] la maison » ; l'auteur tient à expliciter que tout doit être démoli et évacué dans le lieu impur, même les poutres de bois, qui ne sont probablement pas atteinte directement par la « lèpre ».

v. 46-47. Ces versets nous ramènent à la période d'attente du v. 38. Ils n'ont pas de parallèle dans le chap. 13, mais rappellent par leur formulation des passages comme

---

[18] Cet endroit est évidemment bien distinct de l'« endroit pur » de 4. 12, où l'on brûle les restes de certains sacrifices.

[19] Malgré l'absence de détermination dans אל־מקום טמא du v. 41, il s'agit bien certainement du même endroit que celui du v. 40.

[20] הקצה et ושפכו sont des pluriels impersonnels.

[21] L'emploi du verbe פשה, qui signifie normalement « prendre de l'extension » est insolite pour désigner une réapparition du mal ; le verbe פרח de Sam (voir la crit. text.) donne un sens mieux adapté. Toutefois les versions anciennes sont unanimes à soutenir le TM, et le פרח de Sam pourrait n'être qu'une *lectio facilior* dérivée du v. 43. Il n'est d'ailleurs pas impensable, sémantiquement parlant, que פשה ait pu s'employer avec un sens dérivé comme « recommencer à s'étendre ».

[22] Sur le participe hiphil ממארת, voir 13. 51.

[23] Nous comprenons והוציא et ונתץ comme des singuliers impersonnels ; on imagine mal que le prêtre accomplisse lui-même ces tâches.

11. 24-28, 39-40 ; 15. 5-11. Ils ne suggèrent en aucune manière une idée de violation de domicile ou d'effraction ; on envisage donc le cas où le propriétaire, pour une raison quelconque, retournerait occasionnellement dans sa maison.

v. 46. L'impureté contractée lors d'une simple entrée dans la maison n'est pas très grave, puisqu'elle ne dure que jusqu'au soir. Aucun rituel de purification personnelle ne semble être exigé[24].

v. 47. Par contre le fait de se livrer à une occupation dans la maison interdite (dormir ou manger) entraîne un degré d'impureté plus grand, puisque le coupable doit, en plus[25], laver ses vêtements[26].

v. 48. Dans l'état actuel du texte, ce verset est susceptible de deux interprétations :
a) ou bien l'expression אחרי הטח את־הבית = « après le recrépissage de la maison » renvoie au recrépissage mentionné au v. 43, et l'examen est celui du v. 44 ; dans ce cas il faut admettre qu'un propriétaire particulièrement scrupuleux a informé le prêtre d'une réapparition du mal, à ce qu'il croyait. L'examen du prêtre prouve qu'il ne s'agit que d'une apparence. Par conséquent il peut déclarer la maison pure (וטהר) ;
b) ou bien l'expression discutée renvoie au recrépissage du v. 42 ; dans ce cas l'examen du prêtre n'est pas motivé par une réapparition du mal (réelle ou supposée), mais il faut admettre que le prêtre devait de toute façon examiner la maison réparée et la déclarer pure avant d'autoriser les habitants à la réintégrer.
Comme le ואם = « Mais si » du v. 48 répond au ואם = « (et) si » du v. 43, il nous paraît préférable, au point de vue de la structure du texte, de retenir la seconde interprétation.
Sur l'emploi à première vue insolite de פשה = « s'est ... étendue », voir la critique textuelle et la première note du v. 44.

v. 49-53. Ce paragraphe décrit le rituel de purification de la maison ; il est parallèle à 14. 4-9, 20, dont il reprend de nombreux éléments.

v. 49. Voir v. 4. Le sujet de ולקח = « il prendra » est ici probablement « le prêtre », à qui bien sûr le propriétaire de la maison a fourni les oiseaux et les objets énumérés ; le rôle prépondérant du prêtre convient mieux à ce rituel plus tardif.
Sur le sens du piel de חטא (« purifier »), voir p. ex. 8. 15; 12. 7. Il s'agit ici de faire repasser la maison du domaine de l'impur au domaine du pur.

v. 50. Voir v. 5. A la rigueur on pourrait donner au qal du verbe שחט = « égorger » un sens causatif implicite (« il fera égorger » ; formulation explicite au v. 5) ; toutefois il est plus probable que le prêtre accomplisse ici lui-même l'action (voir la remarque analogue sur le v. 49).

v. 51. Voir v. 6-7a.

---

[24] Comparer 11. 24b. Sur la vocalisation inhabituelle de l'infinitif hiphil הסגיר, voir GK 53 l ; JOÜON 54 c.
[25] Voir la crit. text.
[26] Comparer 11. 25.

v. 52. Ce verset n'a pas de parallèle dans les v. 4-9 ; il n'ajoute aucun élément nouveau dans le rituel, mais résume les versets précédents et en donne la signification symbolique.

v. 53. Voir v. 7b. L'auteur précise ici « hors de la ville », puisque l'on suppose Israël sédentarisé.

Aucun rituel sacrificiel n'est prévu dans ce cas (comparer v. 10-20a, et voir nos remarques aux v. 33-53).

La fin du v. 53 correspond au v. 20b ; sur כפר על = « faire le rite d'absolution sur », voir 4. 20.

v. 54-57. Ces versets constituent la conclusion générale des chap. 13—14 relatifs à la « lèpre » ; voir aussi 11. 46-47. Sur התורה et חורת... = « directives », voir 6. 2aβ.

L'expression générale נגע הצרעת = « atteinte de lèpre » (voir 13. 2) est précisée par les appositions suivantes :

נתק = « teigne » :	voir 13. 29-37
צרעת הבגד = « moisissure des vêtements » :	voir 13. 47-59
לבית (צרעת) = « (moisissure) des maisons » :	voir 14. 33-48
שאת = « boursouflure » :	voir 13. 9-17
ספחת = « dartre » :	voir 13. 3-8

La בהרת = « tache luisante » n'est pas en soi une forme particulière de « lèpre » ; elle est un indice de la présence de « lèpre », mentionné dans plusieurs paragraphes du chap. 13.

v. 57. Le sujet du hiphil de ירה = « enseigner » est toujours une personne, ou un objet personnifié ; donc ici comme en 10. 11, le sujet doit être le prêtre, et non la תורה = « directive » comme le disent certaines traductions. Toutefois cet enseignement est un peu particulier, puisqu'il ne s'agit pas de données théoriques, mais de déclarations pratiques sur l'état de pureté ou d'impureté des gens et des objets.

ביום est employé ici en tant que conjonction de subordination temporelle, « quand », le substantif יום ayant perdu son sens fort[27]. L'ensemble de l'expression du v. 57a signifie donc littéralement « pour [que le prêtre puisse] enseigner quand il y a l'impureté et quand il y a la pureté », ce qui veut dire en fait « pour que le prêtre puisse donner ses directives dans les cas d'impureté et de pureté ».

Le v. 57b conclut définitivement les chap. 13—14 en résumant dans une tournure lapidaire le contenu des v. 54-57a.

---

[27] Comparer 5. 24 ; 6. 13. Voir Joüon 129 p.

Chapitre 15

LES IMPURETÉS SEXUELLES

Le problème des pertes de sang chez la femme a déjà été abordé au chap. 12, à propos de l'accouchement. La problématique est reprise sous un angle beaucoup plus large au chap. 15, qui traite de toutes les sécrétions, ordinaires ou pathologiques, des organes génitaux de l'homme aussi bien que de la femme.

Douglas, *Souillure*, p. 137 entre autres, a montré que, dans beaucoup de cultures, les sécrétions des orifices du corps (crachats, sang, lait, urine, excréments, larmes, sueur, etc.) sont liées au thème de l'impureté. Cela est vrai tout particulièrement des sécrétions des organes par lesquels se transmet la vie, puisqu'il y a en somme une perte de vitalité lors de l'écoulement de la sécrétion, ce qui interdit à la personne concernée des relations normales avec les autres et avec Dieu.

Nous ignorons dans quelle mesure ces considérations générales étaient encore connues et comprises des Israélites à l'époque de P, mais en tout cas nous constatons l'ancienneté de ces pratiques et de ces tabous religieux, comme le montrent p. ex. les textes d'Ex 19. 15 et de 1 S 21. 5.

Par rapport aux chap. 13—14, nous relevons ici quelques points de convergences *(a)* et de divergences *(b)* dans la manière d'envisager les problèmes et de les résoudre :

a. 1) comme dans le cas de la צרעת = « lèpre », les manifestations pathologiques décrites dans le chap. 15 n'ont pas de prétention scientifique, car ce n'est pas l'aspect médical des choses qui intéresse l'auteur ; la contagion à éviter n'est pas d'abord celle d'une maladie, mais celle d'une impureté religieuse ;

a. 2) la notion d'impureté n'est pas liée à une notion de faute morale ; le « lépreux » n'est pas « coupable » d'être lépreux, ni la femme indisposée d'être dans cet état. Même si la relation sexuelle conjugale (15. 18) provoque un état d'impureté (temporaire), elle n'en est pas moins considérée avec un très grand respect comme un acte éminemment positif, dans une société qui attribue autant d'importance à la descendance ;

a. 3) la casuistique juive ultérieure a, ici également, fortement développé les directives vétérotestamentaires dans deux traités (*Zabim* et *Nidda*) de la Michna ;

b. 1) le rôle du prêtre est très réduit dans le chap. 15 ; il se limite à l'intervention sacrificielle des v. 14-15 et 29-30, et aux mises en garde des v. 2a et 31. On imaginerait mal en effet que le prêtre doive, comme aux chap. 13—14, procéder à des investigations et prendre des décisions dans un domaine aussi intime que celui de la sexualité. Chaque Israélite devait connaître l'essentiel de ces prescriptions et les respecter sans contrôle extérieur ;

b. 2) l'impureté liée aux organes sexuels paraît être tout à la fois plus grande et moins grande que l'impureté due à la « lèpre ». Elle semble plus grande, puisque la contagion n'est pas seulement immédiate, par contact direct, mais également par l'intermédiaire d'objets qui ont été en contact avec la personne impure (lit, siège ou autres, voir v. 4-6, 10, 21-23, 27). Elle semble par ailleurs moins grande, puisque le rituel de purification est beaucoup plus simple, se limitant à l'offrande sacrificielle de deux oiseaux et au rite d'absolution. Il est possible que ces variations trahissent les origines différentes de ces législations, finalement regroupées sous le thème global « pur/impur » ; mais on peut aussi penser que le caractère essentiellement répétitif des situations d'impureté sexuelle permettait d'envisager un rituel plus léger, où l'on se bornait à offrir des sacrifices plus modestes que dans le cas d'une guérison de la « lèpre ».

Le chap. 15 est construit en deux parties presque symétriques :

A		introduction	v. 1-2a
	Bα	infection sexuelle de l'homme	v. 2b-12
	Bβ	purification de l'homme guéri	v. 13-15
	C	pertes séminales de l'homme	v. 16-17
	D	relation sexuelles conjugales	v. 18
	C'	règles de la femme	v. 19-24
	Bα'	règles anormales (infectieuses ?) de la femme	v. 25-27
	Bβ'	purification de la femme après ses règles	v. 28-30
A'		conclusion	v. 31-33

Pourtant la position centrale du v. 18 dans cette structure n'en fait pas automatiquement l'élément essentiel du chapitre, autour duquel les autres éléments s'organisent pour en faire ressortir l'importance. C'est simplement le verset charnière, qui permet de passer sans heurt des « problèmes » masculins aux « problèmes » féminins.

(1) YHWH parla à Moïse et Aaron en ces termes : (2) Parlez[a] aux Israélites ; vous leur direz[a] : [b]Quand un homme aura un écoulement[b] dans sa chair, son écoulement sera impur. (3) Telle sera[a] son impureté dans son écoulement — que sa chair laisse s'échapper son écoulement ou que sa chair s'obstrue de son écoulement[b], son impureté sera celle-ci — : (4) tout[a] lit sur lequel se couchera l'homme atteint d'écoulement sera impur ; tout meuble sur lequel il s'assiéra sera impur. (5) L'homme qui touchera ce lit lavera ses vêtements, se baignera dans l'eau, et il sera impur jusqu'au soir. (6) Celui qui s'assiéra sur le meuble où se sera assis l'homme atteint d'écoulement lavera ses vêtements, se baignera dans l'eau, et il sera impur jusqu'au soir. (7) Celui qui touchera le corps de l'homme atteint d'écoulement lavera ses vêtements, se baignera dans l'eau, et il sera impur jusqu'au soir. (8) Si l'homme atteint d'écoulement crache sur quelqu'un qui est pur, celui-ci lavera[a] ses vêtements, se baignera dans l'eau, et il sera impur jusqu'au soir. (9) Toute selle sur laquelle l'homme atteint d'écoulement chevauchera[a] sera impure[b]. (10) Quiconque touchera quelque objet qui se trouvait sous cet homme sera impur jusqu'au soir ; celui qui transportera de tels objets lavera ses vêtements, se baignera dans l'eau, et il sera impur jusqu'au soir. (11) Toute personne que l'homme atteint d'écoulement aura touchée sans s'être rincé les mains[a] avec de l'eau, lavera[b] ses vêtements, se baignera dans l'eau, et il sera impur jusqu'au soir. (12) Un récipient de terre cuite que l'homme atteint d'écoulement aura touché sera brisé ; [a]tout récipient[a] de bois doit être rincé avec de l'eau.

(13) Lorsque l'homme atteint d'écoulement sera purifié de son écoulement (= lorsque l'écoulement aura pris fin), il comptera sept jours jusqu'à sa purification (= jusqu'au moment des rites de purification) ; il lavera alors ses vêtements, baignera son corps dans de l'eau vive[a], et il sera purifié (= il ne sera plus contagieux). (14) Le huitième jour, il se procurera deux tourterelles ou deux pigeons, se rendra[a] devant YHWH à l'entrée de la tente de la rencontre et il les donnera au prêtre. (15) Le prêtre les offrira, l'un en sacrifice pour le péché et l'autre[a] en holocauste. Le prêtre fera alors sur lui, devant YHWH, le rite d'absolution de son écoulement.

(16) Quand un homme aura eu un épanchement de semence (= des pertes séminales), il baignera tout son corps dans l'eau et il sera impur jusqu'au soir. (17) Tout vêtement ou toute peau atteint par l'épanchement de semence sera lavé dans l'eau et sera impur jusqu'au soir.

(18) Quand une femme aura eu des relations sexuelles avec un homme[a], ils se baigneront dans l'eau et seront impurs jusqu'au soir.

(19) Quand une femme aura un écoulement, que du sang s'écoulera de sa chair, elle sera pendant sept jours dans sa souillure, et quiconque la touchera sera impur jusqu'au soir. (20) Tout ce sur quoi elle se couchera durant sa souillure sera impur, et tout ce sur quoi elle s'assiéra sera impur. (21) Quiconque touchera son lit lavera ses vêtements, se baignera dans l'eau, et sera impur jusqu'au soir. (22) Quiconque touchera [a]n'importe quel meuble[b] sur lequel elle se sera assise[a] lavera ses vêtements, se baignera dans l'eau, et il sera impur jusqu'au soir. (23) Si un objet[a] se trouvait sur le lit, ou sur le meuble sur lequel elle s'est assise, celui qui le touchera sera impur jusqu'au soir. (24) Si un homme[a] couche avec elle et que sa souillure (à elle) vient sur lui, il sera impur[b] pendant sept jours, et tout lit sur lequel il se couchera sera impur.

(25) Quand une femme aura un écoulement de sang en dehors du temps de sa souillure, ou que l'écoulement se prolongera au-delà (du temps) de sa souillure, tous les jours que durera son écoulement durera son impureté : elle sera impure comme au moment de sa souillure. (26) Tout[a] lit sur lequel elle se couchera durant tous les jours de son écoulement sera pour elle comme le lit de sa souillure, et tout meuble sur lequel elle s'assiéra sera impur comme (lors de) l'impureté de sa souillure. (27) Quiconque[a] les[b] touchera sera impur ; il lavera ses vêtements, se baignera dans l'eau, et sera impur jusqu'au soir. (28) Lorsqu'elle est purifiée de son écoulement (= lorsque l'écoulement a pris fin), elle comptera sept jours, et ensuite elle sera purifiée (= elle ne sera plus contagieuse). (29) Le huitième jour, elle se procurera deux tourterelles ou deux pigeons et les amènera au prêtre, à l'entrée de la tente de la rencontre. (30) Le prêtre offrira l'un en sacrifice pour le péché et l'autre en holocauste. Le prêtre fera alors sur elle, devant YHWH, le rite d'absolution de l'écoulement de son impureté.

(31) Vous demanderez aux Israélites de se tenir à l'écart[a], en raison de leur impureté ; ainsi ils ne mourront pas à cause de leur impureté, en rendant impure ma demeure qui se trouve au milieu d'eux. (32) Telles sont les directives concernant celui qui est atteint d'un écoulement, celui qui a un épanchement de semence (= des pertes séminales) qui le rend impur, (33) celle qui a l'indisposition de sa souillure, bref celui, homme ou femme, qui a un écoulement, et l'homme qui couche avec une (femme) impure.

Critique textuelle : • *v. 2a* Le singulier de LXX semble être une inadvertance ; ailleurs dans Lv, λαλησον traduit toujours un singulier de l'hébreu : 16 fois רַבֵּר et 2 fois

תְּדַבֵּר (9. 3 ; 24. 15) ; voir aussi דַּבֵּר = λαλησεις en 7. 29 ; = ειπον en 21. 17 ; 22. 2 ; 23. 10 ; le seul autre דַּבְּרִי de Lv est rendu par λαλησατε en 11. 2. • *v. 2b-b* Le participe de זוב désignant une personne était probablement impossible à rendre de manière littérale en grec, comme c'est le cas aujourd'hui en français ; LXX a donc traduit *ad sensum*. • *v. 3a* Assimilation inopportune à la tournure du v. 32. • *v. 3b* L'accord de Sam et de LXX constitue un argument de poids pour admettre l'existence d'un cas d'haplographie par homéotéleuton ; voir le commentaire. • *v. 4a* Variante sans modification de sens. • *v. 8a* Variante sans modification de sens ; יכבס semble mieux convenir au contexte, voir v. 5, 6, 7, 10, 21, etc. ; la forme וכבס a pu être influencée par le v. 13 (où elle est justifiée). • *v. 9a* L'absence de ירכב, ou son remplacement par ישכב, dans des manuscrits de C, semblent dus à l'inadvertance des copistes plus qu'à une *Vorlage* différente du TM. • *v. 9b* Assimilation inutile à la tournure fréquente dans le reste du chapitre. • *v. 11a* La variante וידו, dans un texte non vocalisé, peut être une *scriptio defectiva* du pluriel וידיו ; comp. 16. 21. • *v. 11b* Voir *8a*. • *v. 12a-a* Variante sans modification de sens ; assimilation inutile à la tournure du début du verset, à moins qu'il ne s'agisse d'une dittographie du TM [וכל־כלי]. • *v. 13a* Haplographie malencontreuse, par assimilation à la tournure fréquente dans le reste du chapitre ; voir le commentaire. • *v. 14a* Assimilation inutile à la tournure du v. 29. • *v. 15a* Voir 14. *22a* et *b*. • *v. 18a* Explicitation légitime mais pas indispensable de Sam ; le contexte général de Lv interdit de manière suffisamment claire l'adultère. • *v. 22a-a* Inadvertance de copiste. • *v. 22b* Variante sans modification de sens. • *v. 23a* Le pronom séparé de la 3ᵉ pers. fém. sing. de Sam fait du v. 23 une sorte de doublet inutile des v. 21-22 ; le pronom de la 3ᵉ pers. masc. sing. du TM en fait au contraire un nouveau cas, de contact indirect. • *v. 24a* Voir *18a*. • *v. 24b* Variante sans modification de sens. • *v. 26a* Voir *4a*. • *v. 27a* Variante sans modification de sens ; comparer *4a* et *26a*. • *v. 27b* Assimilation inopportune à la tournure du v. 19b, qui fait du v. 27 un doublet de 19b. • *v. 31a* Il est tentant de suivre Sam et Syr en remplaçant והזרחם par והזהרתם, ou en considérant la forme du TM comme une forme tardive, avec assimilation du ה au ז qui précède ; la tournure de LXX semble aller dans la même direction. Toutefois la forme du TM (racine נזר) convient tout à fait au contexte ; voir le commentaire.

v. 1. Voir 11. 1.

v. 2. Aux chap. 13—14, les prescriptions de YHWH s'adressaient à Moïse et à Aaron, en tant que chefs de la communauté (13. 1 ; 14. 1, 33) ; ici au contraire, Moïse et Aaron reçoivent l'ordre de transmettre les prescriptions aux Israélites, ce qui souligne bien la responsabilité personnelle des laïcs dans le domaine de la sexualité ; le clergé serait malvenu de s'immiscer dans ces questions relevant de l'intimité de la personne ou du couple.

Le verbe זוב implique l'idée de quelque chose qui coule, s'écoule, mais en hébreu le sujet n'en est pas toujours le liquide qui s'écoule ; dans la plupart des emplois, le liquide est mentionné comme objet direct, et le sujet grammatical est la personne ou la chose d'où un liquide s'échappe : un être humain, ou le pays promis « où coulent le lait et le miel » (20. 24 ; Ex 3. 8, 17 et *passim*). Ici le participe actif זב qualifie donc bien l'homme duquel s'échappe un « écoulement ». מבשרו définit l'endroit précis d'où l'écoulement provient : c'est un euphémisme désignant les organes sexuels (comparer 6. 3). L'écoulement en question peut être le résultat d'une infection des organes sexuels, même si cela n'est pas dit explicitement (v. 3-15), ou peut n'être qu'une simple perte séminale naturelle (v. 16-17). Dans les deux cas, le liquide est impur (et par conséquent provoque l'impureté du sujet ; v. 3) ; tel est bien le sens de la dernière proposition du v. 2, malgré la traduction erronée de telles versions modernes, qui la rendent par « l'homme est impur »[1].

v. 3. Il introduit les v. 4-12, qui montrent de quelle manière l'homme rendu impur par une infection contamine les objets et les personnes avec lesquels il entre en contact direct ou indirect. Dans un langage qui n'a pas la précision de la terminologie médicale d'aujourd'hui, ce verset décrit deux manifestations extérieures d'une infection telle que la blennorragie : l'écoulement liquide (רר), caractéristique du début et de la fin de la période d'infection, et l'écoulement épais de la période intermédiaire, qui peut aller jusqu'à l'engorgement de l'urètre (החתים).

Sam et LXX ont conservé un fragment de phrase qui est probablement tombé du texte hébreu par homéotéleuton, voir la critique textuelle. Cet élément supplémentaire ne donne en fait qu'une précision sur la durée de la période d'impureté : « il sera impur tous les jours où (= tant que) sa chair coulera ou que sa chair s'obstruera de son écoulement. »

v. 4-8. Ils constituent le noyau primitif de cette section : contagion par l'intermédiaire d'objets (v. 4-6) ou par contact direct (v. 7-8).

v. 4. L'impureté de l'homme se communique aux objets qu'il utilise, en particulier un lit ou un siège. Il n'est pas question de purifier immédiatement ces objets, car le malade est bien obligé de s'en servir durant toute la période d'impureté.

v. 5-6. Mais il est conseillé aux autres gens d'éviter tout contact avec ces mêmes objets, sous peine d'être eux aussi contaminés. Si un tel cas se produit, par inadvertance ou par nécessité, la personne contaminée doit se purifier sans délai (lavage des vêtements et bain), tout en sachant que l'impureté l'empêchera de participer aux activités cultuelles de la communauté jusqu'au coucher du soleil (comparer 11. 24).

v. 7. Le mot בשר a dans les v. 2, 3 et 19 un sens euphémique évident. Par contre, au v. 16 (את־כל־בשרו), il a son sens général « toute sa chair » = « tout son corps ». Au v. 13, par analogie avec le v. 16, le sens est probablement général. Au v. 7, on peut hésiter sur l'extension du sens, euphémique ou général ; dans la première hypothèse, il s'agirait d'une personne chargée de soigner ou de nettoyer l'organe infecté, ce qui n'est pas impensable. Mais le contexte des v. 4-12, qui suggère des contacts moins localisés, conduit plutôt à prendre le mot dans son sens général. Il s'agit alors d'un cas de contact direct, après les cas énumérés de contacts indirects.

v. 8. Le texte n'indique pas pour quel motif le malade cracherait sur quelqu'un d'autre. Il s'agit habituellement d'un geste de mépris, de rejet ou de moquerie (voir Nb 12. 14 ; Dt 25. 9 ; Mt 26. 67 ; 27. 30 et parallèles). Mais il n'est même pas certain qu'il

---

[1] Versions Seg 1910 et Seg 1978 ; voir aussi CLAMER, p. 117 ; WENHAM, p. 214.

s'agisse ici d'un acte volontaire ; on peut parfaitement songer à une projection involontaire de salive. D'ailleurs seule la conséquence est envisagée : l'homme atteint par la salive
est rendu impur.

v. 9-12. Ils semblent être une adjonction au noyau primitif des v. 4-8 ; on revient,
avec davantage de détails, à la mention d'un objet précis (v. 9, une selle), d'objets
indéterminés (v. 10), de contacts directs de personne à personne (v. 11) et enfin de
nouveau à des objets précis (v. 12).

v. 9. La selle, sur laquelle l'homme s'assied et qui est en contact presque direct avec
la partie infectée du corps, est spécialement mentionnée comme atteinte par l'impureté.
L'adjonction de LXX (« jusqu'au soir ») est probablement due à une inadvertance de
copiste, qui l'a machinalement introduite ici ; si elle était primitive, cela signifierait que
la selle n'aurait pas besoin d'être soumise à un rite particulier de purification ; ce serait
très étonnant.

v. 10. Les mentions du lit (v. 4-5), du siège (v. 6) et de la selle (v. 9), semblent avoir
été ressenties comme une liste trop restreinte d'objets susceptibles de contaminer ceux
qui les touchent. L'auteur a donc tenu à généraliser la perspective, pour que personne
ne soit tenté d'interpréter la liste de manière restrictive. L'« objet placé sous l'homme »
peut être un élément de protection étendu sur la couche du malade, ou encore un
coussin ou une couverture placés sur un siège, objets que l'entourage peut être appelé
à emporter pour les laver.

v. 11. L'incise « et il ne s'est pas lavé les mains avec de l'eau » peut grammaticalement
se rapporter soit au malade, soit à l'homme qu'il touche ; du point de vue logique
cependant, il ne peut s'agir que du malade qui doit se laver les mains avant de toucher
quelqu'un. L'ambiguïté purement grammaticale du texte hébreu ne devrait pas être
transposée dans une traduction, comme le font certaines versions modernes (BP, Seg
1978).
Le lavage des mains ne purifie pas la personne impure, mais lui évite de transmettre
son impureté à d'autres. Une fois encore nous voyons ainsi le bon sens pratique
l'emporter sur les principes théoriques ; on verrait difficilement en effet la personne
impure être totalement coupée du contact avec qui que ce soit.

v. 12. Autre élément de généralisation : les récipients (vaisselle ou autre) touchés
par le malade sont aussi contaminés. Les conséquences à en tirer sont les mêmes que
dans le cas où le cadavre d'une bestiole impure tombe dans un ustensile ménager (voir
11. 32-33) ; le récipient en terre, facilement remplaçable, doit être détruit, le récipient
en bois, objet plus rare et par conséquent de valeur, peut être rincé et réutilisé.

v. 13-15. Ils traitent de la purification du malade, qui se réalise par étapes, comme
en 14. 7-20. Le verbe טהר, qui apparaît deux fois dans le v. 13, est employé dans deux
sens différents : au début du verset, il désigne la fin de l'infection et donc de
l'écoulement, sur le plan physiologique ; à la fin du verset, il correspond à un état de
non-contagion. La pureté rituelle définitive n'apparaît qu'à la fin du v. 15. Sur l'attente
d'une semaine, voir 14. 8b. La mention de « l'eau vive » (voir 14. 5) est importante ici,

malgré son absence dans les principaux manuscrits de LXX : le recours à de l'eau de source était d'un symbolisme plus parlant que l'emploi d'eau provenant d'une citerne ; si cette dernière suffisait pour purifier une personne rendue impure par contact direct ou indirect avec le malade, seule la première pouvait être utilisée pour la purification du malade lui-même.

La cérémonie rituelle du huitième jour (v. 14-15) est proche de celle décrite en 12. 8 : après l'offrande des deux sacrifices, le prêtre peut réintégrer l'homme purifié dans la communauté cultuelle d'Israël.

v. 16-17. Ces deux versets abordent le cas des pertes séminales (ou pollution nocturne, ou encore, en terminologie médicale moderne, spermatorrhée) ; il s'agit d'un phénomène naturel, généralement nocturne (voir Dt 23. 11, qui parle de מקרה־לילה = « accident nocturne »), qui ne nécessite pas une purification aussi approfondie que dans le cas d'une infection des organes sexuels ; il n'est pas prescrit d'utiliser de l'eau de source (comparer v. 13) et il n'y a pas de cérémonie rituelle au sanctuaire[2].

La peau atteinte par le sperme (v. 17) désigne sans doute une couverture de peau dont le dormeur pouvait s'envelopper durant la nuit.

v. 18. Il constitue le lien logique entre la première partie du chapitre, relative aux hommes, et la seconde partie, relative aux femmes.

La traduction littérale du texte hébreu est la suivante : « Une femme en qui un homme aura épanché un épanchement de semence, ils se baigneront... »[3]. La formulation très générale de ce verset ne doit pas tromper le lecteur : il s'agit bien des relations sexuelles normales entre époux[4], et non d'une relation occasionnelle entre gens non mariés ; compte tenu d'une éventuelle polygamie légitime, il n'était pas possible de parler d'un homme et de « sa » femme. La relation sexuelle, même légitime, provoque une situation d'impureté religieuse qui n'a rien à voir avec la morale. En cas d'obligation religieuse (culte, guerre sainte), l'homme n'avait pas d'autre ressource que de s'abstenir de relations sexuelles (voir Ex 19. 15 ; 1 S 21. 5).

La seconde partie du chap. 15 est construite de manière presque symétrique à la première partie (voir le tableau à la fin de l'introduction au chapitre).

v. 19-24. Le paragraphe sur les règles de la femme, phénomène naturel, correspond logiquement à celui des v. 16-17 sur les pertes séminales de l'homme. Toutefois, comme il y a chez la femme une perte de sang, donc d'un principe vital, l'impureté (religieuse) est plus profonde et dure plus longtemps, de sorte que ce paragraphe correspond aussi, formellement, à celui des v. 2-12. Ici encore la morale n'entre pas en ligne de compte, et la femme n'est pas « coupable » de quoi que ce soit.

---

[2] D'après Nb 5. 2-4, l'homme atteint de pertes séminales doit être renvoyé du camp, tout comme le lépreux ou celui qui a touché un cadavre.

[3] On a parfois proposé (BERTHOLET, p. 50) de corriger le אֹתָהּ du TM en אִתָּהּ = « avec elle », ce qui est tentant, la confusion étant facile dans un texte non vocalisé. Toutefois il n'est pas impossible de concevoir une construction du verbe שכב avec un accusatif de la personne avec qui l'on couche ; voir Nb 5. 13, 19 ; Dt 28. 30 (qeré) ; 2 S 13. 14.

[4] Ce qui est explicité par Sam, voir la crit. text.

v. 19. Sur le verbe זוב, et en particulier son participe actif, voir v. 2. La première proposition de l'hébreu pourrait s'appliquer aussi bien à un écoulement anormal qu'au phénomène naturel des règles ; c'est pourquoi l'auteur précise dans la seconde proposition, placée en apposition explicative, qu'il s'agit du sang qui coule de sa « chair » (voir v. 2, 3 et 7), c'est-à-dire de ses organes sexuels. La période de sept jours d'impureté commence-t-elle avec le début ou la fin des règles ? Le texte reste ambigu sur ce point-là, mais l'interprétation la plus vraisemblable est la seconde ; c'est du moins ce que suggèrent les cas mentionnés dans les v. 24 et 28. Le v. 19 n'exige pas expressément de celui qui touche la femme qu'il lave ses vêtements et se baigne (comparer v. 7), mais il est probable qu'il devait le faire.

v. 20-22. Ils sont parallèles aux v. 4-6, et le v. 23 correspond au v. 10.

v. 24. Il ne représente pas, comme l'interprète Elliger, p. 199, un adoucissement de la législation ancienne concernant les relations sexuelles durant la période des règles de la femme (voir 20. 18 ; comparer aussi 18. 19 ; Ez 18. 6 ; 22. 10). Une telle relation devait être jugée grave et religieusement répréhensible à n'importe quelle époque. Le cas est plutôt (comparer Wenham, p. 220, et déjà Ibn Ezra, p. 77) celui d'un « accident » : les règles de la femme se déclenchent pendant qu'elle a une relation sexuelle légitime avec son mari[5]. Il n'y a pas de faute nécessitant une punition (comparer 20. 18), mais il y a une communication de l'impureté, qui implique des rites de purification. Toutefois le parallélisme établi par Wenham, p. 216, entre les v. 18 et 24, paraît artificiel, les conditions étant totalement différentes.

v. 25-27. Le paragraphe sur les règles anormales de la femme correspond à celui concernant l'écoulement anormal chez l'homme (v. 2-12). Il est beaucoup plus bref, parce que de nombreux cas particuliers peuvent être réglés par analogie avec le cas de l'écoulement infectieux chez l'homme, ou avec celui des règles normales chez la femme.

v. 25. Il mentionne deux cas anormaux : une perte de sang en dehors des règles habituelles, et une prolongation inusitée des règles. La comparaison « comme au temps de ses règles » porte non sur la durée, mais sur la qualité de l'impureté. Cette prescription nous aide à comprendre tout à la fois la discrétion et la crainte de la femme atteinte de pertes de sang dont parlent les évangiles (Mt 9. 20-22 ; Mc 5. 25-34 ; Lc 8. 43-48) : elle ne touche, en cachette, que le bord du vêtement de Jésus, et elle est saisie de frayeur à l'idée qu'elle a été découverte, car la foule pourrait bien se retourner contre elle.

v. 26. Comparer avec les v. 4 et 20 ; v. 27 : comparer avec les v. 5-6 et 21-22.

v. 28-30. Le paragraphe concernant la purification de la femme correspond aux v. 13-15, concluant les v. 2-12. Mais la construction concentrique du chapitre (voir le tableau de l'introduction) a permis à l'auteur de faire porter les prescriptions rituelles énumérées ici aussi bien sur les règles normales que sur les règles anormales de la femme.

---

[5] Voir l'explication et la note du v. 18.

v. 28. Il est parallèle au v. 13, et s'il n'exige pas explicitement le lavage des vêtements et le bain rituel, l'analogie des deux situations les présuppose.

v. 29-30. Voir les v. 14-15, dont le sens est identique, sinon le mot à mot[6].

v. 31. Ce verset conclut le chap. 15 en soulignant explicitement le caractère religieux de toutes ces prescriptions : il s'agit, en les respectant, d'éviter que le sanctuaire ne soit contaminé. Le verbe נזר au hiphil (voir la crit. text.) est à prendre ici dans le sens de « faire se tenir à l'écart » (comparer Nb 6. 2-12 : « se tenir à l'écart », « s'abstenir »), donc « demander [à quelqu'un] d'éviter tout contact [avec quelque chose] ». Le complément מטמאתם n'indique pas avec quoi il faut éviter le contact, comme l'interprètent de nombreux commentateurs[7]. Le מן n'a pas un sens d'éloignement local (que signifierait « vous éloignerez/écarterez les Israélites de leur impureté » ?), mais un sens causal : « à cause de leur impureté »[8] ; l'éloignement se fait par rapport à « ma demeure qui se trouve au milieu d'eux » (fin du verset). Quand un homme ou une femme est en état d'impureté pour une raison d'ordre sexuel, il doit renoncer à se rendre au sanctuaire, de peur de le contaminer et par conséquent d'y risquer sa vie.

v. 32-33. La conclusion rédactionnelle résume le contenu du chapitre, comme c'était le cas dans les chapitres précédent (voir 11. 46-47 et la note). Sur l'emploi de ...תורת= « directives concernant... », voir 6. 2aβ.

---

[6] Sur l'accentuation inhabituelle de והביאה, voir GK 53 r ; Joüon 33.
[7] CLAMER, p. 121 ; CAHEN, p. 67 ; CORTESE, p. 73 ; KORNFELD, p. 103 ; NOTH, p. 96 ; PORTER, p. 121 ; WENHAM, p. 221.
[8] ELLIGER, p. 192 « wegen ihrer Unreinheit ».

COUP D'ŒIL RÉTROSPECTIF SUR LÉVITIQUE 11—15

Nous avons déjà relevé, dans l'introduction à Lévitique 11—15, la complexité de la question relative au pur et à l'impur, et à la conception qu'Israël pouvait en avoir. Cette complexité ne fait d'ailleurs qu'augmenter quand on prend également en compte la thématique « sainteté - non-sainteté », qui présente de nombreuses analogies avec celle de « pureté - impureté », sans toutefois lui être identique[1].

Pas plus que dans le cas du pur et de l'impur (voir l'Introduction à Lv 11—15, p. 171-172), ce n'est à partir d'un jugement d'ordre moral que P établit une différence entre « sainteté » et « non-sainteté » ; c'est à partir d'un jugement d'ordre théologique. Mais par contre, ni la sainteté, ni la non-sainteté ne sont « neutres » (comme l'est la « pureté ») : être « saint » implique que la personne (éventuellement la chose) est en contact avec Dieu, être « non saint » exclut ce contact.

La tentation pourrait être grande, au premier abord, de rapprocher pureté et sainteté d'une part (les dimensions positives), impureté et non-sainteté d'autre part (les dimensions négatives) ; cela semblerait satisfaire une certaine logique. Toutefois, dans un second temps, une lecture simplement attentive des textes vétérotestamentaires montre qu'il n'est guère possible de les faire entrer dans un tel schéma ; non seulement la pureté ne coïncide pas forcément avec la sainteté, mais encore il arrive que la sainteté présente des points communs avec l'impureté, ce dont il faut pouvoir rendre compte.

Les articles des dictionnaires spécialisés (THAT, ThWAT, BHH, DBS, DEB, IDB, IDB. Sup.), aussi fouillés soient-ils, sont d'habitude plus analytiquement descriptifs que synthétiques. A notre connaissance, un seul exégète contemporain a eu l'heureuse idée de vouloir représenter graphiquement les relations entre les différentes notions étudiées, pour permettre au lecteur de mieux visualiser ces rapports ; il s'agit de Wenham[2], qui aboutit d'abord à deux diagrammes

qu'il juxtapose ensuite en faisant coïncider le domaine du « common » avec celui du « clean ».

---

[1] La dimension de la « sainteté » est traitée plus spécifiquement dans la « Loi de sainteté » (chap. 17—26) ; mais « sainteté/non-sainteté » et « pureté/impureté » sont si souvent mises en relation que nous n'échappons pas à la nécessité de voir en quoi ces notions sont analogues et en quoi elles divergent.
[2] Voir, dans l'introduction à son commentaire, p. 18-25, le paragraphe intitulé « Holiness ».

L'intention de Wenham était excellente ; malheureusement, à notre avis, le résultat présente deux défauts majeurs :

a) à « holy » (= « saint ») , Wenham oppose « common » (= « ordinaire/profane »), ce qui satisfait un esprit moderne, mais ne correspond guère à la conception de P. En effet, et le vocabulaire vétérotestamentaire le démontre, l'opposé de « saint » n'est pas vraiment l'adjectif « profane », c'est-à-dire quelque chose de neutre en ce qui concerne le contact avec Dieu. Le mot חל (que l'on rencontre en 10. 10, opposé à קדש = « saint/sacré », où nous l'avons rendu par « profane », et Wenham par « common ») est en fait un mot fort rare, qui n'apparaît que 7 fois en tout dans l'AT (alors que la racine קדש s'y trouve environ 850 fois). Cette rareté n'est pas étonnante : en effet, dans l'antiquité israélite, rien en somme n'est réellement profane, c'est-à-dire que rien n'échappe véritablement à la sphère d'influence de Dieu. Ce qui n'est pas en relation directe avec Dieu (= « saint », à divers degrés) est rarement neutre (= « profane »), mais au contraire est le plus souvent en opposition à Dieu, par un refus volontaire ou inconscient de la relation. C'est ce que l'on appelle, dans la terminologie d'Israël, le « péché », sans connotation morale :

• est « saint » ce qui est en contact avec Dieu, ou ce qui favorise ce contact ;

• est « péché » ce qui est séparé, coupé de Dieu, ou ce qui fait obstacle au contact avec Dieu[3] ;

b) Wenham se borne à juxtaposer les deux diagrammes de base, de sorte que « cleanness is a state intermediate between holiness and uncleanness » (p. 19) ; nous contestons également que telle soit la vision de P à ce propos. A notre avis, quand P parle de « pureté/impureté » ou de « sainteté/péché », il envisage à chaque fois une conception globale du monde. La réalité se trouve répartie en deux domaines, séparés l'un de l'autre par une limite nette (en théorie) : toute chose et tout être est soit pur, soit impur ; ou bien, vu sous un autre angle, toute chose et tout être est soit saint, soit pécheur. Il ne peut donc pas être question de juxtaposer les deux visions du monde, comme le fait Wenham (p. ex. selon son diagramme combiné, un prêtre, en tant qu'être « saint », semble échapper à la dialectique « pur/impur », alors que dans la réalité il peut parfaitement être atteint d'impureté, voir 21. 1-3) ; au contraire il faut les superposer, puisqu'elles englobent toutes deux la totalité du réel.

Nous proposons donc à notre tour la représentation graphique de la page suivante. Chaque cercle représente la globalité du réel, vue sous l'angle « pureté/impureté » (A) ou sous l'angle « sainteté/péché » (B). Si l'on projette ces deux visions simultanément sur un diagramme unique, on obtient le cercle C, qui nous aide à comprendre, visuellement, un certain nombre de choses :

---

[3] Nous pourrions donner de nombreux exemples de ces emplois dans l'AT. Nous nous bornons à rappeler comment Paul, dans la ligne de l'AT, appelle « saints » les membres de la communauté de Corinthe (p. ex. 1 Co 6. 1-2 ; 2 Co 1. 1), alors même qu'il a de nombreux reproches à leur adresser sur le plan de la morale ; de manière analogue, en Ga 2. 15, les païens sont dits « pécheurs », non parce qu'ils se comporteraient mal, mais simplement parce qu'ils ne sont pas en contact avec le vrai Dieu.

1) tout ce qui est « saint » est forcément « pur », mais tout ce qui est « pur » n'est pas automatiquement « saint » ;

2) tout ce qui est « impur » est forcément « péché », mais tout ce qui est « péché » n'est pas automatiquement « impur » ;

3) le prêtre, appelé à être médiateur de la communion avec Dieu, est « saint » et vit dans le domaine de la « sainteté » ; il doit par conséquent veiller scrupuleusement à éviter toute « impureté », qui l'empêcherait d'accomplir son ministère sacerdotal, c'est-à-dire de servir d'intermédiaire entre l'Israël pécheur et le Dieu saint ;

4) l'homme ordinaire est appelé à éviter le domaine de l'« impur » et à vivre dans le domaine du « pur » (domaine neutre, voir plus haut, et qui seul lui ouvre la possibilité de la relation avec Dieu, par la médiation du prêtre) ; il doit se garder de pénétrer aussi bien dans le domaine de la « sainteté » que dans celui de l'« impureté » ;

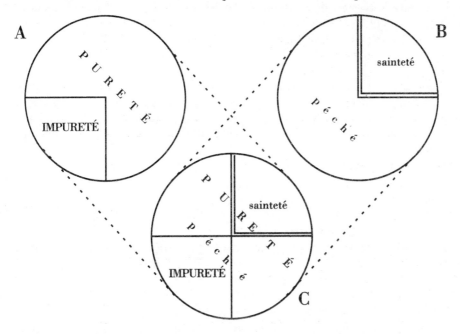

5) la contiguïté des domaines de la « sainteté » et de l'« impureté », qui se touchent sans pourtant avoir de frontière commune, démontre leur antinomie absolue, mais aide aussi à comprendre pourquoi ils ont des points communs, en particulier pourquoi les règles de purification (p. ex. 14. 8-9) sont si proches des règles de désécration (p. ex. 16. 23-26 ; Nb 19. 10). Pour expliquer de telles ressemblances, il n'est donc pas besoin de postuler une origine commune du « sacré » et de l'« impur » (qui seraient issus tous deux du « tabou », selon W.R. Smith, J.G. Frazer, N. Söderblom ; voir DBS, IX, col. 400-405).

Dans l'introduction aux chap. 11—15, nous avons déclaré renoncer à aborder le problème de l'origine des notions de pureté et d'impureté, problème à notre avis insoluble, tant les réponses qui ont été proposées jusqu'ici sont hypothétiques. Ce qui est infiniment plus intéressant, c'est de découvrir les harmoniques que font vibrer ces notions, dans la conception structurée qu'en présente l'œuvre sacerdotale.

Auzou a formulé de manière si remarquable cette espèce de « théologie sacerdotale » du pur et de l'impur, il l'a fait avec tant de finesse et de profondeur, que nous ne pouvons faire mieux que de citer un large extrait de ce qu'il en dit[4] :

> « Avec le Pur et l'Impur, nous sommes sans doute en présence d'une des plus grandes visions bibliques sur le réel : la Vie et la Mort, leur opposition absolue et irréductible, la lutte pour la vie contre la mort.
>
> Toute impureté est poison et acheminement vers la mort ; on proscrit radicalement tout ce qui est germe de corruption, tout ce qui fermente et se désagrège. De là, tout le système lévitique de mise en garde, de précautions, de prophylaxie, de désinfection. Serait-ce par hygiène ? Poser la question montre qu'on s'écarte tout de suite de la conception on peut dire théologique qu'avaient de la réalité matérielle les hommes de la Bible.
>
> Il faut aller loin dans ce sens. Pureté est solidaire de santé, de vitalité, de vigueur, de victoire, de réussite, de bonheur, de longévité, de fécondité, et aussi de grandeur, de stabilité, d'autorité, et même de bénédiction, de justice (biblique), de salut, de sainteté... A l'inverse, l'impureté va avec la faiblesse, l'infirmité, les maladies de toute sorte, la gaucherie, la défaite, le malheur, la stérilité, le désordre, le mensonge, l'anarchie, l'égarement, la misère, les catastrophes, le péché, et donc avec le châtiment, la malédiction, la damnation, l'abomination...
>
> [...]
>
> Ce serait une bonne et exacte manière de comprendre le Lévitique que de l'envisager comme un livre de *vie*, tout ordonné à la vie, une somme de directives pour vivre, la manifestation d'une tension vers la vie et vers le Dieu de la vie (ce qui éveille instantanément des rapprochements avec le Nouveau Testament ; mais c'est toute la Bible qui est engagée dans ce thème). »

En plein exil, Ézéchiel laisse transparaître une conception globale proche de celle de l'œuvre sacerdotale : pour lui également, infidélité, impureté et péché d'Israël vont de pair ; c'est à cause de telles attitudes que YHWH « leur a caché son visage » et « les a fait partir en exil » (Ez 22. 3-4 ; 36. 16-31 ; 39. 23-24).

L'auteur sacerdotal, probable témoin des événements, ne peut cependant pas en parler comme Ézéchiel le fait, dans un style descriptif et prophétique tout à la fois. Fidèle à sa fiction littéraire, il ne peut évidemment que transposer son message pour en faire, comme du reste, un discours de Dieu, transmis par Moïse (et/ou Aaron) au peuple d'Israël. C'est pourquoi il ne s'adresse pas à ses lecteurs en formulant des reproches, mais en les mettant en garde contre le danger fondamental, et théologique, de contaminer le sanctuaire par leur impureté (voir en particulier Lv 15. 31).

Si le peuple ne se préserve pas des risques de contamination, ou ne se purifie pas des souillures qu'il n'a pu éviter, c'est toute la relation vitale avec YHWH qui est remise en cause. Dans ce cas, Israël se prive de la présence protectrice de son Dieu. On trouve de cela une confirmation indirecte dans quelques textes de portée eschatologique, montrant que, « en ce jour-là », il n'y aura plus d'impureté qui empêcherait ou restreindrait la communion (voir Es 35. 8 ; 52. 1 ; Za 13. 1-2 ; Ap 21. 27).

---

[4] Auzou, « Connaissance », p. 313-314.

Chapitre 16

LE JOUR DU GRAND PARDON

Le chap. 16 du Lévitique, dans son état actuel, constitue à lui seul une partie du livre, à étudier pour elle-même.

On ne trouve presque plus personne pour rattacher ce chapitre à ce qui suit[1]. Plusieurs commentateurs par contre le rattachement aux chapitres immédiatement précédents (11—15) ou même, par-dessus les chap. 11—15, au chap. 10[2]. Il est possible que dans un état antérieur de la transmission du texte, le chap. 16, sans son v. 1, ait constitué la suite des chap. 8—10, relatifs aux prêtres d'Israël ; les chap. 11—15 auraient alors été insérés un peu malencontreusement à leur place actuelle[3], et le v. 16. 1 rajouté par un rédacteur. Mais on peut aussi soutenir que le chap. 16 conclut de manière légitime les chap. 11—15 sur le pur et l'impur : l'impureté contractée par un homme l'empêche d'être en relation avec Dieu ; il faut un rite qui annule l'effet de l'impureté et rétablisse la relation. A supposer que ce rite n'ait pas été accompli à titre individuel, pour une raison quelconque, le rite général et communautaire du Jour du grand pardon scelle la réconciliation. Enfin on pourrait également défendre l'idée que le chap. 16, avec sa description de divers sacrifices, n'est pas sans lien avec les chap. 1—7.

Quelle que soit la préhistoire du texte, il nous semble possible de considérer le chap. 16 actuel comme un tout en soi, qui a sa place là où il se trouve, puisqu'il fonctionne simultanément comme « conclusion » des trois premières parties : les prêtres nouvellement consacrés (chap. 8—10) accomplissent leur ministère de pardon/purification (chap. 11—15) au moyen des sacrifices agréés par Dieu (chap. 1—7).

Le problème de l'unité interne du chap. 16 n'a pas reçu à l'heure actuelle de solution satisfaisante. Bertholet, p. 51-53, présente l'état de la question à son époque, et en montre bien la complexité ; il développe ensuite sa propre hypothèse, qui diverge de celles de ses prédécesseurs. Elliger, p. 200-201, se borne à distinguer dans ce chapitre une « Grundschicht », une « erste Bearbeitung » et une « Schlussredaktion », ce qui aboutit à un morcellement beaucoup moins prononcé du texte que pour d'autres chapitres[4]. L'opinion de Noth, p. 100, nous paraît plus sage, lorsqu'il admet que le texte n'est pas

---

[1] Voir cependant Seg 1978.
[2] Comparer 16. 1 avec 10. 1-2.
[3] Pour illustrer l'affirmation de 10. 10 « entre l'impur et le pur ».
[4] Pour les chap. 13—14 p. ex., Elliger procède à un découpage en douze « couches » différentes.

d'une seule venue, mais déclare qu'il n'est plus possible de retracer la préhistoire littéraire du chapitre[5].

La célébration[6] décrite dans ce chapitre est appelée *Yom Kippur*, c'est-à-dire « Jour d'expiation/absolution » dans le calendrier juif moderne. Dans Lv 16, aucun nom particulier ne lui est attribué ; en 23. 27-28 et en 25. 9, on trouve l'expression יום (ה)כפרים = « Jour des expiations/absolutions », ce qui a souvent été rendu en français par « Jour du grand pardon » ou quelque chose d'approchant, le pluriel du second mot hébreu étant interprété comme un pluriel d'intensité[7]. Cette célébration n'est jamais mentionnée explicitement dans d'autres passages de l'AT. Les calendriers préexiliques d'Ex 23 ; 34 et Dt 16 n'en parlent pas ; Ez 45. 18-20 décrit une cérémonie analogue à celle de Lv 16, mais qui se déroule au printemps (premier mois de l'année) et non en automne[8]. Même Ne 8 et 2 Ch 7. 8-10 n'y font pas allusion, encore que l'on ne puisse pas tirer de conclusion certaine d'arguments *e silentio*. Néanmoins un faisceau d'indices laisse penser que la célébration en question, du moins sous sa forme décrite en Lv 16, est assez récente, même si elle intègre des éléments rituels nettement plus anciens. En tout cas elle acquit rapidement une importance considérable dans le judaïsme, devenant la principale fête du calendrier, au point qu'on finit par l'appeler tout simplement « Le Jour » (voir le traité *Yoma* de la Michna).

La célébration du « Jour du grand pardon » comporte deux rituels bien distincts, qui ont été combinés en une cérémonie unique : le rituel sacrificiel (offrande d'holocaustes et de sacrifices pour le péché, dans la ligne de Lv 1—7) et le rituel non sacrificiel du bouc « Pour Azazel ». Ce second rituel, empreint de symbolisme plus ou moins magique, pourrait bien avoir été influencé par un vieux rituel akkadien[9] : Un porteglaive décapitait un bélier ; un prêtre en utilisait le corps dans le rituel *kuppuru* (comparer כפר), récitant des incantations destinées à exorciser le temple, et purifiant le sanctuaire et ses environs ; ensuite il jetait le corps du bélier dans la rivière ; le porteglaive faisait de même avec la tête de l'animal, puis les deux personnages se retiraient quelque part en pleine campagne, jusqu'à la fin de la fête.

Il n'est pas besoin d'insister sur les éléments de ressemblance entre le rituel akkadien et celui du bouc « Pour Azazel », tant ils sont évidents, malgré les différences existantes. Ce qui est moins apparent, mais instructif, c'est l'analogie des dates des deux cérémonies. Le rituel babylonien a lieu le cinquième jour du mois de *Nisannu*, dans le cadre de la fête du Nouvel An babylonien ; le rituel de Lv 16 est fixé au dixième jour du septième mois de l'année commençant au printemps. A première vue, il s'agit d'une divergence profonde ; mais si l'on se rappelle que l'année israélite commençait précédemment en automne, on constate que la célébration israélite se déroulait également au début de l'année. Lorsque le calendrier a été modifié pour que l'année commence au printemps, comme en Babylonie, il semble que certains milieux israélites ont préféré conserver la date du 10 du mois de *tichri* (7e mois, ex-premier mois ; voir

---

[5] CORTESE, p. 76, va dans le même sens : « Les couches en lesquelles on décompose le chapitre finissent par expliquer les choses de manière moins satisfaisante que si l'on considère le texte dans son intégralité. »

[6] Voir MARTIN-ACHARD, *Fêtes*, p. 105-119.

[7] Sur le verbe de la même racine, כפר, voir 4. 20.

[8] Comparer 2 Ch 29. 15-24 : durant la première année de son règne, le roi Ézéchias fit purifier le temple entre le 1er et le 16e jour du premier mois.

[9] Voir ANET, p. 333 ; AOT, p. 301.

Lv), alors que d'autres milieux ont jugé que le lien de la célébration avec le Nouvel
An était assez important pour justifier le déplacement de la cérémonie au printemps,
au mois de *nisan* (Ez 45 ; 2 Ch 29).

J. Milgrom a montré la complémentarité des deux rituels effectués au Jour du grand
pardon. Reprenant une observation judicieuse d'Elliger (p. 216), que celui-ci n'avait
guère exploitée théologiquement, Milgrom a publié quasi simultanément, en 1976, deux
articles[10] dans lesquels il développe son point de vue.

Le peuple fournit à Aaron deux boucs לחטאת = « as a purification (or purgation)-
offering » (16. 5) ; le premier est offert en sacrifice, et le grand prêtre en apporte le sang
à l'intérieur du sanctuaire pour effectuer des aspersions sur et devant le propitiatoire
(16. 15) ; puis il fait sur le sanctuaire le rite d'absolution מטמאת בני ישראל = « of Israel's
impurities » (16. 16). Plus tard le grand prêtre place ses deux mains sur la tête du
deuxième bouc et confesse sur lui את־כל־עונת בני ישראל = « all of Israel's *transgres-
sions* », avant de l'envoyer en plein désert (16. 21). Milgrom souligne donc que le premier
rituel purifie *le sanctuaire*, souillé par *les impuretés* des Israélites, tandis que le second
rituel vise à débarrasser *les Israélites* eux-mêmes de *leurs fautes*. L'impureté, quelle
qu'elle soit, contractée par un individu (chap. 11—15) rejaillit même à distance sur le
sanctuaire, comme si la sainteté de celui-ci, à la manière d'un aimant, attirait la souillure ;
d'où la nécessité de le purifier régulièrement, en plus des rites de purification
personnelle accomplis par les individus (p. ex. 12. 6 ; 14. 20 ; 15. 15). En ce qui concerne
les fautes des Israélites, certaines, commises par inadvertance (voir chap. 4) sont
pardonnées par Dieu lors de la cérémonie d'offrande d'un sacrifice pour le péché (4. 20,
26, 31, 35), mais les autres, intentionnelles ou délibérées (voir le commentaire de 4. 2),
ne peuvent être pardonnées individuellement, d'où le rituel collectif du « bouc pour
Azazel » ; ce dernier est chargé globalement de toutes les fautes et désobéissances des
Israélites, afin qu'ils en soient délivrés. Le peuple, ainsi débarrassé une fois l'an de tout
ce qui mettait obstacle à sa pleine communion avec Dieu, peut repartir à neuf dans
la vie.

Cette compréhension du rôle du Jour du grand pardon dans la vie liturgique d'Israël
est éclairante, mais elle repose sur le texte qu'Elliger définit comme une « erste
Bearbeitung » de la « Grundschicht » ; pour lui, et pour Milgrom qui lui emboîte
manifestement le pas, le texte, à un moment donné, ne parlait que de l'« impureté »
au v. 16, et que des « fautes » au v. 21 ; les פשעים = « révoltes » et les חטאת = « péchés »,
mentionnés tant au v. 16 qu'au v. 21, ne seraient apparus que dans la « Schlussredaktion »
du chap. 16. Cela est littérairement vraisemblable, mais est-ce suffisant pour privilégier
dans l'interprétation un hypothétique état antérieur du texte et ne pas rendre compte
du texte canonique ? Or le TM témoigne d'une conception qui devait être celle des
prêtres et par conséquent du peuple au moment de la rédaction finale de l'ouvrage
sacerdotal, conception où impureté et péché/faute n'étaient plus aussi nettement
distingués que Milgrom croit pouvoir l'affirmer.

Le lecteur chrétien de Lv 16 est inévitablement renvoyé à la lecture de l'Épître aux
Hébreux, où le Christ est à plusieurs reprises appelé « grand prêtre », dans toute une
série de textes (2. 17 ; 3. 1 ; 4. 14-15 ; 5. 5, 10 ; 6. 20 ; 7. 26, 28 ; 8. 1, 3 ; 9. 11) qui évoquent

---

[10] Voir MILGROM, « Atonement, Day of » in IDB.Sup ; et, de manière plus étoffée, MILGROM, « Sanctuary ».

la figure sacerdotale d'Aaron, tel que le Lévitique nous le décrit. De nombreuses considérations sur les fonctions sacrificielles du Christ sont des allusions précises au rôle d'Aaron dans notre présent chapitre, la différence essentielle résidant dans le fait qu'Aaron se servait du sang des animaux offerts en sacrifice, tandis que le Christ offre son propre sang (He 9. 12-14), c'est-à-dire offre sa vie, s'offre lui-même, afin de nous purifier de nos « œuvres mortes ».

Le bouc « Pour Azazel » n'est jamais mentionné comme tel dans le NT, même pas sous l'appellation de αποπομπαιος de LXX[11]. Mais le thème n'est pas totalement absent du NT, comme le montrent quelques allusions au Christ qui « porte les péchés » (He 9. 28 ; 1 P 2. 24[12]) et qui est conduit « hors de la ville » (Mt 27. 32 ; Mc 15. 20 ; Jn 19. 17-20 ; He 13. 12[13]). C'est semble-t-il l'Épître de Barnabé, chap. 7[14], qui la première a explicitement développé la dimension typologique du bouc « Pour Azazel ».

(1) YHWH parla à Moïse, après la mort des deux fils d'Aaron — ils étaient morts en se présentant[a] devant YHWH —. (2) YHWH dit à Moïse : Dis à Aaron, ton frère, qu'il n'entre pas à n'importe quel moment dans le sanctuaire, au-delà du rideau, [a]devant le propitiatoire[a] qui est sur l'arche ; ainsi il ne mourra pas quand j'apparais dans la nuée, au-dessus du propitiatoire.

(3) Aaron se rendra au sanctuaire avec ceci : un taureau à titre de sacrifice pour le péché et un bélier pour un holocauste. — (4) [a]Il aura revêtu une tunique de lin, sacrée, aura mis des caleçons de lin sur sa chair, se sera ceint d'une ceinture de lin et se sera coiffé d'un turban de lin. Ces vêtements sont saints : il aura donc baigné [b]son corps dans l'eau, puis il les aura revêtus. — (5) De la part de la communauté des Israélites, il recevra deux boucs à titre de sacrifice pour le péché et un bélier pour un holocauste.

(6) Aaron offrira le taureau du sacrifice pour son propre péché et fera le rite d'absolution en sa faveur et en faveur de sa famille. (7) Il prendra les deux boucs et les placera devant YHWH, à l'entrée de la tente de la rencontre. (8) Il tirera les deux boucs au sort, un sort « Pour YHWH », un autre sort « Pour Azazel »[a]. (9) Il présentera le bouc sur lequel est tombé le sort « Pour YHWH » et en fera un sacrifice pour le péché. (10) Quant au bouc sur lequel est tombé le sort « Pour Azazel »[a], il sera placé[b] vivant devant YHWH, pour faire le rite d'absolution au moyen de lui en l'envoyant à Azazel[a] au désert.

(11) Aaron offrira donc le taureau[a] du sacrifice pour [b]son propre[b] péché et fera le rite d'absolution en sa faveur et en faveur de sa famille. Il égorgera le taureau du sacrifice pour son propre péché. (12) Il prendra une pleine cassolette de charbons ardents sur l'autel qui est devant YHWH, et deux pleines poignées de parfum aromatique, en poudre, et apportera (le tout) au-delà du rideau. (13) Il déposera le

---

[11] שעיר = « bouc » est le plus souvent traduit en grec par χιμαρος (15 fois en Lv 16), mot qui n'apparaît pas dans le NT. Par ailleurs τραγος d'He 9—10 ne rend jamais dans l'AT grec l'hébreu שעיר, si ce n'est dans quelques manuscrits minuscules des X-XII siècles apr. J.-C.

[12] La phraséologie vient d'Es 53. 12 LXX, mais la thématique est commune à la figure du « Serviteur de YHWH » et à celle du bouc « Pour Azazel ».

[13] He 13. 12 rattache le « en dehors de la porte » à la combustion du cadavre de l'animal offert en sacrifice pour le péché « hors du camp » (13. 11 = Lv 4. 12, 21) ; mais ici encore la thématique dépasse le simple mot à mot du texte.

[14] Voir *Épître de Barnabé*, p. 128-137 ; l'épître date probablement du deuxième quart du II siècle apr. J.-C., voir p. 27.

parfum sur le feu, devant YHWH, et la nuée de parfum recouvrira le propitiatoire placé
sur la charte. Ainsi il ne mourra pas. (14) Il prendra du sang du taureau et, de son
doigt, fera une aspersion sur le côté visible — oriental — du propitiatoire, puis il fera,
de son doigt, sept aspersions de sang devant le propitiatoire. (15) Il égorgera le bouc
du sacrifice pour le péché du peuple[a], apportera [b]son sang[b] au-delà du rideau et
procédera avec ce sang comme il a procédé avec celui du taureau : il fera des aspersions
sur le propitiatoire et devant le propitiatoire. (16) Il fera sur le sanctuaire le rite
d'absolution des impuretés des Israélites et de leurs révoltes, de tous leurs péchés ; il
fera de même pour la tente de la rencontre qui demeure avec eux au milieu de leurs
impuretés. — (17) Personne ne se trouvera dans la tente de la rencontre quand il
(= Aaron) y pénétrera pour faire le rite d'absolution dans le sanctuaire et jusqu'à ce
qu'il en ressorte : il fera le rite d'absolution en sa faveur, en faveur de sa famille et
en faveur de toute l'assemblée[a] d'Israël. — (18) Il sortira vers l'autel qui se trouve devant
YHWH et fera sur lui le rite d'absolution : il prendra du sang du taureau et du sang
du bouc et en mettra sur les cornes du pourtour de l'autel. (19) [a]De son doigt, il fera
sept aspersions de sang sur lui (= l'autel) ; il le purifiera ainsi et le sanctifiera des
impuretés des Israélites.

(20) Quand il aura terminé de faire le rite d'absolution pour le sanctuaire, pour
la tente de la rencontre et pour l'autel[a], il présentera le bouc vivant. (21) Aaron[a] placera
ses deux mains sur la tête du bouc vivant et confessera sur lui toutes les fautes des
Israélites et toutes leurs révoltes, tous leurs péchés ; il les mettra sur la tête du bouc,
puis il enverra celui-ci au désert sous la conduite d'un homme tout prêt. (22) Le bouc
emportera ainsi sur lui toutes leurs fautes vers une terre aride.

Quand il aura envoyé le bouc au désert, (23) Aaron se rendra à la tente de la
rencontre, il ôtera les vêtements de lin qu'il avait revêtus pour entrer dans le sanctuaire
et les déposera là. (24) Il baignera son corps dans l'eau, dans un endroit saint, et revêtira
ses vêtements ; alors il sortira et offrira son holocauste et l'holocauste du peuple, et il
fera le rite d'absolution en faveur de lui-même[a] et en faveur du peuple[b]. (25) Il fera
fumer sur l'autel les parties grasses du sacrifice pour le péché.

(26) Celui qui aura conduit le bouc à Azazel[a] lavera ses vêtements et baignera son
corps dans l'eau ; après cela il regagnera le camp. (27) Le taureau du sacrifice pour le
péché [a]et le bouc du sacrifice pour le péché[a] dont[b] le sang a été amené dans le sanctuaire
pour le rite d'absolution, il les fera porter hors du camp et on brûlera[c] au feu leur
peau, leur viande et leur fiente. (28) Celui qui les aura brûlés lavera ses vêtements et
baignera son corps dans l'eau ; après cela il regagnera le camp.

(29) Ce sera[a] pour vous une loi perpétuelle : Le septième mois, le 10 du mois, vous
jeûnerez et vous ne ferez aucun travail, tant l'indigène que l'émigré installé au milieu
de vous. (30) En effet, en ce jour-là, on fera le rite d'absolution[a] pour vous purifier.
Vous serez ainsi purs de tous vos péchés devant YHWH. (31) Ce[a] sera pour vous un
sabbat, un jour de repos, où vous jeûnerez. C'est une loi perpétuelle.

(32) Celui qui fera le rite d'absolution[a], c'est le prêtre qu'on aura oint[b] et à qui
l'on aura donné[c] l'investiture pour exercer le sacerdoce à la place de son père. Il revêtira
les vêtements de lin, les vêtements sacrés, (33) et fera le rite d'absolution pour le
sanctuaire consacré ; il le fera pour la tente de la rencontre et pour l'autel, et[a] le fera
sur les prêtres et sur tout le peuple assemblé.

(34) Ce sera pour vous une loi perpétuelle, pour faire sur les Israélites le rite
d'absolution de tous leurs péchés, une fois par année.

Il (= Aaron) fit^a comme YHWH l'avait ordonné à Moïse.

Critique textuelle : • *v. 1a* Peut-être assimilation facilitante à la tournure de Nb 3. 4 (בהקרבם אש זרה) ou plus probablement traduction *ad sensum* inspirée de 10. 1 ; voir le commentaire. • *v. 2a-a* Homéotéleuton. • *v. 4a* Variante sans modification de sens. • *v. 4b* Variante (traduction *ad sensum*) sans modification de sens. • *v. 8a* La traduction du nom propre dans LXX (et Vg) a été faite d'après le sens du contexte, mais ne présuppose pas un texte hébreu différent du TM ; il en va de même pour la transcription du nom dans Syr. • *v. 10a* Voir *8a*. • *v. 10b* Traduction *ad sensum*. • *v. 11a* Inadvertance de copiste, sans modification de sens. • *v. 11b-b* La tournure développée de LXX rend *ad sensum* le TM. • *v. 15a* Assimilation inutile à la tournure qui apparaît cinq autres fois dans le chapitre. • *v. 15b-b* L'emploi du partitif dans LXX correspond probablement à une réalité du rituel, mais il n'est pas nécessaire de corriger le TM, plus général. • *v. 17a* Adjonction qui ne modifie pas le sens. • *v. 19a* Inadvertance de copiste. • *v. 20a* Adjonction intéressante de LXX, mais sans valeur originale (voir aussi *24b*). • *v. 21a* Variante sans modification de sens. • *v. 24a* Comparer *11b-b*. • *v. 24b* Voir *20a*. • *v. 26a* Comparer *8a*. • *v. 27a-a* Homéotéleuton. • *v. 27b* L'adjonction d'un manuscrit de C est une précision juste en soi, mais qui déséquilibre la structure de la phrase hébraïque. • *v. 27c* L'emploi de la 3e pers. masc. sing. dans Sam harmonise inutilement la forme grammaticale avec celle du verbe précédent ; en fait la 3e pers. pl. a une valeur impersonnelle. • *v. 29a* Assimilation inutile à la tournure du *v. 34* ; le sens est le même. • *v. 30a* Traduction *ad sensum*, sens identique. • *v. 31a* Variante sans modification de sens. • *v. 32a* Variante sans modification de sens. • *v. 32b,c* Traductions *ad sensum*, sens identique. • *v. 33a* Variante sans modification de sens. • *v. 34a* Traductions *ad sensum*, sens identique.

v. 1. Que ce verset soit rédactionnel ou non importe peu. Ce qui compte, c'est que la réglementation du chap. 16 soit rattachée à l'histoire du peuple d'Israël. Dieu ne donne pas à son peuple que des commandements absolus et intemporels : souvent ses prescriptions visent à régler, dans le temps et l'espace, les relations normales et vivantes entre eux. La mort des deux fils aînés d'Aaron, Nadab et Abihou, racontée en 10. 1-2, avait déjà permis de réglementer la question des pratiques de deuil pour les prêtres. Elle fournit ici l'occasion de parler des risques mortels que les prêtres encourent lorsqu'ils se présentent sans précaution devant YHWH, et de décrire quand et comment le grand prêtre est admis dans le lieu très saint.

Le בקרבם = « en se présentant » du TM doit être maintenu comme leçon originale, malgré le poids des versions anciennes (LXX, Syr, Tg, Vg) qui semblent présupposer une *Vorlage* בהקרבם אש זרה = « lorsqu'ils présentèrent un feu étranger » (comparer Nb 3. 4). Le TM est préférable non seulement parce qu'il offre la *lectio difficilior*, mais encore parce qu'il met l'accent sur le fait pour les prêtres de « se présenter » devant YHWH, ce qui est la question de fond soulevée par le chap. 16. L'erreur liturgique de Nadab et Abihou en 10. 1-2 (אש זרה = « un feu étranger ») ne joue plus aucun rôle dans le présent contexte.

Le וימתו = « ils étaient morts » ne fait pas double emploi avec l'infinitif מות = « la mort » du même verset ; il indique que la mort est bien la « conséquence/punition » de la faute des fils d'Aaron, et non pas simplement (comme on pourrait le comprendre sans le וימתו) une mort accidentelle et imprévisible survenue « au moment où » ils se présentaient devant YHWH.

v. 2. La formule d'introduction du discours direct (« YHWH dit à Moïse ») annonce un discours de YHWH, que Moïse devra transmettre à Aaron (« Dis à Aaron, ton frère »). En réalité tout le chapitre est formulé d'une manière « neutre » : YHWH n'intervient pas à la 1re pers. sing. (voir v. 7, 12, 13, etc. : « devant YHWH »). De plus les seules formes à la 2e pers. ne visent ni Moïse[15] ni Aaron, mais les Israélites (« vous » dans les v. 30, 31 et 34a). Au travers de Moïse et d'Aaron, c'est donc bien à Israël dans son ensemble que Dieu s'adresse, pour lui rappeler sa transcendance (l'homme, même prêtre, ne peut pas forcer l'intimité de Dieu), mais pour lui dire en même temps sa grâce (Dieu pardonne, par l'intermédiaire du ministère sacerdotal, pour maintenir la relation avec son peuple).

Le mot קדש = « sanctuaire » désigne habituellement l'ensemble de la tente de la rencontre, mais il est précisé ici par l'apposition מבית לפרכת = « à l'intérieur du rideau », c'est-à-dire à l'intérieur du [secteur délimité par le] rideau qui sépare le lieu saint du lieu très saint (voir Ex 26. 31-34), et il semble donc bien avoir ici, ainsi que dans d'autres passages du chap. 16[16], un sens plus précis, celui de « lieu très saint ».

Le כפרת = « propitiatoire » désigne un objet qui sert pratiquement de couvercle à l'arche de l'alliance (voir Ex 25. 10-22). Le mot est à rattacher à la racine כפר dans son sens métaphorique de « pardonner »[17], puisqu'il est lié aux rites d'expiation du Jour du grand pardon (voir v. 13-15).

Le ולא ימות = « ainsi il ne mourra pas » fait écho au וימתו = « ils étaient morts » du v. 1 ; Aaron ne mourra pas comme ses deux fils aînés, s'il prend les précautions nécessaires dans ses relations avec Dieu.

Le sens temporel de la conjonction כי = « quand » s'impose ici. Sur le « propitiatoire » en tant que lieu de manifestation ou d'apparition de YHWH, voir Ex 25. 22. Sur la « nuée », symbolisant la présence (présence voilée, invisible) de YHWH, voir le v. 13, ainsi qu'Ex 13. 21 et 19. 9.

v. 3. Les v. 3-5 énumèrent les préparatifs nécessaires à une rencontre entre le grand prêtre (Aaron ou l'un de ses successeurs, voir v. 32) et YHWH[18].

---

[15] A part le דבר = « Dis » et le אחיך = « ton frère » du v. 2.

[16] V. 16, 17, 20, 23, 27.

[17] Voir l'analyse de כפר en 4. 20. TARRAGON, « kapporet », appuie le lien entre l'objet en question et le rituel d'absolution célébré par le grand prêtre, bien qu'il refuse le sens étymologique de « couvrir » et la fonction de « couvercle » de cet objet. D'autres étymologies de כפרת ont été proposées (voir ThWAT, et en particulier Görg, « kapporät ») ; elles ne se sont pas imposées. De toute manière, même si l'une de ces étymologies était démontrée scientifiquement, cela n'exclurait pas une possible relation sémantique entre כפרת et כפר.

[18] La construction syntaxique de ces trois versets (et du suivant) est intéressante ; on a la succession de propositions suivantes :

v. 3. ... yiqtol ... ;

v. 4. ... yiqtol, waw ... yiqtol ..., waw ... yiqtol, waw ... yiqtol. Proposition nominale, weqatal (consécutif ?) ..., weqatal (consécutif ?) ;

v. 5. waw ... yiqtol ... ;

(v. 6. weqatal (consécutif) ...).

Au point de vue du sens, il est évident que le v. 4 a été inséré de manière peu naturelle (mais subtile) entre les v. 3 et 5, qui vont ensemble ; en effet, les actions de 4a précèdent manifestement celles de 3, et celle de 4bβ précède celle de 4bγ = 4a (ordre chronologique : se baigner, 4b — se vêtir, 4a — se rendre

Malgré le vocabulaire commun aux v. 2 et 3, l'expression בוא אל־הקדש ne peut pas signifier ici « entrer dans le sanctuaire », ce qui est impensable avec des animaux[19], même destinés à des sacrifices. Le sens de בוא est plus général, « se rendre à ». Sur le « taureau » et le « sacrifice pour le péché », comparer 4. 3-12 ; sur le « bélier » et l'« holocauste », voir 1. 10-13.

v. 4. Sur la « tunique » = כתנת, la « ceinture » = אבנט et le « turban » = מצנפת, voir Ex 28. 39. Sur les « caleçons » = [מכנסי בד, voir 6. 3, et Ex 28. 42. Le premier בשרו = « sa chair » est probablement ici un euphémisme, comme en 6. 3 et 15. 2-3. Sur le sens de בד (= « lin » ?), voir également 6. 3.

Ces vêtements simples, sans ornements, convenaient bien au grand prêtre lorsqu'il allait se présenter humblement au nom du peuple devant YHWH ; les riches habits de cérémonie décrits en Ex 28 étaient destinés au contraire à suggérer aux yeux du peuple la majesté divine, transparaissant dans la personne du grand prêtre.

Les vêtements de lin blanc étaient certainement les vêtements liturgiques utilisés avant la création des habits de cérémonie d'Ex 28 ; leur emploi à l'occasion du Jour du grand pardon trahit l'origine ancienne du rituel en question, ou d'une partie tout au moins de celui-ci. Ces vêtements sont sacrés, c'est-à-dire réservés exclusivement au grand prêtre dans son office particulier en présence de Dieu. A cause de cela, Aaron doit laver son corps dans l'eau (= se baigner) avant de les revêtir. Le second בשרו (= « sa chair ») du verset n'est plus un euphémisme, mais désigne « son corps » = « soi-même ».

v. 5. La communauté (= עדה ; voir 4. 13) d'Israël est impliquée directement dans le rituel de ce jour. Elle doit donc fournir au grand prêtre deux boucs destinés au sacrifice pour le péché et un bélier pour un holocauste. Le rituel de 4. 13-21 prévoyait l'offrande d'un taureau de la part de la communauté d'Israël comme sacrifice pour le péché. Notre texte reflète donc une tradition légèrement différente de celle codifiée dans les chap. 1—7, mais qui coïncide avec celle de 9. 3.

v. 6-10. Ils présentent succinctement le déroulement du rituel du Jour du grand pardon ; ils seront repris et développés dans les v. 11-28.

v. 6. Le v. 6a ne fait que mentionner le sacrifice du taureau ; les v. 11-14 seront à peine plus explicites. Le rituel pourrait avoir été celui décrit en 4. 3-12, mais cela n'est pas certain, car 6b mentionne explicitement le rite d'absolution (כפר) dont nous avons justement vu que 4. 3-12 ne le mentionne volontairement pas. Il est donc vraisemblable que, comme déjà signalé plus haut, la tradition du chap. 16 soit un peu différente de celle du chap. 4, mais il est difficile de dire laquelle des deux est la plus ancienne ; nous pencherions pour attribuer l'ancienneté à la tradition du chap. 4, car il semble plus probable que la cérémonie avec rite d'absolution ait supplanté une cérémonie sans rite

---

au sanctuaire, 3 + 5). 5 est donc rattaché à 3 par un *waw* non consécutif, puisqu'il est question dans ces deux versets d'une seule et même action et non de deux actions successives. 4a est en construction asyndétique avec 3, à titre de développement explicatif (voir JOÜON 177 a), tandis que les *weqatal* de 4b constituent une rupture de construction indiquant un retour en arrière par rapport à 4a.

[19] בד d'accompagnement ou de moyen-instrument.

d'absolution, plutôt que le contraire. Par ailleurs, la mention du rite d'absolution (בעד כפר ; comparer 4. 20) est justifiée du fait que le grand prêtre n'est pas seul concerné ici, mais que sa « maison » = sa famille l'est aussi.

v. 7. Les deux boucs sont ceux du v. 5, offerts par le peuple et convenant à un sacrifice pour le péché. Les deux expressions « devant le Seigneur » et « à l'entrée de la tente de la rencontre » sont pratiquement synonymes, voir 1. 5.

v. 8. L'expression « placer les sorts sur les deux boucs » évoque incontestablement une manière de tirage au sort, mais on en ignore le procédé exact[20].

Azazel n'apparaît qu'en Lv 16 dans l'AT[21]. L'unanimité est loin d'avoir été faite sur l'interprétation de ce nom, tant dans l'antiquité[22] qu'aujourd'hui ; pourtant une majorité de commentateurs actuels y voit le nom propre d'un démon hantant les lieux arides et désertiques. Le parallélisme entre ליהוה = « Pour YHWH » et לעזאזל = « Pour Azazel » constitue un argument de poids dans la préférence pour un nom propre. Le problème étymologique n'a pas encore trouvé de solution satisfaisante non plus ; nous ne nous y attarderons pas, parce qu'il n'a pas d'incidence sur l'interprétation du texte[23].

v. 9. Le premier bouc, ליהוה = « Pour YHWH », est offert en sacrifice pour le péché, comme le taureau du v. 6. Le rituel est décrit plus en détail dans les v. 15-19 et devait correspondre approximativement à celui codifié en Lv 4.

v. 10. Le second bouc, לעזאזל = « Pour Azazel », n'est pas offert en sacrifice. Déjà le v. 10 insiste sur le fait qu'il est présenté « vivant » devant YHWH, c'est-à-dire devant la tente de la rencontre (voir v. 7), avant d'être envoyé à Azazel dans le désert. Un vieux rite apotropaïque, probablement païen d'origine, a été ainsi assimilé par Israël et « yahwisé » dans sa foi[24].

L'expression לכפר עליו = « pour faire le rite d'absolution au moyen de lui » est jugée absurde dans ce contexte par Elliger, p. 201, qui la supprime comme une adjonction malencontreuse d'un copiste inattentif[25]. Du point de vue de la critique textuelle, rien n'autorise une élimination pareille. Il nous paraît au contraire que l'expression, même si elle ne peut pas avoir le même sens qu'en 4. 20, est extrêmement intéressante ici, et probablement de la main de l'auteur, dans le but exprès de « yahwiser » le rituel. Nous avons vu en 4. 20 que כפר על a certainement le sens

---

[20] Rachi, p. 117, décrit à sa manière ce point du rituel : deux objets inscrits sont placés dans une urne ; le grand prêtre saisit l'un des objets de la main droite et l'autre de la main gauche et les attribue respectivement au bouc placé à sa droite et à celui placé à sa gauche. Le bouc sur lequel tombe le sort portant l'inscription לשם (= « Pour le NOM ») est offert en sacrifice à YHWH, l'autre étant conduit « à Azazel » selon le cérémonial décrit dans les v. 20-22.

[21] Quatre fois en tout : v. 8, v. 10 (2 fois), et v. 26.

[22] Tg et Syr ont transcrit le nom hébreu. LXX a traduit τῳ αποπομπαιῳ = « qui écarte (les fléaux) » ; Vg, en traduisant *capro emissario*, a pensé à un nom commun évoquant le thème de l'envoi (le bouc étant « envoyé » dans le désert). Rachi, p. 117, interprète le mot *azazel* comme désignant une montagne abrupte et escarpée ; il est évidemment influencé par la coutume ultérieure qui consistait à précipiter le bouc du haut d'une falaise escarpée.

[23] Sur l'étymologie, voir en particulier WENHAM, p. 233-235 ; Tawil, « Azazel ».

[24] Cette assimilation peut être intervenue avant l'exil, dans une forme du rituel qui n'était pas encore aussi développée que celle attestée par Lv 16.

[25] Voir la position presque aussi radicale de NOTH, p. 104.

d'« accomplir un geste rituel d'expiation sur » quelqu'un ; ici le על introduit le suffixe désignant l'animal, il ne peut donc signifier que « au moyen du [bouc] », cependant que כפר a pris un sens plus général, « effectuer l'expiation », et est expliqué par la dernière proposition « en l'envoyant à Azazel au désert »[26].

v. 11-28. Ils reprennent et développent ce qui a été présenté de manière succincte dans les v. 6-10. Cette double présentation des choses ne trahit pas la juxtaposition maladroite de deux traditions précédemment indépendantes. Il semble plutôt que la tradition primitive présentait la cérémonie de manière brève (v. 6-10), suffisante pour des gens qui avaient l'habitude de vivre annuellement un tel rituel. Au temps de l'exil babylonien et jusqu'à la reconstruction du sanctuaire, la cérémonie ne pouvait plus avoir lieu ; on a donc ressenti le besoin de décrire plus en détail, par écrit, le déroulement du rituel. Cela explique que le v. 11a reprenne mot à mot le v. 6, pour y ajouter les informations supplémentaires (v. 11b-14). Cette façon de procéder a abouti à une présentation apparemment désordonnée, où la mention du geste rituel d'absolution, qui normalement clôt la cérémonie, figure avant l'égorgement de l'animal, ce qui est chronologiquement invraisemblable. En somme, les actions énumérées dans les v. 11b-14 explicitent ce que disent 6a et 11aα.

v. 12. Sur la « cassolette » = מחתה, voir 10. 1. Les « braises » (גחלי־אש = « charbons de feu ») sont prises sur l'autel placé « devant YHWH » ; cette expression est en soi ambiguë : faut-il considérer qu'il s'agit de l'autel placé devant le sanctuaire, c'est-à-dire l'autel de l'holocauste (comparer 1. 5) ou de l'autel du parfum, situé à l'intérieur du sanctuaire, devant le rideau de séparation ? Le contexte pourrait inviter à pencher pour la seconde interprétation, puisque ces braises doivent servir à brûler du parfum[27] ; mais l'autre interprétation est également défendable, voir Rachi, p. 119, et Elliger, p. 213 (il y avait toujours du feu, donc des braises, sur l'autel de l'holocauste, mais ce n'était pas forcément le cas sur l'autel du parfum).

Le mot חפן = « poignée » est différent de קמץ = « poignée » rencontré en 2. 2, mais il nous est difficile de discerner aujourd'hui la différence éventuelle de sens entre ces deux mots[28].

La composition du « parfum aromatique » est décrite en Ex 30. 34-38. Il s'agissait d'un produit solide, que l'on réduisait « en poudre »[29] avant de le déposer sur les braises de l'autel ou de la cassolette. Sur « au-delà du rideau », voir v. 2.

v. 13. Le grand prêtre ne dépose le parfum sur « le feu », c'est-à-dire sur les braises contenues dans la cassolette, qu'après avoir franchi le rideau de séparation ; l'interpré-

---

[26] De nombreux commentateurs et traducteurs rendent לשלח par « (et) pour l'envoyer... » ou « avant de l'envoyer... », comme si le texte était ולשלח. Il est préférable de comprendre le ל comme équivalent d'un gérondif : l'expiation au moyen du bouc se fait non par un geste spécial, mais justement par l'envoi à Azazel.

[27] Voir aussi le sens manifeste de « devant YHWH » au v. 13.

[28] Comme pour קמץ en 2. 2, le mot חפן ici doit désigner une certaine quantité de matière, que le grand prêtre transporte dans un récipient approprié, et non dans ses mains puisqu'il tient déjà la cassolette et probablement un bol à aspersion contenant le sang de la victime (voir v. 14) ; toutefois la Michna (traité Yoma, 5. 1. 1-3, voir MEINHOLD, « Joma ») indique que le grand prêtre ressort du lieu très saint pour aller chercher le sang du taureau.

[29] L'adjectif דק est apparu déjà en 13. 30 (voir aussi 21. 20) ; ici l'idée de « finesse » évoque la consistance du parfum (en poudre).

tation sadducéenne, à savoir que le grand prêtre déposerait le parfum sur le feu avant de pénétrer dans le sanctuaire (interprétation mentionnée, mais rejetée avec raison par Munk, p. 142, v. 12), ne respecte pas le sens obvie du texte hébreu.

Le nuage de parfum qui s'élève alors de la cassolette enveloppe (litt. « couvre ») le propitiatoire (voir v. 2) ; cette partie du rituel a une triple signification : l'offrande de parfum, par son odeur agréable, vise à rendre la divinité bienveillante envers l'homme ; le nuage de parfum, plus ou moins opaque, sert à cacher l'arche de l'alliance et le propitiatoire, qui symbolisent la présence de Dieu (car en principe l'homme ne peut pas voir Dieu et survivre) ; enfin le nuage de parfum évoque la nuée d'Ex 19. 9, dans laquelle YHWH lui-même se cache et se révèle en même temps.

Le texte hébreu parle du propitiatoire « qui est sur la charte » ; le mot עד(ו)ת désigne fréquemment chez P les tables de la loi (= « la charte », voir Ex 25. 16, 21, 22, etc.) ; l'« arche » = אר(ו)ן (v. 2) dans laquelle elles étaient déposées a donc été souvent appelée אר(ו)ן העד(ו)ת = « l'arche de la charte », et quelquefois, comme ici, simplement « la charte » (voir Ex 27. 21 ; 30. 6 ; Lv 24. 3)[30].

« Ainsi il ne mourra pas » n'est évidemment pas une affirmation générale d'immortalité acquise par Aaron, mais l'affirmation qu'il aura pris les précautions nécessaires pour éviter, dans cette circonstance, d'être anéanti par la proximité de YHWH.

v. 14. Comme signalé dans la seconde note du v. 12, Aaron a probablement emporté avec lui un bol à aspersion contenant le sang de l'animal sacrifié. Dans le rituel de 4. 3-12, les aspersions se faisaient contre le rideau de séparation ; au Jour du grand pardon, le grand prêtre franchit ce rideau et fait des aspersions directement sur le propitiatoire (et l'arche ?) et devant ceux-ci. Bien que le texte hébreu ne soit pas d'une clarté absolue, une chose est certaine, c'est qu'il y a un double geste d'aspersion, premièrement contre le côté oriental du propitiatoire (le grand prêtre reste donc devant l'arche, il ne pénètre pas plus avant dans le lieu très saint), et deuxièmement devant le propitiatoire. On ignore la signification symbolique respective de ces deux gestes distincts, dont il est même difficile de discerner de manière sûre les différences : une seule aspersion (?), sur (?) le propitiatoire dans le premier cas, sept aspersions, devant (donc sans contact avec ?) le propitiatoire dans le second cas. Ce qui paraît certain, c'est que l'emploi du sang doit permettre de rétablir le contact entre le sacerdoce, auteur du sacrifice, et YHWH, présent dans le lieu très saint[31].

v. 15. Le grand prêtre quitte le sanctuaire, procède au sacrifice du premier bouc offert par le peuple (voir v. 8bα et 9) et se rend de nouveau dans le lieu très saint en emportant du sang de l'animal. Il l'utilise de la même manière que le sang du taureau, en deux gestes d'aspersion distincts. Le contact entre le peuple d'Israël, auteur du sacrifice, et YHWH, est ainsi également rétabli.

v. 16. Après l'offrande du bouc ליהוה = « Pour YHWH », le geste rituel d'absolution

---

[30] L'arche, qui avait disparu avec la destruction du temple de Salomon en 587 av. J.-C., n'a pas été remplacée dans le second temple de l'époque postexilique. Mais l'auteur sacerdotal décrit les choses comme il imaginait qu'elles s'étaient présentées du temps de Moïse et Aaron.
[31] C'est ici que devrait prendre place, chronologiquement, le geste rituel d'absolution mentionné en 6b et 11aβ.

(כפר) est de nouveau effectué par le grand prêtre ; toutefois il n'est pas effectué sur le peuple, comme on s'y attendrait, mais sur le sanctuaire lui-même, qui a été souillé tout au long de l'année écoulée par les impuretés, révoltes et péchés d'Israël[32]. Le verbe prend ainsi la nuance de « purification », l'« absolution » et la « purification » étant deux aspects connexes du rétablissement de la relation interrompue (par le péché ou l'impureté) entre YHWH et sa créature. קדש étant pratiquement l'équivalent de « lieu très saint » (voir v. 2), l'auteur précise que le rituel d'absolution-purification concerne également « [le reste de] la tente de la rencontre »[33]. Cette dernière est dite « demeurer avec eux [au milieu de leurs impuretés] » : cette expression est unique dans l'AT, mais il faut la rapprocher de plusieurs autres textes où YHWH est dit « habiter parmi son peuple » [dans le sanctuaire], p. ex. Ex 25. 8 ; Nb 5. 3 ; ou « habiter dans leur pays », Nb 35. 34. Ici c'est la tente/sanctuaire qui se dresse parmi les Israélites[34], symbolisant la présence de Dieu parmi son peuple. Le pluriel « impuretés » en français évoque des « choses/objets impurs » ; ce n'est pas forcément le cas du mot hébreu, même au pluriel, qui peut désigner simplement l'état d'impureté de l'homme, donc l'état qui exclut l'homme de la relation avec Dieu. Cette fin de verset affirme donc que YHWH est présent (par le sanctuaire) au milieu des Israélites, même quand ceux-ci se sont coupés de la relation avec lui (par leurs péchés).

v. 17. Normalement seuls les prêtres sont admis dans la première partie du sanctuaire, le « lieu saint ». Au Jour du grand pardon, même les prêtres ne doivent pas y pénétrer pendant que le grand prêtre accomplit les cérémonies spéciales de ce jour, car lui seul est « protégé contre » les effets de la proximité de YHWH (v. 13).

Le v. 17b ne décrit pas la suite de la cérémonie ; il a une valeur explicative, pour montrer que le לכפר = « pour faire le rite d'absolution » de 17a englobe aussi bien le וכפר = « puis il fera le rite d'absolution » de 6b et 11aβ (pour lui-même et sa famille) que celui du v. 16 (pour le sanctuaire, c'est-à-dire pour le peuple d'Israël qui a rendu ce sanctuaire impur).

v. 18-19. La cérémonie d'absolution-purification se poursuit à l'extérieur du sanctuaire (ויצא = « il sortira »), sur l'autel de l'holocauste situé devant celui-ci לפני יהוה = « devant YHWH » ; voir 1. 5)[35]. Il est difficile de savoir si les v. 18b-19 constituent une explicitation de ce qu'est le geste rituel d'absolution, ou s'ils décrivent la cérémonie qui suit ce geste rituel. De toute façon, le rituel en question ne correspond pas exactement à celui de 4. 3-12 ou 4. 13-21 ; il rappelle également certains éléments de la cérémonie de consécration (voir 8. 15, 24) et de la cérémonie d'offrande des premiers sacrifices (voir 9. 9, 12, 18)[36].

L'utilisation du sang du taureau est de celui du bouc (mélangés ?) exprime que le rituel concerne aussi bien le sacerdoce que l'ensemble du peuple. Sur « les cornes de

---

[32] Sur la valeur du ל introduisant לכל־חטאתם, voir JOÜON 125 l.

[33] Ex 30. 10 parle de la purification annuelle de l'autel du parfum, lequel se trouve dans la première partie de la tente.

[34] Comparer 15. 31 « ma demeure qui se trouve au milieu d'eux ».

[35] La tradition juive presque unanime (IBN EZRA, p. 83, est une exception) pense qu'il s'agit plutôt de l'autel du parfum, situé dans le sanctuaire, mais doit alors expliquer laborieusement et de manière peu convaincante que יצא ne signifie pas « sortir du sanctuaire ».

[36] Voir aussi Ez 45. 19.

l'autel », voir 4. 7, 25 ; sur les « sept aspersions », voir 4. 6. Les deux verbes « purifier » et « sanctifier » explicitent la signification des rites du sang en deux idées complémentaires. « Purifier » exprime une idée négative : c'est débarrasser l'autel de la souillure qui s'était attachée à lui, du fait de la proximité des Israélites, pécheurs ; l'autel, chargé d'une force maléfique, en est libéré et devient « neutre » ; « sanctifier » exprime l'idée complémentaire positive : charger l'autel, « neutre », d'une force bénéfique qui lui permet d'être l'autel où l'on offre les sacrifices au Dieu saint.

Sur les « impuretés des Israélites », voir v. 16.

v. 20-22a. Ces versets reprennent et développent le v. 10.

v. 20. Certains commentateurs rattachent le v. 20a, comme conclusion, à ce qui précède. C'est une possibilité légitime, à laquelle toutefois nous préférons une fonction de liaison au début du paragraphe comprenant les v. 20-28. La proposition coordonnée de 20a comporte une nuance temporelle implicite, qui permet de situer chronologiquement le rituel suivant, relatif au second bouc offert par la communauté israélite, le bouc לעזאזל = « Pour Azazel » (v. 8)[37]. 20a résume donc le contenu des v. 11-19 : purification du lieu très saint (v. 14-16a), du reste de la tente (v. 16b) et de l'autel (v. 18-19).

v. 21. Si l'auteur précise ici que le grand prêtre impose « les deux mains » sur la tête du second bouc, c'est parce que ce rite ne doit pas être confondu avec celui de « l'imposition d'une main » (voir 1. 4). « Imposer les deux mains » exprime l'idée du transfert de quelque chose d'une personne sur une autre ou sur un animal (ici, transfert du péché ; comparer Nb 17. 23 ; Dt 34. 9 : transfert de pouvoir et d'autorité de Moïse sur Josué)[38]. Le geste rituel s'accompagne de paroles, à savoir la confession (ou l'énumération à haute voix) des péchés du peuple. Les trois termes hébreux utilisés (« fautes, révoltes, péchés »[39]) sont plus ou moins synonymes dans ce contexte, et leur juxtaposition vise surtout à exprimer l'idée de totalité : quelle que soit la forme de péché commis par les Israélites, ils sont tous reconnus et placés symboliquement sur la tête du bouc. Le bouc est alors conduit dans le désert par un homme désigné à cet effet. Le symbolisme est très parlant : les péchés commis par les Israélites sont imaginés comme un fardeau reposant sur leurs épaules ; le grand prêtre les en décharge pour en charger un animal qui devra les emporter dans le monde inhabité par les humains, c'est-à-dire le monde des démons et des puissances hostiles à YHWH. Comme nous l'avons dit plus haut (v. 10), un rituel apotropaïque de ce type remonte certainement à une origine ancienne, préisraélite probablement, mais a été « yahwisé » par le peuple. Ce rituel est à rapprocher également de celui de la purification du lépreux guéri, en 14. 3-20 : là, un oiseau vivant, utilisé dans le rite de purification et donc probablement chargé de la puissance maléfique de la maladie, est lâché dans la campagne, c'est-à-dire hors des lieux habités.

L'homme chargé de conduire le bouc au désert est dit עתי ; cet adjectif, dérivé de עת = « temps », est un hapax dont le sens pourtant ne fait pas de doute : l'homme est

---

[37] A noter que le nom propre d'Azazel n'est pas mentionné dans les v. 20-22 ; il ne reparaîtra qu'au v. 26.
[38] Voir PÉTER-CONTESSE, « Imposition ».
[39] Sur la valeur du ל, voir v. 16.

« prêt » à accomplir la tâche pour laquelle il a été désigné d'avance, comme LXX (ἑτοίμου), Vg *(paratum)*, Tg (דזמיך) et Syr *(dmṭyb)* l'ont bien compris[40].

v. 22a. Seule la première moitié du v. 22 se rattache à ce qui précède, sinon on aurait dans le même paragraphe une double mention (inexplicable) de l'envoi du bouc « Pour Azazel » dans le désert. Ce demi-verset explicite ce que le v. 21 laissait pressentir, à savoir que le bouc « emporte les fautes » des Israélites. L'expression עונת נשא = « porter les fautes » n'a pas ici le sens juridique que nous lui avons reconnu en 5. 1, mais il est néanmoins intéressant de constater que la tournure présente est analogue à celle de 5. 1. Pour éviter de répéter la série de termes du v. 21 (עונת, פשעים, חטאת = « fautes, révoltes, péchés »), le rédacteur n'en a gardé qu'un seul, qui englobe sémantiquement les deux autres[41], mais ce n'est certainement pas un hasard s'il a justement retenu le terme עונת : il a voulu suggérer que les Israélites ne portent plus la responsabilité de ces fautes et n'en subiront pas les conséquences, puisque le bouc les emporte.

Le mot גזרה est un hapax dont le sens n'est pas assuré. Les lexicographes ne sont même pas d'accord sur son espèce grammaticale (un substantif féminin, complément du nom ארץ = « terre/pays », ou un adjectif qualificatif accordé au féminin avec ארץ). Il dérive certainement de la racine גזר = « couper », et l'expression גזרה ארץ peut donc être traduite litt. « terre coupée » ou « terre de coupure ». Mais par rapport à quoi y a-t-il une « coupure » ? Les versions anciennes suggèrent déjà diverses interprétations : LXX εἰς γῆν ἄβατον = « dans une contrée inaccessible/où l'on ne marche pas » ; Vg *in terram solitariam* = « dans une contrée solitaire » ; Tg לארע דלא יתבא = « dans une contrée sans habitants » ; Syr *l'r" byrt'* = « dans une contrée stérile/non cultivée ». La tradition rabbinique, qui dit que le bouc doit être conduit jusqu'au bord d'un précipice ou d'une falaise de rocher au bas duquel il est poussé, a interprété גזרה ארץ dans le sens physique de « terre coupée » = « rocher abrupt et escarpé », « précipice ». On a aussi pensé parfois à une terre « coupée d'eau », c'est-à-dire « desséchée »[42]. Aucune de ces interprétations ne s'est imposée ; mais le sens général, suggéré par le thème du « désert », est clair : il s'agit d'un endroit « où ne s'exerce pas l'action vivifiante de Yahvé »[43], donc d'une région inhabitée, aride.

v. 22b. La seconde moitié du v. 22 joue le même rôle au début du nouveau paragraphe que le v. 20a au début des v. 20-22a : une indication temporelle ; c'est une reprise, en résumé, du v. 21b.

v. 23. La partie spécifique du rituel du Jour du grand pardon concernant le lieu très saint étant terminée, il est normal que le grand prêtre change de vêtements avant de procéder à des sacrifices « ordinaires ». L'interprétation de Kornfeld, p. 110, selon laquelle les vêtements de lin seraient « impurs » parce qu'Aaron a touché le bouc chargé des péchés d'Israël, est peu vraisemblable. Il est plus probable que ces vêtements ont

---

[40] L'interprétation de la BJ (1re édition : « qui se trouve là au moment ») ou de Seg 1978 (« disponible ») est peu vraisemblable ; dans un rituel, un point de cette importance ne peut pas être laissé au hasard.
[41] Le sens n'est certainement pas que le bouc n'emporterait que les עונת, à l'exclusion des פשעים et des חטאת, lesquels resteraient sur les épaules des Israélites.
[42] Voir REYMOND, *Eau*, p. 71.
[43] CAZELLES, p. 82.

au contraire été « sanctifiés » par l'entrée d'Aaron dans le lieu très saint[44] ; il doit donc les retirer avant de revenir au milieu du peuple, pour éviter de « contaminer » les Israélites par un contact involontaire (comparer 6. 10)[45].

Certains commentateurs se sont étonnés de voir le grand prêtre changer de vêtements dans la tente de la rencontre, jugeant cela peu respectueux de la sainteté du lieu. La description de la tente donnée dans l'Exode ne mentionne pas de « sacristie » prévue à cet effet. Il faut en réalité penser au temple préexilique où de tels locaux étaient aménagés (voir 1 R 6. 5). Le rédacteur sacerdotal imagine la tente de la rencontre comme une sorte de réplique transportable du sanctuaire salomonien[46].

v. 24. Après le bain[47] qui doit le préserver de communiquer au peuple la sainteté dont il a été imprégné dans le lieu très saint, le grand prêtre revêt les habits somptueux qu'il porte dans ses fonctions quotidiennes (voir v. 4). On peut imaginer qu'au moment où il sortait du sanctuaire ainsi revêtu, le peuple ait laissé éclater sa joie de la communion retrouvée avec Dieu. La description du grand prêtre Simon en *Si* 50 pourrait bien s'inspirer de ce moment de la cérémonie.

« son holocauste » désigne le bélier du v. 3 ; « celui du peuple », le bélier du v. 5. Ces deux béliers sont offerts selon le rituel de 1. 10-13 ; le rythme des offrandes habituelles reprend son cours. Sur le rite d'absolution effectué après l'offrande d'un holocauste, voir 1. 4.

v. 25. Il pose deux problèmes d'interprétation :

a) l'hébreu parle du חטאת = « sacrifice pour le péché » (au singulier)[48] ; s'agit-il d'un singulier collectif, qui recouvre les deux sacrifices offerts pour le péché (le taureau des v. 3, 6 et 11-14 ; le bouc des v. 5, 8-9 et 15) ? ou d'un véritable singulier, trahissant un rituel primitif dans lequel n'intervenait qu'un seul sacrifice pour le péché (voir Elliger, p. 216 ; Noth, p. 108) ? Ou bien encore une autre interprétation est-elle possible ?

b) d'après les rituels du chap. 4 (v. 19-20, 26, 31, 35), les parties grasses de la victime sont toujours brûlées sur l'autel avant que le grand prêtre accomplisse le geste d'absolution, contrairement à ce qui apparaît ici (וכפר aux v. 11 et 16 ; יקטיר au v. 25).

Manifestement le texte n'est pas d'une seule venue. Mais plutôt que d'y voir des amalgames plus ou moins réussi de traditions quelque peu divergentes, il nous paraît plus vraisemblable d'y reconnaître un texte progressivement amplifié, pour diverses raisons.

Un rédacteur sacerdotal, spécialiste minutieux de la liturgie, aura remarqué que les v. 15-19 parlent de l'égorgement (שחט) du bouc, puis des rites du sang, mais pas de la combustion des parties grasses sur l'autel. Il aura donc trouvé indispensable de la mentionner explicitement dans ce chapitre. Dans le cas du taureau offert par Aaron

---

[44] Voir PORTER, p. 131.

[45] Pour la même raison, Aaron doit se baigner (v. 24), et l'homme qui a conduit le bouc au désert doit se laver et laver ses vêtements (v. 26) avant de regagner le camp. Il n'est question, ni au v. 24, ni au v. 26, d'un état d'impureté qui exigerait un rite de purification.

[46] Dans une démonstration laborieuse et peu convaincante, RACHI, p. 121, explique comment et pourquoi, selon la tradition rabbinique, ce verset n'est pas à sa place chronologique, mais devrait figurer après le v. 28. Il n'y a aucune raison de suivre cette proposition qui repose essentiellement sur des arguments influencés par des usages liturgiques ultérieurs.

[47] Pris dans un « endroit saint », expression qui doit désigner elle aussi un local annexe du temple, voir v. 23.

[48] Sur les diverses extensions de sens du mot חטאת, voir 4. 3.

(v. 6 et 11-14), la formulation était différente ; on a bien aussi en 11b-14 l'égorgement de l'animal, suivi des rites du sang ; mais cette description est précédée de 11a (= 6) où le verbe והקריב a un sens global qui recouvre tout le rituel sacrificiel, donc aussi implicitement la combustion des parties grasses. C'est donc à bon escient que le rédacteur a pu parler du חטאת au singulier : en conclusion de la liturgie sacrificielle de ce jour, le grand prêtre fait fumer sur l'autel les parties grasses (voir 3. 3-4) du bouc offert en sacrifice pour le péché par le peuple.

v. 26-28. Ils règlent trois questions annexes relatives à la cérémonie de cette journée.

v. 26. L'homme qui a conduit le bouc au désert (v. 21b-22a) a été « contaminé », indirectement, par la sainteté du lieu très saint, au travers du grand prêtre qui a posé ses mains sur la tête du bouc. Pour éviter qu'il ne contamine à son tour d'autres Israélites, il doit se « décontaminer » avant de regagner le camp : lavage de ses vêtements et de son corps. La formulation du verset rappelle celle de 11. 25 ou de 15. 5-11, mais avec une différence importante : l'absence en 16. 26 de l'affirmation וטמא עד־הערב = « il sera impur jusqu'au soir », ce qui suggère bien que l'homme en question n'avait pas contracté une impureté (voir v. 23, à propos du grand prêtre).

v. 27. Les restes du taureau et du bouc offerts en sacrifice pour le péché sont éliminés conformément aux prescriptions de 4. 12, 21 ; 6. 23, puisque leur sang[49] a été utilisé dans le sanctuaire (voir 4. 5, 16).

v. 28. Il répète mot à mot le v. 26, à l'exception du sujet de la phrase qui change : « celui qui les aura brûlés » (= והשרף אתם) au lieu de « celui qui aura conduit le bouc à Azazel » (=והמשלח את־השעיר לעזאזל).
Aucun autre texte de l'AT ne prescrit comment doit se comporter celui qui a brûlé les restes d'un sacrifice pour le péché (voir 4. 12, 21). Dans le cas du rituel non sacrificiel relatif à la vache rousse (Nb 19. 1-10), celui qui brûle l'animal doit aussi laver ses vêtements et se laver lui-même (v. 8), mais l'on ajoute qu'il reste en état d'impureté jusqu'au soir (וטמא עד־הערב). Encore une fois nous notons que cette précision est absente de Lv 16, ce qui confirme, à notre avis, qu'il n'est nullement question ici d'un cas d'impureté (voir v. 23 et 26).

v. 29-31. Ils fixent la date à laquelle le Jour du grand pardon doit être célébré d'année en année, ainsi que les conditions de sa célébration. Les informations correspondent à celles de 23. 26-32.

v. 29. Sur חקת עולם = « loi perpétuelle », voir 3. 17.
Le septième mois correspond à la période de septembre-octobre, dans le calendrier sacerdotal où l'année commence au printemps.
La fixation de la date au 10e jour du 7e mois est corroborée par 23. 27, 32 et 25. 9. Les exégètes se sont évidemment interrogés sur la raison de cette date précise. Vu la maigreur ds sources, il n'est pas possible d'en donner une explication certaine. L'élément

---

[49] Sur la construction du hophal avec את, voir la note de 10. 18.

le plus apparent, dans le calendrier de P, c'est que cette cérémonie prend place entre le « Jour de souvenir et d'acclamation » (1ᵉʳ jour du 7ᵉ mois ; 23. 24-25) et la « Fête des Tentes » (qui commence le 15ᵉ jour du 7ᵉ mois ; 23. 33-43). La néoménie (c'est-à-dire la « nouvelle lune », donc le 1ᵉʳ jour) du 7ᵉ mois était restée particulièrement importante en Israël après l'exil, car elle correspondait, dans le calendrier antérieur, au début de l'année d'automne. Il apparaît ainsi que la cérémonie d'expiation-purification du Jour du grand pardon pourrait avoir été liée à la célébration des fêtes du Nouvel An[50] et des Tentes, servant en quelque sorte de conclusion à la première (au terme peut-être d'une période de dix jours de festivités ?) et de préparation à la seconde.

La sainteté du jour exige qu'il soit totalement consacré à YHWH, par l'abstention de nourriture[51] et l'arrêt du travail. Cette façon de se libérer des besoins physiologiques (renoncement à la nourriture) et des besoins économiques (renoncement au travail) manifestait une mise à disposition complète de l'individu et de la communauté à l'égard de YHWH.

Ces dispositions concernaient non seulement les membres à part entière de la communauté israélite (אזרח = « indigène/autochtone »), mais également les concitoyens d'autre origine ethnique ou religieuse (גר), c'est-à-dire concrètement des esclaves ou des serviteurs (on devait aussi renoncer à les faire travailler un tel jour), ou des étrangers installés de manière stable dans le pays.

v. 30. Ce verset justifie théologiquement les renoncements imposés aux Israélites, par l'intervention de YHWH au travers du ministère du grand prêtre : effectuer le rituel de l'absolution-purification qui permet à Israël de retrouver sa relation normale avec YHWH vaut bien qu'on s'abstienne, une fois l'an, d'assouvir certains besoins, tout légitimes qu'ils soient.

v. 31. Il reprend en ordre inverse et sous forme conclusive les trois points du v. 29 :
a) ce jour (le 10 du septième mois) est pour vous (les Israélites) un שבת שבתון. Le second mot hébreu est évidemment dérivé, comme le premier, de la racine שבת = « cesser le travail ». Le substantif שבת s'étant spécialisé dans le sens de « sabbat » = septième jour de la semaine (presque toujours dans l'AT), la langue a forgé le dérivé שבתון pour exprimer l'idée de l'« arrêt du travail », du « repos », avec la nuance de disponibilité qui en découle[52] ;
b) la mention du jeûne (litt. « vous humilierez vos âmes ») répète celle de 29bα ;

---

[50] L'expression ראש השנה = *Rosh hash-shana* (litt. « début de l'année »), désigne actuellement le Nouvel An juif dans le calendrier qui commence de nouveau en automne (p. ex. *Rosh hash-shana* de l'année du monde 5752 = 9 septembre 1991). Elle n'apparaît qu'une seule fois dans l'AT, en Ez 40. 1, où elle n'a vraisemblablement que le sens général de « début de l'année ».

[51] L'expression ענה את-נפשו = « humilier son âme », « s'humilier soi-même », signifie une attitude intérieure de mortification que les Israélites s'imposaient en signe de repentance devant Dieu, et qui se traduisait de façon visible essentiellement par l'abstention de nourriture, souvent accompagnée d'une abstention d'hygiène corporelle et de relations conjugales. Par la force des choses, elle est devenue une sorte de synonyme du verbe צום = « jeûner » (verbe que la tradition sacerdotale n'utilise pas).

[52] L'expression שבת שבתון n'apparaît que 6 fois dans l'AT : Ex 31. 15 ; 35. 2 ; Lv 16. 31 ; 23. 3, 32 ; 25. 4 ; elle insiste sur le caractère solennel, important, de l'absence de travail, qu'il s'agisse d'un vrai jour de sabbat (Ex et Lv 23. 3), ou que le שבת soit pris dans son sens originel, sans qu'il corresponde effectivement à un jour de sabbat (Lv 16. 31 ; 23. 32 ; 25. 4). Le mot שבתון non précédé de שבת se rencontre 5 fois : Ex 16. 23 ; Lv 23. 24, 39 (2 fois) ; 25. 5 ; il exprime toujours aussi l'interdiction du travail, le jour même du sabbat (Ex) ou lors de fêtes qui ne coïncident pas forcément avec un sabbat (Lv).

c) enfin חקת עולם = « loi perpétuelle » fait inclusion avec la même expression en 29a.

v. 32-34a. Ces versets apportent une autre sorte de conclusion au chap. 16, à un autre niveau. Les ordres donnés par YHWH à Moïse ne concernent pas seulement Aaron à titre personnel ; ses successeurs également, en tant que grands prêtres à venir, devront célébrer d'année en année le rituel du Jour du grand pardon.

v. 32. Le v. 32a ne reprend pas le récit de ce qui devra se faire à l'avenir ; ce sont les v. 32b-33 qui joueront ce rôle, le v. 32a mettant l'accent sur l'identité de celui qui devra accomplir le rituel[53]. Le prêtre chargé de cette tâche doit remplir deux conditions :

a) avoir été oint[54], voir 8. 12. La formulation de 16. 32 se rattache donc à la tradition ancienne qui n'envisage l'onction que du grand prêtre, et non celle de tous les prêtres ;

b) avoir reçu l'investiture, voir 8. 14-30. Sur l'expression מלא את־יד = « remplir la main [de quelqu'un] », voir 8. 22-30[55].

Pour accomplir sa tâche, le grand prêtre dûment consacré et investi doit d'abord revêtir les vêtements sacrés en lin, énumérés au v. 4. Ces vêtements, réservés à cette occasion, le prémunissent contre les dangers qu'il y a à pénétrer dans la sphère intime de YHWH.

v. 33. Le וכפר = « fera le rite d'absolution » coordonne cette proposition au ולבש = « il revêtira » de 32b, par un ו consécutif qui marque la continuité du rituel. Par contre les deux verbes suivants (יכפר) sont coordonnés à וכפר par des ו non consécutifs placés en début de proposition : l'auteur ne veut donc pas, dans ce verset, énumérer l'ordre dans lequel les gestes rituels sont effectués, mais indiquer que toute la cérémonie est considérée dans sa globalité.

Le geste rituel d'absolution-purification concerne :

a) le lieu très saint (voir v. 16a, 20aα)[56] ;

b) [le reste de] la tente de la rencontre et l'autel [de l'holocauste] (voir v. 16b, 18-19, 20aβ) ;

c) les prêtres (voir v. 6b, 11aβ) et le peuple[57] (voir v. 16a, 24bβ).

v. 34. Sur חקת עולם = « loi perpétuelle », voir 3. 17 ; 16. 29, 31.

---

[53] C'est ce que montre l'absence de tout complément du verbe וכפר = « fera le rite d'absolution », et par opposition les trois propositions qui qualifient le sujet.

[54] Le sujet de ימשח = « aura oint » pourrait être YHWH sous-entendu, mais chez P Dieu n'apparaît jamais explicitement comme sujet de ce verbe ; il est donc plus probable que le sujet est impersonnel, comme l'ont compris les versions anciennes qui ont traduit par un pluriel impersonnel (LXX) ou par le passif (Vg, Syr).

[55] Le sujet de ימלא = « aura rempli (la main) », « aura donné l'investiture », est évidemment le même que celui de ימשח, voir la note précédente.

[56] L'expression מקדש הקדש est unique dans l'AT. Nous avons vu au v. 2 que הקדש, dans le chap. 16, désigne « le lieu très saint », ce qui n'est pas habituel dans la langue de P ; il est possible que le rédacteur de cette conclusion, par souci de clarté, ait tenu à préciser par l'emploi de מקדש qu'il désignait ainsi ce que d'autres appelaient קדש(ה)קדשים (voir 2. 3, note) ou דביר (voir p. ex. 1 R 6. 5, 16).

[57] L'expression כל־עם הקהל = « (tout) le peuple assemblé » est unique dans l'AT. Tg et Syr l'ont traduite littéralement ; LXX (πασης συναγωγης) et Vg *(universum populum)* l'ont rendue d'après le sens. Il est difficile d'en expliquer l'origine, même si le sens n'est pas douteux. Il ne faut en tout cas pas la confondre avec כל־קהל העם(Jr 26. 17), qui signifie « tous ceux du peuple qui étaient rassemblés » ; ici le rituel est valable non seulement pour ceux qui sont présents (rassemblés), mais pour tout le peuple d'Israël.

L'information nouvelle donnée dans ce verset est אַחַת בַּשָּׁנָה = « une fois l'an » ; elle répond au אַל־יָבֹא בְכָל־עֵת = « qu'il n'entre pas à n'importe quel moment » du v. 2. La date fixée par le v. 29 (le 10 du septième mois) l'indiquait déjà à sa manière ; le rédacteur a jugé utile de le préciser explicitement, tant cette célébration est importante à ses yeux.

Avec ces mots se termine le discours de YHWH à Moïse (voir v. 2aα) ; la transmission des prescriptions à Aaron (voir v. 2aβ) n'est pas indiquée dans le récit, mais est implicite, puisque le v. 34b raconte l'exécution de ces ordres par Aaron[58].

Excursus : L'expression française « bouc émissaire »

Nous avons signalé plus haut (note 22) la traduction de l'hébreu לַעֲזָאזֵל (= « Pour Azazel » ; 16. 8) par *capro emissario* dans la Vg. C'est de là qu'est née l'expression française « bouc émissaire », entrée dans le langage courant pour désigner la victime, généralement innocente, qu'une collectivité traite en coupable et sur laquelle elle fait retomber la responsabilité d'un fléau ou d'une situation difficile. La fable de La Fontaine « Les Animaux malades de la peste », bien que ne recourant pas à l'expression « bouc émissaire », est une excellente illustration de cette réalité tragique, dont les exemples contemporains ne manquent pas : les Juifs ou les communistes, les étrangers ou les réfugiés, les drogués ou les homosexuels, les sidéens ou les séropositifs.

Dans un livre stimulant[59], intitulé justement *Le Bouc émissaire*, René Girard examine pour commencer quelques lignes du *Jugement du Roy de Navarre*, écrit au XIVe siècle par Guillaume de Machaut. Ce poète français y mentionne l'accusation portée contre les Juifs d'avoir empoisonné les puits, les rivières et les sources, ce qui aurait été à l'origine de la peste noire qui ravagea le nord de la France en 1349-1350. Passant ensuite à l'étude d'autres textes, y compris des textes mythologiques, Girard décèle ce qu'il appelle un stéréotype de la persécution, quasi universel dans la pensée humaine :

Lorsque se produit une crise sociale ou culturelle (épidémie, révolution, récession économique grave, etc.), il est tentant (et sécurisant) de désigner un individu ou une collectivité comme responsable, et de l'accuser d'être à l'origine de la situation de crise, même indépendamment de toute logique ou de toute preuve. Or l'on constate que régulièrement ceux qui sont ainsi désignés et accusés ont un point commun (un signe de sélection victimaire), à savoir qu'ils appartiennent à une minorité, culturelle,

---

[58] Le sujet de וַיַּעַשׂ = « il fit » n'est pas exprimé ; on peut donc hésiter sur son identification. LXX ne nous aide guère, car elle a traduit le v. 34b comme s'il s'agissait de la suite du discours de YHWH : « Une fois par an cela sera fait » = ποιηθήσεται, comme le Seigneur l'a ordonné à Moïse ». Vg et Tg ont conservé littéralement la 3e pers. (masc.) sing. sans expliciter leur interprétation. Syr a traduit le verbe à la 3e pers. masc. pl., dans un sens impersonnel (« On fit »). Trois interprétations sont théoriquement possibles :
  a) le sujet est impersonnel (BJ, KORNFELD ; comparer v. 32 et la note) ;
  b) le sujet est Moïse (PORTER) ;
  c) le sujet est Aaron (RACHI, ELLIGER, BP).
Faire de Moïse le sujet est la solution la moins vraisemblable, tant au point de vue littéraire que grammatical. Le sujet impersonnel est possible, dans la mesure où le discours de YHWH concerne l'ensemble du peuple d'Israël (voir v. 2). Nous avons toutefois préféré retenir Aaron comme sujet : c'est lui, en tant que grand prêtre, qui exécute effectivement l'essentiel des ordres donnés par YHWH.

[59] Stimulant, mais pas toujours facile à suivre, car l'auteur entremêle allègrement sa démonstration de plaidoyers *pro domo*. En effet, il reprend et développe dans *Le bouc émissaire* des idées déjà émises dans les ouvrages antérieurs, entre autres *Des choses cachées depuis la fondation du monde* et *La violence et le sacré*. Or ses idées n'avaient pas toujours été accueillies comme vraisemblables par ses lecteurs spécialisés en ethnologie, en psychologie ou en littérature et il avait subi de virulentes critiques ; GIRARD pense ainsi n'avoir pas été compris et recourt donc facilement à des remarques de type polémique qui surchargent ses démonstrations et en rendent parfois la lecture malaisée.

religieuse, ethnique, sociale, politique, ou même physique (handicap). Leur (relative) faiblesse les conduit à être persécutés par la foule majoritaire, parfois sous forme d'un bannissement, mais le plus souvent jusqu'à l'anéantissement (p. ex. massacres des Juifs, exécutions des sorcières).

Dans son étude minutieuse, Girard parle du principe structurant (ou de l'usage structurant) du phénomène du « bouc émissaire », qu'il distingue d'ailleurs, au point de vue littéraire, du thème du « bouc émissaire ». Dans le cas du phénomène social, l'expression française n'est jamais utilisée, car le récit est fait par les auteurs mêmes de la persécution ou par leurs partisans, pour qui la persécution est justifiée, tandis que le thème littéraire trahit le point de vue des sympathisants de la victime, pour qui la persécution est injustifiée et pour qui donc la victime est effectivement un « bouc émissaire ».

Si l'on reprend les quatre « étapes » définies par Girard, en les comparant avec le récit de Lv 16, on aboutit au tableau suivant :

	stéréotype de la persécution	Lv 16
1. occasion	situation de crise, plus ou moins fréquente, mais occasionnelle	manifestation rituelle régulière, à date fixe
2. inculpation	recherche d'un coupable, même fictif, sur qui faire retomber la responsabilité de la crise	désignation par tirage au sort d'un être non coupable en soi
3. victime	un individu ou une collectivité porteur d'un signe de sélection victimaire	un animal pur, susceptible d'être offert en sacrifice
4. persécution violente	bannissement, ou plus souvent exécution capitale, visant surtout à confirmer les persécuteurs dans l'idée de leur propre non-culpabilité	rituel de bannissement, après que la communauté s'est déchargée sur la victime de ses péchés admis et confessés

On voit ainsi le profond hyatus existant entre les deux perspectives, ce que Girard a parfaitement reconnu, lorsqu'il dit explicitement : « Dans l'exemple de Guillaume de Machaut, et les textes de persécution en général, cet emploi [de "bouc émissaire"] n'a pas de rapport direct avec le rite du bouc émissaire tel qu'il est décrit dans le Lévitique, ni avec les autres rites parfois dits "de bouc émissaire" parce qu'ils ressemblent plus ou moins à celui du Lévitique » (p. 60-61) ; « Lorsque nous nous écrions : "La victime est un bouc émissaire", nous recourons à une expression biblique mais elle n'a plus, je l'ai dit, le sens qu'elle avait pour les participants au rituel du même nom. Elle a le sens de la brebis innocente dans Isaïe, ou de l'agneau de Dieu dans les Évangiles » (p. 282).

Selon Girard, seul l'Évangile a réussi à casser le stéréotype de la persécution, en ce que, malgré tous les efforts déployés par les adversaires pour faire de Jésus un coupable, l'Évangile ne cesse de proclamer qu'il est innocent, donc qu'il est un « bouc émissaire » (il est « l'agneau de Dieu, la pierre rejetée par les bâtisseurs, celui qui souffre pour tous les autres » [p. 170], pour reprendre le langage des Évangiles).

L'ouvrage de Girard, même s'il n'a finalement pas grand-chose à voir avec Lv 16, nous invite pourtant à oser analyser avec lucidité et rigueur les sentiments de crainte ou de rejet qui nous envahissent parfois face à une personne ou une collectivité, afin que nous ne nous laissions pas entraîner par le consensus d'une majorité dans les « chasses aux sorcières » modernes ou dans les persécutions de « boucs émissaires » d'aujourd'hui, au travers desquels nous cherchons plus à nous déculpabiliser qu'à trouver des solutions aux problèmes qui se présentent.

TABLE DES MATIÈRES

LE MONDE DE LA BIBLE

Collection dirigée par Daniel Marguerat, avec la collaboration de François Bovon, Jean-Georges Heintz, Philippe de Robert, Thomas Römer et Jean Zumstein.

1. H. von Campenhausen, *La formation de la Bible chrétienne*, 1971.

2. C.-F.-D. Moule, *La genèse du Nouveau Testament*, 1971.

3. E. Käsemann, *Essais exégétiques*, 1972.

4. O. Cullmann, *Le milieu johannique*, 1976.

5. F. Bovon, *Luc, le théologien* (2e éd. augmentée), 1988.

6. D. Marguerat, *Le jugement dans l'Évangile de Matthieu*, 1981.

7. L. Wisser, *Jérémie, critique de la vie sociale*, 1982.

8. A. Lacocque, *Daniel et son temps*, 1984.

9. M.-A. Chevalier, *L'exégèse du Nouveau Testament*, 1984.

10. J.-D. Kaestli et coll., *Le canon de l'Ancien Testament*, 1984.

11. C. Westermann, *Théologie de l'Ancien Testament*, 1985.

12. M. Carrez, *Grammaire grecque du Nouveau Testament* (4e éd.), 1985.

13. H. Bost, *Babel*. Du texte au symbole, 1985.

14. H. Mottu, *Les « confessions » de Jérémie*, 1986.

15. B. Wildhaber, *Paganisme populaire et prédication apostolique*, 1987.

16. E. Lohse, *Théologie du Nouveau Testament*, 1987.

17. F. Vouga, *Jésus et la loi selon la tradition synoptique*, 1987.

18. G. Bornkamm, *Paul, apôtre de Jésus-Christ*, 1988.

19 A. de Pury et coll., *Le Pentateuque en question*, 1989.

20. J.-D. Kaestli et coll., *La communauté johannique et son histoire*, 1990.

21. H.D. Lance, *Archéologie et Ancien Testament*, 1990.

22. M. Taradach, *Le Midrash*. Introduction à la littérature midrashique, 1990.

23. D. Marguerat, J. Zumstein (éd.), *La mémoire et le temps*, 1991.

24. P. Prigent, *L'image dans le judaïsme*, 1991.

25. J. Zumstein, *Miettes exégétiques*, 1991.

26. F. Bovon, *Révélations et écritures*, 1993.

Achevé d'imprimer par ⬩ Corlet, Imprimeur, S.A.
14110 Condé-sur-Noireau (France)
Nº d'Imprimeur : 5636 - Dépôt légal : février 1993
Imprimé en C.E.E.

DATE DUE